Marie Robert
17/10/89

LES GUIDES DE LA MANUFACTURE

Les villes :

Le Guide d'Avignon
Le Guide de Sedan
Le Guide de Chartres
Le Guide d'Aix-en-Provence
Le Guide de Saint-Malo
Le Guide de Rouen
Le Guide de Martigues
Le Guide de Besançon
Le Guide de Nîmes

Les régions :

Le Guide du Vercors
Le Guide du Bugey et du Pays de Gex
Le Guide des Ardennes
Le Guide du Haut-Doubs
Le Guide du Queyras
Le Guide de la Chartreuse
Le Guide de l'Ardèche
Le Guide de l'Argonne
Le Guide de la Creuse
Le Guide du Pays de Caux
Le Guide du Boulonnais et de la côte d'Opale
Le Guide de la Maurienne
Le Guide du Jura
Le Guide de la Vendée
Le Guide du Léman
Le Guide de la Corrèze
Le Guide de la Camargue
Le Guide de la Tarentaise
Le Guide de la Champagne
Le Guide du Morbihan
Le Guide du Pays basque

Les pays :

Le Guide de l'Islande

Les thèmes :

Le Guide du patrimoine rural

Le Guide de
Paris

Le Guide de Paris

Martine Constans

la manufacture

Paris

Photographies

Les clichés, à l'exception de ceux indiqués ci-dessous,
ont été réalisés par Jocelyne Rivière.

Edimédia : pp. 17, 21, 25, 61, 71, 86, 97, 158, 286, 333. Roger-Viollet : pp. 11, 13, 46, 52, 53, 55, 57, 62, 72, 79, 87, 93, 96, 98, 99, 101, 102, 103, 104, 105, 106, 107, 121, 214, 215, 264, 265, 299. Tapabor : pp.29, 41, 47, 54, 73, 75, 76, 77, 83, 88-89, 95, 233, 365, 368, 404. Sigma : p. 161.

Sommaire

Histoire
de Paris

« Je salue en ce peuple le grand Paris. Paris, quelque effort qu'on fasse pour l'amoindrir, reste la ville incomparable. Il a cette double qualité d'être la ville de la révolution et d'être la ville de la civilisation et il les tempère l'une par l'autre. Hier, il avait la fièvre des agitations politiques ; aujourd'hui, le voilà tout entier à l'émotion littéraire. Disons-le bien haut : d'une telle viole, on doit tout espérer et ne rien craindre... Paris est la seule cité sur la terre qui ait le don de transformation : qui, devant l'ennemi à repousser, sache être Sparte ; qui, devant le monde à dominer, sache être Rome et qui, devant l'art et l'idéal à honorer, sache être Athènes. »

(Victor Hugo, Discours.)

◄ Les premières habitations de Lutèce.

De la création de Paris aux derniers Carolingiens

Un site protégé

Ce sont des dispositions topographiques favorables qui furent à l'origine de Paris. En effet, le cours principal de la Seine, à l'époque préhistorique, passait au pied des collines du nord, de Montmartre à Chaillot, tandis qu'un bras secondaire coupait ce méandre ; des petits affluents comblèrent le bras nord par leurs alluvions et contribuèrent à la formation de « cols » dont le plus fréquenté allait devenir celui de La Chapelle. Le dépérissement progressif de ce bras principal entraîna, par effet de compensation, le renforcement du bras sud qui, au fil des siècles, devint le fleuve lui-même avec son chapelet d'îles. La zone dépressionnaire du nord fut longtemps marécageuse et il fallait la traverser à l'aide de ponts appuyés sur des îles insubmersibles, notamment la Cité et le secteur Saint-Martin. Ce franchissement relativement aisé du fleuve allait en faire un carrefour commercial, fluvial et terrestre, qui favorisa l'installation du peuple celte des *Parisii* au Ve siècle av. J.-C. dans le site particulièrement bien protégé de l'île de la Cité : sa sûreté et sa prospérité firent qu'après le milieu du IIIe siècle les Parisii y installèrent leur capitale.

L'époque gallo-romaine

Lors de la conquête de la Gaule, ils ne marquèrent leur hostilité aux Romains qu'au cours de la révolte générale de 52 av. J.-C., menée par Vercingétorix. Après la soumission des Carnutes (Chartres) et la prise de Bourges, César chargea Labienus d'intervenir chez les Sénons (Sens) et les Parisii et ce fut dans la plaine de Grenelle que le chef gaulois Camulogène fut écrasé.

Avec la paix romaine Lutèce retrouva la prospérité. L'île de la Cité fut reconstruite et la colline Sainte-Geneviève, au sud, se couvrit d'édifices édilitaires et résidentiels, ainsi qu'en témoignent les

La fondation de Paris.

vestiges de décors retrouvés dans les fouilles effectuées depuis deux siècles, à l'occasion de travaux divers. Dans l'île, l'administration romaine siégeait à l'ouest dans un édifice qui fut remplacé par les palais mérovingiens puis capétiens. Sur la rive gauche, l'importance de la ville est révélée par les trois thermes (Cluny, rue Gay-Lussac, près du Collège de France), alimentés par un aqueduc de seize kilomètres et richement décorés, par l'amphithéâtre (dit actuellement les Arènes), capable de contenir 15 000 personnes, et par le théâtre (carrefour du boulevard Saint-Michel et de la rue Racine), ainsi que par les dimensions mêmes du forum (180 mètres sur 100 mètres, rue Soufflot). Mais il est bien certain que l'essentiel de la richesse de la ville provenait du commerce fluvial et de l'activité des routes : le pilier que la corporation des nautes éleva à Jupiter témoigne assez de sa prospérité, dès le début du Ier siècle de notre ère, et du syncrétisme religieux, puisque se côtoient dieux romains (Jupiter, Vulcain, Mars, Vénus, Mercure, etc.) et dieux gaulois.

Tranquillité et prospérité furent soudainement remises en cause, à partir du milieu du IIIe siècle, par les incessantes invasions germaniques qui dévastèrent la Gaule ; dès 275, plus d'une soixantaine de villes importantes avaient déjà subi un triste sort. Lutèce semble avoir particulièrement souffert en 275-276, avec la ruine de la rive gauche. C'est à cette époque que prit naissance une habitude qui subsista jusqu'en plein Moyen Age : à la moindre alerte, la population se réfugiait dans l'île ; et la ville lui dut sa survie à plusieurs reprises. La Cité s'adapta à cette situation et devint une ville close, cernée d'un rempart élevé à la fin du IIIe siècle et dans la première moitié du IVe siècle. Les alertes passées, la population retournait vivre sur la rive gauche, comme l'atteste l'apparition contemporaine d'un nouveau cimetière près des Gobelins. A la même époque commença le peuplement de la rive droite sur les monceaux Saint-Gervais et Saint-Jacques, prouvant ainsi la permanence de la fonction économique de la ville et d'importantes relations avec les régions du nord et de l'est du pays. En effet, au IVe siècle, la pression des Barbares se faisant plus forte, Lutèce, qui commençait de s'appeler Paris, joua un rôle stratégique considérable pour la défense des frontières de cette zone. Ce fut une sorte de base arrière et l'empereur Julien, notamment, y séjourna plusieurs fois dans le palais de la Cité (358 à 360), à la suite de campagnes contre les Alamans : il fut même proclamé empereur par ses soldats à Paris. Il évoqua ce long séjour parisien en termes chaleureux dans le *Misopogon* (sa « chère Lutèce »). Quant à sa suite, elle cantonnait sur la rive gauche.

Les Mérovingiens et la christianisation

Le Ve siècle fut la période la plus sombre de l'Empire romain, attaqué de toutes parts par les Barbares. Quelques représentants de l'autorité impériale se partagèrent la Gaule et Egidius, puis Syagrius, basés à Soissons, maintinrent non sans mal, la légalité romaine jusqu'à ce que le jeune chef des Francs, Clovis, contraignît Syagrius à fuir à la bataille de Soissons (486).

La légende de saint Denis

Elle s'est répandue à partir d'un texte rédigé à la fin du Ve siècle, soit près de deux cent cinquante ans après la mort du saint martyr. Pour lui donner plus de prestige, on l'identifia à Denis l'Aréopagite, évêque d'Athènes qui connut saint Paul et vint le délivrer de prison. Arrivé trop tard, le pape Clément l'aurait, en 96, envoyé en Gaule convertir les Parisiens. Le saint homme se serait installé à l'écart de la ville, sur la rive gauche. Emprisonné en même temps que ses compagnons, Rustique et Eleuthère, Denis aurait reçu la communion des mains du Christ, scène dépeinte par Jean Malouel, dans un primitif du Louvre. Mais c'est sa mort à Montmartre qui le rend célèbre et valut au mont de Mercure de devenir Montmartre, c'est-à-dire mont des Martyrs. Après avoir assisté à la décapitation de ses deux acolytes fermes dans leur foi, Denis eut à son tour la tête tranchée. Il la ramassa et alla la laver à une fontaine située à l'angle des rues Girardon et de l'Abreuvoir, dont l'eau devint miraculeuse ; puis il marcha droit devant lui, rencontra une vieille femme à laquelle il donna sa tête et tomba mort. Elle l'enterra à cet endroit qui devint vite célèbre pour sa fertilité, cependant que des moines s'établissaient à proximité du tombeau qui devint un lieu de pèlerinage. Sur l'initiative de sainte Geneviève, une première basilique fut construite à la fin du Ve siècle à Saint-Denis. Dagobert, au VIIe siècle, décida de se faire ensevelir là et les Capétiens firent de la basilique élevée par Suger au début du XIIe siècle la nécropole royale. Le rouge, couleur des martyrs, devint celle de l'étendard de Saint-Denis que les rois emportaient avec eux au combat.

A partir de sa conversion au catholicisme, Clovis profita de l'aide de l'Eglise qui vit en lui un allié contre l'arianisme. Et c'est ce qui explique, en partie, la rapidité avec laquelle il soumit les Burgondes (500-501), les Wisigoths (507) et fut reconnu par l'Empire comme son représentant officiel : il reçut en 508 les insignes de consul qui en fit un officier romain. En raison de l'étendue de ces récentes conquêtes, Clovis décida de déplacer de Tournai à Paris la capitale du royaume. Le christianisme s'était implanté progressivement à partir du IIIe siècle, grâce à l'action de saint Denis, qui fut martyrisé vers 250. Un siècle plus tard, l'installation de l'évêché au cœur de la Cité était chose faite, et, dès 360, l'Eglise parisienne était suffisamment importante pour qu'un concile y fût réuni pendant le séjour de Julien.

S'il est certain que les premiers chrétiens se réunirent là où ils étaient les plus nombreux, dans la Cité, le cimetière Saint-Marcel, sur la rive gauche, fut leur premier lieu de sépulture. Saint Marcel, le neuvième évêque de Paris, mourut en 436. Par sa sainteté il aurait vaincu une tarasque qui hantait la tombe d'une femme de mauvaise vie et semait la panique dans la ville. Le prélat, s'avançant vers la bête, la frappa à trois reprises de son bâton pastoral, et elle se soumit « baissant son horrible tête, applaudissant de la queue avec grande humilité ». Saint Marcel fit de nombreux miracles qui suscitèrent la dévotion populaire sur sa tombe et firent que l'on donna son nom au quartier situé au sud de la montagne Sainte-Geneviève.

En cette période troublée du Ve siècle, alors que les barbares se faisaient menaçants, une jeune fille de Nanterre, prénommée Geneviève, se révéla par son action et mérita de devenir l'une des patronnes de la ville : tandis que les Huns déferlaient de l'est, en 540, elle prit en main la défense de la ville par la prière. Ses vœux furent exaucés puisque, après avoir contourné Paris, les hordes d'Attila furent défaites aux champs Catalauniques (près de Châlons-sur-Marne) en 451, par les armées coalisées d'Aetius, Théodoric et Mérovée. Liée plus tard à la reine Clotilde, Geneviève ne fut sans doute pas étrangère

à la conversion de Clovis et, à sa mort, en 512, la reine la fit enterrer dans la crypte de la basilique Saint-Pierre-et-Saint-Paul, fondée sur la montagne Sainte-Geneviève par le roi, qui venait d'y être inhumé. Ainsi la ville fut-elle surveillée au nord comme au sud, par ces deux patrons auxquels on recourut toujours dans les moments tragiques.

A la mort de Clovis, le royaume fut partagé entre ses fils et entra pour un siècle dans une période de troubles et de luttes fratricides au cours desquelles Paris changea mais ne cessa jamais de jouer le rôle de capitale. Finalement, en 613, l'unité du royaume fut rétablie par Clotaire II qui s'installa à Paris et résida dans son palais de Clichy, de même que ses successeurs Dagobert et Clovis II. Si, à partir de cette période, le royaume fut souvent partagé entre les héritiers et successeurs de Clovis II, ceux-ci n'eurent plus de capitale, allant d'un palais à l'autre, cependant que le pouvoir et l'administration étaient réellement détenus par les aristocraties locales : c'est la raison pour laquelle ces rois fantoches furent qualifiés par l'Histoire de « fainéants ». Et ce phénomène explique aussi la montée en Austrasie des Pippinides, maires du palais, et leur prise du pouvoir. Durant cette période, le prestige de Paris subsista et c'est à Saint-Denis, abbaye largement dotée par Dagobert, que Pépin le Bref se fit sacrer par le pape (754).

Si la célébrité et le rôle de Paris restèrent intacts, le centre de gravité du royaume se déplaça vers l'est, accompagnant les conquêtes germaniques ; et Charlemagne choisit Aix-la-Chapelle pour se bâtir un palais et installer sa capitale. Le partage de l'Empire carolingien à Verdun (843) redonna à la ville un certain rôle, mais les souverains successifs résidèrent dans leurs domaines de Compiègne, Quierzy et Attigny. Le pouvoir dans la ville fut détenu et par le comte, représentant du roi, et par l'évêque, tandis que les abbayes maintenaient la renommée de la capitale par leur prestige intellectuel et leur importance économique.

En tout état de cause, pendant tout le haut Moyen Age jusqu'aux invasions normandes, Paris compta non seulement pour l'île de la Cité, mais pour sa vie économique active au-delà du fleuve, comme l'attestent les nombreuses églises et fondations religieuses. On a pu établir que la Cité, encombrée d'édifices divers, ne pouvait guère abriter que deux mille personnes et que la population parisienne représentait de dix à vingt mille habitants qui avaient pour églises, outre celles de la Cité : Saint-Julien-le-Pauvre, Saint-Pierre-et-Saint-Paul (future abbatiale Sainte-Geneviève), Saint-Marcel, Sainte-Croix-et-Saint-Vincent (future abbatiale Saint-Germain-des-Prés), Saint-Gervais et Saint-Laurent, Saint-Martin-des-Champs ; à ces sanctuaires cités par Grégoire de Tours au VIe siècle, il faut ajouter ceux que l'archéologie a révélés plus récemment : Saint-Séverin, Saint-Benoît-le-Bétourné (angles des rues Saint-Jacques et des Ecoles), Saint-Etienne-des-Grès (rue Cujas), Saint-Symphorien-des-Vignes (rue Valette), Saint-Victor, Saint-Médard, Notre-Dame-des-Champs (rue Pierre-Nicole), Saint-Pierre-de-Montmartre et Notre-Dame-des-Bois (Sainte-Opportune). Toutes ces églises mérovingiennes témoignent de la prospérité de Paris et prouvent que les habitants repliés dans la Cité lors des invasions germaniques avaient rapidement regagné les rives une fois le danger passé ; et cette expansion dura jusqu'aux invasions normandes. Le renom de la capitale se manifesta aussi par la présence de nombreux étrangers, Juifs et Syriens (l'un d'entre eux, Eusèbe, fut évêque de Paris en 591 et s'entoura de clercs syriens comme lui), ainsi que par les nombreux ateliers d'orfèvres, dont le plus célèbre fut celui de saint Eloi, trésorier de Dagobert, et, surtout, par l'importance de la cathédrale (36 mètres sur 72, à l'emplacement du parvis Notre-Dame), construite par Childebert Ier dans le deuxième tiers du VIe siècle. Elle fut dédiée à saint Etienne et Notre-Dame et ce n'est qu'au XIe siècle que le vocable actuel l'emporta. Rivalisant avec Clovis, le même Childebert fonda vers 558 l'abbaye Saint-Vincent qui devint plus tard Saint-Germain-des-Prés ; il s'y fit inhumer, de même que plusieurs de ses successeurs, un siè-

cle durant. Au rayonnement de cette nécropole royale contribuèrent amplement les miracles survenus sur le tombeau de l'évêque de Paris au temps de Childebert, saint Germain.

La troisième grande fondation mérovingienne qui marqua le paysage religieux parisien fut l'abbaye de Saint-Denis. La basilique, fondée par sainte Geneviève, fut embellie et agrandie par Clotaire II, et surtout par Dagobert, qui la dota généreusement de dons et privilèges et s'y fit enterrer. Dès Charles Martel, les carolingiens favorisèrent cet établissement et le fait que ce maire du palais s'y soit fait enterrer prouve le renom et le prestige du lieu. Pépin le Bref, son successeur, reconstruisit somptueusement la basilique, cependant que l'abbaye fournit aux souverains successifs leurs conseillers les plus compétents, tels Hilduin ou Hincmar. Tous ces éléments livrés à notre connaissance par les textes et l'archéologie infirment la thèse historique traditionnelle selon laquelle cette période aurait connu le règne de l'obscurantisme : la prospérité économique et les objets retrouvés permettent, au contraire, de qualifier cette brillante époque, bien méconnue, de renaissance mérovingienne qui se poursuivit et s'amplifia sous les carolingiens.

Les invasions normandes

C'est à la fin du règne de Louis le Pieux qu'eurent lieu les premiers raids normands. Ce peuple de marins remontait les fleuves, de la Frise à l'Aquitaine, pillant et dévastant tout sur leur passage. Ces incursions causèrent la panique des populations qui s'enfuirent vers l'intérieur. Ainsi, de nombreux monastères situés dans l'ouest de la France furent abandonnés, les moines n'emportant avec eux que ce qu'ils avaient de plus précieux : les reliques. Certains arrivèrent à Paris, dans l'île de la Cité et, le péril passé, laissèrent à la ville par un geste de reconnaissance, un peu sollicité, il est vrai, tout ou partie de ces reliques : et les églises Saint-Barthélemy puis Saint-Magloire abritèrent les reliques de saint Magloire, apportées par les moines bretons de l'abbaye de Dol, lors d'un raid danois au Xe siècle.

Le comte Eudes défend Paris contre les Normands (885-886), *Schnetz.*
(Château de Versailles, galerie des Batailles.)

Les Parisiens n'opposèrent d'abord aucune résistance aux Normands. En 845, ces derniers occupèrent une ville déserte ; en 856, ils brûlèrent tout, sauf la cathédrale et les deux grandes abbayes, Saint-Germain et Saint-Denis, pour lesquelles ils exigèrent une forte rançon. Mais, en 861, l'abbaye de Saint-Germain-des-Prés fut livrée aux flammes, et, en 865, celle de Saint-Denis fut occupée. Ces poussées fréquentes et douloureuses incitèrent Charles le Chauve à organiser une défense consistant essentiellement en des ponts de bois solidement amarrés à des tours de pierre ; en même temps, on entreprit la réparation des remparts. L'île de la Cité fut désormais reliée à la rive méridionale par le Petit-Pont, accroché au Petit-Châtelet ; au nord, on édifia le Grand-Pont et le Châtelet. Ainsi fortifiée, la Cité permit aux Parisiens de retrouver les réflexes qu'ils avaient eus lors des invasions barbares : abandon des rives, repli dans l'île.

Paris assiégé

Selon Abbon, abbé de Saint-Germain-des-Prés, les Normands arrivèrent le 24 novembre 885, avec une armée formidable de 40 000 hommes répartis sur 700 vaisseaux, qui couvraient le fleuve sur deux lieues et demie. Ces chiffres sont excessifs mais attestent l'importance militaire de l'opération. Siegfried, le chef des Normands, demanda à l'évêque Gozlin le droit de passer ; il le lui refusa. Le rôle politique du prélat est à retenir et illustre la place essentielle tenue par l'Eglise, ici et ailleurs, pour la défense et le maintien de l'ordre. En effet, depuis l'époque mérovingienne, le pouvoir séculier dans la ville était détenu par le comte, représentant du roi. L'éloignement de ce dernier fit de cet officier, souvent lié à la famille royale, d'ailleurs, un potentat local, autonome. De plus, la personnalité, le prestige intellectuel et moral de l'évêque, sa puissance économique firent de lui, en période de crise, le personnage le plus important de la ville et lui conférèrent un rôle politique.

Devant le refus de Gozlin, les Normands tentèrent vainement de s'emparer de l'île à plusieurs reprises et installèrent leur camp près de Saint-Germain-l'Auxerrois, puis, plus tard, à Saint-Germain-des-Prés. Après d'autres tentatives infructueuses (d'incendies de ponts notamment), ils levèrent le siège et partirent piller les environs (Brie, Champagne). En dépit de quelques coups de mains tentés par les assiégés, contre le camp normand, le siège se poursuivit, tandis que l'évêque demeurait l'âme de la résistance jusqu'à sa mort, en avril 886. Au mois de septembre de la même année arriva enfin, avec son armée, l'empereur Charles III. Au lieu de livrer bataille, il négocia la levée du siège : en accordant une forte rançon et le passage pour piller la Bourgogne. Le prestige militaire des Normands fut quand même bien atteint et celui de Paris, qui avait assuré tout seul sa défense, fut immense. La ville acquit surtout à cette occasion une autorité morale incontestable car elle avait su sacrifier ses intérêts et son égoïsme à la défense du pays. Par la suite, lorsque les campagnes environnantes furent menacées, les habitants vinrent régulièrement chercher refuge dans la ville (guerre de Cent Ans, guerres de Religion, etc.).

Les invasions normandes révèlent assez l'absence du roi de Paris. Pendant toute la seconde moitié du IXe siècle et le Xe siècle, la ville dont la prééminence morale et stratégique était intacte fut donc aux mains des comtes de Paris, devenus héréditaires, qui surent regrouper sous leur autorité une série de comtés situés entre Seine et Loire, et devenir ainsi ducs de France. En 861, Charles le Chauve confia Paris à l'aristocrate Robert le Fort, dont les descendants allaient monter sur le trône. Représentants du roi, ils jouirent de ses prérogatives, sauf en ce qui concerne la monnaie ; ils occupèrent le palais. Durant cette période, les riches domaines des abbayes passèrent aux mains des grands qui devinrent les abbés laïcs de Saint-Maur-des-Fossés, Saint-Denis, Saint-Germain-des-Prés. Ainsi, à Paris, ces grands établissements religieux, dont les revenus étaient considérables en raison des nombreux privilèges et dotations royales, furent détenus par Robert, frère du comte de Paris, Eudes, puis par ses fils, Hugues le Grand et Hugues Capet. En cette époque où se mettait en place la féodalité, l'immense fortune qu'ils amassèrent ainsi leur permit de s'assurer bien des concours et des fidélités. Dans le domaine ecclésiastique, les choses ne se passèrent pas différemment et les charges furent détenues par quelques familles aristocratiques. Ainsi la ville fut-elle entre les mains de quelques féodaux vassaux du roi replié dans sa capitale de Laon et dépourvu de droits dans Paris. Tout au long du siècle, les Robertiens, ducs de France et comtes de Paris, furent les défenseurs et les arbitres du royaume. Devenus les personnages les plus puissants du royaume, ils n'eurent aucun mal, le moment venu, à se faire élire à la tête du royaume et à s'emparer de la couronne, comme l'avait fait, plus de deux siècles auparavant la dynastie pippinide des maires du palais.

Le Moyen Age

La renaissance de la ville sous les Capétiens

L'avènement des Capétiens, conscients du rôle primordial de Paris, eut pour conséquence une reprise en main progressive de la ville : Hugues Capet laissa entièrement ses fonctions d'abbé laïc de Saint-Denis et de Saint-Germain-des-Prés, et s'assura, pour la première fois depuis un siècle, du respect des règles canoniques et de l'élection régulière des abbés. Il s'entoura de quelques familles sûres dont celle des Bouchard de Vendôme, dont le fils fut chancelier, puis évêque de Paris. Si Robert le Pieux ne résida que rarement dans la ville, il s'y intéressa beaucoup, faisant du palais sa résidence, et se signala par sa générosité pour tous les établissements religieux dont un grand nombre était encore en ruine. Philippe Ier poursuivit sa politique, fut le protecteur de Sainte-Geneviève, toujours délabrée, et refonda Saint-Martin-des-Champs (1060).

Le XIe siècle fut marqué par des réparations et des restaurations en tous domaines ; et un renouveau religieux attesté par les nombreuses fondations, remises en état des églises et surtout par la réforme grégorienne : exclusion des laïcs des charges ecclésiastiques, et réforme des établissements religieux avec le retour aux règles monastiques. C'est aussi à la même époque que se mit en place le système « scolaire » qui, en guère plus d'un siècle, assura, pour longtemps, la prééminence intellectuelle de Paris et son prestige moral et théologique.

Le rayonnement des abbayes

De fait, l'époque carolingienne fut particulièrement brillante dans le domaine intellectuel et les abbayes et les écoles épiscopales furent des centres de rayonnement de la culture gréco-romaine, ainsi qu'en témoignent les manuscrits contemporains parvenus jusqu'à nous : Reims, Laon, Saint-Denis... Avec les troubles du Xe siècle et le déclin économique qui suivit, l'Eglise resta seule détentrice du savoir et de la culture antique, cependant que les langues vernaculaires s'imposaient (cf. le traité de Verdun, 843). Le calme revenu, l'activité économique renaissante, la réforme religieuse qui se donna pour objectif le retour aux sources : travail, prière et étude, firent des abbayes de brillants foyers de culture dont le rayonnement et l'influence furent considérables.

Ainsi, dès le début du Xe siècle, le prestige de Saint-Denis était tel que Gérard de Brogne vint en étudier le mode de vie et s'en inspira pour réformer les abbayes de la France du nord-est ; de la même époque, les *Sermons* de l'abbé de Saint-Germain-des-Prés, Abbon, témoignent d'un usage quotidien du grec et de la fréquentation des œuvres de saint Augustin. Si, pendant tout le XIe siècle, des étrangers vinrent étudier à Paris dans les abbayes de Saint-Germain et de Sainte-Gene-

viève, c'est à la fin du siècle que l'école canoniale commença de briller avec Guillaume de Champeaux et son élève, Abélard. Paris en vint à égaler alors les prestigieuses écoles de Chartres, Laon, Reims ou Tournai. Abélard éclipsant son maître, Champeaux, ce dernier se retira à l'abbaye de Saint-Victor (1108) ; mais, à la demande de son entourage, il continua d'enseigner et fit de l'école de Saint-Victor la rivale de celle de Notre-Dame, surtout lorsque Hugues de Saint-Victor la dirigea (1133-1141).

Le prestige intellectuel et religieux de l'abbaye, où, dans l'ascèse, se poursuivait une vie d'étude, fut tel que cette école fournit cinquante-quatre abbés, six évêques et sept cardinaux. A cette époque, le chancelier du chapitre cathédral était le seul à délivrer la licence, même si, à proximité de la cathédrale, se développait un enseignement privé, surtout sur le Petit-Pont, qui ne distribuait pas de diplômes. Dans la première moitié du XIIe siècle, l'école Notre-Dame eut un maître de renom dont les œuvres considérables firent référence par la suite : Pierre Lombard. Ce fils de lavandière fut le premier évêque non aristocrate de la ville (1158-1160) et un autre plébéien lui succéda : Maurice de Sully, fils de pauvres paysans de Sully-sur-Loire, qui, pour payer ses études, dut être le serviteur de riches écoliers. Professeur à l'école capitulaire, il fut élu pour ses qualités de prédicateur. Sage administrateur, il entreprit avec succès la construction de la cathédrale Notre-Dame.

Alors que l'école de Saint-Germain-des-Prés déclinait, l'abbaye de Sainte-Geneviève fut réformée énergiquement en 1147 par les moines de Saint-Victor, à la suite d'une rixe entre les religieux et la suite du pape ; elle s'était déroulée en présence du roi et d'Eugène III, pour la possession de l'étoffe de soie qui recouvrait le prie-Dieu du pontife. Ce fut, en fait, l'acte de naissance du Quartier latin. En effet, ce centre intellectuel et spirituel attira maîtres et étudiants qui s'installèrent sur la rive gauche afin de ne plus dépendre du chapitre, mais de l'abbé.

La création de l'Université

Cette grande concentration scolaire sur la rive gauche ne fut pas sans poser des problèmes : si les maîtres, dès 1170, formaient une université dont l'existence légale comme corporation ne fut reconnue qu'au début du XIIIe siècle, les élèves n'avaient pas d'autre statut que celui de clercs et, à ce titre, dépendaient des tribunaux ecclésiastiques. Or, cette jeunesse turbulente en venait souvent aux mains avec la population. A la suite de plusieurs incidents, on lui accorda un espace pour se détendre : le Pré-aux-Clercs ; et, surtout, Philippe Auguste reconnut le corps des écoliers en tant que tel ; lorsqu'il s'unit à celui des maîtres, l'université fut formée. Innocent III la reconnut vers 1210. En 1215, Robert de Courson, légat du pape, approuva ses statuts qui définissaient les conditions d'enseignement (théologie à trente-cinq ans au moins), les règles de vie (vêtements, obsèques...). En 1221, l'université s'affranchit du pouvoir local et se plaça sous la protection du pape, devenant ainsi un corps autonome, indépendant du chapitre et de l'évêque, et choisissant en toute liberté ses maîtres. Dans la même période (1215-1220), l'Université s'organisa en facultés (arts libéraux, droit canon, théologie, médecine) et quatre nations (France, Normandie, Picardie, Angleterre), suivant l'origine des clercs. Enfin, après un long conflit, le pape accorda en 1222 le droit de décerner toutes les licences enseignées dans son ressort, la rive gauche, y compris celle de théologie. La vocation enseignante du quartier de l'Université fut renforcée par l'arrivée des ordres mendiants : les Dominicains, en 1218, qui s'installèrent rue Saint-Jacques, et les Franciscains, dits Cordeliers à cause de la ceinture de leur robe, qui s'établirent rue de l'Ecole-de-Médecine en 1230. Bien accueillis au début, ils concurrencèrent rapidement l'Université et les conflits qui les opposèrent ne cessèrent que lorsque le légat prit parti pour eux en 1290.

A côté des questions purement intellectuelles ou juridiques se posait de façon aiguë et prosaïque le problème du logement des plusieurs milliers de maîtres et d'élèves venus de toute l'Europe. Il faut bien être conscient qu'au milieu du XIIe siècle, lorsque s'amorça l'installation des étudiants, le quartier était encore très agricole, occupé par des clos : Bruneau, Mauvoisin, Vignerai, des Mureaux, Garlande, Chardonnet ; et l'urbanisation fut très lente. Des collèges, sortes de pensions de famille pour étudiants, furent fondés : le premier cité apparaît à l'Hôtel-Dieu ; il pouvait en accueillir dix-huit en 1180. Peu après, celui de Saint-Thomas-du-Louvre fut créé en 1186 par Robert de Dreux, frère de Louis VII. Mais c'est sur la rive gauche qu'ils pullulèrent à partir du milieu du XIIIe siècle : Bons-Enfants, Calvi (1252), Cluny (1269), Cholets (1292), Harcourt (1280), Navarre (1304) et surtout celui fondé par Robert de Sorbon (1253), confesseur de saint Louis, et qui devint la « Sorbonne ». Par la suite, ces établissements dispensèrent également des cours, et ce jusqu'à la Révolution.

Paris, capitale européenne des arts

Cet afflux de maîtres et d'écoliers venant de toutes origines est l'un des éléments caractéristiques de la prospérité de Paris qui, progressivement, s'imposa comme capitale intellectuelle en même temps que culturelle et économique : tandis que se mettait lentement en place l'Université, la population de la ville se gonflait et l'on aménageait, agrandissait, reconstruisait ou fondait de nouveaux lieux de culte, permettant aux ingénieurs et artistes de s'exprimer en trouvant de nouvelles formules techniques et esthétiques : parmi les événements architecturaux les plus marquants figure, au temps de Robert le Pieux, la reconstruction de Saint-Germain-des-Prés, église dévastée par les Normands. Dans cette dernière subsistent le clocher-porche et les piliers des cinq premières travées de la nef, ainsi que les chapiteaux sculptés au cours du XIe siècle. Un peu plus tard, Henri Ier céda au chapitre de Notre-Dame cinq églises de la rive gauche à charge de

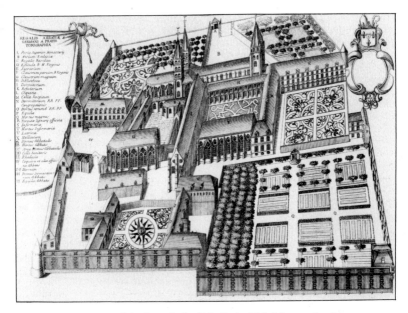

L'abbaye de Saint-Germain-des-Prés (Paris, Bibliothèque nationale).

les restaurer. L'abbatiale Sainte-Geneviève fut également reconstruite et le premier étage du clocher a survécu (tour Clovis, actuellement, ainsi que quelques chapiteaux aux musées du Louvre et de Cluny). La première moitié du XIIe siècle fut capitale pour l'art médiéval puisqu'elle fut le témoin de l'apparition du gothique. Dès 1060, Philippe Ier décidait de relever l'abbaye Saint-Martin-des-Champs : son église commencée entre 1130 et 1147 marque les débuts du gothique dans le chœur, dont le voûtement contient bien des maladresses (ogives sur l'abside et la chapelle, voûtes d'arêtes dans le déambulatoire). Postérieur de quelques années, le grand chantier de la basilique Saint-Denis (à partir de 1140), dirigé par son abbé, Suger, témoigne, dans le chœur, de l'utilisation irréversible de nouvelles techniques ; de même, le transept et le chœur de Saint-Pierre-de-Montmartre, consacrés par Eugène III en 1147, attestent des recherches, mais conservent encore beaucoup de traits romans. Quelques années plus tard, la reconstruction de Saint-Germain-des-Prés s'opéra à partir du chœur (achevé en 1163), plus archaïque toutefois, que ceux de Saint-Martin ou de Saint-Denis : lourdeur des nervures, autonomie des chapelles rayonnantes. Toutes ces tentatives furent couronnées d'un succès total à Notre-Dame, construite à partir de 1160, par Maurice de Sully. Avec une grande maîtrise, l'architecte sut, dans le chœur, faire la synthèse des expériences tentées à Sens, Noyon et surtout Laon, et trouver un parti dont la simplicité n'altéra pas les qualités esthétiques. Cette dernière cathédrale du premier âge gothique eut une immense influence et contribua très largement à faire de Paris la capitale européenne des arts. A Paris même, on l'imita : alors que le chœur de Notre-Dame n'était pas encore achevé, Saint-Julien-le-Pauvre (après 1170) s'en inspirait, de même que Saint-Germain-de-Charonne, puis Saint-Séverin.

Ces quelques exemples sont assez éclairants sur la place et la puissance de la ville. Or, comment expliquer ces énormes chantiers simultanés sans une prospérité fantastique, et sans une conjoncture et une infrastructure économiques très favorables ? A cet égard, il est intéressant de noter que si, en 1163, l'église cathédrale était la seule paroisse de la Cité, celle-ci connaissait une évolution très rapide puisqu'en 1205 on y dénombrait douze centres paroissiaux nouveaux parmi les chapelles et communautés religieuses : Saint-Barthélemy, Saint-Denis-de-la-Chartre, Saint-Pierre-des-Arcis, Sainte-Croix, Saint-Martial, la Madeleine, Saint-Germain-le-Vieux, Sainte-Geneviève-la-Petite, Saint-Landry, Sainte-Marine, Saint-Pierre-aux-Bœufs et Saint-Christophe qui, donc, s'ajoutèrent à Saint-Eloi, Saint-Symphorien, Saint-Aignan, Saint-Denis-du-Pas, Saint-Jean-le-Rond. C'est, de fait, dans cette période qui va de Louis VII à Philippe le Bel, que se dessina, de manière presque définitive, le visage de Paris. On l'a vu pour l'Université et les grands édifices religieux, c'est aussi vrai pour les structures économiques et les institutions qui, après bien des tâtonnements, trouvèrent leur point d'équilibre.

Si l'Université a assuré le développement de la rive gauche, c'est bien le facteur économique qui est responsable de l'essor de la rive droite. Tandis que la Cité regroupait dans un dédale de rues les activités liées à la monnaie (orfèvres) et au vêtement (draperie, etc.) fondamentales pour la vie sociale, en moins d'un siècle, le secteur compris entre Saint-Germain-l'Auxerrois, Saint-Gervais et les Halles, devint celui des affaires et de l'argent. A la fin du XIe siècle, quatre agglomérations coexistaient : Saint-Germain, la Grève, en bas du monceau Saint-Gervais, qui était surtout un marché et que Louis VII protégea à perpétuité de toute construction en 1141, le Châtelet, au débouché du Grand-Pont et de la rue Saint-Denis, enfin les Champeaux, notre quartier actuel des Halles. Or, avant le milieu du XIIe siècle, ces quartiers servaient de trop-plein à l'île : le Châtelet vit, bien avant Louis VI, s'installer les bouchers qui évacuaient leurs déchets dans la Seine et, dès 1140, on reconstruisit l'église Saint-Jacques qui, au XIIIe siècle, fut dite « de la Boucherie ». De même, au XIIe siècle, le nord-est du Châtelet, près de Saint-Merry, fut occupé par les métiers qui abandonnèrent la Cité et s'établirent

au large ; les noms de rues sont évocateurs : Draperie, Vannerie, Verrerie, Poterie, Tannerie, Tabletterie... De même, si les changeurs et les orfèvres reçurent de Louis VII (1141) l'autorisation de s'installer sur le Grand-Pont, qui devint plus tard le Pont-au-Change, les Lombards, prêteurs sur gages, donnèrent leur nom à ce qui fut leur rue. Conscient des problèmes d'approvisionnement de cette ville en pleine expansion, Louis VI transféra le marché de la Grève au nord du cimetière des Champeaux, et les premiers marchands en furent surtout les merciers et les marchands de blé et de légumes. Cette structuration de la rive droite s'accompagna de la création de paroisses et de chapelles : Saint-Leufroy, Sainte-Opportune, les Saints-Innocents, Saint-Sauveur, Sainte-Agnès (future Saint-Eustache), Saint-Magloire, Saint-Leu-Saint-Gilles...

Les corporations

Tous ces métiers s'organisèrent en corporations dont les statuts très rigoureux définissaient les règles d'exercice de la profession, régissaient les rapports entre les maîtres, les apprentis et les valets, tandis que les conflits étaient portés devant les jurés, représentants de chaque métier, puis devant le prévôt royal de Paris, enfin devant les officiers de la couronne.

La première et la plus puissante, parce que indispensable, fut celle des bouchers qui fut réglementée en 1182-1183. De même, en raison de son rôle de premier plan dans la vie urbaine, les marchands d'eau profitèrent des faveurs royales, de Louis VI à Philippe Auguste. Ce dernier, en 1202, réglementa leur métier et leur accorda le monopole du trafic fluvial entre Corbeil et Mantes. L'organisation et les statuts des autres métiers sont bien connus grâce au *Livre des métiers* que fit rédiger, vers 1268, le prévôt Etienne Boileau.

La description idéale ainsi fournie ne correspondait déjà plus à la réalité et, à l'intérieur des corporations, se dessinaient déjà des luttes sociales entre les riches et les autres. Ainsi, dès 1270, vit-on chez les tisserands des conflits de rémunération entre les petits maîtres, fabricants de tissus pour les grands maîtres, et ceux-ci qui les vendaient. Et l'on perçoit, à la fin du XIIIᵉ siècle, une modification des structures économiques allant vers la concentration du capital, la division et la spécialisation du travail, avec pour conséquence, une concentration de la richesse et de la misère, et aussi des crises sociales. Parallèlement se développèrent les échanges en espèces au détriment de ceux en nature et de nombreuses redevances furent tarifées en argent, ce qui favorisa grandement les échanges commerciaux. Autre signe révélateur de la fluidité monétaire : le retour des Juifs, prêteurs par excellence, que Philippe Auguste avait chassés de la Cité en 1182, et qui revinrent au début du XIIIᵉ siècle près de Saint-Merry et dans le quartier de la Garlande.

Paris, capitale d'un royaume unifié

Naissance de la municipalité

Tous ces éléments témoignent de la naissance d'une bourgeoisie capitaliste qui eut la chance de trouver en la personne de Philippe Auguste un souverain intelligent, ouvert aux réalités économiques, et très bienveillant à son égard. Lorsqu'il partit à la croisade, en 1190, il désigna un conseil de six bourgeois possédant chacun la clé du coffre royal, pour aider le bailli à gouverner. Ce fait inconcevable quelques décennies plus tôt révèle le degré de culture et la compétence de ces hommes capables de susciter pareille confiance de la part du roi. De même, le pavage de certaines rues et surtout la construction de l'enceinte sur la rive droite furent confiés aux bourgeois qui faisaient là leurs premiers essais de gestion municipale ; le prévôt, au contraire, qui, depuis Robert le Pieux, était chargé de l'administration de la ville, voyait son rôle ramené à celui d'un exécutant subalterne, dont la sûreté n'était pas indéfectible, car c'était un fermier et non

un officier ; aussi le roi le fit-il assister par des représentants des bourgeois. Dans plusieurs cas l'on vit Philippe Auguste choisir de donner à des bourgeois des offices jadis réservés aux nobles. Ainsi, en s'appuyant sur la bourgeoisie, Philippe Auguste créa un vivier d'« administrateurs » appartenant aux grandes familles qui trouvèrent à employer leurs compétences dans la gestion de la municipalité quand celle-ci exista à la fin du XIIIᵉ siècle. A la suite de la réforme de saint Louis, il s'agit, pour les marchands d'eau, de contrôler avec les représentants du prévôt, la circulation fluviale et d'arrêter les contrevenants, ce qui, par la même occasion, entraîna l'amélioration du site et des ports. Peu à peu, ils en vinrent à collaborer avec les corporations et même à les représenter. Ainsi la municipalité fut-elle, au départ, destinée à représenter les bourgeois, en particulier ceux qui vivaient du fleuve ; et elle s'installa au Châtelet, près du port, dans le « Parloir aux bourgeois ». La hanse des marchands d'eau fit, pour la première fois en 1263, l'élection du prévôt des marchands et des échevins. Cette assemblée, par la suite, représenta d'autres métiers et constitua une oligarchie dont les familles allaient occuper jusqu'à la Révolution des charges d'administrateurs, de notaires, d'huissiers, de parlementaires et souvent acquérir la noblesse par l'exercice de certains offices. Ainsi, dès le XIIIᵉ siècle, se mirent en place les structures économiques et sociales qui devaient sous-tendre la vie parisienne jusqu'à la fin de l'Ancien Régime.

Cause et conséquence de cet essor, Paris devint réellement au XIIIᵉ siècle la capitale du royaume, d'une part, en raison de la politique centralisatrice intelligemment menée par les rois avec la mise en place de toutes les grandes administrations, d'autre part, du fait de l'installation définitive du roi et de la cour dans la ville. Il s'ensuivit le développement d'un grand nombre d'industries de luxe (tissus, bijoux, manuscrits, etc.) qui, à leur tour, attirèrent princes, aristocrates et artisans de province ou de l'étranger. Paris, pendant tout le Moyen Age, fut un lieu de passage : pèlerinages aux reliques conservées dans les différentes églises ou étape vers Saint-Jacques-de-Compostelle, Saint-Julien-de-Brioude ou d'autres sanctuaires ; ses foires très fréquentées qui remontaient pour certaines à l'époque mérovingienne (Saint-Denis) ou plus tardives (Saint-Lazare puis Saint-Laurent, le Lendit) et la proximité de celles de Champagne (Provins) firent de la capitale un marché remarquablement approvisionné.

La première révolution parisienne

Si le XIII\ siècle innova moins que la période précédente, il confirma, renforça et développa surtout les acquis et les tendances esquissées auparavant : et la Sainte-Chapelle, joyau unique de l'art gothique, eut moins d'influence que Notre-Dame sur l'art européen. Durant la première moitié du XIV\ siècle s'amplifièrent également les phénomènes sociaux entrevus et amorcés dans la période précédente. Le fossé se creusa entre riches et pauvres. Ainsi l'émeute menée à la fin de 1306 par les artisans (foulons, tisserands, pelletiers, etc.) au cours de laquelle la maison d'Etienne Barbette, prévôt des marchands, fut mise à sac, eut pour origine une forte dévaluation monétaire sans l'ajustement correspondant des loyers qui devaient aussi tripler. La répression fut sévère et exemplaire : vingt-huit émeutiers furent pendus aux quatre ormes des entrées principales de la ville, soit sept à la porte Saint-Antoine, sept à la porte Saint-Denis, six près des Quinze-Vingts (alors rue de l'Echelle, au Palais-Royal), huit rue d'Enfer. Les grandes familles au contraire, les Marcel, les Saint-Yon, les Sarrazin, les Poppin, les Barbette, les Héron... confortèrent leurs fortunes et leurs positions, dans le même temps, certains atteignant l'échelle internationale.

Le roi s'appuie sur la bourgeoisie

Les liens entre le roi et la bourgeoisie créés par Philippe Auguste ne firent que se renforcer et contribuèrent à la constitution de grosses fortunes foncières (la proche banlieue) qui, elles-mêmes, firent prospérer l'économie par des fondations (chapelles, hôpitaux) et un train de vie luxueux (vêtements, vaisselle, fêtes, etc.). Les conséquences de la guerre de Cent Ans ne furent pas immédiates, non plus que le déclin des foires de Champagne dont profita celle de Bruges, ni la préférence de la voie maritime à la voie terrestre pour aller d'Italie en Flandre. Politiquement, pendant la première moitié du siècle, les événements marquants furent la réunion des états généraux, lors de l'affaire des Templiers (1308) ou pour réclamer des subsides, les premiers en 1302, puis en 1314, 1321, épisodes au cours desquels les représentants de Paris entraînèrent ceux du royaume et eurent tendance à imposer une prééminence de la capitale.

Etienne Marcel, prévôt séditieux

L'épidémie de la peste noire (1348) eut d'énormes conséquences par sa brutalité et les pertes matérielles et humaines qu'elle causa. Les désastres de la guerre de Cent Ans et la captivité du roi (1356) amenant un double problème financier et politique de régence, donnèrent à la municipalité l'occasion de tenir un rôle très important et de tenter de contrôler le pouvoir royal. Etienne Marcel, prévôt des marchands, empêchant le vote des subsides par les états généraux, leur fit dresser la liste d'un conseil de gouvernement de vingt-huit membres fidèles à sa personne, et réclama la mise en prison des conseillers du dauphin, le futur Charles V. Ce dernier refusa et, faute d'argent pour payer les troupes, fit une mutation des monnaies bien impopulaire qui favorisa l'emprise du prévôt sur les esprits. Toute l'année 1357 fut difficile pour le Dauphin sans pouvoir, alors qu'Etienne Marcel tenait la ville, contrôlait la population et gouvernait tout. C'est à cette époque qu'il installa la municipalité place de Grève dans la maison aux Piliers, qui lui appartenait ; il entreprit également la restauration des remparts. En janvier 1358, Marcel chercha à soulever la foule, envahit le palais et fit massacrer deux conseillers du Dauphin, sous ses

Entrée à Paris du roi Charles V, précédé du connétable Robert de Fiennes, en 1364.
(Chroniques de saint Denis, *enluminées par Jean Fouquet, XVe siècle. Paris, Bibl. nat.*)

yeux. Ce dernier ayant réussi à s'échapper, convoqua de nouveaux états généraux à Compiègne, cependant que Charles le Mauvais, roi de Navarre, revenait et s'alliait à Marcel. Au cours d'une sortie dans la campagne, il reçut du Dauphin, son cousin, une promesse d'amnistie totale ; ren-tré en ville, il voulut délivrer les Anglais prisonniers au Louvre. Ce projet le fit rejeter par la foule et quitter Paris. Etienne Marcel, resté seul, fit sortir les Anglais et suscita par son comportement l'irritation générale, qui dégénéra en une émeute au cours de laquelle il fut tué, le 31 juillet 1358. Deux jours plus tard, le Dauphin acclamé, faisait sa rentrée dans la ville. Paris venait ainsi de faire son apprentissage de la révolution et, pour la première fois, la rupture avait été consommée entre le pouvoir royal et les bourgeois : favorisés depuis cent cinquante ans par les rois successifs, pourvus de larges pouvoirs, ils s'étaient dressés en rivaux de la monarchie, prêts à la mettre en tutelle.

Le calme militaire relatif du règne de Charles V permit l'achèvement du rempart, avec l'édification de la Bastille, la reconstruction du Louvre ; il y installa sa très belle bibliothèque qui constitue le noyau primitif des collections de manuscrits de la Bibliothèque nationale. Quant à sa résidence, il la fixa dans le Marais, à l'hôtel Saint-Paul. Enfin, pour améliorer l'approvisionnement toujours obsédant de la capitale, il envisagea d'établir un canal de la Loire à la Seine.

La révolte des Maillotins

En 1382, alors que la régence de Charles VI marquait une période de faiblesse du pouvoir royal, Paris connut une nouvelle journée d'émeute, le 1er mars, contre un impôt. Comme en 1306, elle eut un caractère social très marqué contre les riches et fut qualifiée de révolte des « maillotins », car les insurgés s'emparèrent, à l'Hôtel de Ville, de maillets destinés à combattre l'Anglais. Ils délivrèrent en même temps l'ancien prévôt de Paris de Charles V, Hugues Aubriot, emprisonné sous de fausses accusations d'hérésie par l'Université et les échevins, peu après les obsèques du roi. L'insurrection fut réprimée sans pitié :

la municipalité dut payer une lourde amende et perdit ses privilèges jusqu'en 1412 du fait que la prévôté des marchands fut réunie à celle de Paris. Toutefois, en 1389, Charles VI accorda quelques concessions à la ville en créant un « garde de la prévôté des marchands pour le roi ».

La guerre civile

Avec la folie du roi (1392), ses frères rivalisèrent entre eux pour obtenir la faveur des Parisiens, qui, ainsi, retrouvèrent progressivement une certaine autonomie : en 1405, le plus habile, Jean sans Peur, duc de Bourgogne, réussit à devenir le maître de Paris, ce qui ne fit que détériorer ses rapports avec son cousin Louis d'Orléans, désireux de le supplanter. Cette rivalité cessa lorsqu'il fit assassiner le duc d'Orléans, à l'angle des rues Vieille-du-Temple et des Francs-Bourgeois. Pour éviter que l'on recherchât les commanditaires de ce forfait, Jean sans Peur destitua le prévôt de Paris et favorisa le courant révolutionnaire jadis dompté par son frère ; cette fuite en avant n'empêcha pas la guerre civile : les partisans du duc d'Orléans se regroupèrent autour de son gendre, Bernard d'Armagnac, et des escarmouches avec les Bourguignons eurent lieu à Montmartre, Saint-Denis... Dépassé par les événements, Paris étant aux mains des bouchers menés par un certain Simon Lecoustellier, dit Caboche, Jean sans Peur demanda de l'aide aux Anglais contre les Armagnacs. Mais, en 1412, la tyrannie de la Caboche devint si impopulaire qu'elle dut, avec le duc de Bourgogne, se réfugier en Bourgogne tandis que Paris passait aux Armagnacs.

Ceux-ci exercèrent une sévère répression (démolition de la Grande Boucherie, etc.), mais rétablirent la prévôté des marchands. Toutefois, grâce à des complicités, Jean sans Peur réussit à s'introduire dans Paris avec ses troupes (1418), causant le massacre

---

Après l'émeute des Maillotins

« J'ay quis la corde
Dont serve sui iusqu'au derrenier iour
Contre mon roy ay ordies mes mains [...]
De cuer, de corps et de contriccion
Crie mercy, digne d'avoir la corde [...]
Je periray, puisque Dieux se recorde
De mon orgueil [...]
Mercy requier, morte qui sanz retour
Se Pitié n'est, grace et Misericorde. »

(Eustache Deschamps.)

---

des Armagnacs. Il maîtrisa mal la situation : la misère et le chômage étaient à leur comble. Toujours sous la coupe des Anglais, mais cherchant à se rapprocher du dauphin (futur Charles VII), il fut assassiné lors de son entrevue avec lui au pont de Montereau (1419).

L'occupation anglaise

La reine Isabeau de Bavière et Philippe le Bon traitèrent peu après avec les Anglais à Troyes (1420) : Henri V d'Angleterre devait épouser Catherine de France, devenant ainsi le régent de France, et succéderait à Charles VI ; Charles VII était déclaré illégitime. La ville fut alors aux mains des Anglo-Bourguignons représentés, en fait, par le duc de Bedford, frère de Henri V et époux de la fille de Jean sans Peur ; tous deux moururent en 1422, de même que Charles VI. Bedford devint alors le régent et mena à Paris une vie luxueuse, troublée en 1429 par la malheureuse tentative de prise de Paris, conduite, porte Saint-Honoré, par Jeanne d'Arc qui fut blessée ; mais, à partir de 1430, la chance ayant tourné, l'armée delphinale, avec le connétable de Richemond, reconquit progressivement le royaume et reprit Paris (1436), que les Anglais privés de Bedford (mort en 1435) ne surent conserver. Charles VII revint dans la capitale en 1437 et s'installa à l'hôtel des Tournelles (place des Vosges).

Les grandes institutions

Pendant ces péripéties mouvementées, les institutions se consolidèrent. L'Université intervint dans le Grand Schisme (1378) et prit parti pour Clément VII, installé à Avignon ; prétextant la position prise par un dominicain contre l'Immaculée Conception de la Vierge, elle prononça l'exclusion de tout l'ordre (1387-1403) ; dans le conflit entre Armagnacs et Bourguignons, elle prit successivement le parti du plus fort, mais toujours dans le sens de la modération, surtout lorsqu'elle fut dirigée par le chancelier Gerson. Celui-ci joua un rôle de premier plan au concile de Constance qui réunifia l'Eglise (1414-1417).

Le Parlement, cour de justice née vers le milieu du XIIIe siècle et réellement organisée sous Philippe le Bel, fit cause commune avec la municipalité pendant la crise et, par ce biais, s'infiltra dans la gestion économique de la ville, affirmant ses fonctions réglementaires et législatives. La police était assurée par le guet royal et le guet des métiers qui comprenait quelques dizaines de sergents à pied et à cheval, sous les ordres du chevalier du guet placé depuis saint Louis sous le contrôle du prévôt de Paris, nommé par le roi. La ville était divisée en secteurs commandés par les quarteniers (trois rive gauche, six rive droite), cinquanteniers (responsables de cinquante hommes) et dizainiers (pour dix hommes). Louis XI, pour plaire à la ville où il avait trouvé asile lors du conflit l'opposant aux féodaux de la ligue du Bien public (1465), pratiqua une politique de diminution des impôts, mais, en politicien avisé, reprit en main tout ce qui pouvait « bouger » : se méfiant des métiers, il réforma la police et, dès 1467, substitua à l'ancien système une organisation purement corporative de soixante et une bannières ou compagnies englobant tous les hommes de seize à soixante ans regroupés par métiers. Pour soumettre complètement la ville, il s'empara habilement de la prévôté des marchands en y faisant élire des hommes à lui, tandis que les marchands disparaissaient progressivement de la municipalité et étaient remplacés par des officiers : ainsi, vers 1500, il n'y eut jamais plus d'un marchand parmi les échevins. Comme Philippe Auguste, deux siècles et demi plus tôt, Louis XI s'appuya sur la bourgeoisie mais en la limitant, en la contrôlant et en la domestiquant le plus possible.

Paris, ville sinistrée

La ville elle-même était dans un triste état à la fin de la guerre de Cent Ans. Alors que la prospérité des deux siècles précédents n'avait jamais cessé d'attirer les provinciaux et les étrangers, la peste, la guerre, la famine et la misère des campagnes entraînèrent l'afflux de pauvres en si grand nombre que l'on fonda, en 1363, l'hôpital du Saint-Esprit, place de Grève ; de même, en 1407, un particulier, Nicolas Flamel, fonda, rue de Montmorency, une maison toujours en place, dont le rez-de-chaussée était occupé par des commerces et l'étage réservé aux pauvres. La situation s'aggrava tellement et le pain fut si cher qu'à partir de 1410 le mouvement s'inversa et les plus défavorisés quittèrent de désespoir la ville, mais en nombre insuffisant puisqu'il fallut créer trois hospices en 1421. Ce dépeuplement de Paris fut accentué par des épidémies dévastatrices : 1348 (la peste noire), 1418, 1433 (qui frappa surtout les enfants), 1438, 1445, 1446 (où 30 000 personnes seraient mortes à l'Hôtel-Dieu) ; signe qui ne trompe pas et marque le recul de la ville : les loups réapparurent en 1421, 1423, 1438 où un enfant fut mangé près des Innocents, en 1439 où quatorze personnes furent dévorées près de Montmartre. Cet exode frappa toutes les catégories sociales et le roi, par nécessité, s'installa dans le Val de Loire, cependant que la Cour et le milieu artistique se reformèrent spontanément à ses côtés, donnant naissance à la très raffinée école de la Loire et créant un contexte intellectuel favorable à l'éclosion de nouvelles formes de pensée. Et cet exode, forcé à l'origine par les circonstances politiques, fit, pour un siècle, du val de Loire le lieu de résidence préféré des souverains, en même temps que le berceau de la Renaissance. La fuite de Paris d'une partie seulement des intellectuels n'empêcha pas le duc de Bedford de tenir une cour très brillante et de faire travailler les artistes, comme en témoignent les manuscrits réalisés alors.

Conscient de la crise que traversait Paris, Charles VII en 1443, puis Louis XI en 1468, prirent des mesures essentiellement fiscales pour repeupler la ville. En 1467, on alla plus loin et l'on accueillit les hors-la-loi, les proscrits, les bannis, y compris les assassins et les voleurs qui furent amnistiés.

La réforme du régime foncier

La situation était grave et s'accompagnait d'une crise foncière terrible. Durant les siècles précédents, la prospérité avait été ininterrompue et avait permis, grâce à l'accroissement de la population, le développement du parc immobilier. La ville avait été répartie à l'aube de la féodalité entre divers seigneurs : essentiellement le roi, l'évêque, le chapitre Notre-Dame, les abbayes. Tous avaient concédé à des particuliers (tenanciers) des terres moyennant des redevances dites cens, payées d'abord en nature (une poule, un coq, etc.), puis, de plus en plus, en argent avec le développement de la monnaie. Progressivement, les tenanciers, en fonction de leurs intérêts et des nécessités économiques, passèrent de l'agriculture à l'immobilier et édifièrent des maisons destinées à la location. Pour financer ces travaux, ils procédèrent de la même manière qu'avec les seigneurs et reçurent des particuliers (devenant des rentiers) les capitaux nécessaires pour réaliser ces améliorations, moyennant un cens : les profits provenant de cette opération et les loyers permettaient largement d'acquitter cette nouvelle redevance. S'il voulait agrandir la maison et la surélever, le propriétaire pouvait renouveler l'opération avec qui que ce soit et était tenu de lui payer alors un cens supplémentaire. Le prêt à intérêt étant prohibé, ce régime d'accensement fut le biais qui permit, à la satisfaction de tous, de tourner l'interdit. Par ailleurs, tous les cens étaient perpétuels et devenaient, en période de croissance économique et d'inflation, ridiculement bas. La crise s'installa de manière irréversible au

Le quartier du Temple en 1450.

milieu du XIVe siècle. Il s'ensuivit que la valeur des immeubles baissa de manière spectaculaire au point de moins valoir que les rentes dues. La dépopulation spectaculaire entraîna une chute vertigineuse des loyers et, en conséquence, l'abandon, sans entretien, des immeubles qui souvent devinrent dangereux, occasionnant des accidents. Pour dénouer ce problème foncier difficile, le pouvoir royal autorisa au XVe siècle le rachat des rentes par les propriétaires : cette mesure fut essentielle car elle permit de clarifier la situation juridique des biens immobiliers, instaura leur mobilité et suscita la restauration des patrimoines.

Le renouveau économique

Ce milieu du XVe siècle vit bien d'autres transformations économiques : le centre de la prospérité se transporta à Lyon, situé au cœur de l'axe Flandre-Italie, cependant que la foire du Lendit, en plein déclin, était réduite à une seule journée au lieu de quatre semaines lors de son apogée. Lyon, grâce à ses foires quadriennales créées par Charles VII, mais reconnues officiellement en 1463, devint la capitale mondiale de la finance à la fin du XVe siècle, en dépit de la jalousie des Parisiens ; ils obtinrent pendant quelques années la suppression des foires lyonnaises (1484) et la création, tout artificielle et sans succès, d'une foire à Bourges, afin, disaient-ils, de porter un sérieux préjudice à la ville de Bruges. Pour ressusciter le commerce, Louis XI créa, en 1482, la foire Saint-Germain-des-Prés, franche de taxes et de péages, destinée non pas aux grands échanges commerciaux, mais à faciliter l'approvisionnement de la capitale en articles de luxe, notamment. Paris vivait alors du commerce et non de l'industrie et les draps qui s'y vendaient venaient de Flandre...

La création d'offices, subterfuge financier

Autre nouveauté lourde de conséquences jusqu'à la fin de l'Ancien Régime : la fonctionnarisation du personnel de vastes secteurs économiques. Le trésor étant vide, Charles VII recourut à un expédient qui devait sans cesse être renouvelé sous la monarchie, à savoir la création d'offices, pour des fonctions administratives, mais également d'autres très variées comme les porteurs de lanternes. L'impétrant achetait sa charge ou office en fournissant le capital, moyennant quoi, le roi lui servait une rémunération annuelle correspondant souvent au vingtième de la somme reçue. Cette opération présentait le double avantage de renflouer les caisses de l'Etat et d'assurer des revenus fixes aux officiers, mis ainsi à l'abri des angoisses de l'avenir. Louis XIV, dans les années 1685-1690, usa très largement de cet expédient, mettant ainsi la main sur la plupart des fonctions municipales du royaume et créant une aristocratie urbaine que l'on appela la noblesse de la cloche. Comme très souvent des avantages étaient liés à ces offices (anoblissement pour les charges judiciaires), ils furent activement recherchés et la population décela bientôt que c'était le moyen le plus rapide et le plus sûr pour s'élever dans la société. Ce mouvement esquissé à petite échelle par Philippe Auguste et saint Louis avec les marchands, devint un mode régulier d'administration dont le principal mérite fut de mettre en place des gestionnaires honnêtes parce qu'à l'abri du besoin.

Aux origines des emprunts : les rentes sur l'Hôtel de Ville

A ceci vint s'ajouter à Paris, au début du XVIe siècle, la généralisation des rentes sur l'Hôtel de Ville. En 1522, l'Etat, très endetté par suite des guerres d'Italie, décida l'aliénation d'une partie des impôts parisiens en échange d'un prêt au roi de 200 000 livres par les bourgeois : la ville faisait l'avance de la somme et garantissait aux prêteurs un intérêt au denier douze, c'est-à-dire 8,33 %. Cet intérêt devait être perçu sur la ferme des impôts relatifs au bétail à pied fourchu et au vin entrant dans Paris. Le succès de cet emprunt fut considérable. Il fut suivi de nombreux autres qui devinrent le moyen le plus usuel de financer les dépenses publiques jusqu'à la fin de l'Ancien Régime. Ce fut l'un des placements préférés des Parisiens, bourgeois et aristocrates, et il constitua avec les biens immobiliers la base des fortunes : ainsi naquit la catégorie sociale des rentiers dont

l'apogée se situa au XIXe siècle, au point de devenir alors un déterminant « professionnel ». Cette généralisation du fonctionnariat et de la rente eut la conséquence fâcheuse, mais déterminante et durable, de générer dans la population une mentalité immobiliste, des réflexes et des comportements ignorant le risque, le dynamisme et la créativité. Les pouvoirs publics en furent pleinement conscients et lorsqu'en 1548 l'Italien Vincent San Donnino projeta la création d'une banque à Paris, le roi, qui y était favorable, consulta le Bureau de ville ; celui-ci lui opposa un refus catégorique dont l'argumentation est très intéressante et révélatrice : l'argent investi dans une banque manquerait aux investissements industriels et commerciaux, créateurs de biens de consommation ; d'autre part ces revenus, vite et sûrement acquis sans peine, inciteraient à « vivre en oysiveté, qui est nourrice de tous maulx et la peste la plus pernicieuse qu'il sauroit advenir en la Republique » ; enfin, la noblesse, prodigue de tempérament, s'endetterait auprès de la banque et ne pourrait s'en sortir qu'en aliénant ses biens fonds ; elle deviendrait ainsi incapable d'assurer le service du roi, c'est-à-dire, de s'armer et de vivre « noblement ». Cet avis de la municipalité fut suivi et il fallut attendre un autre étranger, John Law, au XVIIIe siècle, pour voir apparaître la première banque parisienne.

Deux inventions capitales : l'imprimerie et la poste

Le début du règne de Louis XI fut marqué par deux inventions riches d'avenir : la poste et l'imprimerie. La poste, créée en 1464, était un service destiné à assurer de meilleures liaisons entre le pouvoir royal et les provinces. C'était un instrument de gouvernement et de centralisation. Sur les grands chemins furent installés toutes les quatre lieues des relais entretenant quelques chevaux afin de transporter rapidement les courriers du roi ou des dépêches de l'administration. Réservée au roi, cette institution se développa très vite et fut, dès le XVIe siècle, utilisée par les particuliers. Cet élément centralisateur du point de vue administratif permit une pénétration internationale toute nouvelle, favorisa la naissance de nœuds routiers tels qu'Orléans, et la fixation définitive des grands axes routiers. Ce n'est toutefois que sous Louis XIII que les particuliers purent disposer d'un système analogue : les premiers transports en commun furent des coches publics qui reliaient les grandes villes à Paris (Orléans, Rouen) et cette organisation trouva son complément au XVIIe siècle par la mise en place des chaises de poste.

L'imprimerie joua un rôle primordial dans la révolution intellectuelle de la pré-Renaissance. En 1469, le recteur de l'Université, Guillaume Fichet, fit venir à Paris Michel Friburger, de Colmar, Ulric Gering, de Constance, et Martin Crantz, pour y exercer l'art de l'imprimerie. Installés en Sorbonne, ils publièrent, dès 1470, le premier livre parisien ; dès 1475, Louis XI les naturalisait. L'Université peut s'honorer d'avoir promu cette technique révolutionnaire qui permit la diffusion et l'étude des textes anciens, puis des idées nouvelles intellectuelles, philosophiques ou religieuses. Les trois imprimeurs s'installèrent en 1473 rue Saint-Jacques, à l'enseigne du Soleil d'Or ; à leur suite quantité d'imprimeries virent le jour à proximité, de la montagne Sainte-Geneviève à la Seine.

En raison des bienfaits de cette invention, les rois qui leur étaient très favorables leur accordèrent des privilèges fiscaux, ainsi que la libre circulation des ouvrages imprimés. Ce quartier qui avait été celui des fabricants de manuscrits devint tout naturellement celui des imprimeurs et des libraires. Cela ne se fit pas sans conflits : les copistes perçurent immédiatement la mort de leur profession et tentèrent vainement de résister ; la technicité du nouveau métier y entraîna des luttes sociales. La forte demande de livres et la concurrence forcèrent les maîtres imprimeurs parisiens à utiliser de plus en plus des apprentis non rémunérés au détriment des compagnons qui, eux, l'étaient. D'institution récente, l'imprimerie n'était pas alourdie par les règlements des corporations et le nombre des apprentis dans les ateliers n'était pas limité. Les compagnons s'assemblèrent en confrérie et firent un « tric », c'est-à-dire la grève. Mais les maîtres obtinrent du roi le maintien de la situation existante (1539), ce qui, toutefois, ne fit pas cesser l'agitation. Ce n'est qu'en 1572 que les apprentis furent limités à deux par presse, puis, en 1625, à deux par maître.

Cette diffusion de l'imprimerie s'accompagna de la naissance d'une presse occasionnelle relatant, dans quelques feuillets illustrés ou non, la réception de Charles VII à Paris, l'entrée de Louis XII, « Les joustes faictes à Paris » à cette occasion, l'enterrement de Charles VIII... ou des nouvelles des guerres d'Italie. Pendant tout le XVIe siècle, en particulier, pendant les guerres de Religion, Paris connut l'impression et la diffusion de libelles d'actualité. De 1605 à 1644, le premier journal parut, mais de manière irrégulière, sous le titre de *Mercure français*. Il fallut attendre 1631 pour que les libraires-imprimeurs, Vendôme et Martin, publient le premier vrai périodique français composé de nouvelles de l'étranger : *Nouvelles ordinaires de divers endroits*. Quelques mois plus tard, Théophraste Renaudot, médecin loudunois, obtint du roi un privilège lui accordant le monopole de la presse dans le royaume pour la *Gazette de France*, organe de propagande officielle qui parut deux fois par semaine. Ce privilège entraîna la prolifération de gazettes clandestines pourchassées par la police. A partir de la seconde moitié du siècle, les périodiques à caractère culturel furent à peu près libres (*Journal des savants*, 1665, *Mercure galant*, 1672, *Journal de Trévoux*, 1701, *Année littéraire*, 1754). Toutefois, le premier quotidien parisien, le *Journal de Paris*, n'apparut que sous Louis XVI (1777-1790).

La Renaissance

Un nouvel humanisme

L'italianisme caractérise le mieux la mouvance intellectuelle et culturelle dans laquelle se situa Paris à partir du milieu du XVe siècle. Contrairement aux idées reçues, ce courant ne fut pas une des conséquences des guerres d'Italie, mais elles l'amplifièrent, le contact réel avec le pays, les monuments, les arts et la culture italienne ayant été un révélateur puissant. En effet, l'humanisme italien pénétra la haute

société dès le règne de Charles VII, et Gregorio le Tifernate, qui faisait partie de son entourage (1456-1459), enseigna le grec ; plus tard, Filippo Beroaldo (1476) et bien d'autres vinrent enseigner « les études d'humanité » sur la montagne Sainte-Geneviève, de même que le Grec Georges Hermonyme (1476) qui eut pour élève Lefèvre d'Etaples. Ce dernier se rendit en Italie (1492) pour voir Pic de La Mirandole, Marsile Ficin et pratiquer les méthodes italiennes d'exégèse. Cette influence se traduisit non seulement par une étude intensive des langues et des anciens textes religieux (Bible) ou philosophiques (Aristote, Platon), mais aussi par une remise en cause de la pensée traditionnelle : l'individualisme et le culte antique de l'homme dans son entier (corps et âme) firent leur apparition, accompagnés d'une certaine laïcité et surtout d'une démarche intellectuelle scientifique, fondée sur la critique et la raison. Comme au Moyen Age, Paris resta une Université internationale très ouverte aux étrangers, ainsi qu'en témoigne l'arrivée en 1508 d'Erasme et de Girolamo Aleandro, recteur de l'Université (1513) et fondateur de l'imprimerie grecque de Paris. En cette période de bouillonnement intellectuel intense et de soif d'apprendre, les Parisiens courtisèrent et honorèrent ces savants venus les instruire et se pressèrent à leurs cours. Peu à peu, les Français entrèrent en humanisme et l'on vit dès 1508, Guillaume Budé appliquer au droit les méthodes « scientifiques » et philologiques et, en même temps, Tissard publier une grammaire hébraïque.

La création du Collège de France

Avec le règne de François Ier, prince jeune, beau, séduisant, intelligent,

d'esprit ouvert aux idées modernes, ce mouvement de renouveau ne fit que s'amplifier : ses victoires et son séjour en Italie renforcèrent son admiration pour cette civilisation si brillante, et si humaine, voire païenne. Comprenant que toutes ces recherches avaient besoin d'un espace de liberté situé en dehors de la mouvance tatillonne et contraignante de l'Université, il projeta, dès 1521, de créer un collège à l'emplacement de l'hôtel de Nesle, quai des Grands-Augustins, pour l'enseignement du grec ; l'aboutissement de ces intentions fut la création, en 1530, du collège des Lecteurs royaux destiné au grec, à l'hébreu et aux mathématiques, auxquels on ajouta le latin (1534), puis la philosophie et la médecine (1542) ; l'enseignement était dispensé dans les collèges de Cambrai et de Tréguier, rue Saint-Jacques, dont Henri IV entreprit la reconstruction en 1609 pour le seul Collège de France.

L'italianisme

Dans le domaine artistique et dans celui des mœurs, l'emprise italienne ne fut pas moins importante et impressionna la population lors des manifestations éphémères que furent, par exemple, les entrées royales, présentées en triomphes antiques. Il faut bien être conscient que cette mode fut imposée d'en haut, souvent de force, venant de la cour. Ainsi, en 1492, l'entrée d'Anne de Beaujeu fut, pour la première fois, illustrée par la mythologie avec la figuration d'Hercule tuant l'Hydre, à la porte Saint-Denis. De même, Charles VIII, Louis XII et François Ier appelèrent auprès d'eux les meilleurs artistes (Guido Mazzoni, Benvenuto Cellini, Léonard de Vinci, puis Rosso, Serlio, Primatice) qui formèrent, dans une large mesure, les Français. Ce placage de formes et de thèmes historiques et mythologiques nouveaux dans les tableaux antiques et les arcs de triomphe des entrées comme celle de Henri II (1549) se fit en rupture culturelle avec la population : précédemment, l'iconographie et les thèmes figurés étaient perçus et compris de tous (sculpture religieuse, théâtre) ; désormais, un fossé sépara une petite élite instruite des subtilités de la mythologie et de ses symboles, du peuple commun qui leur resta étranger et ne comprit pas les sculptures de la fontaine des Innocents réalisée à l'occasion de l'entrée de Henri II.

Le théâtre subit une transformation considérable également. Tandis que subsistait un genre traditionnel à thème religieux hérité du Moyen Age, mais de plus en plus étranger aux préoccupations du temps, en 1550, on en vint à interdire de jouer autre chose que des pièces profanes afin de ne pas parodier la religion, ni favoriser la Réforme ; à la même époque, on installa une scène dans une partie de l'hôtel de Bourgogne (rue Etienne-Marcel), et le théâtre devint définitivement laïc par l'acquisition de locaux propres. Les thèmes antiques firent leur apparition (*Cléopâtre* de Jodelle, 1552) et les troupes italiennes et leurs bouffons supplantèrent la farce médiévale. A côté de la troupe « officielle » de l'hôtel de Bourgogne, de nombreux théâtres sauvages virent le jour dans les jeux de paume, prouvant l'appétit du public pour ce genre de spectacle.

Ce mouvement s'accompagna d'un profond changement des mœurs : introduction des belles manières et de la politesse, inspirée par *Le Courtisan* de Baldassarre Castiglione (1528), goût effréné du luxe, recherches pour égaler techniquement les Italiens (Bernard Palissy), vêtements somptueux, naissance de la promenade mondaine (les Tuileries, puis, au XVIIe siècle, le Cours-la-Reine). Ainsi la première moitié du XVIe siècle fut-elle marquée par une éducation des Français par les Italiens. Elle fut rapide car le terrain sur lequel se greffa cette nouvelle civilisation était peut-être un peu sclérosé, mais riche d'une tradition et d'une culture vieilles de plusieurs siècles, qui avaient même tenu longtemps la première place en Europe. Aussi, dès la fin du règne de François Ier, l'art redevint-il national pour plusieurs siècles, faisant coexister les formes nouvelles et le gothique traditionnel à Saint-Eustache, Saint-Merri... A la même époque, la littérature et l'enseignement universitaire s'affranchirent de l'étranger et, si Rabelais (mort à Paris en 1553) se situe bien dans la tradition médiévale par sa langue riche, touffue et exubérante, la Pléiade, ce club d'humanistes puristes, a laissé des œuvres inspirées de l'Antiquité, dans une forme renouvelée et une langue épurée.

Le renouveau de la pensée politique

De même, la remise en cause de la pensée traditionnelle modifia considérablement la théorie du pouvoir monarchique. Ainsi furent promulguées les grandes ordonnances réformatrices telles que celle de Villers-Cotterêts rendant le français obligatoire dans les actes officiels et créant l'état civil (1539) ou celle de Moulins réorganisant l'administration royale (1566). En même temps, les grands juristes que furent Claude de Seyssel, Dumoulin, Jean Bodin, Guy Coquille, analysèrent à la lumière du droit romain les textes et coutumes fondant le pouvoir royal et formulèrent de ma-

---

Les métiers de Paris

« Cent mille artisans en cent mille façons
Exercent leurs mestiers : l'un aux lettres s'adonne
Et l'autre conseiller aux saintes loix ordonne,
L'un est peintre, imager, armurier, entailleur,
Orfèvre, lapidaire, engraveur, esmailleur :
Les autres nuict et iour fondent artillerie,
Et grands cyclopes nuds font une batterie
A grands coups de marteaux, et avec tel compas
D'ordre l'un après l'autre au Ciel levent les bras,
Que l'Arcenal prochain et le fleuve en resonne. »

(Ronsard, Hymne de Henri II.)

nière définitive la doctrine du pouvoir « absolu », c'est-à-dire dégagé des lois ordinaires, mais respectueux des lois divines et naturelles, soit tout le contraire du despotisme. Ces arguments et ce discours, passés progressivement dans les faits à la suite de l'abaissement des derniers grands féodaux, constituèrent la base de l'action centralisatrice et organisée de Richelieu qui trouva son épanouissement sous Louis XIV, en même temps que s'affirmaient le sentiment national et le patriotisme. Alors que, dans la période précédente, Dieu et l'Eglise dominaient la vie et les comportements sociaux, avec la Renaissance et le retour aux traditions antiques, on assista à une sorte de déification royale par le détour de la mythologie et de l'impérialisme romain ; les appellations changèrent et se latinisèrent. On ne parla plus du roi mais du souverain, de Sa Majesté Royale, et l'on invoqua souvent la « république » pour désigner l'Etat ; même s'il resta très chrétien, le roi ne fut plus lié pour chacun de ses actes à la religion. Dans le domaine de l'urbanisme, la prééminence cessa d'être à la cathédrale : désormais, les demeures des souverains l'emportèrent et, à l'exception de l'église Sainte-Geneviève (Panthéon), conçue de manière grandiose à la fin du règne de Louis XV, mais dans un esprit néoclassique se référant à l'antiquité classique, sans se désintéresser des chantiers religieux, les rois successifs et les princes concentrèrent leurs efforts sur les sites et les édifices civils (Louvre, Tuileries, Luxembourg, places royales, etc.). De plus, les critères d'esthétique et d'hygiène, mis en valeur par les théoriciens italiens comme Alberti, devinrent impératifs et la ville qui n'avait guère connu que des effigies religieuses, développa le culte du héros antique et païen avec de nombreuses représentations des monarques à partir du XVIIe siècle.

Les guerres de Religion

Le dernier domaine, et non le moindre, où le bouleversement de la pensée eut des conséquences incalculables, fut celui de la religion. La méthode philologique appliquée aux textes sacrés entraîna la fréquentation de l'Ancien Testament, alors essentiellement réservé aux clercs, la traduction des textes sacrés en langue vulgaire, un sentiment de responsabilité individuelle accru, un souci de vie religieuse authentique ; il s'ensuivit le refus et le rejet des rites et des pratiques jugés excessifs (chants, décors, etc.) et une intériorisation de la religion. Sans revenir sur l'histoire de la Réforme, on peut souligner qu'au départ les écrits d'Erasme ou de Lefèvre d'Etaples n'eurent d'autre but que de clarifier dogmes et doctrine. Ce regard intellectuel appliqué aux choses divines eut d'abord la sympathie royale, bien après même la rupture de Luther avec le catholicisme (1517-1521). Mais François Ier s'opposa avec vigueur aux réformés lorsqu'ils choisirent la voie de la provocation et de la profanation (mutilations de statues, etc.), puis celle de la bravade (placards hérétiques affichés à la porte de la chambre à coucher du roi, 1534). Dans sa très grande majorité, la population de Paris manifesta vigoureusement son hostilité aux réformés qui se recrutèrent souvent chez les intellectuels (imprimeurs, parlementaires) et les aristocrates. Mais le mouvement fut assez important pour que se tînt à Paris, en 1559, le synode national organisant le protestantisme français sur le modèle de celui de Genève. En 1561, le colloque de Poissy leur accorda deux lieux de réunion dans Paris : près de Saint-Médard, dans la maison dite « du Patriarche », et dans la seigneurie de Popincourt. A la fin de l'année, le temple du Patriarche fut pillé et les protestants se replièrent à la porte Saint-Jacques. Dès lors, les escarmouches ne cessèrent entre huguenots et catholiques au rythme des guerres de Religion, ponctuées de trêves accordant des lieux de culte aux réformés. Le comportement de la régente Catherine de Médicis fut souvent ambigu car elle s'efforça de maintenir l'équilibre entre les deux camps, tout en songeant à se débarrasser au plus tôt des chefs protestants. L'occasion se présenta plus tard lors du mariage de Marguerite de Valois, sa fille, avec Henri, roi de Navarre, futur Henri IV (18 août 1572). Le 23 août, la tentative d'assassinat de l'amiral de Coligny ayant échoué, la reine craignit un soulèvement et incita Charles IX, son fils, à ordonner le massacre au cours duquel périrent plusieurs milliers de protestants (Saint-Barthélemy).

La Ligue

Lors de la Ligue, Paris participa activement au conflit religieux. En 1576, à la suite de l'édit de Beaulieu, très favorable aux protestants, les catholiques s'étaient « ligués » à Péronne pour défendre la religion menacée. Cette organisation dirigée par Henri de Guise se répandit bientôt dans toute la France mais ne joua un rôle effectif important qu'après la mort du jeune frère de Henri III (1584) qui faisait du roi de Navarre, protestant, l'héritier du trône. Guise aspira alors au trône et fit alliance avec les Espagnols contre Henri III. L'agitation à Paris fut à son comble, menée par l'Université, le clergé du haut des chaires et les seize chefs de quartier. Ceux-ci formèrent un comité insurrectionnel qui se substitua à la municipalité. Le roi ayant réparti des hommes en armes dans la ville pour se saisir des ligueurs les plus agités, le peuple se souleva : ce fut la journée des Barricades (12 mai 1588). Les troupes royales en mauvaise position place de Grève ne furent sauvées que par l'intervention du duc de Guise à la demande de Henri III, qui fut dès lors obligé de quitter Paris. Le roi réunit des états généraux à Blois qui se

« *Au Roy pour le convier
de revenir à Paris* »

*« Non, ceste ville auguste (invincible Monarque)
Ne sçauroit desormais fleurir qu'à vostre honneur, [...]
Qu'un autre l'ait fondée et ceinte de murailles,
Qu'un autre ait fait l'Empire en ses murs resider,
Vous, vous l'avez sauvée au milieu des batailles,
Et sauver une ville est plus que la fonder. »*

(Bertaut.)

L'île de la Cité

montrèrent favorables aux Guise. Henri III les fit assassiner, ce qui lui valut d'être excommunié par le pape, déposé par la Sorbonne et le Parlement, enfin, assassiné à Saint-Cloud (1589), lorsqu'il s'unit trop tardivement au roi de Navarre pour assiéger Paris. Les Parisiens soutinrent avec un courage inouï le siège de la ville ; la famine fut terrible et après avoir mangé les chats et les rats, on en vint au pain de Mme de Montpensier (1590), sorte de galettes constituées d'un mélange d'os de cadavres et de farine bouillis. Pendant ce temps, les Seize qui gouvernaient la ville s'illustrèrent par leur démagogie excessive demandant, entre autres choses, l'interdiction du protestantisme, l'élection du roi qui serait sous le contrôle des états généraux. Trouvant bientôt le chef de la Ligue et lieutenant du royaume, Mayenne, bien insuffisant, les Seize nommèrent un conseil de dix membres chargé du salut de l'Etat (1591), puis passèrent à la révolution et à la rébel-

lion en envahissant avec la foule le Parlement, en confisquant les biens des modérés, en dressant des listes de suspects et en proposant la couronne à Philippe II d'Espagne. Mayenne de retour à Paris remit les choses en ordre, mais la Ligue divisée sur le nom des prétendants au trône (cardinal de Bourbon, oncle du roi de Navarre, ou Mayenne ou la fille de Philippe II d'Espagne) réunit les états généraux à Paris (1593), pour l'élection d'un roi. La *Satire ménippée*

(1594) rédigée collectivement par des modérés fit éclater au grand jour les ambitions des chefs de la Ligue et contribua grandement, du fait de l'abjuration de Henri IV (1593), à la capitulation de Paris, et à l'entrée du nouveau roi sous les acclamations du peuple. Le conflit religieux prit fin avec l'édit de Nantes (1598) qui accorda aux réformés un lieu de culte à Grigny, puis à Ablon, enfin à Charenton (1601). Une fois encore, Paris, à la faveur d'une crise dynastique, avait connu la révolution. Celle-ci avait cessé dès le retour au respect de la loi fondamentale de la monarchie : la catholicité du roi.

La reconstruction de la cité et la naissance de la culture classique

La paix revenue, Henri IV s'employa à restaurer la prospérité dans le royaume et à reconstruire Paris qu'il orna de deux places, d'un pont, et d'agrandissements et d'embellissements au Louvre. Et la capitale se développa paisiblement jusqu'au milieu du siècle, connaissant de temps à autre des escarmouches religieuses (incendie du temple de Charenton, 1621) ou des problèmes politiques intéressant l'histoire nationale (assassinat du roi, troubles de la régence, tensions entre Louis XIII et sa mère, journée des Dupes, 1630). Pour le reste, les tendances esquissées au siècle précédent s'affirmèrent et se perfectionnèrent : la politesse devint exigeante, les mœurs s'affinèrent à l'image du langage des précieuses dans les salons (Mme de Rambouillet, Mlle de Scudéry) et la fondation de l'Académie française (1634), chargée de purifier la langue, se situe tout naturellement dans le droit fil du courant né cent ans plus tôt ; de même, le théâtre qui, au XVIe siècle, avait été renouvelé par l'introduction de la comédie italienne, adopta les règles sévères des trois unités et fit en sorte que le théâtre classique, dont l'apogée se situa sous le règne de Louis XIV, domine la littérature française. On observe le même phénomène dans le domaine des arts ou des sciences et les Académies de peinture (1648), des inscriptions (1663), des sciences (1666) se situèrent dans la lignée du Collège royal de François Ier.

La formation et l'éducation des jeunes aristocrates furent des éléments qui favorisèrent l'amélioration et le polissage des mœurs : et, sur le modèle de l'Italie, l'on chercha à les rendre aussi habiles aux armes et aux sports équestres que cultivés et adeptes des belles manières dans les salons. Ainsi, le contact avec l'Italie ne se limita pas à la modification du vocabulaire et des techniques militaires (armes et surtout fortifications). Alors qu'au XVIe siècle, il était de coutume de s'instruire en Italie, Antoine Pluvinel qui avait été formé à Naples, à l'école du remarquable Pignatelli, créa en 1595 une académie sur le même modèle. Ainsi disparut le monopole de l'Italie et un plus grand nombre de Français furent éduqués et reçurent un enseignement complet comprenant en plus des armes, la danse, les mathématiques, les lettres, l'histoire, la géographie, les langues, la politique, l'art de gouverner provinces et places fortes. Les jeunes passés par cette école devenaient de bons courtisans et d'excellents administrateurs du royaume. Pluvinel connut un succès immédiat, fut imité et bientôt l'on vint de toute l'Europe s'instruire à Paris et acquérir la culture française. Malheureusement, Pluvinel ne put obtenir de Henri IV et Louis XIII des secours financiers permettant la gratuité ; son souhait ne fut réalisé qu'au milieu du XVIIIe siècle, avec la création de l'Ecole militaire.

Le renouveau religieux

Mais c'est dans le domaine religieux que l'empreinte de la Renaissance fut la plus forte ; le comportement de l'homme face à Dieu changea. La religion catholique ne fut plus seule dans le royaume ; la pratique devint une affaire individuelle et la foi s'intériorisa. Ce phénomène fut très largement influencé par l'authenticité de la pratique religieuse chez les réformés. De plus, l'adoption en France (1614) des décisions du concile de Trente (1545-1563), créa un contexte favorable à l'éclosion spirituelle incroyable que connut Paris pendant la première moitié du XVIIe siècle. Ce mouvement partit d'en haut et eut pour instigateurs la famille royale, les princes de sang, les aristocrates et les parlementaires. Quantité de couvents se réformèrent, comme l'abbaye de Port-Royal où lors de la journée dite « du guichet » (1609), la jeune abbesse, Angélique Arnauld, refusa la visite de sa famille. Mais surtout un grand nombre d'établissements religieux furent fondés, principalement dans les faubourgs où il y avait des terrains vacants : ces établissements jouirent des plus hautes protections et des secours du roi, des grands et des parlementaires influents, les Acarie et les Bérulle. Ainsi, en 1603, la duchesse de Longueville introduisit le Carmel, sur les conseils de Mme Acarie qui fut aussi la conseillère du cardinal de Bérulle, fondateur de la congrégation de l'Oratoire. Les institutions nouvellement créées eurent pour but de développer l'esprit d'oraison (la Visitation fondée par sainte Jeanne de Chantal, 1619), de former le clergé (séminaire de Saint-Sulpice par Jean-Jacques Olier, 1641, de Saint-Nicolas-du-Chardonnet, 1644, Prêtres de la Mission par saint Vincent de Paul, 1625, séminaire des Missions étrangères, 1663), de soigner les malades ou de recueillir les enfants trouvés (Filles de la Charité, par saint Vincent de Paul et Louise de Marillac, 1634), de former la jeunesse (jésuites pour les garçons, ursulines pour les filles). Simultanément, Paris se couvrit d'églises et certaines protections aristocratiques permirent la réalisation de chefs-d'œuvre : chapelle de la Sorbonne (Richelieu), Val-de-Grâce (Anne d'Autriche), collège des Quatre-Nations (Mazarin)... Le clergé paroissial reprit progressivement ses ouailles en main et fit un gros effort d'enseignement religieux, dispensant des cours de catéchisme pour les enfants et les adultes aussi. Les fruits mirent du temps à venir mais il semble qu'à la fin du règne de Louis XIV le pari était gagné et qu'ils étaient là, car un touriste sicilien écrivait en 1714 : « Je n'ai jamais vu un peuple plus dévôt [...], de clergé plus réglé et religieux donner meilleur exemple. [...] Il n'y a que les nobles et les grands qui y viennent pour se divertir. » Ce propos illustre la permanence d'un courant élitiste athée et libertin, qui trouva pleinement à s'épanouir sous la Régence.

Les étrangers, « maîtres » de Paris

Tandis que les artistes italiens abandonnaient la France vers la fin du règne de François Ier, l'arrivée de Catherine de Médicis marqua le début d'une forte domination italienne dans les domaines économique, administratif et religieux, qui dura, en dépit d'éclipses, près d'un siècle. Et au milieu du XVIe siècle, les grosses fortunes parisiennes furent essentiellement étrangères ; par ailleurs, de son voyage outre-monts (1574), Henri III ramena une véritable colonie de financiers qui furent bientôt détestés, mais qui jouèrent un rôle culturel important en se faisant construire de belles demeures : Scipion Sardini qui épousa une cousine de la reine (13, rue Scipion), Sébastien Zamet (rue de la Cerisaie), da Diaceto, francisé en Adjacet (rue Vieille-du-Temple), sans oublier les Cenami, les Rucellaï, les Balbani, les Massei. Certains occupèrent des fonctions officielles comme Zamet qui fut surintendant des Finances, le Milanais René de Birague, qui fut chancelier de France ou les quatre Gondi qui se succédèrent au siège épiscopal de Paris, de 1568 à 1662. Les choses se poursuivirent sous la régence de Marie de Médicis qui fit gouverner le ménage Concini ; celle d'Anne d'Autriche, mieux inspirée, confia les affaires du royaume à Mazarin qui fut suivi d'une importante colonie italienne. La présence de cet étranger parlant le français avec un fort accent donna l'impression que le pouvoir était en position de faiblesse et fut partiellement responsable de la Fronde.

La Fronde

En raison de la mort de Louis XIII et de la guerre de Trente Ans, le trésor royal en mauvaise position éprouvait de grandes difficultés à payer les troupes et allait d'expédients en expédients : création d'offices, taxes et impôts nouveaux, comme l'édit du Toisé frappant les constructions élevées dans les faubourgs, au mépris des ordonnances, ou celui du Tarif augmentant les droits perçus sur les denrées entrant dans Paris ; de plus, il honorait difficilement ses engagements et, en 1648, le paiement des rentes de l'Hôtel de Ville avait quatre ans de retard. Pour être exécutoires, ces édits devaient être enregistrés par le Parlement. Or, celui-ci, admirateur de celui de Londres qui jouait un rôle si important dans la révolution anglaise, aspira à tenir une place politique, fit sa propre publicité et travailla à se rendre populaire en n'enregistrant les actes qu'avec de longues et nombreuses remontrances. Cette guérilla s'emballa en 1648. A l'occasion de la création de nouveaux offices, l'avocat général Omer Talon s'illustra en décrivant la noire situation du royaume. Mazarin fit quelques concessions au Parlement mais celui-ci se déclara solidaire des autres cours souveraines, signa avec elles l'arrêt d'Union et, dans une déclaration de vingt-sept articles, exigea l'arrêt des créations d'offices, la diminution des tailles... L'arrestation du très populaire conseiller Broussel (26 août 1648), considéré comme un meneur, fut le signal instantané de la révolte : le peuple dressa plus de 1 200 barricades et reçut le concours du coadjuteur de l'archevêque, Gondi (futur cardinal de Retz). Le palais Royal, résidence de la reine, fut bloqué deux jours ; la reine céda et relâcha Broussel. Mais la guerre civile dura quatre ans : Mazarin profita du secours de Condé qui, après la victoire de Lens, ne put poursuivre la guerre faute de subsides ; du côté du Parlement figurèrent les princes : Conti, frère de Condé, Elbeuf, César de Vendôme. La situation parisienne étant difficilement contrôlable, la reine se réfugia avec le roi à Saint-Germain-en-Laye (6 janvier 1649). Tandis que Paris assiégé par Condé commençait à manquer de tout et que beaucoup prenaient conscience que cette révolte ne servait que des intérêts particuliers, le Parlement obtint la fin du blocus et l'amnistie en échange de l'interdiction de faire des assemblées générales des cours souveraines (paix de Rueil, mars 1649). Ainsi se termina la Fronde parlementaire.

Condé se considérant comme le sauveur de la royauté ne reçut pas de récompense. Il reprit alors les armes et la révolte s'étendit à la province (Normandie, Guyenne, Bourgogne, Poitou). Mazarin promit alors le chapeau de cardinal à Gondi et fit arrêter les trois meneurs : Condé, Conti et Longueville (1650). Mais sa promotion de cardinal n'arrivant pas assez vite, Gondi entraîna à nouveau le Parlement dans la révolte (1651). La dangereuse union des Frondes incita Mazarin à relâcher Condé et à se réfu-

gier chez l'électeur de Cologne, tandis que son hôtel était pillé et ses collections dispersées par le Parlement (1652). Le comportement brouillon de Condé qui fit appel à l'Espagne, poussa les Parisiens à se détourner de lui.

Turenne fit sa soumission au roi et la reine se dirigea vers Bordeaux pour dompter la révolte. Mais, pendant ce temps, l'armée coalisée de Condé, des Espagnols, des reîtres et des étrangers appelés par Gaston d'Orléans, oncle du roi, marcha sur Paris et dévasta la région parisienne épargnée par la guerre de Trente Ans. Finalement, Condé entra dans la capitale et les canons de la Bastille tirèrent sur les troupes de Turenne. Le prince ne put convaincre le Parlement de s'unir à lui et à la ville pour la formation d'un gouvernement avec le roi sans Anne d'Autriche, ni Mazarin. Le 4 juillet 1652, il tenta de l'obtenir de la ville par la violence et ses troupes tirèrent sur l'Hôtel de Ville et y mirent le feu ; des magistrats furent par la même occasion massacrés. Les Parisiens devinrent alors résolument hostiles à Condé qui dut se réfugier aux Pays-Bas chez les Espagnols. Le 21 octobre, le roi revint à Paris dans l'enthousiasme. Par un lit de justice, il exila son oncle, Gaston d'Orléans, à Blois. L'ordre revenu, Mazarin retrouva Paris au début de 1653. Ainsi prit fin la troisième et la plus grave atteinte portée contre la monarchie en raison de la jeunesse du roi, du mécontentement général, de la valeur des armées princières qui, heureusement, ne compensa pas l'absence de sens politique de Condé, ni finalement la lucidité des Parisiens et surtout le loyalisme du Parlement et de la ville.

Le grand règne

La réforme de la police

La Fronde ne fut pas sans conséquences pour Paris. Toute sa vie le roi se souvint des barricades de 1648 et de la fuite nocturne à Saint-Germain. Et il faut voir dans la méfiance royale l'un des mobiles de son installation à Versailles ainsi que celle de la cour et de

Les quais de Paris en 1650. Au centre la tour de Nesle et l'hôtel Guénégaud.

certains organismes gouvernementaux. D'autre part, s'il favorisa Paris du point de vue de l'urbanisme, sa politique resta insatisfaisante à l'égard du palais du Louvre, inachevé et laissé aux académies et aux artistes. En fait, Louis XIV tint solidement la ville en main en réorganisant la police.

Le prévôt de Paris devenu purement honorifique était assisté d'un lieutenant civil et d'un lieutenant criminel, le premier jouissant d'un pouvoir considérable tant du point de vue administratif que judiciaire, notions alors définies par le mot « police ». En 1667, à la suite de la mort du lieutenant civil d'Aubray, empoisonné par sa fille, la marquise de Brinvilliers, on dédoubla la fonction : le lieutenant civil ne s'occupa plus que de justice, le lieutenant de police qui devint lieutenant général de police fut en charge de l'administration, de la police, de l'approvisionnement... Le premier lieutenant général fut La Reynie dont l'activité considérable est restée célèbre pour l'éclairage nocturne des rues, la réorganisation du guet et surtout la suppression de la cour des Miracles, rue Neuve-Saint-Sauveur. Une autre opération d'assainissement public fut la création de l'Hôpital général (1656) : la Fronde et la dévastation des campagnes avaient eu pour conséquence la venue à Paris d'un grand nombre de miséreux, tandis que le ralentissement de la vie économique s'était

L'éclairage des rues

« Les rues sont éclairées tout l'hiver, aussi bien quand il fait clair de lune que pendant le reste du mois ; et je le remarque surtout à cause du sot usage où l'on est à Londres d'éteindre les réverbères durant la moitié du mois, comme si la lune était bien sûre de briller assez pour éclairer les rues et qu'il fût sans exemple de voir en hiver le ciel nébuleux. Les lanternes sont suspendues ici au beau milieu des rues, à vingt pieds en l'air et à une vingtaine de pas de distance. Elles sont garnies de verres d'environ deux pieds en carré et recouvertes d'une large plaque de tôle ; et la corde qui les soutient passe par un tube de fer fermant à clef et noyé dans le mur de la maison la plus voisine. Dans ces lanternes sont des chandelles de quatre à la livre qui durent jusqu'après minuit. Ceux qui les briseraient seraient passibles des galères. »

(Martin Lister,
Voyage à Paris en 1698, 1699.)

accompagné de chômage. L'Hôpital général fut créé avec la double préoccupation de satisfaire aux exigences de la charité chrétienne et d'épurer la ville de ces miséreux souvent délinquants. Trois édifices lui furent affectés : la Pitié pour les femmes qui y faisaient des travaux de couture, la Salpêtrière pour les ménages et les femmes enceintes, enfin Bicêtre pour les hommes. En 1670, on rattacha à l'Hôpital général l'œuvre des Enfants-Trouvés, fondée par saint Vincent de Paul (1638).

La création de l'Hôpital qui fit disparaître plusieurs milliers d'indésirables des rues de Paris fut insuffisante et les étrangers continuèrent à se plaindre de leur présence.

Le jansénisme, à l'origine d'une contestation de la monarchie

Le départ du roi à Versailles fit que Paris retrouva une grande indépendance d'esprit et fut, de cette époque à la Révolution, le centre des résistances intellectuelles à la monarchie et à ses bases institutionnelles, l'Eglise notamment : le Temple et le Palais-Royal furent au XVIIIe siècle des repaires de libertins. De même, c'est à Paris que se manifesta pendant trois quarts de siècle la seule véritable opposition au roi : le jansénisme qui, à partir de la publication des *Provinciales* de Pascal (1656), ne concerna plus seulement les gens d'Eglise. Cette austère conception de la religion, reflétée dans les tableaux de Philippe de Champaigne, permit au monde parlementaire et à la « vertueuse » bourgeoisie d'affirmer leur réprobation et leur opposition à la vie dissolue que l'on menait à la cour : un peu comme au siècle précédent, les mêmes arguments avaient favorisé l'apparition et la diffusion du protestantisme. Ce fut aussi pour les « snobs » une mode et saint Augustin devint un banal sujet de conversation dans les salons. En dépit de sa condamnation par la bulle Unigenitus (1713), le mouvement ne disparut point. L'affaire rebondit lorsqu'en 1727, au cimetière Saint-Médard, la tombe du diacre janséniste, Pâris, mort entouré d'une

réputation de sainteté, devint un lieu de pèlerinage où se déroulèrent des scènes d'hystérie collective accompagnées de prétendus miracles. Le phénomène prit de l'ampleur et le lieutenant général de police ferma le cimetière (1732) aux convulsionnaires de Saint-Médard.

La naissance des salons

La vie intellectuelle trouva dans les salons une tribune. Ceux-ci firent leur apparition au XVIe siècle et du Bellay, Erasme, Belleau fréquentèrent celui des Morel, rue Séguier (1540-1580). Mais c'est à partir d'Henri IV qu'ils tinrent une place de premier plan dans la vie parisienne. Toujours animés par des femmes, ils caractérisent bien l'art de vivre sous l'Ancien Régime. Le premier connu, celui de Mme de Rambouillet, fut un cénacle littéraire ouvert pour échapper aux familiarités de la cour. Son influence sur les mœurs et la littérature fut considérable et l'on peut dire que toutes les grandes plumes du temps y passèrent, car la marquise qui avait su éviter la préciosité ne mourut qu'en 1665. On imita son salon. Ainsi Conrart réunit chaque semaine à partir de 1629 des amateurs des lettres et Richelieu fit de ces réunions la très officielle Académie française (1634). Bien souvent, le goût du raffinement déboucha sur le ridicule dans des cercles plus tardifs : hôtel de Nevers, de Bouillon, de Mlle de Scudéry chez qui l'on analysa si bien les ressorts de la psychologie et de l'âme. Chez Mmes de La Fayette et de La Sablière, les excès de langage disparurent et l'on étudia les passions avec perspicacité et sobriété, de même que chez Ninon de Lenclos, qui préfigure l'époque des Lumières. Au XVIIIe siècle, le salon parisien fut à lui seul représentatif de la civilisation française avec cet art de traiter avec brio, légèreté, élégance, nuance, esprit, de tous les sujets, à un niveau élevé, et l'on passa du domaine de la littérature à celui des choses sérieuses : philosophie, religion, institutions, politique, mathématiques, physique, botanique, astronomie... tant et si bien que tout le monde philosopha sur fond d'anglomanie (y compris dans ces salons populaires que furent les cafés). Le plus célèbre fut celui de Mme Geoffrin, rue Saint-Honoré, mais, ceux de Mme du Deffand, rue Saint-Dominique, ou de Mlle de Lespinasse ne manquèrent pas d'éclat et permirent de diffuser dans toute l'Europe cet art de la conversation si typiquement français, car ils furent alors aussi réputés que les écrits des philosophes et tout étranger de passage à Paris se devait d'y être reçu. Ainsi furent-ils le laboratoire d'idées de la Révolution.

Une nouvelle passion : le théâtre

Le théâtre tint un rôle important pendant toute l'époque classique. La Comédie-Française, créée en 1680 par la fusion de la troupe de Molière, l'Illustre-Théâtre, avec celle de l'hôtel de Bourgogne, fut, sous Louis XV, le théâtre le plus parfait de l'Europe en montant les pièces de tous les grands auteurs (Voltaire, Marivaux, Diderot, etc.). Marie de Médicis avait appelé à Paris les Fideli qui furent à l'origine de la comédie italienne ; plus tard, Mazarin fit venir une autre troupe qui comprit l'incroyable Scaramouche et Paris adopta les personnages italiens, Pierrot et Arlequin, qu'il modifia toutefois : du bouffon grossier et cynique, le XVIIIe siècle en fit un valet sensible et naïf. L'Opéra connut une fortune voisine : Mazarin protégea les acteurs italiens jouant des pièces tout en musique dont Lulli perfectionna la formule qui rendit l'Opéra si brillant au XVIIIe siècle tant pour les œuvres de Rameau ou de Gluck que pour les acteurs (Sophie Arnould, Jélyotte, la Camargo, la Guimard, etc.). A côté de ces salles officielles subsistèrent tout un peuple de forains volontiers considérés comme des rivaux et qui se produisaient sur le Pont-Neuf ou à la foire Saint-Germain ; traqués pour concurrence déloyale (Lulli fit interdire au marionnettiste Brioché de jouer de la musique), ils survécurent en s'adaptant aux règlements : quand on leur interdit de dialoguer, ils se contentèrent de monologuer... La bienveillance du lieutenant de police et la relative liberté d'expression de la fin du XVIIIe siècle favorisèrent la naissance de nombreux théâtres. Celui de Nicolet, le premier (1760), présenta d'abord des danseurs de corde, puis des comédies. Ses suiveurs s'installèrent près de lui sur le boulevard du Temple, qui en comprit à la veille de la Révolution près d'une dizaine. A côté de ces scènes publiques existaient quantité de théâtres privés, chez les particuliers, témoignant de la passion des Français pour ce genre d'expression qui permettait, en termes voilés, la critique et les idées nouvelles.

La naissance des grandes écoles

De même que les académies procédèrent naturellement de la fondation du Collège de France, de même la création d'écoles spécialisées fut une conséquence de la vulgarisation de l'étude des sciences, sensible dès le XVIIe siècle à travers les grandes correspondances savantes échangées, par exemple, entre Christine de Suède et Descartes, ou le mathématicien Pierre de Fermat. Le mouvement philosophique en fit un sujet de conversation quotidien ; dans le même temps se généralisèrent les laboratoires privés dans les hôtels des amateurs aristocrates ou bourgeois. Ce goût pour la recherche s'inquiéta des technologies d'application et de la formation de personnels compétents. Ainsi, l'étape qui suivit la création des académies fut celle des grandes écoles — toujours actuelles — dont la première fut celle des ponts et chaussées (1767), suivie par celle des mines (1783), ainsi que par les grandes créations révolutionnaires (Ecole normale supérieure, Ecole polytechnique, 1794) et du XIXe siècle.

Le système de Law et ses conséquences

Dans le domaine économique, Paris connut enfin sa révolution financière avec l'expérience de John Law. A la fin du règne de Louis XIV, la monnaie métallique était insuffisante, compte tenu des besoins, le Régent autorisa cet Irlandais à ouvrir une banque d'Etat qui émit des billets au porteur en papier monnaie. Elle devait permettre à l'activité industrielle ou commerciale de poursuivre son développement. A côté, Law créa la Compagnie d'Occident à vocation coloniale qui supervisait, pour l'essentiel, le commerce extérieur de la France et contrôlait de nombreuses entreprises du pays. Malheureusement, il omit de prévoir un taux de couverture métallique par rapport à la quantité de billets émis. La rue Quincampoix devint un centre de spéculation effrénée, sensible aux rumeurs les plus folles. Au début de l'été 1720, la catastrophe arriva : certains, dont le duc de Bourbon, échangèrent le papier contre de la monnaie, ce qui engendra la panique. En octobre, le cours des billets fut suspendu. Ce fut la fin de cette expérience qui stimula l'économie, fit temporairement de Paris une capitale financière et créa chez certains le goût du risque. Mais les cicatrices durèrent longtemps chez ceux que le système ruina. Et, à nouveau, les banquiers étrangers assurèrent le crédit, jusqu'à ce qu'en 1776 Jean-Baptiste Bernard créât une banque d'escompte. Autre nouveauté financière, la Bourse créée en 1724 pour les rentes et les actions des grandes compagnies contribua à l'essor de l'industrie et à la création de

Rue Quincampoix

« Cette rue sera à jamais célèbre par le jeu effroyable que Law fit jouer à toute la France sous les auspices du régent. L'or & l'argent n'avoient plus de valeur. On se portoit en foule dans cette rue étroite pour convertir en papier les especes monnoyées ; il falloit expulser le soir les porteurs de sacs & les demandeurs de feuilles de papier. On avoit dans sa poche des millions ; tel croyoit en posséder douze, vingt, trente. Le bossu qui prêtoit sa bosse aux agioteurs en forme de pupître, s'enrichissoit en peu de jours ; le laquais achetoit l'équipage de son maître ; le démon de la cupidité faisoit sortir le philosophe de sa retraite, & on le voyoit se mêler à la foule des joueurs, & négocier un papier idéal. [...]

« On n'entendoit plus parler que de millions & de milliars ; & quand le rêve fut fini, il ne resta de toutes ces richesses imaginaires que des feuilles de papier, & l'auteur même de ce système alla mourir de misere à Venise, après avoir possédé le mobilier d'un monarque & quatorze terres titrées. »

(Louis-Sébastien Mercier, Le Tableau de Paris, *1782-1788.*)

manufactures à la fin du siècle : toiles peintes (Oberkampf), verrerie, faïence, porcelaine, produits chimiques de Javel, papiers peints (Réveillon), métallurgie et construction mécanique (frères Périer)... Mais c'est à partir de la fin de l'Empire que Paris devint véritablement une ville industrielle.

La crise financière

La crise politique endémique inaugurée par la réunion de l'assemblée des Notables (avril 1788) eut pour origine première, comme toujours, une crise financière. Mais le mécontentement des privilégiés et leur résistance amorcèrent le processus qui aboutit à la convocation des états généraux (août 1788). A cela s'ajouta une crise économique provoquée par le traité commercial de 1786, ouvrant le marché

On bâtit
de tous côtés

« Les trois états qui font aujourd'hui fortune dans Paris, sont les Banquiers, les Notaires & les Maçons, ou Entrepreneurs de bâtiments. On n'a de l'argent que pour bâtir. Des corps-de-logis immenses sortent de la terre, comme par enchantement, & des quartiers nouveaux ne sont composés que d'hôtels de la plus grande magnificence. La fureur pour la bâtisse est bien préférable à celle des tableaux, à celle des filles ; elle imprime à la ville un air de grandeur & de majesté.

« L'architecture, depuis vingt années seulement, a repris un très-bon style, sur-tout quant aux ornements.

« Le Comte de Caylus a ressuscité parmi nous le goût Grec, & nous avons enfin renoncé à nos formes gothiques. [...]

« Les remparts se hérissent d'édifices qui ont fait reculer les anciennes limites. De jolies maisons s'élèvent vers la chaussée d'Antin, & vers la porte Saint-Antoine, que l'on a abattue. Il étoit question de renverser l'infernale Bastille : mais ce monument odieux en tout sens choque encore nos regards.

« Il est écrit qu'on ne pourra jamais achever le Louvre. Depuis trente années on y travaille, mais avec une lenteur qui atteste que les fonds manquent. Le Prince de Condé a dépensé douze millions pour son Palais-Bourbon, & les échaufauds du Louvre ont pourri sur pied. [...]

« Quand une maison est bâtie, rien n'est fait encore ; on n'est pas au quart de la dépense. Arrivent le menuisier, le patissier, le peintre, le doreur, le sculpteur, l'ébéniste, &c. Il faut ensuite des glaces, & poser des sonnettes par-tout. Le dedans occupe trois fois plus de temps que la construction de l'hôtel ; les anti-chambres, les escaliers dérobés, les dégagements, les commodités, tout cela est à l'infini. [...]

« La magnificence de la nation est toute dans l'intérieur des maisons. »

(Louis-Sébastien Mercier,
Le Tableau de Paris, *1782-1788.*)

français aux produits anglais, et aussi par une disette due à un hiver très rigoureux. D'autre part, le chômage était très important et l'indigence des campagnes fit affluer à Paris des milliers de miséreux sans ressources, mais susceptibles de constituer des troupes pour les agitateurs.

Le Paris
révolutionnaire

Le premier problème qui se posa à Paris fut celui de l'élection aux états généraux et les premiers heurts apparurent dès le 23 avril 1789, lorsque le tiers état refusa de siéger avec le clergé et la noblesse pour l'élection des députés et la rédaction des cahiers de doléances. Le même jour et les jours suivants se déroula la première émeute populaire due à la famine : le saccage de la maison du fabricant de papiers peints, Réveillon, accusé d'avoir prétendu que ses ouvriers étaient trop rémunérés ; toutefois, cette action populaire fut limitée et, même si elle fut manœuvrée par les Orléans, elle resta en dehors de la politique. Il n'en était pas de même du Palais-Royal, centre de débats passionnés où dans la plus grande liberté circulaient les libelles les plus « niveleurs et séditieux » et où les orateurs les plus véhéments (Camille Desmoulins) excitaient la foule. L'agitation étant à son comble, les électeurs de Paris demandèrent à l'Assemblée nationale d'intervenir auprès du roi pour la formation d'une milice bourgeoise, seule capable d'empêcher les débordements. Tandis que le roi refusait (13 juillet), le peuple envahit l'Hôtel de Ville. L'assemblée qui y siégeait décida, sur-le-champ, la création de cette milice qui reçut le nom de Garde nationale. Pour armer cette troupe, le peuple s'empara des stocks des armuriers puis des 32 000 fusils des Invalides (14 juillet) et, dans la soirée, se porta vers la Bastille pour obtenir des munitions. Le refus du gouverneur de Launay, qui fit même tirer sur la foule la déchaîna, et elle s'empara de la forteresse. Cet événement qui prit vite valeur de symbole fut un peu le fait du hasard. Il eut pour conséquence de

La Prise de la Bastille, *école française. (Musée de Versailles.)*

La prise de la Bastille

« *Soudain le tocsin sonne. Les boutiques des fourbisseurs sont enfoncées, et trente mille fusils enlevés aux Invalides. On se pourvoit de piques, de bâtons, de fourches, de sabres, de pistolets ; on pille Saint-Lazare, on brûle des barrières. Les électeurs de Paris prennent en main le gouvernement de la capitale, et, dans une nuit, soixante mille citoyens sont organisés, armés, équipés en gardes nationales.*

« *Le 14 juillet, prise de la Bastille. J'assistai, comme spectateur, à cet assaut contre quelques invalides et un timide gouverneur : si l'on eût tenu les portes fermées, jamais le peuple ne fût entré dans la forteresse. Je vis tirer deux ou trois coups de canon, non par les invalides, mais par des gardes-françaises, déjà montés sur les tours. De Launay, arraché de sa cachette, après avoir subi mille outrages, est assommé sur les marches de l'Hôtel de Ville ; le prévôt des marchands, Flesselles,* a la tête cassée d'un coup de pistolet : c'est ce spectacle que des béats sans cœur trouvaient si beau. Au milieu de ces meurtres, on se livrait à des orgies, comme dans les troubles de Rome, sous Othon et Vitellius. On promenait dans des fiacres les vainqueurs de la Bastille, ivrognes heureux, déclarés conquérants au cabaret ; des prostituées et des sans-culottes commençaient à régner, et leur faisaient escorte. Les passants se découvraient, avec le respect de la peur, devant ces héros, dont quelques-uns moururent de fatigue au milieu de leur triomphe. Les clefs de la Bastille se multiplièrent ; on en envoya à tous les niais d'importance dans les quatre parties du monde. Que de fois j'ai manqué ma fortune ! Si, moi, spectateur, je me fusse inscrit sur le registre des vainqueurs, j'aurais une pension aujourd'hui.* »

(Chateaubriand, Mémoires d'outre-tombe, 1849.)

renforcer la confiance et l'animosité du peuple et surtout d'encourager les mouvements provinciaux. Le lendemain, une députation de l'Assemblée nationale nomma à l'Hôtel de Ville, La Fayette, commandant de la Garde nationale, et Bailly, maire de Paris, pour gouverner la capitale dont la municipalité fut remplacée par le comité permanent de l'assemblée générale des électeurs, qui se substituait aux anciennes institutions (municipalité et châtelet). Le 17 juillet, Louis XVI vint à l'Hôtel de Ville, entérina les nominations de La Fayette et

« Chez Mariette », rue Saint-Jacques.

de Bailly et le choix de la cocarde à trois couleurs, et retrouva ainsi l'amitié des Parisiens.

Cafés

« On compte six à sept cents cafés : c'est le refuge ordinaire des oisifs, & l'asyle des indigents. Ils s'y chauffent l'hiver, pour épargner le bois chez eux. Dans quelques-uns de ces cafés, on tient bureau académique ; on y juge les Auteurs, les pieces de théâtre ; on y assigne leur rang & leur valeur ; & les Poëtes qui vont débuter, y font ordinairement plus de bruit, ainsi que ceux qui, chassés de la carriere par les sifflets, deviennent ordinairement satyriques ; car le plus impitoyable des critiques est toujours un Auteur méprisé.

« Les cabales, pour ou contre les ouvrages, s'y forment, & il y a des chefs de parti, qui ne laissent pas que de se rendre redoutables ; car ils vous déchirent un Ecrivain qu'ils n'aiment pas, du matin au soir. Souvent ils ne l'ont pas compris, mais ils déclament toujours ; & il faut que la réputation littéraire essuie paisiblement toutes ces bourrasques.

« Dans le plus grand nombre des cafés, le bavardage est encore plus ennuyeux : il roule incessamment sur la gazette. La crédulité Parisienne n'a point de bornes en ce genre ; elle gobe tout ce qu'on lui présente ; & mille fois abusée, elle retourne au pamphlet ministériel. »

(Louis-Sébastien Mercier, Le Tableau de Paris, *1782-1788.*)

Le retour du roi

Ce geste ne supprima pas la crise économique, ni l'effervescence des cafés et des clubs, ni les journaux excessifs. Au début du mois d'octobre, des propos hostiles à l'Assemblée ayant été tenus au cours d'un banquet à Versailles, les Parisiennes marchèrent sur Versailles et ramenèrent le roi et la famille royale qui ne devaient plus jamais y retourner (5-6 octobre). Louis XVI s'installa aux Tuileries et le gouvernement retrouva définitivement, sauf crises graves, la capitale. Paris tenait désormais à sa merci, grâce à sa municipalité indépendante, et la royauté et l'Assemblée.

L'année 1790 marqua l'organisation de la nouvelle municipalité affranchie de la tutelle séculaire de l'Etat ; la ville fut divisée en quarante-huit sections ; les charges furent pourvues par élection (maire, commissaires de police). La fête de la Fédération, le 14 juillet, scella la réconciliation de tous les Français. Mais la Constitution civile du clergé, qui faisait des ecclésiastiques des fonctionnaires élus, excita les passions et divisa le clergé, dont un peu plus de la moitié prêta serment. La suppression des ordres religieux suscita bien des hostilités même chez les modérés ; enfin des mesures maladroites comme la suppression des corporations et des ateliers de secours (aide au chômage) furent impopulaires et désorganisèrent l'économie. D'autre part, la fuite du roi à Varennes (20 juin 1791) ruina définitivement sa popularité, en dépit d'une tentative pour faire croire à son enlèvement ; l'agitation persistant, La Fayette fit tirer sur la foule au Champ-de-Mars (17 juillet) et Bailly établit la loi martiale, ce qui tua leur crédit. Ils démissionnèrent mais La Fayette ne réussit pas à se faire élire maire : ce fut le Jacobin Pétion de Villeneuve.

La chute de la monarchie
La situation économique s'aggrava avec les difficultés de la guerre (avril

Le massacre des Carmes

« Les tueurs entrèrent aux Carmes vers les cinq heures. Les prêtres ne se doutaient pas du sort qui les attendait, et plusieurs commençaient à converser avec les arrivants, qu'ils regardaient comme une escorte, qui allait les accompagner à leur destination. Un d'eux, gagné sans doute, proposa à l'évêque d'Arles de le sauver. Il ne daigna pas l'écouter. "Mais, monsieur l'abbé, ce que je vous dis est sérieux." Un autre tueur, qui n'avait pas compris le discours, s'approcha, pour s'amuser cruellement de sa victime, qu'il prit par les cheveux, la perruque ou l'oreille : "Allons, ne faites pas l'enfant, monsieur l'abbé !" L'évêque fut apparemment un peu trop ému, car il répondit : "Qu'est-ce que tu dis, canaille ?" Je parle d'après un témoin auriculaire. Ce mot fut répondu par un coup de sabre qui fit tomber l'évêque : on l'acheva. »

(Restif de la Bretonne,
Les Nuits de Paris, *1794.*)

Mise en place de la Constitution civile du clergé

« Deux cents prêtres se sont fait inscrire à la municipalité pour faire le service divin en attendant les élections ; ce sont des patriotes. Un beaucoup plus grand nombre a refusé ce service et abandonné les postes de curés, vicaires, desservants à cause du serment à prêter au nouvel ordre des choses. Dimanche dernier, j'ai été à Saint-Germain l'Auxerrois pour être témoin, au cours de cette cérémonie, du serment des prêtres. L'église était pleine de monde. Le curé et le deuxième vicaire ont refusé, quinze autres prêtres l'ont prêté de bonne grâce et de bon cœur, aux applaudissements réitérés de tout le peuple. Il y a eu des scandales ce jour-là dans presque toutes les paroisses ; à Saint-Séverin, le curé s'est enfui avec tous ses vicaires. Le soir on a apporté un nouveau-né à l'église pour le baptiser, il n'y avait point de prêtre. La garde nationale a été obligée d'aller en chercher un je ne sais où pour administrer le sacrement à cet enfant ; il a fallu forcer la porte de la sacristie pour avoir le registre des naissances. »

(Nicolas Ruault,
Gazette d'un Parisien
sous la Révolution.)

1792) et le comportement du roi qui opposa son veto à deux décrets de l'Assemblée : cela excita la populace qui, le 20 juin, envahit les Tuileries. Le 10 août, à la suite de la publication du *Manifeste* du duc de Brunswick, qui menaçait Paris de représailles si on touchait à la personne du roi, le peuple s'empara des Tuileries et renversa la monarchie avec l'aide des fédérés. Paris entra alors dans une situation insurrectionnelle : la municipalité fut remplacée par la Commune, avec Robespierre, Billaud-Varenne, entre autres, qui s'attribua le pouvoir exécutif : création de comités permanents dans les sections chargées de la police, détention de la famille royale au Temple, suppression des journaux « aristocratiques », épuration. La peur des armées austro-hongroises qui menaçaient Paris fut à l'origine des massacres de septembre (2 au 6), où les détenus politiques et les prêtres réfractaires furent assassinés dans les prisons. Ces journées effroyables suscitèrent la réprobation et la peur chez les modérés.

En prison à Saint-Lazare pendant la Terreur

« Sous la Terreur, alors que la "Maison-Lazare" était l'un des plus abondants garde-manger de la guillotine, les prisonniers, hommes et femmes, emplissaient ces mêmes cours, jouant, causant, écrivant, lisant, brodant. [...]

« Hubert Robert, raconte un de ses camarades de captivité, se levait à six heures du matin, peignait jusqu'à midi, et, après le repas (et quels repas faisaient ces malheureux volés, rançonnés, affamés par un infâme gargotier !), jouait au ballon dans la cour avec une adresse étonnante. Sa gaieté et sa tranquillité ne l'ont pas abandonné un seul instant. [...]

« Vers cinq heures, presque chaque jour, à un coup de cloche, les jeux, les conversations s'arrêtaient brusquement. Dans un silence angoissé, que troublaient seuls les jurons des geôliers hélant les prisonniers restés dans leurs cellules, les détenus allaient, troupeau marqué pour la boucherie, se ranger le long du mur. [...]

« L'appel commençait... Quand le sinistre messager avait terminé, les malheureux désignés faisaient leurs rapides et derniers adieux : une embrassade, un regard, une ultime recommandation — puis brutalement les geôliers entassaient leurs prisonniers dans le "cercueil roulant", c'était le surnom populaire du chariot emportant les prévenus. »

(Georges Cain, Nouvelles Promenades dans Paris.)

Le peuple de Paris

« D'où vient donc cet étrange privilège du peuple de Paris d'être calomnié, sans le moindre prétexte, par ceux même qu'il a sauvés ? Est-ce de ce que l'immensité de cette cité donne aux ennemis de la liberté plus de facilité pour y exciter quelque fermentation partielle et momentanée ? Est-ce de ce que le calme imposant qui a régné parmi nous, dans des circonstances si critiques, est un miracle de civisme éclairé qui domine dans son sein ? Est-ce de ce que le peuple de Paris a plusieurs fois foudroyé le despotisme ? Est-ce de ce que dans tous les temps, un peuple immense et éclairé épouvante de ses seuls regards tous les conspirateurs et tous les intrigants ? »

(Robespierre, lettre à ses commettants.)

La Terreur

Dès lors, le Paris des sans-culottes et des faubourgs accrut sa pression sur l'Assemblée (condamnation du roi), se fit l'arbitre des rivalités entre Girondins et Montagnards et obtint, par exemple, l'acquittement de Marat traduit devant le Tribunal révolutionnaire (avril 1793). Par deux assauts contre la Convention (31 mai, 2 juin 1793), il contribua à l'arrestation de vingt-neuf députés girondins ; en septembre, la Convention décida la taxation des denrées de première nécessité, puis la déchristianisation intégrale avec instauration du calendrier révolutionnaire, enfin la Terreur avec l'arrestation des suspects, l'exécution de Marie-Antoinette, la censure du théâtre au point d'envoyer la troupe de la Comédie-Française en prison pour avoir joué une pièce jugée « aristocratique ». Toutes ces mesures furent prises sur fond de misère, de guerre étrangère et intérieure (Vendée). Au printemps 1794, la Convention réagit, se débarrassa et des enragés (Jacques Roux) et des hébertistes tandis que la Commune devenait robespierriste et qu'on instaurait la religion de l'Etre Suprême au cours d'une fête organisée par le peintre David. Le 9 thermidor, Robespierre arrêté, puis libéré sur l'intervention de la municipalité, se réfugia à l'Hôtel de Ville qui fut pris par Barras. On connaît les circonstances de sa mort. Une sévère épuration suivit la chute de la Montagne et s'accompagna de la suppression de la Commune.

La Convention supprima la Terreur et le maximum, ce qui entraîna une totale pénurie de pain et une misère considérable, aggravée par l'effondrement de l'assignat, qui contrastait avec le luxe des faubourgs. Et, par deux fois, en germinal et en prairial (1er avril et 20 mai 1795), le peuple affamé envahit la Convention, mais la répression s'abattit sur le faubourg Saint-Antoine, où l'on arrêta les meneurs.

Les contre-révolutionnaires crurent leur heure venue et marchèrent à leur tour sur l'Assemblée, mais Bonaparte les arrêta (5 octobre 1795) par la sanglante canonnade de Saint-Roch qui lui valut durablement le surnom de général Vendémiaire. L'administration municipale fut placée sous le contrôle des cinq administrateurs du département de la Seine ; la ville fut divisée en douze municipalités, cependant qu'un bureau central de trois membres gérait la police et les subsistances, réglementait sévèrement les métiers et faisait perdre pour longtemps à la ville toute velléité révolutionnaire.

De l'Empire à la République

La municipalité sous tutelle

Napoléon aggrava la mise en tutelle de Paris, placée désormais sous le préfet de la Seine dont les membres nommés devaient voter les budgets sans les discuter. Le véritable maître de Paris fut donc le chef du gouvernement. La tranquillité que connut la ville à partir de l'Empire favorisa le développement de l'industrie et de la finance ainsi que l'immigration intérieure ou étrangère qui forma une main-d'œuvre à bon marché, tandis que la vie retrouvait presque l'éclat de l'Ancien Régime (théâtres, restaurants, etc.). Lorsque l'Empire tomba, Paris resta sans réaction. Alors qu'en 1814 l'attitude des troupes alliées avait été bienveillante à son égard, lors de la seconde restauration, elles furent sans ménagement et Paris, pour les entretenir six mois durant, dut dépenser plus de quarante-deux millions de francs. La grande perte pour Paris fut la récupération par les troupes européennes des œuvres d'art collectées durant les guerres napoléoniennes et que Wellington, *manu militari*, alla récupérer au Louvre. En dépit de cette double occupation étrangère, la ville retrouva rapidement, sous Louis XVIII, sa place de capitale intellectuelle et attira les étrangers tout au long du siècle. Dans une atmosphère détendue, la presse, les arts, les théâtres prospérèrent.

Sous la Restauration, le conseil municipal géra avec sagesse les finances de la ville et sut s'opposer aux dépenses excessives et même refuser de participer financièrement à la construction de l'Arc de triomphe.

Les journées de 1830

Toutefois, en 1830, Paris connut encore la Révolution. Charles X refusant de se séparer de Polignac à la tête du ministère, la Chambre lui fit savoir qu'elle ne voterait pas le budget. Le roi, résolu à passer outre, décida par ordonnance (25 juillet) de réduire la liberté de la presse, de dis-

---

La révolution de 1830

« *Trois jours, trois nuits, dans la fournaise*
Tout ce peuple en feu bouillonna
Crevant l'écharpe béarnaise
Du fer de lance d'Iéna.
En vain dix légions nouvelles
Vinrent s'abattre à grands bruits d'ailes
Dans le formidable foyer ;
Chevaux, fantassins et cohortes
Fondaient comme des feuilles mortes
Qui se tordent dans le brasier. »

(Victor Hugo,
Dicté après juillet 1830.)

soudre la Chambre et de procéder à de nouvelles élections selon un scrutin très restrictif. Ces mesures furent mal accueillies et, le 27 juillet, l'agitation se répandit dans les rues, tandis que quelques barricades étaient dressées, rue Saint-Antoine. Mais le lendemain, l'émeute gagna les quartiers populaires, occupa l'Hôtel de Ville et Notre-Dame, pendant que, dans la soirée, les troupes commandées par Marmont pactisaient en partie avec les insurgés. Le jeudi 29, ces derniers, galvanisés par les difficultés rencontrées par Marmont, dressèrent des barricades dans tout le centre et l'est de Paris ; des combats confus incitèrent le roi à retirer ses troupes. Les députés de l'opposition réunis à l'Hôtel de Ville nommèrent une commission municipale pour éviter que les républicains ne profitent de la situation, et La Fayette prit le commandement de la Garde nationale, comme en 1789. Finalement, le 3 août, Charles X abdiqua et fut remplacé par le duc d'Orléans, candidat de la finance.

La révolution de 1848

1830 marqua le début d'une ère nouvelle de libéralisme dans tous les domaines et fut favorable à l'économie, aux grands travaux (chemins de fer), à l'industrie, à la presse. Quelques soubresauts marquèrent la monarchie de Juillet : le sac de l'archevêché en 1831, le lendemain d'une

La barricade du faubourg Saint-Antoine en 1848

« Une cohue de têtes flamboyantes la couronnait ; un fourmillement l'emplissait ; elle avait une crête épineuse de fusils, de sabres, de bâtons, de haches, de piques et de baïonnettes ; un vaste drapeau rouge y claquait dans le vent ; [...] Elle était démesurée et vivante ; et, comme du dos d'une bête électrique, il en sortait un pétillement de foudres. L'esprit de la révolution couvrait de son nuage ce sommet où grondait cette voix du peuple qui ressemble à la voix de Dieu ; une majesté étrange se dégageait de cette titanique hottée de gravats. C'était un tas d'ordures et c'était le Sinaï. »

(Victor Hugo, Les Misérables.)

messe célébrée à la mémoire du duc de Berry, huit attentats manqués contre le roi, dont le plus célèbre fut celui de Fieschi (1835). Mais le roi vieilli fut incapable de faire les réformes nécessaires et la presse ainsi que la campagne des banquets menée à partir de juillet 1847 furent à l'origine des journées de février 1848 : le 22 février un banquet ayant été interdit aux Champs-Elysées, la Garde nationale chargea les manifestants qui ripostèrent en dressant des barricades. Le 23 au soir, à la suite d'une fusillade qui fit plusieurs dizaines de victimes, la foule appela toute la nuit à la vengeance, tandis que les soldats fuyaient. Le lendemain, la Garde nationale pactisa avec les insurgés, Louis-Philippe démissionna et l'on proclama la République. Trois mois de gestion démagogique suivirent tandis que la situation économique achevait de se dégrader. En juin, la fermeture des ateliers nationaux, ouverts récemment, et le chômage aboutirent à une sanglante insurrection qui compta parmi les victimes Mgr Affre et le général Négrier. Louis-Napoléon, rentré en France après les journées de février, se fit élire député de Paris (septembre), puis président de la République

Le sac de l'archevêché

« A huit heures, les appartements de l'archevêché furent envahis par un rassemblement considérable qui brisa la bibliothèque, les tables, les fauteuils, les chaises, les tableaux ; enfin tout ce qui tomba dans la main, et qui jeta ces débris dans la Seine. La surface des eaux en fut un instant couverte... On ne se borna pas à ces dégâts intérieurs : les grilles qui entouraient le palais furent arrachées de fond en comble ; la toiture même fut fortement attaquée. »

(B. de Saint-Edme, Répertoire des causes célèbres.)

Un café, place du Palais-Royal, en 1856.

et habita l'Elysée. Le 2 décembre 1851, il restaura l'Empire et la réaction des Parisiens, les 3 et 4 décembre, fut limitée. Bien qu'ayant « mal » voté au plébiscite du 20 décembre, Paris reçut en cadeau la construction du chemin de fer de ceinture, la restauration du culte au Panthéon et la promesse d'achever le Louvre.

Le second Empire

Le second Empire fut pour la ville une période de grande prospérité illustrée par les grands travaux d'urbanisme, la construction de l'Opéra, les expositions universelles (1855, 1867), une vie mondaine étincelante, la musique d'Offenbach, le rayonnement de la haute couture grâce à Worth qui habilla l'impératrice et la très élégante princesse de Metternich... Toutefois, quelques ombres altérèrent ce tableau : la tentative d'assassinat de l'empereur par Orsini (1858) qui fit plus de 150 morts et, à partir de 1862, la crise économique liée aux perturbations induites en Amérique par la guerre de Sécession qui interrompit les importations de coton ; en conséquence, Paris comprit plus de 100 000

chômeurs et le mécontentement ne fit que s'accroître jusqu'à la guerre. Le lendemain de la chute de Sedan (4 septembre 1870), la foule envahit le Palais-Bourbon et l'on proclama la République à l'Hôtel de Ville, tandis que la famille impériale s'enfuyait. Pour une nouvelle fois encore, Paris et l'Hôtel de Ville faisaient tomber un régime.

La ville connut à nouveau les malheurs d'un siège entraînant famine et bombardements (septembre 1870-janvier 1871). Le 1er mars, l'armée allemande défila sous l'Arc de triomphe. A la défaite militaire vint s'ajouter une nouvelle insurrection dite « de la Commune ».

La Commune

L'Assemblée nationale réunie à Versailles prit des mesures maladroites (suspension du moratoire des loyers, suppression de la solde des gardes nationaux) qui poussèrent ces derniers à se constituer en « Fédération républicaine ». Thiers y voyant une tentative autonomiste décida d'enlever les deux cents canons entreposés à Montmartre et à Belleville. L'opération

Une scène de combat à Villejuif, lors du siège de Paris en 1870, *Edouard Detaille.*
(Paris, musée d'Orsay.)

échoua, les troupes fraternisèrent avec les fédérés et la population.

A l'Hôtel de Ville prit place un Conseil de Commune, élu par le petit peuple aux idées avancées. Paris connut un second siège et, le 21 mai, les troupes de Thiers pénétrèrent dans la ville, repoussant huit jours durant les insurgés vers l'est. Se sentant perdus, les chefs de la Commune incendièrent les principaux édifices publics (Palais-Royal, Hôtel de Ville, Tuileries, ministère des Finances, Cour des comptes, etc.) et firent fusiller Mgr Darboy venu en médiateur. L'assaut final fut donné le 28 mai au cimetière du Père-Lachaise, où les insurgés arrêtés dans leur fuite par le mur de l'enceinte intérieure furent fusillés. La répression fut impitoyable : près de 8 000 déportations et 4 600 emprisonnements. Les pertes artistiques et culturelles immenses : disparition des archives de la ville et de l'état civil, des archives de la préfecture de police. De plus, Paris fut déchu du titre de capitale au profit de Versailles jusqu'au retour des assemblées (janvier 1879). Peu rancunière, la ville fit, en 1877, des funérailles somptueuses à Thiers.

La IIIe République

La fin du siècle fut marquée par quelques belles manifestations : obsèques de Gambetta et de Victor Hugo, Expositions universelles de 1889 (construction de la tour Eiffel) et de 1900, (Grand et Petit Palais, gare d'Orsay, métropolitain), voyage officiel du tsar (1896) ; la politique fut dominée par quelques grandes lois — sur l'enseignement notamment — et des « affaires » : Boulanger (1889), de Panama (1891), Dreyfus (à partir de 1894) ainsi que par les attentats anarchistes, particulièrement nombreux en 1892, année où Paris en connut cinq et découvrit la personnalité de Ravachol ; en 1894, ce fut Henry qui s'illustra en lançant des bombes au café Terminus de la gare Saint-Lazare, à la Madeleine, au restaurant Foyot, rue de Tournon. Cette terreur aveugle prit fin avec l'assassinat, à Lyon, du président Sadi Carnot (1894). Le peuple sut, toutefois, encore descendre dans la rue, s'en prendre deux jours durant à la préfecture de police à la suite de la mort d'un manifestant au Quartier latin (1892), et s'opposer violemment à l'élection

FIGARO ILLUSTRÉ

La manifestation fut conçue de part et d'autre de la Seine, selon deux axes (Trocadéro-Champ-de-Mars et Champs-Elysées-Invalides) reliés par une succession de pavillons s'échelonnant le long des quais, la rive gauche étant occupée par les pavillons des nations. Selon le commissaire, il fallait « que l'Exposition de 1900 soit la philosophie et la synthèse du siècle, qu'elle ait à la fois grandeur, grâce et beauté, qu'elle reflète le clair génie de la France, qu'elle nous montre, de même que par le passé, à l'avantgarde du progrès ». Ainsi furent représentés tous les domaines de l'activité et, moins de vingt ans après les lois sur la scolarisation, le secteur consacré à l'éducation et à l'enseignement occupa une place de choix au Champ-de-Mars, à côté des disciplines scientifiques fondamentales, montrant par là tout l'intérêt que la République portait à la formation et à la recherche (six groupes). Ensuite étaient exposés, en neuf groupes, les produits de l'agriculture et de l'industrie. Les trois derniers groupes enfin, traitaient des problèmes d'hygiène et d'assistance publique, de colonisation et de l'Armée.

Parmi les curiosités, signalons la reconstitution d'habitats nationaux et régionaux (mas provençal, village suisse, maison bretonne avec dol-

L'Exposition universelle de 1900

men, maison tyrolienne), ou exotiques (les colonies, l'outre-mer, l'Afrique et l'Asie au Trocadéro). Ces reconstitutions émerveillèrent les foules qui découvrirent, à une époque où l'on voyageait fort peu, pays étrangers et régions lointaines de cultures si différentes.

Les jardins, la grande roue, le gigantesque globe céleste, équipé d'ascenseurs électriques et aménagé à l'intérieur en planétarium, connurent un grand succès, de même que le palais de l'Electricité où, parmi le matériel présenté, on doit signaler que « le plus remarquable engin était le pont roulant électrique (cent tonnes) de la section allemande destiné au déchargement et à la mise en place des énormes pièces des machines », ancêtre de nos machines-outils.

Parallèlement, et non sans arrièrepensée pédagogique, des animations et des attractions avaient pour but de distraire le visiteur : Paris en 1400 ou la cour des Miracles, le combat naval (manœuvres en temps de paix et en temps de guerre), le Vésuve (éruption volcanique).

Par ailleurs, sur une superficie légèrement supérieure (cent douze hectares), on aménagea à Vincennes une annexe. L'on y présenta du matériel ferroviaire (quarante hectares), des automobiles, des machines agricoles et l'on y organisa des concours internationaux d'exercices physiques et de sports : athlétisme, gymnastique, escrime, tir, sport hippique, vélocipédie, automobile (cinq épreuves dont une pour les poids lourds), sports nautiques, sauvetage (incendie, eau, premiers secours), aérostation, ballon. Ainsi, cette prise en compte de secteurs aussi variés que le sport, la recherche fondamentale, le tourisme, les arts, l'industrie ou l'hygiène s'explique par l'approche globale que l'on avait alors de l'activité du pays, les « infrastructures » intellectuelles, culturelles et sociales étant alors aussi importantes que les produits proprement dits.

L'avenue du Bois en 1900.

d'Emile Loubet, « panamiste » et « dreyfusard », à la présidence de la République (1899), tandis que Déroulède tentait d'entraîner la troupe à l'Elysée et que le directeur de *L'Antijuif*, Guérin, sous le coup d'un mandat de justice, ne se rendait à la police qu'après un siège de soixante-dix-neuf jours, rue de Chabrol. Cette période fut aussi celle de la tumultueuse naissance du 1er mai : en 1890, la manifestation pour la journée de huit heures fut violemment réprimée ; en 1906,

le « manège du père Mouquin », directeur de la police municipale, fit merveille et força les manifestants à fuir : lorsqu'ils furent rassemblés sur la place de la République, les chevaux de la Garde républicaine furent introduits et tournèrent indéfiniment autour de la place. Mais la fin du siècle fut aussi celle des spectacles, des restaurants et des duels qui revinrent à la mode ; en 1885, il y en eut vingt-sept à Paris. Jamais peut-être le fossé ne fut aussi profond entre Paris et la province.

Demeures bourgeoises en 1900

« Madame Hennebault trouvait même, et non sans raison, son propre second Empire moins démodé, moins offensant que le quatre-vingt-cinq de madame Bricquart. Dans les demeures tout à fait d'aujourd'hui..., on cherche la pureté du pastiche, l'unité d'époque, l'agrément, la gaîté — et l'hygiène des boiseries peintes. L'hôtel Bricquart représentait l'avant-dernier genre, le genre artiste, le bric-à-brac du temps où régnaient les peintres, et où tous les intérieurs, en effet, avaient de faux airs d'ateliers. »

(Abel Hermant,
Les Grands Bourgeois, *1906.)*

Le XXe siècle

La Belle Epoque

La douceur de vivre du second Empire, améliorée par les progrès techniques que furent l'automobile, l'avion, le téléphone, l'ascenseur, le cinéma, l'électricité, le phonographe, caractérise la Belle Epoque, et l'Exposition universelle de 1900, ruisselante de lumière, fit de Paris la capitale de la science. Tandis que subsistaient les voitures à cheval, les transports en commun se mécanisèrent et la Compagnie des omnibus, qui avait plus de 17 000 chevaux en 1900, supprima son dernier attelage en 1913. Tandis qu'omnibus et tramways passaient progressivement de la traction animale à l'électricité, la grande réalisation du métro bouleversa complètement les habitudes de vie. Celui de Londres datait de 1863 et les premiers projets parisiens remontaient à 1845, mais ce ne fut qu'en 1883 que l'entreprise fut déclarée d'intérêt général. Alors éclata un conflit de quinze ans sur les modalités à retenir (tunnel malsain ou viaduc inesthétique) et surtout, en raison de l'indépendance totale par rapport aux chemins de fer qu'imposa à tout prix la municipalité (impossibilité de raccordement, matériels incompatibles, etc.) pour retenir la population aisée qui payait le plus d'impôts et risquait d'émigrer en banlieue. La belle réalisation technique que fut le métro permit à Guimard de faire du décor un manifeste du modern style, mais une cabale l'empêcha de poursuivre son œuvre (station Opéra). La Belle Epoque fut aussi marquée par l'apogée de la vie parisienne, mais également par la question religieuse conclue par la loi de séparation de l'Eglise et de l'Etat (1905), précédée à Paris par la fermeture, dès 1902, de cent cinquante écoles congréganistes. Quelques troubles accompagnèrent les inventaires mais ne donnèrent pas lieu à de trop violents incidents. Par ailleurs, à partir de 1900, Paris vota au centre-droite et le conseil municipal cessa d'être à gauche.

La Grande Guerre

En 1914, la guerre fut accueillie dans l'enthousiasme et il n'y eut pour ainsi dire pas de réfractaires, alors qu'on en attendait 13 %. Toutefois, au bout d'un mois, la présence des Allemands, à cinquante kilomètres de Paris, provoqua l'exode massif de la population, le déménagement du Louvre et surtout le repli du gouvernement à Bordeaux. Tandis que Galliéni préparait la défense de Paris, Joffre remporta la victoire de la Marne (12 septembre) avec la réquisition des mille taxis parisiens qui permirent le transport rapide des soldats. Le gouvernement rentra à Paris le 20 septembre et la population s'adapta aux circonstances. La fin de l'année fut économiquement catastrophique, la main-d'œuvre étant au front. Tandis que les troupeaux broutaient les pelouses des champs de course (deux mille bœufs) ou de Bagatelle (dix mille moutons), le repli des populations et des industries du Nord et de l'Est ainsi que des reconversions retournèrent la situation et permirent de développer l'effort de guerre : ainsi l'orfèvre Christofle fabriqua des douilles d'obus. En l'absence de leurs maris, les femmes durent travailler, ce qui contribua à leur émancipation à la fin de la guerre. Des hostilités, Paris ne perçut guère que les bombarde-

Le Parisien

« L'esprit parisien comportait précisément cette légèreté qui permettait à quelques centaines de milliers d'êtres humains de ne rien prendre au tragique et de constater que tout allait assez bien. Depuis que l'Ecole normale , la faculté de Droit, Polytechnique, la faculté de Médecine, les écoles d'application du nom de D... de province nous envoient des experts, des surexperts, des ministres, et parfois leurs secrétaires ou amis intimes, rien ne va plus. Et ce juge suprême, le Parisien, qui attendait événements et conséquences, hommes et dieux, le crayon à la main, comme Caran d'Ache, ce juge suprême n'est plus...

« Le Parisien était un homme que l'on aimait à rencontrer, qui savait tout, qui vous souriait, même fatigué, même agacé par votre présence, et qui vous disait toujours : ''Comme je suis content de vous voir !'' Au bout d'une demi-heure, il l'était réellement !... Il y a, chez certains hommes, des trésors de bonne grâce, d'esprit, de gentillesse, le tout assaisonné de rosseries délicieuses et de malice ; des trésors de patience et de rouerie, des mélanges de politesse et de resquillage qui les rendent indispensables, et non pas seulement aux salons de Paris, mais à certaines boutiques de libraires, à certaines galeries de tableaux, et à la plupart des répétitions générales. »

(Léon-Paul Fargue,
Le Piéton de Paris, 1939.)

Défilé des Jeunesses socialistes, le 14 juillet 1936.

ments des Taubes, Gothas, Zeppelins et de la grosse Bertha, qui causèrent 600 morts et 1 200 blessés, pour la plupart en 1918 (256 morts le 23 mars, 51 le vendredi saint 29 mars dans l'église Saint-Gervais). La ville vécut difficilement mais normalement en dépit de la forte hausse des prix à partir de 1915, accentuée par la spéculation, ce qui provoqua, dès 1916, des mouvements sociaux et des grèves. Le 11 novembre 1918, Paris se dressa dans la joie de la victoire, oublieuse de ses souffrances et insouciante des difficultés futures.

L'entre-deux-guerres et les Années folles

Dans l'entre-deux-guerres, la crise financière, les scandales (affaire Stavisky) et l'assassinat du président Doumer par un Russe blanc (rue Berryer, en 1932) alimentèrent un fort courant antiparlementaire responsable des manifestations quotidiennes des « ligues » et des Jeunesses patriotes tout le mois de janvier 1934. Elles provoquèrent le renvoi du préfet de police, Chiappe, jugé trop mou contre la droite (3 février). La riposte eut lieu dès le 6 au soir, dans une immense manifestation, place de la Concorde et dans des affrontements (Saint-Germain-des-Prés, Champs-Elysées, Grands Boulevards, Opéra) qui firent dix-sept morts et plus de mille cinq cents blessés. La Chambre ne fut pas occupée, mais en protestation, la gauche fit deux contre-manifestations les 9 et 12 février. Socialistes et communistes entamèrent des négociations pour un accord électoral et le « front populaire » fut officialisé par le grand rassemblement du 14 juillet 1935. L'année suivante, il gagna les élections en obtenant les deux tiers des sièges y compris à Paris. La longue grève générale qui paralysa le pays inaugura une nouvelle forme de luttes sociales et, en dépit de la signature des accords Matignon (7 juin), les grèves se poursuivirent quelque temps. Ainsi les employés des grands magasins ne reprirent le travail qu'après le 18 juillet.

Durant cette période, la vie intellectuelle et artistique des Années folles se poursuivit sur fond de débats idéologiques et Paris resta incontestablement la capitale internationale de la culture, d'une culture de plus ouverte aux couches populaires : Exposition des arts décoratifs (1925), Exposition coloniale (1931) à la gloire de l'Empire alors à son apogée, Exposition universelle « Arts et techniques dans la vie moderne » (1937), où le public put découvrir la télévision. En même temps, la nouvelle forme d'expression que fut le cinéma se répandit dans tout le pays et se substitua au théâtre traditionnel, destiné, par définition, à un public limité géographiquement et culturellement ; de même, la radio fut, non seulement, un puissant diffuseur de l'information mais aussi créa, grâce à la chanson, par exemple, l'unification de l'arrière-plan culturel des Français. Simultanément, la population de Paris amorça un changement irréversible de comportement en raison de la crise du logement : départ vers la banlieue de la haute société ruinée et de la classe ouvrière impécunieuse. Ce mouvement s'accentua après la Seconde Guerre mondiale où la politique de rénovation immobilière fit s'envoler les prix qui devinrent prohibitifs pour les jeunes ménages et livra la ville aux cadres et aux professions libérales.

> ## Courage
>
> « *Paris a froid, Paris a faim,*
> *Paris ne mange plus de marrons dans la rue,*
> *Paris a mis de vieux vêtements de vieille,*
> *Paris dort tout debout, sans air, dans le métro.*
> *Plus de malheur encore est imposé aux pauvres*
> *Et la sagesse et la folie*
> *De Paris malheureux*
> *C'est l'air pur, c'est le feu,*
> *C'est la beauté, c'est la bonté*
> *De ses travailleurs affamés. [...]*
> *Ingénue et savante,*
> *Tu ne supportes plus l'injustice,*
> *— Pour toi, c'est le seul désordre. —*
> *Tu vas te libérer, Paris,*
> *Paris tremblant comme une étoile,*
> *Notre espoir survivant,*
> *Tu vas te libérer de la fatigue et de la boue.*
> *Frères, ayons du courage !* »
>
> (Paul Eluard, 1943.)

La Seconde Guerre mondiale

Depuis les accords de Munich (30 septembre 1938), la presse parisienne était divisée sur la position à tenir face à Hitler ; lorsque la guerre éclata (3 septembre 1939), la mobilisation s'opéra dans un esprit bien différent de celui qui avait régné en 1914 : la résignation. Durant la « drôle de guerre », la ville vécut normalement mais au ralenti (transports en commun, extinction des lumières le soir). Quand les Allemands envahirent le pays (mai 1940), la stupéfaction fut grande et le gouvernement, une nouvelle fois, les trois quarts des Parisiens et les collections du Louvre et des musées nationaux quittèrent la ville. Les Allemands entrèrent dans Paris le 14 juin et, après l'armistice, installèrent le commandement militaire et les rouages administratifs dans les grands hôtels et les bâtiments publics. La population apprit à vivre dans le froid, avec des cartes de rationnement, les gazogènes, la bicyclette, les succédanés de la laine, du café, les vêtements usés, les approvisionnements à la campagne le dimanche, les colis reçus de province, les tracts clandestins, etc., tandis que l'occupant et les collaborateurs faisaient la fortune des boutiques et des restaurants de luxe, que le théâtre connaissait de brillantes saisons (*Les Mouches*, *La Reine morte*, *Le Soulier de satin*, *Antigone*), de même que le cinéma (*Le Corbeau*, *Les Visiteurs du soir*) et que la presse collaborait. Dès 1940, la Résistance s'organisa : les étudiants manifestèrent à l'Arc de triomphe le 11 novembre, puis les actes d'hostilité et les attentats contre les Allemands se firent plus nombreux causant de très sévères représailles. Quant à la chasse aux Juifs, elle culmina avec la rafle du Vel'd'Hiv, les 16 et 17 juillet 1942 : 12 884 arrestations sur les 22 000 prévues furent opérées car les policiers municipaux purent prévenir près de la moitié des intéressés.

Dès le 6 juin 1944, la Résistance parisienne intensifia les préparatifs de la libération de Paris. Le 14 juillet, on manifesta place de la République, puis la grève s'installa et paralysa le ravitaillement. La Résistance s'établit dans les catacombes, place Denfert-Rochereau, et utilisa, pour se déplacer, les galeries du métro. Le 19 août, les combats commencèrent et Paris se souleva : barricades, affiches. Le 24 août, la division Leclerc fit son entrée, et le 25, le général von Choltitz sauva Paris de la destruction, à l'encontre des ordres de Hitler, et signa la capitulation de la garnison allemande. Le 26, dans l'allégresse générale, de Gaulle descendit les Champs-Elysées, se rendit à l'Hôtel de Ville, puis à Notre-Dame pour un magnificat.

L'après-guerre

L'immédiat après-guerre ne fut pas sans problèmes : les cartes de rationnement subsistèrent longtemps, le départ des communistes du gouvernement déclencha de septembre à décembre 1947 des grèves gigantesques suivies par 250 000 Parisiens. En contrepoint, comme après la guerre de 1914, la jeunesse se défoula et fit la fortune de Saint-Germain-des-Prés qui devint le quartier général des intellectuels (Sartre, Beauvoir, Prévert), sur fond de jazz (Boris Vian, Juliette Gréco, etc.).

Avec le retour à la prospérité, les mentalités changèrent et l'on entra dans l'ère de la société de consommation, tandis que le gouvernement s'enlisait dans les crises politiques et les guerres coloniales. Le 13 mai 1958, les Algérois s'emparèrent du siège du gouvernement général et créèrent un comité de salut public afin d'empêcher Pflimlin, soupçonné d'être favorable à l'abandon de l'Algérie, de prendre le pouvoir. Durant tout le mois, Paris connut des manifestations soit pour défendre la République, soit pour rappeler de Gaulle aux affaires. Coty fit appel à lui le 29 mai, et le 28 septembre 1958 les Français approuvèrent à 80 % la Constitution de la Ve République.

Jusqu'au règlement du problème algérien, Paris fut l'objet d'attentats (F.L.N., O.A.S.) et de manifestations, souvent meurtriers (métro Charonne, 8 février 1962). Mais l'expansion économique et la stabilité politique engendrèrent une calme prospérité favorable à une hausse considérable du niveau de vie : accès à la propriété, voiture, électro-ménager, transistors, dans un relatif vide intellectuel.

De mai 68 aux années 1980

En 1968, après les campus universitaires américains et les universités allemandes, l'agitation étudiante gagna la faculté de Nanterre, le 22 mars, et se transforma au printemps en soulèvement étudiant (3 mai). Dès le 6 mai, le Quartier latin connut ses premières barricades et les manifestations ne cessèrent point avec la réouverture de la Sorbonne (11 mai). Le 13 mai, pour protester contre l'intervention de la police, la gauche fit un grand défilé ; le lendemain, les centrales ouvrières se joignirent au mouvement et des grèves éclatèrent dans tout le pays ; la situation s'enlisa et le 27 mai, les accords de Grenelle donnèrent largement satisfaction aux organisations ouvrières, tandis qu'au stade Charléty un rassemblement tentait d'amener au pouvoir Mendès France. Le 30 mai, de Gaulle, par un discours de quelques minutes, priant chacun de retourner à sa place (« les étudiants d'étudier, les travailleurs de travailler »), annonça la dissolution de l'Assemblée, de nouvelles élections et calma toutes les ardeurs, tandis qu'un gigantesque défilé (plus d'un million et demi de personnes) de la Concorde à l'Etoile manifestait l'approbation de la majorité silencieuse. Quelques soubresauts agitèrent encore Paris en juin, mais les forces de l'ordre firent évacuer successivement l'Odéon et la Sorbonne, et le travail reprit le 18 juin. Le 29, tous les députés parisiens de la nouvelle Assemblée appartinrent à la majorité.

Paris connut dès lors de longues années de tranquillité, interrompues par les attentats perpétrés par des organisations terroristes étrangères, en particulier en 1986, et par l'immense défilé pacifique pour la défense de l'école libre qui rassembla, toute la journée du 28 juin 1984, près de deux millions de personnes de Montparnasse à la Bastille. En novembre et décembre 1986, une dernière secousse mobilisa la jeunesse : il ne s'agit plus alors du dégoût de la vie par manque d'idéal, comme en mai 1968, mais de la peur du futur, du chômage, de l'absence de débouchés. A l'annonce d'une sélection à l'entrée de l'université pour limiter les échecs, les lycéens se soulevèrent et furent rejoints par les étudiants les plus jeunes. L'ordre ne revint qu'avec le retrait du projet, mais entre-temps, les cheminots avaient entrepris une grève dure et longue qui perturba les déplacements des fêtes de fin d'année et fut très impopulaire.

La formation
de Paris

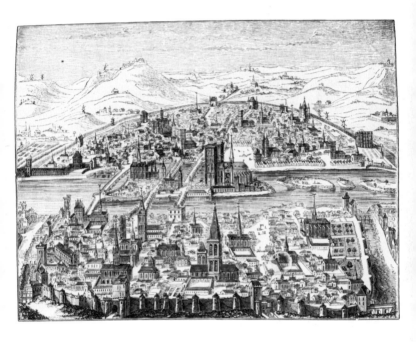

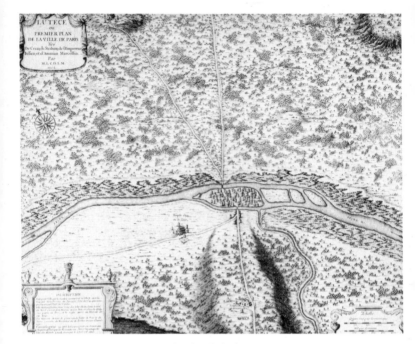

Le plan de Lutèce.

◄ *Paris en 1607, d'après une gravure sur cuivre de Léonard Gaultier.*

Des origines aux Carolingiens

Le site de Paris fut très favorable à l'établissement durable de population. En effet, à cet endroit gardé par sept collines (Sainte-Geneviève, Montparnasse, Etoile, Chaillot, Montmartre et Belleville), irrigué non seulement par la Seine et son bras, au nord, au pied des collines, mais aussi par la Marne, l'Oise, l'Yonne et le Loing, tout prédisposait à des activités commerciales florissantes et à faire du lieu un passage. Et il semble que le peuplement se localisa dans la périphérie (Montmartre, banlieue) jusqu'au deuxième âge du fer (à partir de 460 av. J.-C.) où se forma la cité des *Parisii* qui, après le milieu du IIIe siècle, établit sa capitale *Lucoticia* (d'où Lutèce) dans la Cité. Par des fouilles menées depuis cent cinquante ans, on connaît la structure de la ville originelle.

La ville gallo-romaine

Après la conquête romaine, la ville fut reconstruite suivant les usages romains, c'est-à-dire selon un quadrillage déterminé par le *cardo* (nord-sud), allant des rues Saint-Jacques à Saint-Martin en passant par le Petit-Pont et le pont Notre-Dame et le *decumanus* (est-ouest) allant de la rue Cujas à la rue de Vaugirard. Des voies secondaires et parallèles correspondaient aux rues de La Harpe, Saint-Denis, des Ecoles et au boulevard Saint-Michel, tandis qu'au sommet de la montagne Sainte-Geneviève, une voie bordait le côté méridional du forum. Enfin, la déclivité des lieux entraîna la formation de rues obliques (Galande, Lagrange, Lhomond, Montagne-Sainte-Geneviève, Mouffetard) ; sur la rive droite, la rue Saint-Antoine formait un *decumanus* secondaire et correspondait à la route de Melun. Le forum se trouvait à l'emplacement de la rue Soufflot et il semble, d'après les peintures murales retrouvées, que le quartier était résidentiel. L'importance de la ville se constate à ses édifices : trois thermes (Cluny, Collège de France, rue Gay-Lussac), un amphithéâtre capable de contenir quinze mille personnes (les Arènes), un théâtre (carrefour de la rue Racine et du boulevard Saint-Michel), tandis qu'il semble que le palais impérial se trouvait dans la Cité, à l'emplacement du Palais de justice et que, sous l'actuel parvis de Notre-Dame, figurait apparemment une basilique civile. En dépit de la contenance de l'amphithéâtre, destiné à accueillir aussi les populations avoisinantes, on peut estimer la population de Lutèce à cinq mille personnes. La Cité qui, pendant tout le Haut-Empire, était cernée par un quai, fut, à la suite des invasions du IIIe siècle, défendue par un rempart élevé sur le quai et, au-delà, par le fleuve. A la même époque, le peuplement de la rive droite s'esquissa sur les monticules insubmersibles de Saint-Jacques-de-la-Boucherie et de Saint-Gervais. Il est donc bien clair que les principales voies gallo-romaines, bien loin de disparaître, sont à l'origine de la formation du centre de la ville et forment toujours les axes essentiels du Paris contemporain.

Les premiers sanctuaires chrétiens

Un autre facteur intervint dans la formation de la ville : la christianisation et les premiers lieux de culte furent naturellement dans la Cité et près du cimetière qui se développa sur la route de Lyon au IVe siècle, dans la région des Gobelins principalement, et que l'on appela plus tard cimetière Saint-Marcel. A l'époque mérovingienne, la dévotion et la générosité royale favorisèrent ou fondèrent les abbayes Saint-Denis, Saint-Pierre-et-Saint-Paul et Saint-Vincent, vouée ultérieurement à Saint-Germain, l'un des évêques de la ville. Les paysans cultivèrent leurs terres et formèrent de nouveaux villages autour de ces abbayes. Simultanément, d'autres églises apparurent près des lieux de peuplement sur les voies de communication, au-delà du Petit-Pont ; Saint-Julien-le-Pauvre, Saint-Séverin, sur le *cardo*, Saint-Serge et Saint-Bacchus (dit plus tard Saint-Benoît-le-Bétourné), puis, à l'angle de la rue Cujas Saint-Etienne-des-Grès, Notre-Dame-des-Champs alors à l'angle des rues Pierre-Nicole et du Val-de-Grâce ; à proximité du *decumanus*, reliant les Saints-Apôtres au forum : Saint-Symphorien-des-Vignes (emplacement du collège Sainte-Barbe) ; près de la Bièvre : Saint-Médard et Saint-Victor. Sur la rive droite on trouve pour cette époque, selon les mêmes principes, sur les anciennes voies romaines, qui allaient devenir les rues Saint-Denis et Saint-Martin : Notre-Dame-des-Bois (future Sainte-Opportune), Saint-Martin-des-Champs, Saint-Laurent, et, non loin du *decumanus*, Saint-Gervais et Saint-Germain-le-Rond, dit plus tard l'Auxerrois. Toutes ces églises, attestées à l'époque mérovingienne par les fouilles effectuées depuis le XIXe siècle, prouvent, en tout cas, la prospérité et le développement de Paris à cette époque et que les rives ne se vidèrent de leur population que temporairement, durant les crises. En dépit des destructions opérées par les Normands aux IXe et Xe siècles, ces lieux de culte périodiquement reconstruits et agrandis ne disparurent, pour certains d'entre eux, qu'avec les travaux du XIXe siècle, surtout dans la Cité ; quant aux autres, ils sont encore en place.

Le cœur de Paris

Dans la Cité incendiée en 585, seule la cathédrale Saint-Etienne échappa aux flammes. Les fouilles ont révélé la densité du tissu urbain, la plupart des rues n'ayant que trois mètres de large, ce qui n'empêchait pas une activité économique débordante, avec les orfèvres et les bijoutiers près du Petit-Pont, ainsi que des colonies de Juifs et de Syriens, dont l'un monta sur le trône épiscopal (Eusèbe en 591). La présence du roi et de la cour favorisa sans doute la fortune des orfèvres dont le plus célèbre, saint Eloi, originaire du Limousin, sut gagner la confiance des souverains successifs : Clotaire et Dagobert. Quant à la cathédrale, elle fut fondée par Childebert à l'emplacement du parvis, vers le milieu du VIe siècle, en pleine période de paix, car le collatéral sud fut établi à l'emplacement du rempart. Elle reçut le vocable de Saint-Etienne au VIe siècle, puis il y fut associé celui de Notre-Dame, qui finit par l'emporter au XIe siècle. Outre

la cathédrale, la Cité comprenait un grand nombre d'églises (Saint-Pierre-aux-Bœufs, Saint-Denis-de-la-Chartre, à l'emplacement de la prison dans laquelle saint Denis et ses compagnons Rustique et Eleuthère auraient été détenus, Saint-Barthélemy, Sainte-Croix, Saint-Pierre-aux-Bois, etc.) dont il est inutile de parler puisque les travaux d'Haussmann les firent toutes disparaître.

Les invasions normandes entraînèrent la mise en place d'un système défensif efficace : remparts autour de la Cité, construction des tours du Grand et du Petit Châtelet, au débouché du

Les métiers parisiens

« A Paris, on trouve des imagiers très-habiles, soit en sculpture, soit en peinture, soit en relief ; là vous verrez d'ingénieux constructeurs d'instruments de guerre et même de tous les objets nécessaires aux cavaliers : selles et freins, épées et boucliers, lances et javelots, arcs et arbalètes, maillets et flèches, cuirasses et lames de métal, bonnets de fer et casques ; enfin, pour abréger, toutes les armes convenables à l'attaque et à la défense se trouvent en tel nombre dans cette tranquille demeure de la sécurité, qu'elles peuvent effrayer l'esprit farouche des ennemis [...] En outre, d'excellents ciseleurs de vases de métal, principalement d'or et d'argent, d'étain et de cuivre, se trouvent sur le Grand-Pont, et en beaucoup d'autres endroits, suivant la commodité de chacun, et font retentir les marteaux sur les enclumes, en formant comme une cadence harmonieuse. Il y a encore les parcheminiers, les écrivains, les enlumineurs et les relieurs, qui travaillent avec d'autant plus d'ardeur à décorer les œuvres de la science dont ils sont les serviteurs, qu'ils voient couler avec plus d'abondance les riantes fontaines des connaissances humaines jaillissant de cette source inépuisable de tous les biens. »

(Jean de Jandun.)

Pont-au-Change et du Petit-Pont. Ce système défensif se révéla suffisant puisque les Normands ne purent pénétrer dans la Cité (886).

Le
Moyen Age

Avec les rois capétiens, l'administration de la ville s'organisa et reposa d'abord sur le prévôt (« préposé »), représentant du roi, assisté d'un voyer et secondé plus tard par la municipalité. Bien naturellement, dans leurs attributions entrait la gestion du domaine public : enceinte, pavé, quais, ports, égouts, fontaines, alignements, voire ouverture des rues... Et pour mener à bien ces tâches diverses, taxes et droits y furent affectés. Très tôt, la ville reçut des missions très importantes, puisque Philippe Auguste la chargea de l'édification des remparts. Bien entendu, il n'était pas question, à l'époque, de personnel municipal, mais, pour chaque chantier, on passait des marchés avec des maîtres d'œuvre. L'activité économique de la ville fut favorisée par des mesures financières judicieuses et aussi par une redistribution de l'espace urbain, menée de main de maître entre 1114 et 1140, qui fit à jamais de la rive droite le quartier des affaires : outre la mise en valeur et le développement du port de Grève, principal centre d'approvisionnement de la ville, les bouchers, qui donnèrent plus tard leur nom à l'église Saint-Jacques, furent priés de quitter la Cité et furent suivis par la plupart des commerçants, artisans et « financiers », dont le souvenir subsiste dans la toponymie du quartier Châtelet-Hôtel-de-Ville ; les mêmes considérations de rentabilité, mais aussi de « beauté » et de « commodité », entraînèrent le transfert du marché de la Grève (1133) aux Champeaux qui, plus tard, devinrent notre quartier des Halles dont l'activité nourricière ne cessa qu'en 1969. Ces opérations furent accompagnées de mesures d'assainissement du marais (ancien bras de la Seine au nord) qui fut livré à la culture dans le troisième quart du XIIᵉ siècle ; et c'est alors que se constituèrent dans l'est de la ville

La prostitution au Moyen Age

« *Pour en revenir à Saint-Merry, son clergé, plus heureux maintenant que celui du moyen âge, n'a plus maille à partir avec les filles follieuses et les ruffians. Les rues de cette paroisse étaient de celles que nos pères appelaient des rues "chaudes et mal famées" et d'interminables procès furent soutenus par le chapitre de Saint-Merry contre les tenanciers de ses bouges. Dans son* Histoire de Paris, *Félibien note un arrêt du 24 janvier 1388 aux termes duquel le prévôt Jean de Folleville enjoignit aux femmes publiques de vider la rue de Baillehoé, voisine de l'église. Celles-ci s'y refusèrent et le magistrat dut dépêcher des archers pour les faire sortir de force, et des maçons pour murer les portes de leurs maisons. Mais les propriétaires intentèrent un procès devant le Parlement et assignèrent le chevecier, le curé de la paroisse et les chanoines, arguant que le clergé n'avait pas besoin, comme il le prétendait, de passer par cette rue, lorsqu'il avait à porter le Saint-Sacrement aux malades, le chemin le plus court pour se rendre de l'église dans le quartier étant la grande rue Saint-Merry et non la sente de Baillehoé.*

En 1424, le Parlement finit par donner raison au curé, mais les filles n'en persistèrent pas moins à résider dans la rue. Fatigué de ces luttes, le curé se vengea d'un tenancier de "boucticle au péché", en le faisant condamner par l'officialité à effectuer une amende honorable, un dimanche, devant la porte de l'église, comme coupable d'avoir mangé de la viande, un vendredi ; et le chapitre obtint, de son côté, que l'on débaptiserait la rue de son nom de Baillehoé auquel le peuple prêtait un sens obscène, et qu'on la réunirait à sa voisine la rue Brisemiche. »

(J.-K. Huysmans, Trois Eglises, 1908.)

de grands domaines agricoles dits « courtilles », dont la plus importante fut, semble-t-il, celle de Barbette, rue Vieille-du-Temple. En 1231, l'évêque opéra de même et fit procéder au défrichement du quartier du Palais-Royal.

A la même époque, la rive gauche connut une évolution décisive : l'enseignement émigra de la Cité sur la montagne Sainte-Geneviève qui, désormais, se consacra essentiellement aux choses de l'esprit, ce qui entraîna la création d'activités annexes : ateliers de copistes et d'enlumineurs, relayés au XVIe siècle par l'imprimerie.

Les abbayes

Pour le reste, les deux tiers de Paris étaient aux mains des grandes abbayes. La conséquence en fut la naissance de bourgs formés par les exploitants de ces vastes domaines. Autonomes à l'origine, les abbés jouissaient de la justice ; ils furent progressivement intégrés à la ville et bien des rues des cinq premiers arrondissements ne sont que d'anciens chemins de champ. Au regard du tracé irrégulier des rues, il est évident que le carrefour de la Croix-Rouge (qui n'a rien à voir avec l'organisation humanitaire internationale) était le point de convergence des rues de Grenelle, de Sèvres, du Cherche-Midi, du Dragon, du Vieux-Colombier et du Four, et constitue un parfait exemple de ce phénomène.

Le domaine parisien de l'abbaye Saint-Germain-des-Prés couvrait à peu près les VIe et VIIe arrondissements. A la fin du XIIe siècle, on y comptait 121 maisons payant un cens, soit environ 600 personnes. Cent ans plus tard, la population avoisinait le millier d'âmes, réparties entre les rues des Saints-Pères, du Vieux-Colombier, Saint-Sulpice et la place Saint-André-des-Arts. Sur ce territoire doté de franchises particulières (une foire notamment), la population jouissait d'un régime propre et fut la première affranchie en 1174.

De même, un bourg se forma autour de l'abbaye Sainte-Geneviève, entre la Seine, la rue Saint-Jacques, Saint-Médard et la Bièvre, et son étendue obligea à la création de deux paroisses : Saint-Médard et Saint-Etienne-du-Mont. Plus tardive, l'abbaye Saint-Victor (1113) s'étendait, elle aussi, dans les vignes, mais sa fonction fut intellectuelle lorsque Guillaume de Champeaux se retira (1108) en ce lieu et en fit un foyer prestigieux. Ses limites parisiennes allaient des rues Cuvier, Linné et des Bernardins à la Seine. Quant à Saint-Marcel, bourg le plus anciennement constitué de manière quasi autonome dès l'époque romaine, son artisanat de la tannerie utilisant les eaux de la Bièvre détermina durablement la vocation industrielle de l'endroit qui fut renouvelée au XVIIe siècle par l'installation de la manufacture de tapisseries des Gobelins.

Sur la rive droite, la partie occidentale appartenait à l'évêque d'où l'appellation du quartier de la Ville-l'Evêque. Mais autour de Saint-Germain-l'Auxerrois existait une petite agglomération entre les rues des Poulies, des Fossés-Saint-Germain, de l'Arbre-Sec et la Seine qui, à cet endroit, arrosait le port de l'Ecole. L'abbaye Saint-Martin-des-Champs, le long de la route des Flandres, possédait un vaste domaine qui s'étendait au sud jusqu'à Saint-Merri et qui fut progressivement urbanisé suivant le tracé des rues actuelles (Frépillon, au Maire, des Gravilliers, Chapon, Montmorency, des Petits-Champs, etc.), exception faite pour les deux artères percées ou réaménagées au siècle passé : les rues Beaubourg et de Turbigo. Toutes ces rues sont,

Le chevet de Notre-Dame.

en fait, d'anciens chemins tracés pour l'exploitation des terres. Le XIVᵉ siècle marqua de manière déterminante l'urbanisation du quartier, selon un mode assez lâche puisqu'on repère à cette époque de grands jardins. Le Temple constituait l'autre grand établissement de la rive droite. L'ordre s'installa, en 1152, rue des Barres, derrière Saint-Gervais, puis au XIIIᵉ siècle, près du marché actuel, dans un vaste enclos situé entre le boulevard du Temple et les rues du Temple, Charlot et de la Corderie. Pourvu de privilèges très importants (franchise des métiers, dès avant 1200) et dépositaire ou légataire de fortes sommes d'argent (le trésor royal durant le voyage en Terre sainte de Philippe

Auguste, 1190-1192, puis de saint Louis à Philippe le Bel), il joua un rôle financier de premier ordre et attira artisans et commerçants désireux d'exercer leurs activités en dehors des réglementations corporatives. Le donjon, l'église, l'hôtel révélaient la prospérité et la puissance de l'institution qui ne fut pas atteinte lorsqu'en 1312, à la suite de la suppression de l'ordre, Philippe le Bel transféra tous ses biens aux Hospitaliers. La mouvance du Temple allait de Sainte-Croix-de-la-Bretonnerie au sud, aux rues du Temple et Vieille-du-Temple et de la Folie-Méricourt au nord, et comprenait au XIVᵉ siècle 1 200 habitants environ. L'enclos du Temple a disparu, mais il marqua de son empreinte tout le secteur dans lequel, de nos jours, un artisanat très spécialisé dans l'orfèvrerie, la bijouterie et le vêtement exerce ses activités. De même, si l'urbanisation se fit en plusieurs temps (le sud au XIIIe siècle et avant, l'est sous Henri IV avec le projet de place de France, le nord à la fin du XVIIIe siècle, vers la rue d'Angoulême), le tracé actuel des rues, exception faite des travaux effectués au XIXe siècle, n'a pas subi de modifications.

Les remparts

Philippe Auguste, en décidant de fortifier la ville par une ceinture de remparts, détermina de manière durable sa topographie. A partir de 1190, on fortifia la rive droite du donjon du Louvre à la Bourse de commerce, puis aux rues du Jour, Etienne-Marcel ; au-delà de la rue Beaubourg, l'enceinte biaisait vers les rues de Sévigné et de Jarente, puis se dirigeait vers la Seine par la rue des Jardins-Saint-Paul. La rive gauche reçut un dispositif identique vers 1210 : de la tour de Nesle, en face du Louvre, le mur se dirigeait vers le carrefour des rues Soufflot et Cujas, d'où il contournait le sommet de la colline Sainte-Geneviève et redescendait un temps par la rue du Cardinal-Lemoine avant de rejoindre la Seine au quai de la Tournelle, presque au départ du boulevard Saint-Germain. Sur les deux rives d'importance équivalente, on comptait le même nombre de portes (six) et approximativement de tours (trente-trois et trente et une). Par ailleurs, une partie des bourgs abbatiaux était incorporée dans la ville. La délimitation d'un périmètre de sécurité fut très favorable au peuplement et Philippe Auguste incita les possesseurs de champs et de vignes à construire des maisons afin que « toute la ville jusqu'aux murs semblât pleine de maisons ». Et il apparaît que la fortification de la rive gauche fut réalisée moins dans un but défensif que pour favoriser le peuplement d'une zone économiquement moins dynamique et encore largement occupée par des clos agricoles. La tentative fut vaine et le déséquilibre entre les deux rives ne cessa de grandir puisque, vers 1300, la rive droite comptait

quatorze paroisses pour sept seulement dans la rive gauche.

Le milieu du XIVe siècle marqua une étape importante dans la formation de Paris. En raison de la guerre, Etienne Marcel entreprit la révision du système défensif en consolidant l'enceinte de la rive gauche, en creusant un fossé pour séparer en deux l'île Notre-Dame, déserte, et protéger la partie orientale de l'île de la Cité ; et Charles V édifia après 1364, sur la rive droite, un nouveau rempart qui faisait plus que doubler l'espace défendu. Percé de six portes (Saint-Antoine, du Temple, Saint-Martin, Saint-Denis, Montmartre, Saint-Honoré), le mur était précédé d'un fossé dans lequel remontaient les eaux de la Seine et où, selon Félibien au XVIIe siècle, on pêchait. Le tracé était le suivant : guichets du Carrousel, places du Théâtre-Français et des Victoires, rue d'Aboukir, puis nos grands boulevards, de la porte Saint-Denis à la Bastille, englobant le Temple et l'abbaye Saint-Martin-des-Champs, enfin, approximativement, les boulevards Bourdon et Morland et le quai des Célestins jusqu'à l'enceinte de Philippe Auguste. La ville ainsi délimitée avec ses 438 hectares devenait la plus grande de France. Par ailleurs, de grosses chaînes fermaient la Seine et vingt-sept tours consolidaient du côté de la terre ce rempart : la plus grosse était la Bastille qui gardait l'est de la ville et aussi les résidences royales.

Aux origines de l'urbanisme

Le Paris de la fin du Moyen Age subsiste donc en grande partie dans la ville actuelle tant par le tracé des rues que par celui des fortifications, l'emplacement des principaux édifices, des ponts et l'affectation des différents quartiers, y compris la place de Grève en tant que place « commune », ou la rue des Rosiers comme quartier juif. Comme on l'a vu à propos de la création des Halles, un certain urbanisme n'était pas entièrement étranger aux souverains, même si la multiplicité des seigneuries empêcha de prendre des mesures générales cohérentes. Et dans

La tour Duguesclin. ▶

le domaine de la vie quotidienne, l'on commença de se préoccuper des infrastructures : ainsi Philippe Auguste, pour endiguer les inondations, fit aménager aux Augustins le premier quai, et Charles V fit de même à la Mortellerie ; le même Philippe Auguste, incommodé par les odeurs, ordonna le pavage des principales rues. L'opération fut longue et ne se termina qu'à la fin de l'Ancien Régime. Le grand nombre de règlements édictés quant à la hauteur des maisons, la largeur des rues (la rue du Chat-qui-Pêche ne fait qu'un mètre vingt-cinq), l'enlèvement des ordures par des tombereaux et l'interdiction de jeter de l'eau par les fenêtres sans crier trois fois « gare à l'eau », montre, même s'ils ne furent que peu appliqués, que les autorités étaient très soucieuses de l'hygiène, de la propreté et des nuisances difficiles à combattre, compte tenu de la rareté de l'eau, puisqu'en 1392, il n'y avait que trois fontaines : aux Halles, rue Saint-Denis, près des Saints-Innocents, et rue Saint-Martin.

De même, il fallut attendre 1374 pour que fût construit le premier égout à ciel ouvert entre Montmartre et Ménilmontant. Mais c'est en 1412 que l'on décida l'ouverture d'une rue — la future rue de Turenne — pour laisser le passage des eaux usées de la rue Saint-Antoine à celle des Filles-du-Calvaire, et, au-delà, le grand égout suivit le tracé de l'ancien bras nord de la Seine jusqu'à Chaillot.

On doit à Charles V la fortune du quartier du Marais : il fixa sa résidence à l'hôtel Saint-Paul dont il ne reste que le souvenir de la ménagerie (rue des Lions-Saint-Paul) ; c'était une vaste demeure comprenant douze galeries, huit jardins, une foule de cours... et son décor intérieur avait pour thème les romans de chevalerie. Ayant montré le chemin de l'est, ses successeurs y restèrent et s'installèrent à l'hôtel des Tournelles qui demeura une résidence secondaire quand François Ier fit du Louvre un palais. La mort tragique de Henri II au cours d'un tournoi aux Tournelles aurait pu entraîner le déclin définitif du quartier, mais Henri IV, en y aménageant la place Royale, lui donna une nouvelle jeunesse qui en fit, durant tout le XVIIe siècle, le quartier à la mode.

Charles V et les bâtiments

« Cy dit comment le roy Charles estoit droit artiste et apris es sciences, et des beaulx maçonnages, qu'il fist faire.

« [...] Nostre roy Charles fust sage artiste, se demoustra vray architecteur et deviseur certain et prudent ordeneur, lorsque les belles fondacions fist faire en maintes places, notables edifices beaulx et nobles, tant d'eglises comme de chasteaulx et autres bastimens à Paris et ailleurs, si comme assez près de son ostel de Saint Pol, tant belle et notable l'église des Celestins, si comme on la peut veoir, couverte d'ardoise et si belle que riens n'y convient ; [...] item, l'eglise de Saint-Pol emprès son ostel moult fist amender et accroistre ; item, à tous les convens de Paris des Mendiens donna argent pour reparacion de leurs lieux ; à Nostre-Dame de Paris, à l'Ostel-Dieu et ailleurs... »

(Christine de Pisan,
Le Livre des faits et bonnes
mœurs du sage Roy Charles V.)

La Renaissance

A la Renaissance apparut un nouveau comportement à l'égard de la ville : après les théoriciens italiens (Alberti, dans De Re Aedificatoria), dont les écrits pénétrèrent les esprits à la suite des guerres d'Italie qui révélèrent aux souverains des cités belles, harmonieuses et ordonnées, ceux-ci songèrent à embellir Paris. Les fêtes publiques jouèrent un rôle considérable pour frapper les esprits et faire évoluer rapidement les mentalités et le goût. Les entrées royales furent l'occasion de réaliser, grandeur nature, des versions modernes des triomphes qui, alors, représentaient ce que l'Antiquité avait fait de mieux en matière de fête. Les entrées médiévales, y compris celle de Charles VIII, tenaient de la procession et de la fête religieuse.

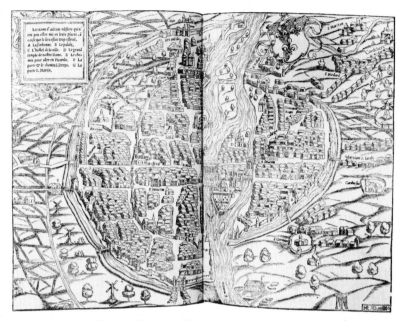

Paris au XVIᵉ siècle. (Paris, Bibliothèque nationale.)

Celle de Louis XII à Milan fut la première manifestation vraiment « païenne » d'esprit et de forme, et le roi passa sous un arc monumental. La formule fut reprise et perfectionnée par François Iᵉʳ et surtout Henri II qui, en 1549, fit une entrée somptueuse. La ville voulut faire mieux que Lyon l'année précédente et l'on ne dressa pas moins de cinq arcs de triomphe, décorés d'ordres antiques et de motifs mythologiques par les meilleurs artistes. De ce spectacle éphémère subsiste la fontaine des Innocents, dressée alors à l'angle des rues Saint-Denis et aux Fers ; son quatrième côté, dû à Pajou sous la direction de Poyet, fut réalisé en 1788, lors de son transfert au marché des Innocents. La qualité de la sculpture permet d'apprécier l'impact de ces manifestations qui, par le merveilleux, mûrirent le goût et permirent un grand nombre de réalisations dès l'époque de Henri IV.

Les interventions royales

Louis XII, le premier, fit véritablement œuvre d'urbaniste : il fit reconstruire par Fra Giocondo, architecte italien ramené en France par Charles VIII, le pont Notre-Dame, en bois, emporté par une crue en 1494. Le pont fut refait en pierre (1504-1512), sur le modèle de ce qui avait été réalisé à Vigevano, en Lombardie, par Bramante et Léonard de Vinci. On adopta les critères italiens et les maisons de ce pont furent toutes à pignon, identiques entre elles, en brique et chaînages de pierre, et destinées au commerce. Dans la foulée, les édiles, conscients de la beauté et de la commodité de l'endroit, décidèrent la régularisation et l'élargissement de la rue de la Juiverie en assurant la liaison entre ce nouveau pont et le Petit-Pont (1507).

Le rôle de François Iᵉʳ dans la ville est plus célèbre dans le domaine architectural (Louvre, Hôtel de Ville) que dans celui de l'urbanisme. Certes, dès 1530, il fit construire le quai de la Mégisserie lui permettant de se rendre directement du Louvre au palais. Surtout, il entreprit le remodelage du Marais en ordonnant, en 1543, la reconstruction des hôtels Saint-Paul et des Tournelles. Seul le premier fit l'objet d'un lotissement et l'on ouvrit les rues Charles-V, des Lions-Saint-Paul et de la Cerisaie. Le succès de cette opération immobilière, la première de grande envergure dans Paris, incita les religieux de Sainte-Catherine-du-Val-des-Ecoliers à faire de même et l'on créa les rues Payenne, de Sévigné, du Parc-Royal. Sur ce terrain, le président de Ligneris se fit bâtir une belle demeure qui devint, quelques années plus tard, l'hôtel Carnavalet. Il inaugura ainsi la série des splendides hôtels qui embellirent le Marais au XVIIᵉ siècle. De la même époque enfin, l'urbanisation timide du quartier de Bonne-Nouvelle

porte Saint-Denis à la porte de la Conférence (actuellement place de la Concorde). Le but de cette extension fut non seulement militaire, mais surtout économique : récupérer une population libre de taxes, des entrepreneurs autodidactes se livrant à une concurrence déloyale, et des marginaux incontrôlés. Pour des raisons financières, les travaux durèrent fort longtemps et, peu après son achèvement, le rempart jugé inutile fut démoli par Louis XIV.

Le Pré aux clercs, au XVIᵉ siècle.
Sur cet emplacement va s'édifier le quartier Saint-Germain-des-Près.
Lithographie de Barousse. (Bibl. historique de la ville de Paris.)

atteste le retour à la prospérité. Dans la seconde moitié du siècle, la seule innovation véritable fut la construction des Tuileries et l'aménagement de son jardin par Catherine de Médicis, amorçant ce que devaient être, par la suite, les perspectives des Champs-Elysées et du Cours-la-Reine.

Simultanément, l'urbanisation progressive de la rue Saint-Honoré incita à la fondation de la chapelle Saint-Roch (1578). L'installation des Tuileries et le peuplement de ce quartier rendirent nécessaire l'extension de la fortification. De Charles IX (1566) à Louis XIV (1647), on éleva l'enceinte bastionnée des Fossés-Jaunes, de la

Progression de l'urbanisation dans les faubourgs

Sur la rive gauche, toujours limitée par l'enceinte de Philippe Auguste, la ville éclata et commença de se répandre le long des routes de Fontainebleau, d'Orléans et de Dreux, dans les faubourgs Saint-Marcel, Saint-Jacques et Saint-Germain ; et l'hôtel que se fit construire Scipion Sardini, rue Scipion, prouve la fortune du quartier. Mais cette extension de la rive ne compensa pas son déficit par rapport à la rive droite et, à la suite de la réforme administrative de la ville en 1587, l'Université ne comprit plus que trois quartiers pour treize à l'autre rive.

La place de l'Hôtel-de-Ville en 1583.

En dépit des troubles des guerres civiles, l'expansion de Paris vers l'ouest se fit sentir par la nécessité de créer une liaison supplémentaire entre les deux berges : ce fut le Pont-Neuf, dont l'initiative revient à Henri III en 1578. Il semble que du Cerceau en donna les plans. Les travaux interrompus pendant la Ligue ne reprirent qu'en 1598 à la demande de Henri IV qui, voulant un pont sans maisons, fit boucher les caves déjà construites. Ce pont, le plus long de la ville, favorisa grandement la circulation du fait de sa largeur (vingt-huit mètres) et de ses trottoirs, les premiers de la capitale ; il assura, par ailleurs, une meilleure liaison entre le Louvre et les organismes administratifs de la Cité.

L'époque classique

Le règne de Henri IV fut novateur car il marqua l'avènement d'un urbanisme à grande échelle, même si le XVIe siècle avait connu des expériences disséminées et limitées, indicatrices d'un changement des mentalités. François Miron, lieutenant civil chargé de l'administration de Paris (1596-1609), cumula un temps cette fonction avec celle de prévôt des marchands, et sut se faire apprécier de la population : « Point avare, point corrompu, aimant le peuple et aimé de celui-ci », dit-on de lui à son décès. Le Grand Voyer de France, créé en 1599, tint une place importante en raison de la personnalité du titulaire de cette charge, Sully, qui y ajouta, en 1604, celle de voyer de Paris. Et cette période fit singulièrement progresser la notion d'intérêt collectif, en particulier dans le domaine des expropriations : ainsi, lors de l'ouverture de la rue Dauphine en 1606, Henri IV menaça les Augustins d'utiliser le canon contre eux s'ils ne cédaient pas une partie de leur terrain ; mais pour aménager l'île Saint-Louis, il fallut négocier un quart de siècle avec les chanoines du chapitre cathédral pour obtenir les espaces indispensables.

Dans le premier tiers du siècle s'affirmèrent des vues d'ensemble et des positions cohérentes en matière d'urbanisme : amélioration de la circulation entre les deux rives avec l'achèvement du Pont-Neuf, la concession de la construction du pont Marie (1614) et du pont de la Tournelle (1620), destinés à rompre l'isolement de l'île Notre-Dame et de permettre son urbanisation, l'édification du Pont-au-Double (1626) pour améliorer l'accès à la partie orientale de la Cité ; enfin, à l'initiative du financier Le Barbier, la construction d'un pont de bois (vers 1635) qui, lors de sa reconstruction en pierre, s'appela Pont-Royal (1684).

Les places

La création de places est sans doute l'œuvre la plus importante de Henri IV. Souhaitant embellir la ville, il songea d'abord à l'est, à l'emplacement de l'hôtel des Tournelles, à établir un quartier à la fois industriel et esthétique qui fût un lieu de promenade pour les Parisiens. La destination industrielle fut vite abandonnée (1605) et cette décision donna le signal de la ruée des aristocrates en ce lieu ainsi que celui de sa brillante destinée pour un siècle. La place Dauphine, imaginée à la même époque (1607) pour améliorer l'accès au palais et à la cathédrale, fut conçue selon les mêmes principes : brique et pierre, toits d'ardoise, ordonnance régulière, statue royale ; ici, toutefois, la statue fut rejetée à l'extérieur, sur le pont, plaçant le roi au milieu de ses sujets. Mais, alors que la place des Vosges avait une fonction très résidentielle, la place Dauphine, en raison de la proximité du pont, de ses commerçants, du

palais et de ses boutiquiers, eut toujours un caractère utilitaire et populaire. En 1609, Henri IV projeta une troisième place, semi-circulaire, appuyée sur la rue de Turenne, d'où rayonnaient des voies auxquelles furent donnés, pour la première fois, des noms de provinces françaises. La mort du roi fit avorter le projet d'Alleaume et Chastillon, et ne survécurent que les rues de Bretagne, de Saintonge, de Poitou, de Normandie et Debelleyme. Dans les trois cas, Henri IV se contenta de lancer les opérations puis d'en confier l'exécution à des particuliers, avec des exigences très strictes du point de vue esthétique : ainsi, à la place Dauphine, il fut relayé par la ville qui mit en échec l'affairisme de Sully, désireux de bâtir les bords de la Seine, ce qui eût camouflé le bel ensemble architectural en cours d'élaboration. La naissance du quartier Dauphine fut une conséquence naturelle de la construction du Pont-Neuf. Ici encore, le promoteur, Carel, fut chargé en 1606-1607 de construire, selon une ordon-

Vue du Pont-Royal et du jardin des Tuileries à la fin du XVIIe siècle.

nance régulière, les rues Dauphine, Christine et d'Anjou-Orléans (devenue de Nesle), en l'honneur des enfants royaux.

L'île Saint-Louis

La dernière grande initiative de Henri IV, qui mit longtemps à se réaliser, fut la construction de l'île Notre-Dame ; il chargea Sully d'en faire l'étude. L'ouvrage fut concédé à des particuliers et, après bien des vicissitudes, l'entrepreneur Marie put bâtir son pont (1614-1635) ; l'île put être cernée de quais et lotie. Si les boutiques et les artisans s'installèrent dès 1618 au centre, les grands hôtels en bordure de Seine n'apparurent qu'à la fin du règne de Louis XIII.

Le faubourg Saint-Germain

A la même époque naquit véritablement le faubourg Saint-Germain. En effet, la reine Margot s'était aménagé, en 1605, au-delà de l'abbaye Saint-Germain-des-Prés, une belle résidence, le long de la Seine, dont le jardin, l'un des plus vastes de Paris, s'étendait sur plus d'un kilomètre. Après son décès (1615), ce domaine fut acquis par cinq financiers qui le loti-

rent en un quartier créé de toutes pièces : ouverture de rues selon un schéma orthogonal clair (rues Bonaparte, des Saints-Pères, de Beaune, du Bac, de Poitiers, de Bellechasse, de Lille, de l'Université), aménagement du quai (1632), d'un marché (un pavillon sur quatre fut réalisé, 1636-1643, le terrain restant ayant été utilisé par une caserne de mousquetaires), d'une pompe pour l'alimentation en eau (1632), enfin construction d'un pont pour accéder directement aux Tuileries (Pont-Royal). Cette opération, comme celle de l'île Saint-Louis, est très intéressante dans la mesure où elle se fit dans le cadre d'une conception globale du quartier. L'une comme l'autre furent de totales réussites : immédiate dans le cas de l'île Saint-Louis, du fait de la proximité du Marais, plus tardive au faubourg Saint-Germain. Ce dernier, en effet, qui dès le XVIe siècle fut colonisé par les particuliers et les couvents, ne connut une urbanisation massive qu'à partir de l'installation de la Cour à Versailles. Sur la rive gauche, l'installation de la reine Marie de Médicis au Luxembourg n'eut guère pour conséquence que la création d'un grand jardin à l'italienne. De même, son goût pour la nature domestiquée, aménagée en avenues-promenades mondaines, se manifesta au Cours-la-Reine (1616). Elle y fit planter trois allées d'arbres et l'endroit devint, au-delà du jardin des Tuileries, la promenade élégante où il fallait se montrer. A l'est de Paris, en bordure du fleuve et à proximité de l'Arsenal, Sully aménagea les allées du Mail qui furent plantées de quatre rangées d'ormes ; ce fut l'autre promenade à la mode, à laquelle s'ajouta, un peu plus tard, le jardin des Célestins, lors de son ouverture au public.

d'un grand nombre de couvents, il était ouvert au public.

Les lotissements

Si, sous Louis XIII, la reconstruction de la Sorbonne et de l'abbaye du Val-de-Grâce furent l'occasion de donner à la ville de beaux morceaux d'architecture, les places les accompagnant ne furent guère que des parvis prolongés par des rues destinées à mettre en valeur des dômes. L'aménagement du quartier Richelieu à la fin de ce règne se fit lors de la construction de la nou-

Les difficultés de la circulation au XVIIIe siècle.

Le Jardin des Plantes

La création du Jardin des Plantes procéda et de ce goût de la nature et de la curiosité de Henri IV et de Sully, à une époque où débutaient véritablement l'histoire coloniale et exploratrice de la France (Champlain) et surtout les recherches naturalistes menées çà et là en Europe, qui aboutirent à la naissance de jardins botaniques à Leyde (1587) ou à Montpellier (1599). Toutefois, le projet n'aboutit qu'en 1626 où Héroard et Guy de la Brosse, médecins du roi, dépassèrent l'initiative limitée de Houel vers 1580 et créèrent un jardin de plantes médicinales. Gaston d'Orléans, puis Colbert en firent un institut d'enseignement et de recherches naturalistes. Comme le jardin des Tuileries et celui du Luxembourg ou du palais Cardinal (ou Royal), et ceux

velle enceinte destinée à protéger les Tuileries et le quartier Saint-Honoré. L'entrepreneur chargé de l'opération reçut en échange les terrains de l'ancien rempart (1633) et les lotit : ainsi apparurent les rues de Richelieu, des Petits-Champs, Vivienne, Sainte-Anne, tandis que Richelieu se réservait un terrain sur lequel il édifia le palais Cardinal qui, à sa mort, devint le palais Royal, car il le légua au roi qui y habita. Le nouveau quartier se couvrit de beaux hôtels (Tubeuf, La Vrillière, etc.) et l'on bâtit pour le couvent des Augustins, dit des Petits-Pères, une grande église (1629) qui devint plus tard paroissiale. Ainsi perçoit-on qu'aux initiatives et au dynamisme de Henri IV succéda une certaine passivité de la part de Louis XIII à qui l'on ne doit aucune réalisation

LA POMPE DE LA SAMARITAINE *qui est derrière la seconde Arche du Pont neuf du côté du Louvre, fut bâtie sous Henri 3. pour conduire de l'eau dans un Reservoir, qui paroist encore Aour le Port de l'École : mais ce Reservoir aiant pour servi l'eau de cette Pompe qui est approuvée et de la moitié du vif d'Eyse, a esté conduite par des tuyaux aux Château et Jardin des Tuileries dont elle fait voir les jets les Entre se figure de Notre Seigneur et de la Samaritaine sont des corps Àscidles avec il dore Somme Sculpteur. La Timbre de l'Horloge est accompagné d'un Carillon qui sonne aux heures et qui a été réglé un si*

La première pompe parisienne mise en place sur le Pont-Neuf.

majeure. Son règne fut marqué par la poursuite de programmes entrepris précédemment, et, à l'apathie royale, répondit une grande fièvre de construction chez les particuliers et les promoteurs.

A côté des grands projets architecturaux, Henri IV se soucia du confort de son peuple, améliorant ce que l'on appelle les infrastructures. L'on installa la première pompe parisienne au Pont-Neuf ; ce fut la Samaritaine ; sa démolition eut lieu en 1813. De son côté, la rive gauche profita de l'aqueduc construit par Métezeau pour alimenter le Luxembourg (1613) avec les eaux de Rungis et d'Arcueil. Dans le domaine de la santé publique, en 1607, on entreprit la construction de l'hôpital Saint-Louis, en dehors de la ville, destiné aux malades contagieux qui ainsi furent isolés : ce fut une « première » médicale.

Découverte de Paris en 1731

« Combien l'abord de Paris démentit l'idée que j'en avais ! Je m'étais figuré une ville aussi belle que grande, de l'aspect le plus imposant, où l'on ne voyait que de superbes rues, des palais de marbre et d'or. En entrant par le faubourg Saint-Marceau, je ne vis que de petites rues sales et puantes, de vilaines maisons noires, l'air de la malpropreté, de la pauvreté, des mendiants, des charretiers, des ravaudeuses, des crieuses de tisanes et de vieux chapeaux. »

(Jean-Jacques Rousseau, Confessions, 1782.)

L'œuvre de Louis XIV

Louis XIV fut incontestablement le monarque qui fit le plus pour Paris, contrairement à ce que purent dire Saint-Simon, Voltaire et autres accusateurs. S'il est vrai qu'il manifesta toujours une grande méfiance à l'égard de la capitale, frondeuse, dont il avait dû s'enfuir dans la nuit glaciale du 6 janvier 1649, que de 1666 à 1682 il fit de Saint-Germain-en-Laye sa résidence et celle du gouvernement et s'installa définitivement à Versailles à cette date, qu'enfin il ne vint que quatre fois à Paris de 1700 à 1715, l'amélioration et l'embellissement de la capitale furent l'une de ses préoccupations constantes. Même si l'on doit attribuer de nombreuses réalisations à Colbert ou à Louvois, ceux-ci n'entreprirent rien d'important sans l'assentiment royal.

Les travaux effectués durant ce règne touchèrent à tous les aspects de l'urbanisme et contribuèrent à l'agrandissement de la ville. Dans sa tâche, le roi trouva dans les lieutenants de police créés en 1666, de zélés auxiliaires : Nicolas de la Reynie présida aux destinées de la ville de 1667 à 1697, « homme d'une grande vertu, qui dans cette place pouvait s'attirer la haine et s'acquit pourtant l'estime universelle », dit de lui Saint-Simon, dont les propos furent rarement empreints de bienveillance ; après lui, d'Argenson (1697-1718) fut moins populaire en raison des difficultés d'approvisionnement de la fin du règne ; plus tard, Sartine (1759-1774), puis Lenoir (1774-1775, 1776-1785) firent beaucoup pour la sécurité et l'hygiène. Ces administrateurs peu nombreux (quatorze en cent vingt-deux ans) furent remarquables et purent mener une action en profondeur car ils disposèrent de la durée.

Dans le domaine de la distribution de l'eau, un gros effort fut fait. On installa deux nouvelles pompes aux ponts Notre-Dame (1670) et de la Tournelle (1695), cependant que le nombre des fontaines passait de vingt-deux en 1666 à trente-sept à la fin du siècle. Comme Paris souffrait du manque d'eau, elles ne furent qu'utilitaires, adossées à des murs, et ne furent jamais prétexte, comme à Rome, à usage artistique et gaspilleur : le précieux liquide ne coulait qu'à la demande. Pour améliorer l'hygiène et la sécurité, si l'on décida la réfection du grand égout au nord-est, dès 1651, un édit de 1666 réglementa le nettoiement des rues et, l'année suivante, La Reynie organisa l'éclairage nocturne de la ville, dans les 912 rues, grâce à 2 736 lanternes. L'édit de 1702 réorganisant l'administration municipale et divisant la ville en vingt quartiers au lieu de seize, confirma ces mesures et les rendit effectives par la création de la taxe des boues et lanternes ; en 1769, on généralisa et remplaça ces dernières par 6 000 réverbères à huile, dont le fonctionnement fut confié à une société privée.

L'incendie de Londres (1666) fit prendre conscience des dangers du bois et l'on s'attacha à prévenir le feu en réglementant sévèrement les normes de construction. D'autre part, aux ordres religieux traditionnellement chargés d'éteindre les incendies, on adjoignit plusieurs professions du bâtiment. Enfin, en 1705, on concéda à un entrepreneur privé le service de l'incendie.

A la suite des guerres et des troubles civils, Paris était encombré de pauvres, de miséreux, de malfaiteurs, de marginaux. La création de l'Hôpital général à la Salpêtrière, destinée à nettoyer la ville et à secourir cette population défavorisée en lui fournissant abri et travail, fut une première solution. Toutefois, les cours des miracles subsistaient, mais la plus grande, entre la place du Caire et la rue Montorgueil, fut investie et dispersée par La Reynie en personne, qui dirigea l'opération en 1667.

L'édit de 1666 autorisa les premiers transports en commun sur des itinéraires fixes : ce furent ces fameux carrosses à six sols, pour quatre personnes, dont l'invention serait de Pascal ou de l'un de ses amis, un certain Sauvage. Le succès de cette entreprise fut limité, et les fiacres qui les remplacèrent furent, en 1787, au nombre de deux mille environ.

La démolition des remparts et la création des boulevards

Enfin, la démolition des remparts modifia le plus, et de manière définitive et décisive, le paysage urbain. Louis XIV ayant repoussé les frontières du royaume, Paris ne vivait plus sous la menace d'invasions et les remparts devenaient de ce fait inutiles. Le roi décida donc leur démolition (1670) et d'aménager à leur emplacement une promenade publique, plantée d'arbres (nos Grands Boulevards) et ornée d'arcs de triomphe célébrant les victoires du règne : portes Saint-Denis, Saint-Martin, Saint-Antoine et Saint-Bernard. La ville perdait ainsi son caractère militaire, et, comme en de nombreux autres domaines, le roi sut reprendre, continuer, perfectionner et systématiser les initiatives isolées de

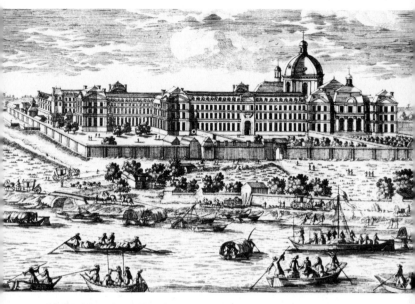

L'hôpital de la Salpêtrière. *Gravure d'Aveline. (Paris, Bibliothèque nationale.)*

ses prédécesseurs. Ces boulevards-promenades reprenaient à grande échelle et démocratisaient l'idée de Marie de Médicis au Cours-la-Reine ; dès lors, cet endroit servit « dans toute son étendue de promenade aux habitans » et devint, à partir du XVIII⁰ siècle, avec théâtres, cafés et autres créations, le lieu de divertissement favori des Parisiens. Ce n'est qu'en 1704 que fut décidée son extension à la rive gauche, des Invalides à la Salpêtrière, mais la réalisation traîna (boulevard du Montparnasse achevé en 1715, le reste en 1760), et le succès ne fut pas le même... Cette entreprise destinée à aérer Paris et à exalter sa grandeur fut complétée par l'aménagement de ses deux plus grands accès : à l'est, le cours de Vincennes, planté d'ormes (1679) dont le point de départ était l'arc de triomphe de la place du Trône érigé lors de l'entrée solennelle de Louis XIV et de Marie-Thérèse (1660) ; à l'ouest, les Champs-Elysées (1671) pour relier les Tuileries à Saint-Germain-en-Laye, réalisés jusqu'au rond-point par Le Nôtre et continués sous Louis XV : l'Etoile fut atteinte en 1724, après de grands travaux pour abaisser la colline, le pont de Neuilly en 1772. Ici,

encore, il fallut attendre la fin du XVIII⁰ siècle pour que la promenade devînt un lieu de réjouissance populaire.

Un plan directeur

Le plan levé par Bullet et Blondel en 1675, à la demande du roi, marqua un changement complet de conception de l'urbanisme. Pour la première fois Paris fit l'objet d'un plan d'ensemble où furent « marqués les changements qui pourraient y être faits dans la suite pour la commodité publique pour faciliter les communications des quartiers et pour l'embellissement de cette

> ### De l'intérêt des faubourgs
>
> « *Voir Paris sans voir la Courtille*
> *Où le peuple joyeux fourmille,*
> *Sans fréquenter les Porcherons,*
> *Le rendez-vous des bons lurons,*
> *C'est voir Rome sans voir le Pape.*
> *Aussi ceux à qui rien n'échappe*
> *Quittent souvent le Luxembourg*
> *Pour jouir dans quelque faubourg*
> *Du spectacle de la guinguette.* »
> *(Vadé,* La Pipe cassée,
> *début du XVIII⁰ siècle.)*

Le Louvre et le Pont-Royal.

ville », remarquait le prévôt des marchands, Le Peletier. En quelques mots, il exprimait ce qui fut et reste le mal parisien, qui commanda les bouleversements haussmanniens : la circulation puis l'esthétique. Ce schéma directeur, fruit de la collaboration de la ville et de l'Etat, fut partiellement suivi lorsqu'il s'agit de procéder à des alignements ou à des élargissements de rues.

La ville connut, sous Louis XIV, un développement progressif : résiden-tiel, vers l'ouest (faubourgs Saint-Germain, Saint-Honoré), favorisé par la disparition des remparts, industriel vers l'est et le sud (faubourgs Saint-Antoine et Saint-Marcel), où furent implantées des manufactures de glaces à Reuilly ou de tapisseries aux Gobelins.

L'intérieur de la ville continua de se construire et l'on ne repère guère que deux quartiers neufs : les buttes Saint-Roch et des Moulins. Cette dernière, faite de gravats, fut aplanie à partir de

1667 puis lotie par l'entrepreneur architecte Villedo, grâce à l'ouverture de douze rues (1677). Autre opération d'utilité publique et de promotion immobilière : l'aménagement, au tout début du règne (1644-1649), du quai de Gesvres, couvert et abritant une galerie marchande rivale de celle du palais pendant plus d'un siècle, jusqu'à sa démolition en 1769, lors du projet général de réaménagement des rives de la Seine qui interdisait les empiétements sur le fleuve.

Les grands chantiers

A côté de ces interventions d'intérêt général, quelques grands programmes architecturaux marquèrent de manière importante Paris : les époques précédentes avaient connu des édifices religieux relativement peu différenciés et, à partir de François Ier, le programme Louvre-Tuileries d'une ampleur exceptionnelle ; sous Henri IV, ce fut la naissance de places traitées en éléments autonomes et non plus en carrefours. Sous Louis XIV, Paris prit une dimension moderne et la réflexion architecturale innova en prenant en compte l'environnement, les accès, les perspectives. Et c'est sous cet angle qu'il faut regarder et admirer le débat public qui se déroula à propos de la façade orientale du Louvre, celle de l'entrée : il s'agissait d'achever le palais et d'en faire ce qu'il y a de plus beau. Les projets se succédèrent. L'on fit venir Bernin de Rome qui proposa une solution fort belle mais inadaptée au contexte parisien ; des architectes étrangers, surtout italiens, adressèrent des dessins (Pierre de Cortone, Rainaldi, Candiani, Bernin). On retint finalement la colonnade proposée par Perrault et d'Orbay, cependant que l'on envisageait une place devant Saint-Germain-l'Auxerrois. Le débat, loin d'être achevé, dura tout le XVIIIe siècle, se heurtant au coût financier des expropriations ; l'on alla même au XIXe siècle jusqu'à proposer la démolition de l'église. Les mêmes préoccupations esthétiques présidèrent à l'édification du collège des Quatre-Nations (palais de l'Institut, à partir de 1663), de l'autre côté de la Seine, dans l'axe de la cour Carrée, et ce n'est pas un hasard si les façades qui se font face sont toutes deux de Le Vau.

Sur la rive gauche, la périphérie de Paris reçut trois édifices « utilitaires » dont les qualités esthétiques et l'environnement contribuèrent durablement à l'ornement de la ville : la Salpêtrière, l'Observatoire et les Invalides, reliés entre eux par le boulevard envisagé dès le plan de Bullet. La Salpêtrière, à l'est (1656-1659), destinée à recueillir les marginaux de toutes sortes, regardait la ville et, de ce fait, interdisait toute extension urbaine vers l'est. L'Observatoire, au sud, établissement scientifique établi à partir de 1667, ferma la perspective du jardin du Luxembourg, les Invalides (1671), enfin, regardant la Seine et au-delà le Cours-la-Reine, permirent, surtout dans cette zone non bâtie, le développement de belles avenues en étoile qui auraient pu devenir des promenades si l'ascendant de la rive droite ne l'avait empêché. Ainsi, la rive gauche ne fut pas profondément modifiée sous Louis XIV et l'on n'y établit point de place, sans doute parce que la vocation de l'endroit et sa studieuse popu-

lation ne méritaient pas aux yeux des gouvernants pareil investissement, digne des seules élites politiques, financières ou économiques de la rive droite. Les deux places créées sous ce long règne se situèrent dans des quartiers récents, à proximité du Louvre, demeure parisienne du roi, et dans le but avoué de le glorifier.

La place des Victoires, aménagée (1681) sur l'initiative privée du maréchal de la Feuillade désireux de fournir, après le traité de Nimègue, un écrin à une statue du roi par Desjardins, eut pour fonction d'assurer la liaison entre le nouveau quartier de Richelieu et le Marais. Elle fut, en même temps, pour Jules Hardouin-Mansart, l'occasion de réaliser, près de trois quarts de siècle après la place Dauphine, une belle ordonnance architecturale au vocabulaire classique. Quelques années plus tard, Louvois persuada le roi de créer un centre intellectuel et administratif, réplique occidentale de la place des Vosges, qui devait comprendre les académies, la Bibliothèque royale, la Monnaie et la Chancellerie. L'endroit retenu fut le terrain de l'hôtel de Vendôme et une partie de celui du couvent des Capucins, à proximité de ces innombrables établissements religieux installés depuis la fin du XVIe siècle dans l'espace couvert par la nouvelle enceinte entre le Théâtre-Français et la rue Royale. Le programme et le parti architectural changèrent en cours d'exécution (1699). La ville, devenue maître d'œuvre, la solution retenue en définitive s'apparenta à celle de la place des Vosges : façades imposées, liberté de construction par derrière. Mais la place réalisée ne devint un lieu de passage entre les Tuileries et le boulevard qu'au XIXe siècle.

Le XVIIIe siècle

Une amélioration des infrastructures

La première moitié du XVIIIe siècle ne connut pas de réalisations notables, mais on assista, tout au long du siècle, à la poursuite de la politique de fond menée par la ville pour améliorer le bien-être. A cet égard, la création de l'Ecole des ponts et chaussées

La Bastille et la porte Saint-Antoine en 1740. A gauche, la rue de la Contrescarpe.

(1767), destinée à former en nombre des techniciens compétents dans tout le royaume, marque un tournant dans l'évolution du système scolaire et correspond au souci de concilier harmonieusement sécurité, économie et esthétique dans un secteur en pleine expansion : l'équipement. Et les prévôts des marchands, Turgot et Trudaine, jouèrent un rôle essentiel dans la modernisation des infrastructures. Ainsi, ils créèrent une vingtaine de fontaines dont celle de Grenelle, par Bouchardon, ayant un caractère ornemental affirmé. A la fin du siècle, profitant des apports de la technique, les frères Périer établirent au pont de l'Alma (1778), une « pompe à feu » marchant à la vapeur, qui permit de fournir 13 000 mètres cubes d'eau supplémentaires, et, en 1787, ils en construisirent deux autres en face, au Gros-Caillou. De même, on décida l'adduction des eaux de l'Ourcq (1787), projetée dès le XVIe siècle, étudiée par Riquet (1677), finalement réalisée à partir de l'Empire ; et l'on commença, en 1788, celle des eaux de l'Yvette ; mais la Révolution interrompit les travaux. Pour lutter contre l'incendie, on s'attaqua aux causes et l'on créa, en 1781, le Bureau général des ramoneurs, chargé, été comme hiver, de la gestion des cheminées. L'état des

rues, quant à lui, fut amélioré par les textes législatifs de 1783 à 1784, qui définissaient la hauteur des immeubles en proportion de la largeur des rues (critères esthétiques) ; les trottoirs firent leur apparition en 1781 rue de l'Odéon (critère de sécurité), les cimetières de la ville furent théoriquement fermés en 1785 (critère d'hygiène), mais il fallut attendre l'Empire pour voir l'application de cette mesure ; les mai-

Les plaques de rues

« C'est pour faciliter la connaissance de ce labyrinthe de rues que M. Hérault, lieutenant général de police de la ville de Paris, y a introduit un usage pratiqué depuis longtemps dans les grandes villes d'Italie, où les noms des rues sont marqués en gros caractères sur les maisons qui en font les coins, à l'entrée et à la sortie. Ce fut le 16 de janvier de l'an 1728 qu'on commença à mettre dans chaque rue de Paris deux feuilles de fer blanc sur lesquelles est le nom de la rue en gros caractères noirs. Ce travail fut fini dans le mois de mars suivant. »

(Piganiol de la Force, Description historique de Paris, 1753.)

sons reçurent un numéro en 1779 (critère de commodité), alors que l'inscription du nom des rues avait fait son apparition dès 1728 ; enfin, l'on aménagea des dépôts d'ordures à une lieue de la ville. Pour éviter les aléas des crues et les accidents en résultant, en 1769, on décida l'achèvement des

quais et le dégagement des ponts qui ne fut effectif qu'en 1786, où l'on procéda à la démolition des maisons les bordant. Cette mesure transforma le paysage urbain en créant une perspective sur toute la longueur du fleuve et contribua à l'ornement de la ville.

Pour améliorer les approvisionnements, en 1785, on entreprit à l'est l'installation d'une gare à l'abri des inondations et des gelées, susceptible d'accueillir quatre cents bateaux. Par ailleurs, on réaménagea les Halles et l'actuelle Bourse du commerce n'est autre que la nouvelle halle au blé, achevée en 1781, tandis que, un peu partout, s'installaient des marchés dont certains subsistent de nos jours ; simultanément, des initiatives privées créaient des galeries marchandes (rotonde du Temple, Palais-Royal, etc.).

La place Louis-XV et son rayonnement

A partir du milieu du siècle, l'architecture, l'urbanisme et l'embellissement de Paris devinrent des lieux communs et tout le monde donna un avis sur tous les projets au même titre que sur n'importe quelle idée philosophique ou régime politique. Le coup d'envoi de ce vaste débat fut donné par la création de la place Louis-XV (Concorde). La ville décida en 1748 d'élever une statue en l'honneur du roi alors très populaire, et de la placer, selon la tradition, au centre d'une nouvelle place royale dont la construction était confiée au roi. Le concours ouvert réunit quatre-vingt-dix projets concernant toute la ville. Afin d'éviter des frais d'expropriation, le roi offrit le terrain entre les Tuileries et les Champs-Elysées (1750) et un second concours fut ouvert (1753) et fournit dix-neuf projets. Le parti retenu (1755) fit la synthèse des propositions de Boffrand (constructions au fond de la place), de Contant d'Ivry (place délimitée par des « fossés avec balustrades à hauteur d'appui ») et de Gabriel (pont et rue Royale). Ce fut la première réalisation parisienne et de grande envergure ; bien que dissymétrique, elle s'articulait sur deux axes (Tuileries-Champs-Elysées et Palais-Bourbon-église de la

---

Latrines publiques

« *Elles manquent à la ville. On est fort embarrassé dans ces rues populeuses, quand le besoin vous presse ; il faut aller chercher un privé au hasard dans une maison inconnue. Vous tâtez aux portes & avez l'air d'un filou, quoique vous ne cherchiez point à prendre.*

« *Autrefois le jardin des Tuileries, le palais de nos Rois, étoit un rendez-vous général. Tous les chieurs se rangeoient sous une haie d'ifs, & là il soulageoient leurs besoins. Il y a des gens qui mettent de la volupté à faire cette sécrétion en plein air : les terrasses des Tuileries étoient inabordables par l'infection qui s'en exhaloit. M. le Comte d'Angivillier, en faisant arracher ces ifs, a dépaysé les chieurs qui venoient de loin tout exprès. On a établi des latrines publiques, où chaque particulier satisfait son besoin pour la piece de deux sols ; mais si vous vous trouvez au Fauxbourg Saint Germain, & que vos visceres soient relâchés, aurez-vous le temps d'aller trouver l'entrepreneur ? L'un se précipite dans une allée sombre, & se sauve ensuite ; l'autre est obligé, au coin d'une borne, d'offenser la pudeur publique ; tel autre se sert d'un* fiacre *ou d'une* vinaigrette ; *il transforme le siege de la voiture en siege d'aisance : ceux qui se sentent encore des jambes, courent à demi courbés au bord de la riviere.*

Aujourd'hui les quais qui forment une promenade & qui sont un embellissement de la ville, révoltent également l'œil & l'odorat. »

(Louis-Sébastien Mercier, Le Tableau de Paris, *1782-1788.*)

Madeleine) et englobait dans un seul projet les deux rives. La réalisation fut lente : façades achevées en 1775, église de la Madeleine à peine commencée à la Révolution.

La création de la place Louis-XV fut déterminante pour le développement des quartiers de La Ville-l'Evêque, du Roule, des Champs-Elysées. Ils avaient, certes, commencé à se peupler dès la Régence et, en 1718, Mollet avait construit l'hôtel d'Evreux (palais de l'Elysée), tandis que les habitants étaient suffisamment nombreux pour demander, dès 1741, la création d'une église paroissiale qui ne se réalisa qu'en 1774 (Saint-Philippe-du-Roule) ; de même, l'église de la Madeleine devait desservir La Ville-l'Evêque. Mais c'est pour le Roule et le quartier des Champs-Elysées qu'eut le plus de conséquences l'implantation de cette nouvelle place destinée à les relier à la ville. Dans les années 1775-1785, l'on vit se constituer les vastes folies du financier Beaujon (sud-est de l'avenue Hoche) ou du duc de Chartres (parc Monceau), tandis que le comte d'Artois, propriétaire des vastes terrains de l'ancienne pépinière royale, y installait ses écuries (rues de Berri et du Faubourg-Saint-Honoré), et rêvait d'un lotissement, « La Nouvelle Amérique », cependant qu'un parc d'attractions, le Colisée, attirait quelque temps le Tout-Paris, ravi par ses fêtes et ses décors somptueux. Ainsi, « de tous les faubourgs de la ville, le plus négligé et le plus malpropre » (1725) devint le plus attrayant du fait de la proximité de la nouvelle place.

Les grands édifices

L'Ecole militaire, créée en 1751, fut un autre événement important pour l'histoire de la ville, et délimita, pour longtemps, l'extrémité du noble faubourg. Elle fut conçue sur le modèle des Invalides : face au fleuve, donnant par-derrière sur une place, point de convergence d'avenues, et, par-devant, sur une vaste esplanade capable de servir de terrain d'exercice aux élèves et, à partir de la Révolution, de cadre à des manifestations et fêtes variées : célébrations du 14 juillet 1790, du 14 juillet 1791 (terminé en une tragique fusillade), courses de chevaux, expositions. Quant au tracé des principales avenues du secteur Invalides-Ecole militaire, il fut imaginé en même temps que ce monument.

L'aménagement du parvis Saint-Sulpice fut une occasion ratée de créer

---

Boueurs

« *Ils enlevent les immondices que le balai domestique pousse dans le coin des bornes ; mais ce balai est mou & insuffisant ; les boueurs écument la ville. Il faut de l'adresse pour passer vite entre leur pelle & leur tombereau. Si vous ne prenez pas bien votre temps, si votre élan manque de justesse, la pelle du boueur se verse dans votre poche. Il faut avoir l'œil preste & le pied sûr ; car les boueurs en souquenilles, ennemis nés des habits propres, n'interrompent jamais leurs fonctions. Ne soyez point distrait en passant à côté d'eux ; ils ne vous voient pas, ils ne songent point à vous, ils flanquent la boue épaisse comme de l'eau bénite ; & s'ils nettoient les rues, ils n'ont point ordre de ne pas faire jaillir* sur les passants de larges éclaboussures.

« *Le tombereau voiture une boue liquide & noirâtre, dont les ondulations font peur à la vue ; elle s'échappe, & le tombereau entr' ouvert distribue en détail ce qu'il a reçu en gros. La pelle, le balai, l'homme, la voiture, les chevaux, tout est de la même couleur, & l'on diroit qu'ils aspirent à imprimer la même teinte sur tous ceux qui passent. Le danger est sur-tout du côté où le boueur n'est pas ; vous longez avec confiance une roue immobile, une pelletée d'ordures vous descend sur la tête.* »

(Louis-Sébastien Mercier, *Le Tableau de Paris*, 1782-1788.)

Des travaux au Pont-au-Change, *Hubert Robert, 1760. (Munich, Alte Pinakothek.)*

une grande place au cœur de la rive gauche qui en était dépourvue. Le projet de Servandoni (1735) prévoyant une place marchande et une rue dans l'axe de l'église ne connut qu'un début de réalisation (une maison) et les travaux napoléoniens supprimèrent cet axe en 1811.

Le Théâtre-Français

« *Le superbe monument du Théâtre françois situé sur l'emplacement de l'ancien hôtel de Condé, près le Luxembourg, est le résultat de talents réunis de MM. de Wailly et Peyre l'aîné, architectes du roi. Ces deux artistes ont déployé leur art pour bien mériter de leurs concitoyens, en leur présentant le plan d'un théâtre national qui réformât les abus et les inconvéniens des anciennes salles, et procurât au public un abord facile. En multipliant les issues, ils en ont facilité l'entrée et la sortie, ainsi que l'arrivée et le départ des voitures. L'intérieur rassemble toutes les commodités possibles. Les spectateurs tous assis, l'assemblée est moins tumultueuse et plus décente, et on y jouit mieux du spectacle. Ce monument isolé de tous côtés, a la forme d'un parallélogramme entouré de portiques qui, formant galeries, procurent les moyens de descendre à couvert, avantage précieux dans un monument public destiné à cet usage.* »

(Vincent Thiéry,
Guide des amateurs et des
voyageurs étrangers à Paris,
1788.)

La reconstruction de la basilique Sainte-Geneviève fut un programme qui mobilisa autant l'opinion que la création de la place Louis-XV. L'initiative vint de Louis XV lui-même qui ne pouvait laisser tomber en ruine ce vieil établissement chéri des rois. Soufflot en donna les plans et conçut l'aménagement de la place, bordée de l'école de droit et de la Maison de la théologie avec la rue Soufflot en direction du Luxembourg. Des problèmes techniques (sous-sol peu solide) firent traîner les travaux de sorte que la place et la rue ne furent achevées qu'au XIXe siècle.

L'intervention royale se manifesta encore tout près du Luxembourg avec la construction du Théâtre-Français (Odéon), à l'emplacement de l'hôtel de Condé (1778). Ses jardins furent lotis suivant un plan en patte d'oie : cinq rues aboutirent à la place en demi-cercle, destinée à dégager et à mettre en valeur le monument relié jadis par des arcades latérales aux bâtiments qui l'entouraient.

L'immobilier

Sur la rive droite, l'opération immobilière réalisée par le duc d'Orléans qui entoura les jardins du Palais-Royal d'immeubles de rapport et de galeries marchandes, s'accompagna de l'ouverture des rues de Valois, de Montpensier et de Beaujolais (1784). Mais l'époque Louis XVI fut marquée par une fièvre de la construction et par une forte avancée du peuplement dans toute la partie nord de la ville qui enjamba le boulevard, du faubourg Saint-Martin à la Chaussée-d'Antin. Certes, cette dernière datait de 1721,

Réjouissances aux Halles, en 1782, lors de fêtes données par la ville, à l'occasion de la naissance du dauphin, *P.L. Debucourt, 1783. (Paris, musée Carnavalet.)*

mais l'essor du quartier n'entraîna qu'en 1783 l'installation du couvent des Capucins (lycée Condorcet) pour en assurer la desserte spirituelle. Au sud du boulevard des Italiens, le duc de Choiseul procéda à une opération limitée en lotissant le jardin de son hôtel entre les rues de Richelieu et de Gramont : ce fut l'occasion d'une belle réalisation homogène. La Comédie-Italienne en occupa le centre (1780), entourée de rues nouvelles (Marivaux, Favart, Boieldieu, Saint-Marc), dont l'ordonnance dessinée par Le Camus de Mézières (1783) est toujours en place : seul l'Opéra-Comique a été reconstruit.

A la même époque, au nord du boulevard des Italiens, de la Chaussée-d'Antin au faubourg Montmartre, le banquier Laborde procéda (1770) à la construction du quartier des Porcherons et l'on ouvrit les rues Taitbout, Saint-Georges, Laffitte puis Le Peletier, Chauchat... Ce fut le quartier à la mode, habité par des financiers, des actrices et, en 1796, le général Bonaparte, de retour d'Italie, s'installa dans une rue que l'on appela pour cette raison « de la Victoire ».

Le faubourg Poissonnière connut une urbanisation comparable mais moins uniforme en raison de ses activités

Arrivée à Paris en 1768

« *En avançant dans le tombeau fétide et fangeux du faubourg Saint-Germain, où je fus me loger, mon cœur se serra [...]. Une architecture barbare et chétive, l'éclat ridicule et mesquin du peu de maisons qu'on décore du titre de palais et d'hôtels..., mille autres objets désagréables, dont le plus repoussant était le visage plâtré des femmes, fort laides : rien de tout cela n'était assez compensé pour moi par la beauté de tant de jardins ; par l'élégance des étonnantes promenades publiques, toujours fréquentées ; par le bon goût et le nombre infini des belles voitures ; par la sublime façade du Louvre ; par la quantité de spectacles, presque tous bons ; et par tant d'agréments et de plaisirs de tous genres.* »

(Alfiéri, Mémoires.*)*

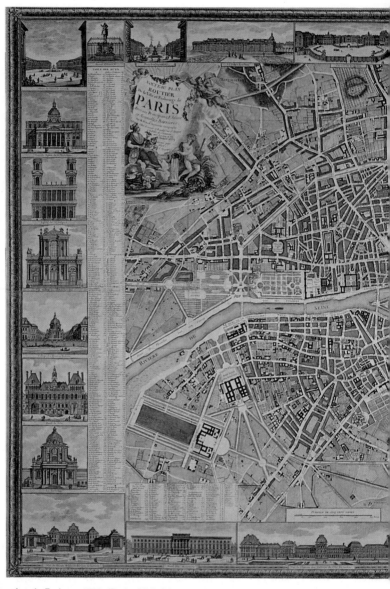

Le plan de Paris en 1789. (Paris, Bibliothèque nationale.)

variées : couvents au nord (Saint-Lazare), divertissement au sud (cafés, théâtres), commerce (foire Saint-Laurent), industrie (manufacture de porcelaine du comte d'Artois, rue Saint-Denis) et l'on y vit un habitat beaucoup plus contrasté. Enfin, le lotissement de la couture du Temple, entre la rue du Faubourg-du-Temple et le boulevard, entrepris à partir de 1782, donna naissance aux rues Amelot, d'Angoulême, de Malte, mais ici, à quelques exceptions près, l'urbanisation fut de caractère bien modeste, de même que dans le faubourg Saint-Antoine où l'industrialisation croissante (papiers peints, brasseries, toiles de coton) ne laissa guère de place au luxe.

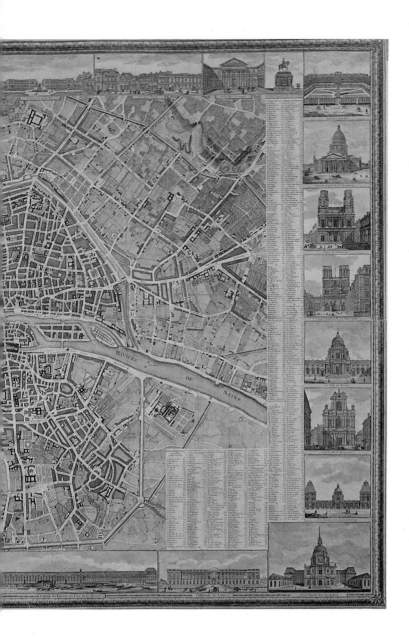

Une nouvelle
enceinte fiscale

Ainsi il est clair qu'à la veille de la Révolution Paris s'étendait de tous côtés, que les chantiers privés allaient financièrement beaucoup mieux que ceux du roi et que cette époque fut décisive pour la formation de la ville. Aussi cet aspect des choses ne passa-t-il pas inaperçu des autorités toujours avides de remplir leurs caisses et soucieuses de profiter de cet enrichissement collectif. Or, l'expansion de Paris rendait problématique la perception des droits d'entrée destinés pour un tiers à la ville et le reste à l'Etat. Les problèmes financiers de la monarchie se faisant plus aigus, Turgot imagina

89

d'entourer la ville d'un mur, ne laissant qu'un nombre défini de passages où seraient installés les bureaux de perception. Lavoisier, fermier général depuis 1779, conçut la réalisation connue sous le nom de « Mur des fermiers généraux ». Cette enceinte de vingt-trois kilomètres, originale dans la mesure où elle n'avait qu'un caractère fiscal, absolument pas militaire, engloba non seulement les nouveaux quartiers mais les villages de Chaillot, du Roule, de Montmartre... suivant la ligne de boulevards qu'emprunte le métro aérien Etoile-Nation par Barbès-Rochechouart. L'architecte Ledoux réalisa, à partir de 1784, cinquante pavillons de style néoclassique aux points d'arrivée des principales routes, dont quatre seulement subsistent : rotonde de La Villette, barrières de Monceau, Denfert, de la Nation. Autant dire que cette organisation scientifique du contrôle fut impopulaire car elle assujettit aux taxes toute une zone qui, auparavant, se trouvait hors du périmètre fiscal de Paris. Aussi dit-on alors : « Le mur murant Paris rend Paris murmurant. »

La Révolution et le Directoire
La Révolution ne sut tirer parti des circonstances exceptionnelles (séquestre et mise sur le marché d'immenses terrains appartenant aux congrégations et aux émigrés) pour concevoir et réaliser la modernisation de Paris et de son schéma de circulation. Rien ne fut fait, ou presque, hormis l'ouverture de quelques voies en 1790 (rues Madame, de Fleurus, Jean-Bart) et le fameux plan des Artistes ne fut, sous le Directoire, que la mise sur le papier de vieilles idées d'Ancien Régime. Quant au Directoire, il se contenta d'opérations ponctuelles (rues du Caire et d'Assas, 1798) et concéda l'ouverture de la rue des Colonnes (1795) en imposant l'ordonnance (galerie et colonnes doriques à palmettes au rez-de-chaussée).

De Napoléon à Haussmann

Le Consulat et l'Empire
Après tant d'années d'abandon tandis que la ville s'accroissait, Napoléon

---

Le mur des Fermiers généraux

« Mais ce qui est révoltant pour tous les regards, c'est de voir les antres du fisc métamorphosés en palais à colonnes, qui sont de véritables forteresses. Des figures colossales accompagnent ces monuments. On en voit une du côté de Passy qui tient en mains des chaînes qu'elle offre à ceux qui arrivent : c'est le génie fiscal personnifié sous ses véritables attributs. Ah ! Monsieur Ledoux, vous êtes un terrible architecte ! »
(Louis-Sébastien Mercier,
Le Tableau de Paris, 1782-1788.)

---

réagit et ouvrit une période de grands travaux qui ne s'arrêta qu'avec Haussmann. Il fut maître du jeu du fait du statut de la ville, qui était dirigée par des préfets nommés par l'empereur. Comme autrefois les rois, Napoléon voulait faire de Paris la plus belle ville du monde, mais il n'eut jamais de plan d'ensemble à la différence de Colbert ou Napoléon III. Son intervention fut marquée, comme en toutes choses, par son sens de l'organisation et concerna les infrastructures touchant l'hygiène ou la commodité : élargissement, pavage et numérotation cohérente des rues (côtés pairs et impairs), suppression des cimetières urbains (ossements transférés aux catacombes, à la suite de ceux du cimetière des Innocents à partir de 1786), création du bassin de La Villette par adduction des eaux de l'Ourcq (1802), construction d'une quinzaine de fontaines « jaillissantes », comme à Rome, pour servir de décor, création des premiers grands égouts (« J'ai employé jusqu'à trente millions en égouts, dont personne ne me tiendra jamais compte »), achèvement des quais (Orsay jusqu'au Champ-de-Mars, des Tuileries au Trocadéro et tout autour de la Cité), édification de ponts dont certains furent des innovations techniques (pont métallique des Arts, destiné à servir de promenade, ponts de la Cité, d'Austerlitz, d'Iéna que Louis XVIII sauva de la démolition par les Alliés en 1815), enfin, transfert des abattoirs à la périphérie (Rochechouart, Roule, Ménilmontant, Villejuif, Grenelle), reconstruction in situ de la halle aux vins (datant de 1664), de la halle au blé, couverte d'une coupole métallique par Bélanger, mise en chantier de la Bourse (1806)...

Les grands chantiers napoléoniens

Mais c'est dans le domaine monumental que Napoléon ouvrit la voie à ce qui fut plus tard réalisé à grande échelle. Si l'idée d'une voie en bordure du jardin des Tuileries avait vu le jour dès le XVIIIe siècle, c'est l'empereur qui perça la rue de Rivoli de la Concorde à la place des Pyramides (1802), selon le traditionnel schéma : ordonnance imposée aux particuliers avec en plus des servitudes de « standing » : les maisons ou boutiques ne pouvaient être utilisées par les ouvriers travaillant au marteau ou les artisans utilisant un four, ni se signaler par une enseigne ou un écriteau. Ce fut le point de départ du remodelage du quartier avec l'ouverture des rues de Castiglione et de la Paix reliant les Tuileries au boulevard, ainsi que la liaison du Louvre et des Tuileries par la construction d'une aile entre les pavillons de Rohan et de Marsan (1806). Un goût pour la mise en valeur et le dégagement des monuments était apparu dès les années 1750 : Napoléon le partagea et aménagea dans la Cité un premier parvis devant Notre-Dame ; plus considérable fut l'opération de rénovation de la place du Châtelet, si importante à tous points de vue, à la croisée de Paris : on supprima la prison et l'on installa la fontaine du Palmier. De même, la mise en valeur du Panthéon s'opéra par l'ouverture des rues d'Ulm et Clovis qui fit disparaître l'église abbatiale Sainte-Geneviève. Quant à la place Saint-Sulpice, elle fut achevée de piètre manière et l'on se contenta de l'orner, là aussi, d'une fontaine à la Paix et aux Arts. Le cas de l'abbaye Saint-Germain-des-Prés est plus complexe et constitue un cas de vandalisme caractérisé. En effet, la démolition des bâtiments conventuels (1804) donna naissance à la place actuelle et

s'accompagna du lotissement des terrains situés entre les rues Jacob et de l'Abbaye, sur lesquels s'était élevé jusqu'à l'explosion de 1794 le célèbre réfectoire de Pierre de Montreuil. Le goût des belles perspectives commanda aussi certaines interventions comme la reprise des travaux de construction de l'église de la Madeleine en harmonie avec la nouvelle façade donnée à l'Assemblée nationale par Poyet, ou la création de la rue du Val-de-Grâce, dans l'axe de l'église, et, surtout, l'aménagement de la très belle avenue de l'Observatoire, au-delà des jardins du Luxembourg. Comme Louis XIV et Colbert avant lui, Napoléon s'intéressa aux abords et aux entrées de la ville et c'est à la gloire des armées françaises que fut entrepris (1806) l'arc de triomphe de l'Etoile sur la colline de Chaillot : « Le monument serait vu de très loin. Il frapperait d'admiration le voyageur entrant dans Paris. » Quant à l'accès oriental de la capitale, la création de la place de la Bastille, décorée d'un éléphant monumental, fut conçue (1810), comme un carrefour triomphal opérant la liaison du grand programme nord-sud d'adduction des eaux de l'Ourcq jusqu'à la Seine par le bassin de l'Arsenal, avec la percée de la voie triomphale Vincennes-rue de Rivoli-Champs-Elysées-Arc de triomphe. Ainsi voit-on que l'action effective de l'empereur se limita à des opérations ponctuelles et disséminées, mais ne s'intéressa pas à l'articulation organique de la ville, ni à l'épineux problème de la circulation entre les différents quartiers. Il est bien certain aussi que la chute prématurée de l'Empire l'empêcha de dénouer certaines situations aiguës (les Halles) ou de réaliser certains projets grandioses comme ce tête-à-tête monumental et verdoyant projeté entre l'Ecole militaire et le Champ-de-Mars d'une part et le palais du roi de Rome (Trocadéro) d'autre part, reliés par le pont d'Iéna.

La Restauration

La Restauration marqua le pas et s'attacha à la poursuite des chantiers ouverts sous Napoléon ou à la construction de huit églises devenues indispensables en raison de l'extension de la ville (chapelle expiatoire, Saint-Pierre-du-Gros-Caillou, Notre-Dame-de-Lorette, Notre-Dame-de-Bonne-Nouvelle, Saint-Denis-du-Saint-Sacrement, Saint-Vincent-de-Paul, Saint-Jean-Baptiste-de-Grenelle, Sainte-Marie-des-Batignolles) et de l'absence quasi totale de nouveaux sanctuaires depuis Louis XVI. Mais l'urbanisation et les lotissements envahissant la zone comprise entre les boulevards et l'enceinte des Fermiers généraux, Laffitte organisa le quartier Poissonnière (1822), axé sur la rue La Fayette et l'église Saint-Vincent-de-Paul. Dosne, le beau-père de Thiers, créa le quartier Saint-Georges (1823) avec son sanctuaire, Notre-Dame-de-Lorette (1822) ; au nord, les rues Notre-Dame-de-Lorette, Henri-Monnier et Frochot (1824) le relièrent à l'enceinte, et au sud, la rue Laffitte prolongée (1830), au boulevard des Italiens. De même, dès 1819, autour des rues de La Rochefoucauld, de la Tour-des-Dames et Saint-Lazare, le receveur général du département de la Seine, de la Peyrière, créa le quartier de la Nouvelle-Athènes qui eut tout de suite la faveur des gens de lettres et des artistes. En 1826, ce furent les propriétaires du jardin de Tivoli, Hagermann et Mignon, qui reçurent mandat de la ville pour créer le quartier de l'Europe ; il fut long à se construire en raison des incertitudes relatives à l'emplacement de la gare Saint-Lazare. Dans le secteur des Champs-Elysées, les terrains de l'ancienne folie Beaujon subirent le même sort en 1825 (rues de Chateaubriand, Balzac, etc.) et le colonel de Bracke fonda le quartier François-Ier entre l'avenue Montaigne et la Seine (1823).

La monarchie de Juillet

Responsable de Paris, sous la monarchie de Juillet, le préfet Rambuteau prit à bras-le-corps les problèmes de la ville qui éclatait de toutes parts, qu'il s'agisse des infrastructures (rues, chemin de fer, défense), ou d'une vaste réflexion sur la cité menée par le conseiller municipal, Lanquetin, à partir de 1842. Cette activité se manifesta par l'ouverture de cent douze rues prolongées (rues Racine, de la Banque, boulevard Malesherbes jusqu'à la rue Monceau) ou créées (comme la rue Rambuteau pour relier les Halles au Marais, 1838), le rattachement de l'île Louviers à la rive (1843), la création du premier square à l'emplacement de l'archevêché saccagé en 1831 ; il s'inquiéta aussi de la généralisation des lampadaires à gaz, créés en 1828, de l'amélioration de l'approvisionnement de Paris en eau par l'achèvement des travaux d'adduction de l'Ourcq et de la multiplication des bornes-fontaines qui passèrent de cent quarante-six en 1830 à deux mille en 1848. Mais son nom peut surtout rester attaché à l'implantation et à la construction des gares parisiennes, de 1835 à 1847 : gare d'Austerlitz (1835), isolée au-delà du Jardin des Plantes, gare Saint-Lazare en 1837, qui entraîna le prolongement de la rue du Havre au sud et l'ouverture de la rue d'Amsterdam en direction de la barrière de Clichy. De même, le site de la gare du Nord fut choisi (1843) en fonction de la proximité de la rue La Fayette, de l'abattoir de Rochechouart

---

Un hôtel de la monarchie de Juillet

« L'hôtel de la comtesse Laginska, rue de la Pépinière, une de ces créations modernes, est entre cour et jardin. A droite, dans la cour, s'étendent les communs, auxquels répondent à gauche les remises et les écuries. La loge du concierge s'élève entre deux charmantes portes cochères. Le grand luxe de cette maison consiste en une charmante serre agencée à la suite d'un boudoir au rez-de-chaussée... Un philanthrope chassé d'Angleterre avait bâti cette bijouterie architecturale... et réalisé l'un de ces rêves pareils, toute proportion gardée, à celui de George IV à Brighton... On lui avait imité les plafonds du Moyen âge ou ceux des palais vénitiens, et prodigué les placages de marbre en tableaux extérieurs... »

(Balzac,
La Fausse Maîtresse, 1842.)

La colonnade du parc Monceau vers 1840. (Paris, Bibliothèque nationale.)

et du faubourg Saint-Denis, riche d'arrivages de toutes sortes, d'entrepôts et d'industries. Quant à la gare de l'Est (1847), la proximité du bassin de La Villette fut déterminante, mais la percée du boulevard de Strasbourg ne se fit que plus tard. Enfin, la gare de Lyon (1847) donna lieu ultérieurement à la démolition de la célèbre prison de Mazas et à l'ouverture de la rue de Lyon qui permit une liaison rapide avec la Bastille et la place de la République.

L'expansion de la banlieue

Au-delà de l'enceinte des Fermiers généraux, la proche banlieue formée d'une dizaine de villages connut, surtout au nord, en quelques décennies, une croissance invraisemblable due à l'industrialisation favorisée par de vastes espaces et une grande liberté financière et fiscale. Ainsi, le village des Batignolles, apparu après 1800, comptait 44 000 habitants en 1856, La Chapelle passa dans le même temps de 700 habitants à 33 000, quant au village de Beaugrenelle, il fut créé (1824) par un directeur de société, Jean-Baptiste Violet, qui y érigea un théâtre de 1 300 places, une église...

Les fortifications

La prospérité et le peuplement important de la banlieue firent qu'à la suite de la double occupation de Paris, à la fin de l'Empire, il apparut que la ville avait besoin de revoir son système de défense et qu'il n'était plus question d'en exclure cet environnement industriel. On songea donc à reporter au-delà la ligne de défense et Thiers pro-

---

A propos des fortifications

*« Paris fortifié, c'est Paris bêtifié...
La spécialité parisienne, c'est
l'immense fabrication des idées ;
le labeur parisien est un labeur tout
intellectuel. Les autres villes font
le commerce, font de la politique,
de l'industrie. Paris est la seule
ville qui pense. Paris est un philosophe, n'en faites pas un soldat.
Ne lui mettez pas une armure, sa
lourde cuirasse le gênerait pour se
promener en rêvant sur les destinées du monde. Ne lui mettez pas
un casque, ça le gênerait pour passer sa main dans ses cheveux en
cherchant une idée nouvelle. »*

(Mme de Girardin,
Lettres parisiennes, 1831.)

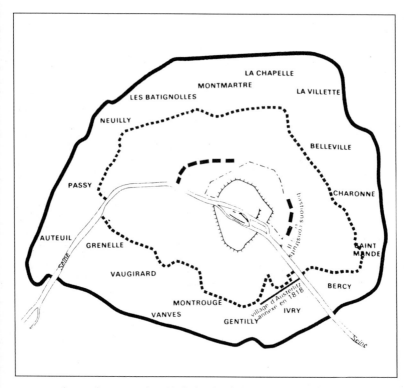

Les anciennes enceintes de Paris (d'après les travaux de A. Grimaud et M. Fleury. Encyclopædia Universalis*).*

—— Enceinte du Bas-Empire.

〰〰〰 Enceinte du XIᵉ siècle.

ᴜᴜᴜᴜ Enceinte de Philippe Auguste (1180-1210).

— · Enceinte de Charles V (vers 1370).

■ ■ Rempart bastionné (construit de Charles IX à Louis XIII).

--- Mur d'enceinte dit des Fermiers généraux, construit de 1784 à 1791.

▬▬▬ Enceinte fortifiée, construite de 1841 à 1845.

posa, dès 1833, la construction de forts extérieurs. Le projet fut écarté et la question revint à l'ordre du jour quand, en 1840, la guerre parut imminente. On décida alors (1841) la construction d'un mur continu sans pour autant démolir l'enceinte existante, et l'on abandonna l'idée de Thiers car ce « système suivant les cas pourrait être tourné soit contre le gouvernement, soit contre la population, ou devenir un instrument de domination au profit de l'étranger. En 1830, si Charles X avait eu des forts à sa disposition, le mouvement national de Juillet pouvait être compromis. » Les travaux furent rapidement conduits (1841-1845) grâce à un fort contingent de provinciaux qui, par la suite, restèrent à Paris au chômage et fournirent le gros des troupes

révolutionnaires de 1848. Par ailleurs, les villages environnants cernés par les nouvelles fortifications conservèrent leurs privilèges et leurs franchises, pour peu de temps puisqu'ils furent annexés à Paris en 1860 et entrèrent ainsi dans le régime commun de la capitale, avec toutefois quelques mesures transitoires.

Le « déplacement » de Paris

La chute de Louis-Philippe ne permit pas à Rambuteau de résoudre les problèmes soulevés par les études du conseiller municipal Lanquetin qui mirent en évidence l'engorgement du centre de Paris (Châtelet, les Halles) et l'impossibilité de s'y mouvoir, les mauvaises communications à l'intérieur de la ville et, entre les rives, le

La fontaine des Innocents.

retard de la rive gauche, enfin, et surtout, le « déplacement » de Paris, c'est-à-dire l'abandon du centre par les riches, le luxe, la finance, le haut commerce, en direction des boulevards et du nord-ouest. Le témoignage le plus évident de ce dernier phénomène était fourni par le récent prolongement des boulevards Malesherbes jusqu'à la rue Monceau et celui de la rue de Tocqueville en direction de l'avenue de Vil-liers. Lanquetin proposa un rééquilibrage de la ville par le transfert sur la rive gauche de diverses activités ; Rambuteau, conscient des problèmes que cela soulevait, nia l'existence du « déplacement » de Paris. Mais le débat continua entre théoriciens, et Napoléon III et Haussmann purent tirer profit d'analyses et de projets lucides.

Le second Empire

A l'égard de Paris, la politique entreprise par Louis-Philippe et Rambuteau prit une ampleur inattendue avec Napoléon III et Haussmann. L'empereur, qui avait vécu à Londres, avait pu y apprécier les espaces verts, la lutte pratiquée contre les taudis, la démolition de quartiers entiers ; sa bonté naturelle le poussa à chercher à transposer dans la capitale les solutions d'outre-Manche. Haussmann, préfet énergique de la Gironde, fut appelé pour diriger la rénovation de Paris et appliquer les directives que l'empereur lui fixa, dès leur première entrevue, par un grand plan de la ville sur lequel le souverain avait indiqué les modifications à effectuer et qui servit de référence à Haussmann tout au long de son action. Il conserva comme architecte Hittorff (place de l'Etoile)

Le train

« Quand le plein est fait, le train compte à voix basse et se décide, sur un soupir. Avec son nez de boxeur, avec sa barbe dure, avec son sternum sombre, avec ses astéries majuscules, avec ses seins pleins d'huile brûlante, avec ses icônes qui s'allument, avec ses lampes dans toutes leurs niches, avec ses hommes saignants de houille, la locomotive fait une belle image, comme une lettrine d'enlumineur. Les signes et les lettres sont tous aux fenêtres. Le wagon-bar suit la métaphore. Le wagon arrière a ses trous en rubis, sa conjonctivite et son souffle noir. »

(Léon-Paul Fargue,
Le Piéton de Paris, 1939.)

La rue de la Bûcherie, au début du siècle.

déjà en fonction, mais eut le plus souvent recours à son ami Baltard (les Halles). Pour le seconder, il fit venir d'anciens collaborateurs : Belgrand, spécialiste des travaux hydrauliques, qu'il avait connu dans l'Yonne, Alphand et Barillet-Deschamps dans la Gironde ; le premier dirigea les travaux, le second, horticulteur, fut responsable des parcs et jardins. La législation sur les expropriations l'aida précieusement et le financement des travaux fut assuré par des emprunts, souvent critiqués, mais qui seuls permirent cet *aggiornamento* urbain : ainsi, à la chute de l'Empire, l'endettement était, en dépit des campagnes de presse, fort raisonnable, correspondant à une année de budget. Au contraire de l'empereur plutôt romantique, Haussmann n'appréciait que les larges boulevards, les lignes droites terminées par un monument ou un dôme, tel celui du tribunal de commerce réalisé uniquement pour achever la perspective du boulevard de Sébastopol. Pour la première fois, on considéra Paris dans son ensemble, avec sa pauvreté, ses encombrements, sa population dans l'est et le centre, ses nouveaux quartiers riches

Regrets...

« *Ainsi donc, il s'en va, le pauvre vieux Paris...*
Le Paris dont la mousse avait verdi les toits,
Dont les sombres maisons à demi-ruinées
Fléchissaient sous le faix pesant des années...
Le Paris où parfois l'œil heurtait par hasard
Dans la fange, enfoui, quelque trésor de l'art
Où l'on voyait encore à plus d'un coin de rue
S'arrondir fièrement la tourelle ventrue...
Et de ces toits poudreux sous la cendre se cache
Tout le passé de nos aïeux... »

(Pierre Véron, Le Vieux Paris, 1857.)

à l'ouest, les communes annexées en 1860, sous-équipées, qu'il fallut assimiler et auxquelles on s'efforça de faire rattraper leur retard... Rambuteau, dans la période précédente, n'avait pas voulu entreprendre de grands travaux, hormis ceux qui étaient indispensables (les fortifications), par crainte de faire venir des provinciaux que la ville ne saurait accueillir décemment et qui seraient condamnés à vivre dans des conditions précaires et sordides. Haussmann ne s'arrêta pas à ces considé-

modernes, que l'on pouvait visiter, avec la création du collecteur principal d'Asnières ; ainsi, à son départ, on en comptait 560 kilomètres pour 107 à son arrivée. D'autre part, il consacra une part importante de son activité à la création des abattoirs de La Villette, à l'installation de marchés dans les quartiers récemment annexés, et surtout à la reconstruction fonctionnelle des Halles, en « parapluies » fameux, selon des critères d'hygiène et de commodité nouveaux ; et il n'oublia pas d'améliorer les hôpitaux

Notre-Dame en 1852.

rations humanitaires et fit de Paris un immense chantier quinze ans durant. Mais son œuvre dépassa largement la percée de grandes artères et il dota aussi Paris d'un réseau d'infrastructures vraiment modernes.

Les infrastructures

Si l'approvisionnement en eau fut triplé et cette amélioration soulignée par quelques fontaines monumentales, souvent dessinées par Davioud (Observatoire, places du Théâtre-Français, Saint-Michel), le préfet réalisa la rénovation et l'installation d'égouts

ou de s'intéresser aux transports en commun, avec la construction de la gare Montparnasse (1848), l'agrandissement et la reconstruction des autres gares, la création de la Compagnie générale des omnibus en 1854, et la mise en place d'un service de transports en commun en dehors de la voie publique : ce fut le chemin de fer de la Petite-Ceinture, qui reliait toutes les sorties de Paris et échappait aux embarras ; dans le même esprit, dès 1853, le principe du métropolitain fut adopté : il s'agissait de créer une ligne tantôt aérienne, tantôt souterraine de

La Villette à la rue Rambuteau avec un embranchement vers les Halles. Les auteurs du projet, Brame et Flachat, réalisateurs du chemin de fer de Saint-Germain, arguèrent : « Il pourra être utilisé pour le transport des voyageurs notamment et des ouvriers qui, par suite des transformations opérées dans les quartiers du centre, vont être obligés de se loger aux extrémités de la ville. » Pour une question de garantie d'intérêt aux actionnaires, l'affaire fut abandonnée et eut bien du mal à renaître sur d'autres bases à la fin du siècle.

Les espaces verts

Les espaces verts tinrent une place importante dans la rénovation urbaine, d'abord parce que Napoléon III les aimait et y tenait particulièrement, ensuite parce qu'il était compétent en la matière, enfin parce que ses conceptions humanitaires en faisaient, à ses yeux, un bien de consommation courante, qui n'était pas réservé aux riches, mais utile à tous pour des raisons d'hygiène et aussi d'équilibre social. Certes, Paris disposait de jardins publics qui furent réaménagés : Luxembourg, Tuileries, parc Monceau,

Le parc des Buttes-Chaumont créé par Haussmann.

Le parc Monceau.

sans compter les Champs-Elysées. Mais il eut aussi l'intention de donner un jardin à chaque quartier, comme il avait pu le voir à Londres. Ainsi naquirent, avec ou sans pièce d'eau, nos squares de la tour Saint-Jacques, du Temple, des Arts-et-Métiers (1857), Louvois, Louis XVI (1862)... de même que, dans la zone annexée, ceux des Batignolles, de la Chapelle... Mais, en bordure de la ville, dans le même esprit et sans discrimination qualitative, on aménagea en parcs à l'anglaise le bois de Boulogne à l'ouest avec lacs, rivière, cascade (1852-1855), le parc Montsouris au sud (à partir de 1867), le bois de Vincennes (après 1860) et les Buttes-Chaumont (1866-1867) en « paysage de région montagneuse », dont Alphand put dire que c'était sa plus belle réalisation.

Dans la même intention de rééquilibrer l'est de Paris en espaces de loisirs et d'agrément, il reprit l'idée de Napoléon Ier qui avait voulu faire du bassin de La Villette et du canal Saint-Martin une promenade, « les Champs-Elysées de l'est », et couvrit ce dernier : la voie ainsi obtenue devint le boulevard Richard-Lenoir aménagé en promenade de la Reine-Hortense (1861) ornée de dix-sept squares et fontaines.

Le percement des grands boulevards

Les communications à l'intérieur de Paris constituèrent le problème le plus important à résoudre pour éviter une asphyxie totale du centre qui réunissait la plupart des activités vitales. L'empereur envisagea globalement la question : traversées de la ville de part en part, jonction des quartiers entre eux, effectuée le plus souvent par la prolongation de voies déjà existantes ou à partir de carrefours (places, monuments, etc.). Dans cette réalisation, tout n'est pas à attribuer à Haussmann puisque Napoléon III entreprit, dès 1852, l'ouverture du boulevard de Strasbourg et la création de la rue des Ecoles. Mais l'on peut dire que les deux hommes collaborèrent, et la circulation urbaine reposa dès lors sur deux directions : nord-sud et est-ouest, ou en anneaux concentriques par rapport à la Seine, répétant le tracé des enceintes médiévales telles les ondes formées par un caillou tombé à l'eau.

Dans le sens nord-sud, la construction d'un certain nombre de ponts multiplia les points de passage : ponts National et de Garigliano, correspondant au boulevard des Maréchaux, pont de l'Alma, pour relier l'Ecole militaire à l'Etoile, pont de Solférino entre le jardin des Tuileries et le faubourg Saint-Germain. Mais la grande réalisation fut la percée rectiligne gare du Nord-Observatoire, avec les boulevards de Strasbourg, de Sébastopol, du Palais et Saint-Michel. Dans le sens est-ouest, si la rue des Ecoles prolongeant celle de l'Ecole-de-Médecine permit de relier le carrefour de l'Odéon au Jardin des Plantes, les deux grandes opérations furent la liaison directe Bastille-Concorde par la rive gauche (boulevards Henri-IV et Saint-Germain) et surtout, par la rue de Rivoli, permettant la réalisation du vieux rêve de la monarchie d'une voie triomphale entre les châteaux de Vincennes, du Louvre, des Tuileries et de Saint-Germain-en-Laye. Ainsi fut achevée, non sans problèmes, la rue de Rivoli : il fallut araser la colline de Saint-Jacques-de-la-Boucherie au Châtelet, et, en annexe, aménager, de manière décente, cette croisée stratégique, d'où la création de deux théâtres. Plus loin, la proximité du Louvre et des Tuileries fit que l'on soigna le décor de la rue de Rivoli en poursuivant, de la place des Pyramides au Louvre, l'ordonnance et les galeries imposées par le premier Empire. Pour mettre en valeur le monument, on aménagea les places Saint-Germain-l'Auxerrois, avec la construction d'une mairie et d'un beffroi néogothiques, en harmonie avec l'église ; plus loin, le carrefour du Palais-Royal fut, lui aussi, repensé. Enfin, tandis que l'on agrandissait le Louvre, la cour du Carrousel fut enfin libérée de toutes les constructions multiséculaires qui l'encombraient et plantée d'un square, ce fut l'achèvement d'un chantier ouvert depuis plus de trois siècles.

Sur la rive gauche, les rues Gay-Lussac et Claude-Bernard d'une part, des Ecoles et Monge d'autre part, dégagèrent la montagne Sainte-Geneviève, tandis que l'ouverture des boulevards de Port-Royal et Saint-Marcel réunit les Invalides aux gares Montparnasse, d'Austerlitz et de Lyon ; et la création du boulevard Arago rapprocha la place Denfert de la gare d'Austerlitz. A Montparnasse, la création de la rue de Rennes, dans l'axe de la gare, amorça sa difficile liaison avec la rive droite. Et l'avenue René-Coty fit le trait d'union entre la place Denfert et le parc Montsouris.

Sur la rive droite, les réalisations furent plus nombreuses et complexes, et, dans un grand nombre de cas, rayonnèrent à partir de carrefours stratégiques. Ainsi, de la place de la République (dite alors du Château-d'Eau), on ouvrit le boulevard Magenta (prolongé jusqu'à Clignancourt), qui assura la liaison entre les gares de l'Est, du Nord, de Lyon et d'Austerlitz par la Bastille ; de même, le boulevard Voltaire fit communiquer la place de la Nation avec la gare du Nord, et l'avenue de la République relia le cimetière du Père-Lachaise à l'Opéra et à la Concorde. La place de l'Opéra fut essentielle dans la pensée impériale. Outre l'importance et le prestige du monument, réalisation symbole du régime, le problème de son insertion dans le quartier et celui de ses accès

Le Panthéon, au-delà d'une rue en travaux ▶

La rue Soufflot.

fut capital et traité de manière judicieuse et imaginative : l'avenue de l'Opéra permit d'atteindre les anciens théâtres du Palais-Royal, puis le quartier du Châtelet ; la rue du 4-Septembre doubla avec la rue de Réaumur les Grands Boulevards ; la rue Auber, qui se terminait à la rue du Havre, créa une voie d'accès supplémentaire vers la gare Saint-Lazare, utile aux habitants du Châtelet, de la Cité et du Quartier latin ; de plus, l'habile tracé en losange des rues Gluck et Scribe relia directement le Palais-Royal à la place Clichy. L'aménagement du quartier des Halles simplifia la topographie et entraîna l'ouverture de la rue des Halles, vers le Châtelet, de celle du Pont-Neuf, vers la rive gauche, de celle de Turbigo, vers la République, tandis que l'élargissement de la rue Montmartre améliorait l'accès depuis le boulevard de Clichy.

Les quartiers du nord-ouest

L'annexion de 1860 fut particulièrement importante pour le nord-ouest parisien. La place de l'Etoile aménagée par Hittorff avait pour corollaire l'anneau circulaire des rues de Presbourg et de Tilsitt, car aucun immeuble ne devait ouvrir sur la place même ; elle irriguait de ses douze avenues rayonnantes les VIIIe, XVIe et XVIIe arrondissements ; et le réseau urbain eut tendance à se raccorder à ces dernières et à les prolonger. Ainsi, la création du boulevard Haussmann, l'achèvement de la rue de Châteaudun et l'ouverture de la rue de Maubeuge inauguraient une transversale Etoile-gare du Nord, ou bien, par la rue La Fayette, Etoile-bassin de La Villette ; de même, la prolongation de la rue Roquépine vers le boulevard Malesherbes doubla la rue de La Boétie et permit d'atteindre, par la rue des Mathurins, la Chaussée-d'Antin ; par ailleurs, l'allongement de la rue de Miromesnil fit communiquer le boulevard de Courcelles avec la place Beauvau et les Champs-Elysées ; enfin, l'achèvement de la rue Tronchet relia directement la Concorde à la gare Saint-Lazare. Le lotissement du quartier Pereire vit aussi la création de grandes artères : partant de la place du Maréchal-Juin (place Pereire), l'avenue Niel en direction de l'Etoile, la rue de Prony vers le parc Monceau, alors qu'à la même époque l'achèvement de la rue Cardinet ou l'ouverture de la rue Jouffroy rapprochaient le pont Cardinet de la place de l'Etoile. Dans le XVIe arrondissement, tandis que la place d'Iéna n'était qu'un relais entre l'Etoile et le Trocadéro, deux importants carrefours apparurent : la place de l'Alma où l'on ouvrit trois nou-

la Seine et Boulogne. Enfin, le boulevard Excelmans fit le raccord avec les boulevards des Maréchaux sur la rive gauche.

Les quartiers du nord-est

L'est de Paris connut semblable organisation avec l'ouverture de l'avenue Daumesnil entre la Bastille et le bois de Vincennes ainsi que l'aménagement de la place de la Nation, selon un schéma aussi rayonnant que celui

La porte Saint-Martin.

velles avenues vers les Champs-Elysées (Georges-V), vers l'Etoile (Marceau), vers le Trocadéro (Président-Wilson) et cette dernière fut reliée à la porte de La Muette et au bois de Boulogne par les avenues Georges-Mandel et Henri-Martin. Les jardins du Ranelagh furent réorganisés (chaussée de La Muette, avenue du Ranelagh) et l'avenue Mozart constitua la principale voie d'accès au village d'Auteuil, avec, pour prolongement jusqu'aux boulevards extérieurs, la rue Michel-Ange. Dans le sens est-ouest, les rues Mirabeau et de Molitor doublèrent la sinueuse rue d'Auteuil entre

de la place de l'Etoile : le boulevard Diderot menant aux gares de Lyon et d'Austerlitz, le boulevard Voltaire vers celles de l'Est et du Nord, l'avenue Philippe-Auguste, vers le Père-Lachaise et le bassin de La Villette. Par ailleurs, la rue des Pyrénées traversa les communes de Belleville et de Ménilmontant, du cours de Vincennes aux Buttes-Chaumont, tandis que la rue de Crimée, de la place des Fêtes, gagnait par les Buttes-Chaumont le bassin de La Villette. Enfin, l'avenue Gambetta et la rue Belgrand rapprochèrent la porte de Bagnolet de la place de la République.

*La rue de Lyon et le boulevard de la Bastille. A gauche,
la gare de la Bastille.*

Il apparaît ainsi clairement que le second Empire marque la fin d'une époque : celle des grandes ordonnances (rue de Rivoli, places de l'Etoile, de l'Opéra, du Théâtre-Français, boulevard Saint-Germain), mais aussi, celle où furent pensés de manière cohérente et moderne les problèmes de circulation.

On a souvent reproché à Haussmann ses lignes droites ; elles furent certes nombreuses, mais, souvent, le préfet se contenta d'intercaler quelques tronçons nouveaux afin de réunir des rues situées dans le même axe ou deux quartiers éloignés.

Mais sa grande idée novatrice fut la création de rocades évitant le centre : achèvement des grands boulevards de la rive gauche, démolition de l'enceinte des Fermiers généraux (1860) et aménagement du boulevard continu sur la rive droite de l'Etoile à la Nation, utilisation et adaptation du boulevard circulaire des Maréchaux. Et l'on constate aussi que Haussmann perçut parfaitement les points importants : gares, bassin de La Villette, carrefours de l'Opéra, de l'Etoile, si bien que les travaux effectués depuis n'ont jamais remis en cause ce visionnaire plan directeur.

La IIIe République

Pour l'essentiel, la IIIe République marqua une pause dans la modification de Paris. Elle s'occupa essentiellement de mener à terme les travaux entrepris par Haussmann, qui viennent d'être signalés (achèvement de l'avenue de l'Opéra, des boulevards Saint-Germain, Henri-IV, reconstruction du pont de Sully, etc.) et elle pansa les ruines accumulées par la guerre et surtout par la Commune : reconstruction

Paris selon Michelet

« Le Paris moderne est beau d'immensité, d'uniformité, comme une Babel et un désert... Il est beau de variété, réunissant tous les styles, représentant le résumé du monde : dômes byzantins dans la halle au blé et la prison de la rue de la Roquette, église gréco-italienne dans Sainte-Geneviève, le léger et le pesant gothique : Notre-Dame, la Sainte-Chapelle, etc., la Seine onduleuse dans un bel encadrement de collines, les obélisques des cheminées à vapeur. »

(Jules Michelet, Journal, *1888.)*

de l'Hôtel de Ville (1873), de la moitié de la rue Royale, démolition des Tuileries qui eussent pu être restaurées (1877).

Le rôle
des expositions universelles

La ville ayant désormais un conseil municipal élu au suffrage universel, la vieille opposition ville-Etat réapparut d'autant plus que l'assemblée municipale, composée pour partie d'anciens communards, fut très nettement de gauche jusqu'en 1900, où la tendance s'inversa, tandis que le bloc des gauches tenait la Chambre. D'autre part, les conseillers de la ville étaient notoirement hostiles aux grandes compagnies ferroviaires, émanations du « mur de l'argent ». Le seul point de convergence entre la ville et l'Etat fut le multiséculaire souci du prestige de la capitale, de sorte que bien des dossiers n'avancèrent que dans la perspective des expositions. En effet, si celle de 1878 ne posa pas beaucoup de problèmes et marqua de son empreinte la colline de Chaillot par l'aménagement de la place du Trocadéro et l'édification du palais du même nom, l'Exposition universelle de 1889

enrichit Paris de la tour Eiffel. Celle de 1900 modifia bien davantage le site avec l'édification de la gare d'Orsay, la construction des Grand et Petit Palais reliés aux Invalides par le nouveau pont Alexandre-III, cependant que les jardins du Champ-de-Mars étaient aménagés par Forestier et, surtout, qu'entrait en service, entre Vincennes et Neuilly, la première ligne de métro à traction électrique. On doit à l'Exposition de 1937 l'aménagement du Trocadéro (palais de Chaillot et jardins) dans la perspective du Champ-de-Mars et de l'Ecole militaire, ainsi que l'édification des musées d'Art moderne avec leurs jardins.

Naissance
du métropolitain

La question du métropolitain abandonnée sous Napoléon III réapparut dès 1871, en raison des embarras de Paris, de son industrialisation et de celle de la banlieue, responsables de flux quotidiens considérables. Ce fut une guérilla de près d'un quart de siècle qui opposa la ville à l'Etat. Ce dernier, voulant garder la mainmise sur la ville, voyait dans l'opération une « œuvre nationale », mais en refusait

Vue du boulevard Henri-IV et de la rue Saint-Antoine prise de la colonne de Juillet.

La construction de la tour Eiffel, en 1888.

le financement ; la ville, quant à elle, voulait que ce chemin de fer fût « d'intérêt purement local ». En 1895, elle obtint gain de cause. L'hostilité aux chemins de fer et à l'Etat était telle qu'après avoir refusé toute participation de la Compagnie du Nord (1891), la ville fit en sorte de rendre impossible toute jonction avec les grandes lignes en établissant des galeries plus étroites destinées à des voitures de moindre gabarit.

Les conseillers municipaux rejetèrent la proposition du conseil général de la Seine envisageant, par une perception d'ensemble des problèmes de la région, un métro de pénétration dans la banlieue. Le projet fut rejeté pour des raisons fiscales, Paris tirant le plus clair de ses recettes de l'octroi : « L'octroi de Paris produit 150 millions ; le métro lui fera perdre 30 millions. Une grande partie de la population émigrera le jour où, pour 0,40 franc ou 0,50 franc, elle pourra, sans changer de voiture, se rendre facilement dans la banlieue. Or, ce sont les gens riches qui émigreront, pas les ouvriers. » (1895.)

La réalisation fut mixte : la ville assura les infrastructures, la Compagnie du métropolitain de Paris concessionnaire pour vingt-cinq ans fit le reste. En 1904, l'on fit fusionner dans la Société des transports en commun de la région parisienne tous les transports en commun (métro, autobus). En 1929, après la disparition de l'octroi, le métro fut prolongé en banlieue, puis, dans les années soixante, la création du Réseau express régional (R.E.R.) fit définitivement disparaître l'indépendance du réseau par la jonction avec le réseau ferroviaire.

L'œuvre d'Haussmann se poursuit

Pour améliorer la circulation, on prolongea la rue Etienne-Marcel, opération qui défigura la place des Victoires. On effectua, après 1889, quelques grandes percées : le boulevard Raspail, la rue Réaumur et, après 1926, on termina le boulevard Haussmann de l'Opéra à la rue Drouot. Sur la rive

ports dénoncèrent le fléau de l'alcoolisme, puis celui de la tuberculose. L'on constata que ces problèmes étaient liés à l'habitat et, à partir de 1893, le casier sanitaire des maisons de Paris et les cartes de la mortalité confirmèrent la responsabilité de la surpopulation et des taudis. Dès 1906, on proposait la démolition de six îlots particulièrement insalubres : celui de la rue Beaubourg fut achevé vers 1932 et l'emplacement ne fut réutilisé que quarante ans plus tard par l'implantation du centre Georges-Pompidou. A

Le Petit Palais lors de l'Exposition de 1900.

gauche, on créa une rocade rue de la Convention, rue de Tolbiac, du pont Mirabeau au pont de Tolbiac, avec pour corollaire l'ouverture des avenues Emile-Zola, Félix-Faure et du Maine.

Pour une amélioration de l'habitat

Cette période vit de nombreux lotissements dans l'ouest (XVIe et XVIIe arrondissements) comme une simple promenade dans ces quartiers permet de le constater. Dès le milieu du XIXe siècle, les autorités attachèrent une grande importance à l'hygiène et à la santé publique, et de nombreux rap-

la périphérie, la démolition des fortifications de Louis-Philippe entraîna l'aménagement des « portes » en places et, surtout, la construction d'immeubles sociaux. En effet, grâce au Crédit foncier, on avait beaucoup construit sous le second Empire et jusqu'en 1889. A partir de cette date, le nombre des logements vacants diminua sensiblement et passa de 42 500 à 10 800 entre 1899 et 1911. D'où un renchérissement des loyers et l'intervention des collectivités publiques et privées dans ce secteur : ce fut la création de l'Office public d'habitation à bon marché de la ville de Paris

La condition ouvrière

« *Les ouvriers étouffent dans les quartiers étroits et fangeux où ils sont obligés de s'entasser. Ils habitent les ruelles noires qui avoisinent la rue Saint-Antoine, les trous pestilentiels de la vallée Mouffetard. Ce n'est pas pour eux qu'on assainit la ville ; chaque nouveau boulevard qu'on perce les jette en plus grand nombre dans les vieilles maisons des Faubourgs. Quand le dimanche vient, ne sachant où aller respirer un peu d'air pur, ils s'attablent au fond des cabarets ; la pente est fatale... Mais ouvrez l'horizon, appelez le peuple hors des murs, donnez-lui des fêtes en plein air, et vous le verrez peu à peu quitter les bancs du cabaret pour les tapis d'herbe verte.* »

(Zola, La Tribune, *11 octobre 1868.)*

(1914), qui ne fonctionna qu'après la guerre.

Depuis la guerre de 1914

L'entre-deux-guerres ne fut guère marqué que par quelques projets à l'intérieur de la ville, comme le plan Voisin, qui, en 1926, prévoyait la démolition de l'axe de la rue de Rennes jusqu'à la Seine remplacé par quelques tours et des voies de circulation mieux adaptées. La grande réalisation de cette période fut la démolition des fortifications et la construction de la ceinture d'immeubles de brique à caractère social que l'on trouve sur une bonne partie du périmètre de Paris.

Si la IVe République a peu laissé d'empreinte sur la capitale, en dépit du cruel manque de logements, il a fallu attendre les années soixante-cinq-soixante-dix pour voir entreprendre à grande échelle le remodelage et la mise en chantier de quartiers entiers. Et lorsque l'on contemple la ville actuellement, l'on constate que tous les arrondissements périphériques ont été plus ou moins traités : dans le XVe arrondissement (porte de Versailles, Croix-Nivert, front de Seine) ; ailleurs (gare Montparnasse et secteur Vercingétorix, avenue d'Italie, Bercy, Nouveau-Belleville et parc de Belleville, place des Fêtes, bassin de La Villette et secteur de Flandre, porte d'Asnières, porte Maillot, pour ne citer que quelques grandes opérations), sans oublier, au cœur de la ville, Beaubourg et les Halles.

Ce mouvement qui compense un demi-siècle de stagnation et d'inaction n'est pas près de s'arrêter et l'on parle déjà d'aménager les terrains de la S.N.C.F. du secteur Tolbiac et d'y construire la future Grande Bibliothèque de France, annexe de la Bibliothèque nationale...

Les grandes dates du théâtre à Paris

La création de la Comédie-Française

On ne peut évoquer l'histoire théâtrale sans se souvenir de Molière. Jeune homme, le génial auteur partit à la recherche d'un lieu, ayant chapardé à son père quelques objets en guise d'accessoires. En 1643, Jean-Baptiste Poquelin, vingt-deux ans, installe son Illustre-Théâtre dans l'ancien jeu de Paume des Métayers avant d'occuper celui de la Croix-Noire, au port Saint-Paul. Seize ans après la disparition de son fondateur, la Comédie-Française s'établit, le 18 avril 1689, dans l'ancien jeu de paume de l'Etoile, rue des Fossés-Saint-Germain. Par ordre de Louis XIV, la troupe de l'Hôtel de Bourgogne avait fusionné avec celle de Guénégaud neuf ans auparavant. En 1770, la Comédie-Française se déplace dans la salle construite dans le palais des Tuileries et, en 1782, elle inaugure l'hôtel de Condé, futur Odéon, qu'elle occupe jusqu'en 1793, où la troupe est dispersée par la Révolution. La Comédie-Française est réorganisée en 1799 dans la salle de Richelieu, construite par Victor Louis. Le 15 octobre 1812, Napoléon Ier signe le décret de Moscou qui place le théâtre sous le contrôle du pouvoir : création de la trilogie sociétaires-pensionnaires-élèves.

Détruite par l'incendie du 8 mars 1900, la salle actuelle fut restaurée par Guadet et rouverte le 29 décembre de la même année.

Le Théâtre-Libre d'Antoine

Bien longtemps après Molière, un jeune commis aux écritures de la Compagnie du gaz fit parler de lui. André Antoine, enrôlé au Cercle gaulois, dans l'étroite salle en bois du passage de l'Elysée-des-Beaux-Arts, a sans le vouloir révolutionné l'art dramatique. A la tête de son Théâtre-Libre, avec la complicité de Zola, en 1887, il prône le naturalisme. Perfectionniste, Antoine soigne les costumes au détail près. De plus, il offre à entendre le silence entre les répliques et n'hésite pas à mettre de la véritable nourriture sur scène. Du jamais vu ! Il faudra dix ans pour imposer au public la vie intérieure des personnages guidés par Antoine.

A l'époque, les gens vont au théâtre pour faire étalage de toilettes : « A Paris, pour les grandes scènes, surtout les soirs d'abonnement (mardi à la Comédie-Française), il est admis qu'on aille en toilette décolletée [...]. On ne porte cependant plus de bouquet [...]. Les hommes sont en habit, cravate blanche et gants clairs [...]. En dehors de l'intimité, l'usage d'offrir des bonbons est de plus en plus abandonné et les oranges sont reléguées au paradis. » On allait au théâtre moins pour voir que pour se faire voir.

Perclus de mondanités, le public, à de rares exceptions, passe à côté du Théâtre-Libre. Dans l'indifférence générale, son animateur fait découvrir Porto-Riche, mais aussi Ibsen, Björnson, Strindberg et Tolstoï. D'Ibsen, il met en scène Les Revenants (1890), Le Canard sauvage et Hedda Gabler (1891). Couvert de dettes, Antoine quitte la petite salle de l'Elysée-des-Beaux-Arts (démolie en 1906) et fonde le Théâtre-Antoine, boulevard de Strasbourg, le 10 juillet 1897. Construit en 1866, ce théâtre changea souvent de nom : de « Menus Plaisirs », il devint « théâtre des Arts » (1874), « Opéra-Bouffe » (1876) et « Comédie-Parisienne » (1879). Pendant dix ans, Antoine y rayonne en reprenant plusieurs textes décriés à ses débuts. Pour honorer Simone Berriau, directrice de 1943 à 1984, le théâtre a un double nom. Jean-Paul Sartre y sera intronisé (1946-1955).

Le succès du Roi Lear propulsa Antoine au théâtre de l'Odéon en 1906.

L'Odéon

A l'origine, l'Odéon a été construit par « Monsieur, frère du roi » entre

•••

1779 et 1782. D'abord baptisé « théâtre de l'Egalité », il prit le nom d'Odéon en 1797. Le 18 mars 1799, un incendie laissa la salle en ruine jusqu'en 1807. Renaissant de ses cendres à la Restauration, il est décrété second Théâtre-Français, avant d'être de nouveau détruit par les flammes le 20 mars 1818. Reconstruit dans un style néoclassique, l'Odéon, sous la direction de Bernard, se transforma en Théâtre lyrique. Longtemps abandonné, il retrouva son activité le 18 mars 1841 en redevenant la doublure de la Comédie-Française. Ce temple où fut créé Le Mariage de Figaro en 1784 a pris un coup de neuf en 1930. Presque tout y était suranné : à cause des madriers vermoulus, la scène avait glissé vers la salle de plus de douze centimètres ! Beaucoup plus solide, la charpente métallique des nouveaux dessous fut surplombée d'éclairages perfectionnés et de machineries électriques. L'Odéon était enfin à la hauteur de son acoustique réputée.

Transformé en hôpital sous la Commune, le théâtre fut à maintes reprises au cœur de l'événement : siège de la compagnie Renaud-Barrault depuis 1959, il subit l'occupation estudiantine de mai 1968.

Firmin Gémier

Disciple d'Antoine, Firmin Tonnerre, dit Gémier, se fit remarquer au théâtre de l'Ambigu en tant qu'interprète. Fondé en 1769, boulevard du Temple, par Audinot, l'Ambigu-Comique, destiné aux marionnettes, est transféré, le 8 juin 1828, au 2 ter, boulevard Saint-Martin. A la fin des années 1860, Frédérick Lemaître s'y produisit, notamment dans La Voleuse d'enfants. Ce joli théâtre, au début du XXe siècle, est apprécié des Parisiens qui se délectent de Nick Carter ou du Train de 8 h 47, salle comble pendant deux cent cinquante représentations.

Le T.N.P.

Firmin Gémier fit un passage à la direction du théâtre de la Renaissance, en 1901. Edifié en 1872 au 20, boulevard Saint-Martin, cet élégant théâtre tablait sur la comédie et l'opérette. A sa tête de 1893 à 1899, Sarah Bernhardt y joua Hugo et Musset. A son tour directeur, Lucien Guitry y donna les plus grandes interprétations de sa carrière. Gémier connut la consécration, en 1920, avec la naissance du Théâtre national populaire de Chaillot. Il est un des premiers metteurs en scène à faire descendre ses acteurs dans le public, soucieux jusqu'à sa mort, en 1933, de communiquer sa passion à son auditoire. Comme un symbole, il fait voler en éclats la rampe, ligne de démarcation qu'il abhorre. Jean Vilar reprendra le flambeau avec sa troupe guidée par Gérard Philipe. Depuis 1963, Chaillot a été confié à Georges Wilson, Jack Lang et André-Louis Périnetti. Nommé en 1981, Antoine Vitez y présenta des spectacles de haute lignée, avec de grands comédiens, telle Dominique Valadié. Désormais, cet animateur hors pair a pris les rênes de la Comédie-Française (1988).

Lugné-Poe et la Maison de l'Œuvre

Firmin Gémier croisa un autre personnage essentiel : Lugné-Poe, comme lui ancien régisseur d'Antoine. En 1889, Paul Fort, tenté par l'avant-garde, crée le « Théâtre d'art », ersatz du Théâtre-Libre. Des inconnus participent aux décors et aux costumes : Bonnard et Gauguin... Paul Fort revendique Shelley, Verlaine, Laforgue, Mallarmé, Marlowe et Maeterlinck. Mais, préférant se consacrer à la poésie, il passe la main à Edouard Vuillard et Camille Mauclair, bientôt rejoints par Lugné-Poe. Animé par d'urgentes convictions, celui-ci crée à son tour, en 1893, la Maison de l'Œuvre, où trois ans plus tard Gémier participera à la première d'Ubu roi de Jarry, sous les traits du père Ubu dansant une frénétique gigue. Itinérant, Lugné-Poe se passionne pour Ibsen pendant six saisons. Une fois installé au 55, rue de Clichy, en 1920, il récidive, de

Rosmersholm à John-Gabriel Borkman. Lugné-Poe aimait donner sa chance à la jeunesse : en 1912, il crée L'Annonce faite à Marie, de Claudel, et en 1925 Tour à terre de Salacrou.

Le Vieux-Colombier
Fils spirituel d'Antoine, Lugné-Poe sera la figure de proue du théâtre jusqu'à l'éclosion du Cartel, intervenue après l'ère du théâtre du Vieux-Colombier. En effet, Jacques Copeau fit placarder sur les murs de Paris un « appel à la jeunesse et au public lettré », sur une affiche à fond bleu et orange qui précisait : « Inauguration le 22 octobre 1913, avec Une femme tuée par la douceur de Thomas Heywood et L'Amour médecin de Molière ». Ceux qui s'aventurèrent au Quartier latin virent s'avancer, sur le proscenium inséré dans un cadre noir, deux jeunes acteurs : Louis Jouvet et Charles Dullin. Le lendemain, André Suarès commente : « Une petite merveille. » Trois détails : le pourboire interdit aux ouvreuses, l'économie de moyens du spectacle, et l'assemblée de talents, du souffleur Georges Duhamel au programme écrit de la main de Léon-Paul Fargue. La salle, située entre Saint-Sulpice et le « Bon Marché », est couvée par La Nouvelle Revue française, dont les dignitaires sont Gide, Schlumberger, Péguy et Gallimard. Stoppée par la guerre, l'activité de leur camarade Copeau reprit en 1920, avec toujours l'exigence d'un répertoire de haut parage. Affecté à la Comédie-Française, le théâtre du Vieux-Colombier devrait renaître dans les années 1990.

Les grandes heures du cirque
Jadis, la vie parisienne vivait au rythme de ses quartiers et non de ses arrondissements. On allait au théâtre comme dans n'importe quel autre commerce. Les habitants traversaient la rue, contournaient un pâté de maisons pour accéder au rêve. En 1780, les amateurs de cir-que, près du faubourg du Temple, se rendent au numéro 24 du boulevard du même nom, dans le berceau du théâtre du Châtelet. Le fils du fondateur, Antoine Franconi, choisit, en 1789, de s'intéresser au théâtre en s'installant sous le nom de « Cirque olympique ». Exproprié, il se fixe boulevard du Temple, près de l'Ambigu, en 1827. Il s'attaque alors aux pièces militaires à grand spectacle. Au cours du second Empire, changement de titre : « Théâtre impérial du cirque ». De nouveau exproprié, le théâtre est finalement transféré place du Châtelet en 1862.

Le théâtre du Châtelet
L'année même de la construction de la plus grande salle de Paris (3 400 places à l'origine) est édifié, en face, le Théâtre lyrique. Celui-ci est la proie des flammes en 1871 et il disparaît jusqu'en 1874 où il renaît comme Théâtre des Nations. Après l'effroyable incendie de l'Opéra-Comique où deux cent cinquante personnes périssent le 15 mai 1887, les artistes survivants y sont accueillis jusqu'en 1898.

En janvier 1899, Sarah Bernhardt délaisse le théâtre de la Renaissance au profit du 15, avenue Victoria. La tragédienne donne son nom au théâtre de 1 700 places. « Je donne rendez-vous à l'élégance », dit-elle. Elle y passe en revue ses principaux rôles, sans omettre la création d'œuvres nouvelles : de La Dame aux camélias de Dumas fils à Théodora de Victorien Sardou, en passant par La Belle au Bois dormant de Jean Richepin. Plébiscitée, elle jouera L'Aiglon d'Edmond Rostand tout le temps de l'Exposition universelle. En 1943, Charles Dullin y créera Les Mouches de Sartre.

Aux origines du théâtre de boulevard
Le sieur Lécluse, en 1777, demanda au lieutenant général de police de cantonner une salle de théâtre à l'angle de la rue de Bondy. Autorisation accordée, sous condition de

•••

nommer l'établissement « Théâtre des Variétés ». Ambulant jusqu'au décret impérial du 6 juin 1806, le Théâtre des Variétés emménage à côté du passage des Panoramas. Inauguré le 24 juillet 1807 par Mira-Brunet, le théâtre renonce au genre grivois pour une veine tendrement populaire. Offenbach, à partir de 1860, y présentera La Belle Hélène et La Périchole, avec son interprète fétiche, Hortense Schneider. Directeur de 1892 à 1914, Fernand Samuel, dit Le Magnifique, produira nombre de pièces d'Alfred Capus et du duo Flers et Caillavet. Lors de la réouverture d'octobre 1919, Max Maurey sollicita le concours de Mistinguett, Gabrielle Dorziat, Victor Boucher et Raimu. La mode du théâtre de boulevard était lancée.

La comédie, dont les leaders s'appellent Courteline, Feydeau et Tristan Bernard, fait place aux textes de nouveaux auteurs, notamment Alfred Savoir. A seize ans, Sacha Guitry est joué pour la première fois. Cette précocité fit écrire à Jules Renard : « C'est du Guitry accouchant lui-même d'un auteur dramatique. » En 1906, Lucien Guitry fait construire le théâtre des Mathurins où régneront, à partir de 1927, Ludmilla et Georges Pitoëff.

Le théâtre de la Porte-Saint-Martin, dirigé par Sarah Bernhardt de 1883 à 1893, a souvent été la salle préférée des Parisiens qui y ont acclamé, de 1910 à 1912, La Flambée d'Henry Kistemaekers (280 représentations) et, en 1920, Mon père avait raison, écrit et interprété par Sacha Guitry en compagnie de son père. Réservé aux marionnettes, le théâtre du Palais-Royal, tracé par Victor Louis, eut à sa tête, en 1789, Mlle Montansier. Installé définitivement, en 1838, au 38, rue Montpensier, la salle de 850 fauteuils assura sa popularité grâce aux vaudevilles de Labiche, à partir de 1840. Aujourd'hui, Jean-Michel Rouzières a réussi à y faire jouer de très grands artistes, tels Michel Serrault dans La Cage aux folles de son compère Jean Poiret,

ou Raymond Devos, grandiose jongleur de mots.

Le boulevard fit florès dans différents théâtres, parmi lesquels les Capucines, le Cluny, La Scala (boulevard de Strasbourg) et le Gymnase, fondé en 1820 boulevard Bonne-Nouvelle, où Henry Bernstein occupa fréquemment la scène dès 1902 avec Le Détour, suivant l'exemple de Scribe, auteur vénéré entre 1821 et 1830 avec cent cinquante pièces ! Marie Bell, sociétaire honoraire de la Comédie-Française, prit possession de ce théâtre de 1962 à 1985.

Le music-hall

Au début du XXe siècle, le music-hall fit une percée fracassante à l'Alhambra, au Dejazet, aux Bouffes du Nord, au Ba-ta-clan, à l'Empire, à La Cigale, à Mogador, à l'Olympia et aux Ambassadeurs où il fallait se battre pour obtenir un billet lors de la saison estivale, surtout pour y voir et entendre Yvette Guilbert, Polin, Dranen ou Mayol. En marge des théâtres lyriques (boulevard des Capucines, boulevard Rochechouart, square des Arts-et-Métiers, ou encore le Fémina, avenue des Champs-Elysées, et l'Apollo, rue de Clichy), l'intérêt pour les revues était culminant : les Folies-Bergère, la Gaîté-Rochechouart ou La Lune Rousse, 58, rue Pigalle. Au même moment, le public se pressait à Marigny, au Nouvel-Ambigu, au théâtre des Arts, à l'Impérial (45, avenue des Champs-Elysées), au théâtre de Paris et au théâtre Michel où se fit connaître Edouard Bourdet.

L'aventure du Cartel

Le 6 juillet 1927 se produit un événement phare : la création du Cartel, paraphée par Gaston Baty, Charles Dullin, Louis Jouvet et Georges Pitoëff, qui forment « une association basée sur l'estime professionnelle et le respect réciproque ». Héritiers d'Antoine, de Lugné-Poe et de Gémier, attentifs à Copeau, stimulés par l'écho de la création allemande de Max Reinhardt et de Piscator, les quatre amis s'approprient le théâtre pour le régénérer. Désormais le public n'ira plus voir « Molière » mais Jouvet ! C'est l'ère de la primauté des metteurs en scène qui, tous, respectent les auteurs, hormis peut-être Baty : il arrive à celui-ci de sacrifier une phrase si le jeu s'en trouve amélioré. Au théâtre Montparnasse, il propose, en octobre 1930, L'Opéra de quat'sous de Brecht, boudé par le public.

A L'Atelier, place Dancourt, Charles Dullin envahit l'ancien Théâtre montmartrois désaffecté. Marié à l'exigence, le merveilleux acteur et metteur en scène entame, en 1922, sa lutte contre l'argent. Mille fois remise en question, son ardeur communicative engendre une multitude de talents, de Jean Vilar à Jean-Louis Barrault.

Après ses débuts à la Comédie des Champs-Elysées, dont il a la charge de 1922 à 1934, Louis Jouvet, après un séjour au théâtre Pigalle, s'en va, sur la demande de Jacques Hébertot, à l'Athénée, square de l'Opéra, où il s'éteindra le 16 août 1951. Jusqu'à cette date, il y fait autorité avec des mises en scène aussi célèbres qu'éphémères, de La guerre de Troie n'aura pas lieu de Giraudoux aux Bonnes de Genet. De surcroît, l'art de Jouvet reposait sur une connaissance de tous les corps de métiers du théâtre, qu'il avait tour à tour exercés. N'a-t-il pas inventé les « jouvets », lanternes tournantes ?

Visionnaire, Georges Pitoëff avait un univers qui ressemblait à une véritable « Société des Nations », selon le mot de Georges Duhamel. Ses auteurs de prédilection s'appelaient Gogol, Tchekhov, Claudel, Vildrac, Anouilh, Pirandello, Bruckner, Shaw, Schnitzler, Ibsen et O'Neil. Avec sa compagne Ludmilla, il s'entoura d'une compagnie regroupant, en 1925, Louis Salou, Marcel Herrant et Louis Jouvet. Au centre des mises en scène de son mari, Ludmilla Pitoëff incarnait ses personnages avec la liberté des grands doués. De passage en Suisse, les Pitoëff incitèrent un jeune photographe à s'engager dans leur moyen d'expres-

sion : cet inconnu qui les enthousiasmait, c'était Michel Simon.

Le théâtre des années soixante

Ancien assistant d'Antonin Artaud, Roger Blin crée en 1952 La Parodie, d'Adamov, avant d'imposer Beckett. Au théâtre de Babylone, en 1953, il monte En attendant Godot, repris en 1956 au théâtre Hébertot. Avec son sens de l'incantation, Blin fait appel à un autre contemporain, réputé, à tort, difficile. De Jean Genet, il met en scène Les Nègres, au théâtre Lutèce, en 1959, et Les Paravents, en 1966, à l'Odéon-théâtre de France, dirigé alors par Jean-Louis Barrault, soucieux de répandre un « théâtre vivant, centré sur la jeunesse ». Aussi la compagnie Renaud-Barrault, mandatée par André Malraux, offre l'opportunité à Jean-Marie Serreau, en 1961, de diriger Les Bonnes de Genet, pièce créée par Jouvet, puis par Tania Balachova au théâtre de la Huchette en 1954. Ouvert en 1948 au 23, rue de la Huchette, ce petit théâtre deviendra, neuf ans plus tard, le cadre privilégié de l'œuvre de Ionesco.

Du théâtre contemporain au café-théâtre

Jean-Marie Serreau concourut également à la découverte des œuvres de Roland Dubillard et de Michel Vinaver, sang neuf du théâtre avec, entre autres, Georges Schéhadé, Jean Vauthier, Fernando Arrabal, Robert Pinget, Harold Pinter, Botho Strauss, Václav Havel, Thomas Bernhard, Tilly et Valère Novarina. Parallèlement à cette actualité, le café-théâtre germe dans les soussols de Saint-Michel et de Saint-Germain-des-Prés, où trente spectateurs par soir suffisent à couvrir les frais. En 1961, les pièces de Breton et Soupault connaîtront ainsi un second souffle. Dans les années soixante-dix, Romain Bouteille, au Café de la Gare, permettra, entre autres, à Patrick Dewaere et à Colu-

•••

che de faire leurs débuts sur une scène. De nos jours, derrière Roger Planchon, Antoine Vitez, Ariane Mnouchkine, Patrice Chéreau, Peter Brook et Claude Régy, se profile un nouvel éventail de metteurs en scène duquel émerge Alain Françon, qui a le talent de faire naître des images dans l'imagination du spectateur sans pour autant les rendre visibles. Il rejoint là l'essence même du théâtre. Hommes à tout faire du théâtre, Jérôme Deschamps et Philippe Caubère sont de réels virtuoses : eux aussi disent beaucoup avec presque rien. Derrière eux, le désert, si ce n'est la prodigieuse Zouc, et Farid Chopel quand il le veut.

« L'humanité est un cheval qui galope », a écrit Bergson. Formule de prophète qui souligne le besoin d'un retour du public vers le théâtre. A présent dernier carrefour, avec l'opéra et le music-hall, non filtré par la machine, le théâtre devrait vivre de belles heures dans un proche avenir. « Théâtre » ne signifie-t-il pas « contempler » la vie ?

Bernard Morlino.

A la découverte
de Paris

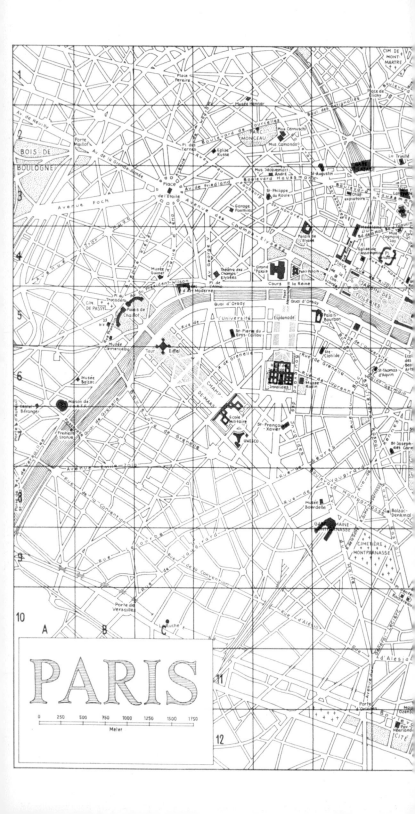

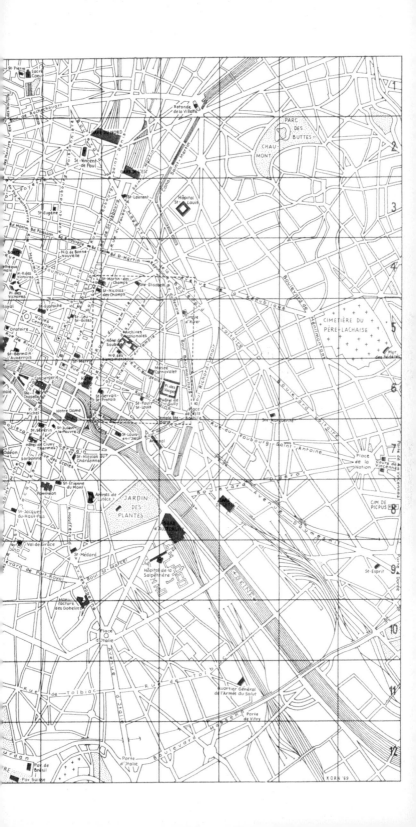

L'île Saint-Louis.

1. L'île de la Cité

Les sculptures de Notre-Dame.

Cette île qui fut longtemps le centre de la capitale en est la partie la plus anciennement habitée et l'on admet que les *Parisii* s'y établirent au IIIᵉ siècle av. J.-C. En 52 av. J.-C., les Romains s'en emparèrent et favorisèrent son développement. Si de nombreux monuments et le forum s'installèrent sur la rive gauche, le palais se situa dans l'île et l'empereur Julien l'Apostat y résida (357-358). Clovis, en faisant de Paris sa capitale, renforça l'importance de l'île et quand, au IXᵉ siècle, les Normands à plusieurs reprises assiégèrent la ville (notamment, lors du grand siège de 885), les riverains trouvèrent refuge ici. Le caractère premier de l'île est défensif et en période troublée on l'entoura d'un rempart. Le rassemblement de tous les habitants confirma la vocation administrative du lieu où se regroupèrent toutes les fonctions urbaines : religieuses (cathédrale) et civiles (palais,

Parlement, Chambre des comptes). Le calme revenu, au XIᵉ siècle commença l'essor ininterrompu des deux rives et les souverains reconstruisirent et améliorèrent le palais ; quand ils vinrent habiter sur la rive droite, ils ne se désintéressèrent pas pour autant de l'île et Henri IV l'agrandit à l'ouest pour y aménager une place destinée à embellir la ville.

Jusqu'à la fin de l'Ancien Régime, la cathédrale et les grandes administrations restèrent concentrées dans la Cité, tandis que dans un dédale de petites rues comprenant de nombreuses églises, les artisans (orfèvres notamment) continuaient d'exercer leurs métiers. C'est à Louis-Philippe puis à Haussmann que l'on doit l'espace actuel dénaturé : tout le tissu urbain médiéval évoqué avec tant de talent par Victor Hugo dans *Notre-Dame de Paris* a disparu et la cathédrale dégagée que nous admirons aujourd'hui est complètement sortie de son contexte archéologique et architectural. Du vieux quartier ne subsistent que quelques éléments en bordure du quai aux Fleurs, autour de la rue Chanoinesse. Pour le reste, l'Hôtel-Dieu, la préfecture de police, le tribunal de commerce, le Palais de justice et le marché aux fleurs disent assez la destination administrative et édilitaire de la Cité qui n'est guère habitée qu'à ses extrémités : place Dauphine et au nord de Notre-Dame. Voisine et suzeraine de l'île Saint-Louis, peu atteinte par les opérations haussmanniennes, la Cité a, au contraire, beaucoup souffert physiquement d'être le point d'appui de la politique urbaine du grand homme qui, à tout prix, a sauvegardé sa fonction et son rôle essentiel dans la vie parisienne et a continué d'en faire l'un des centres vitaux. L'animation du quartier est due à sa destination administrative et surtout aux innombrables touristes qui, en toutes saisons, viennent visiter Notre-Dame et, quand les beaux jours arrivent, flâner sur le parvis et au marché aux fleurs, le plus célèbre de Paris.

Notre-Dame

La construction
d'un chef-d'œuvre

Au temple de Jupiter de l'époque gallo-romaine succéda une basilique dédiée à saint Etienne, située à l'emplacement du parvis. Détruite par les Normands en 857, elle fut rapidement reconstruite et dura jusqu'à la construction de l'édifice que nous connaissons, par l'évêque Maurice de Sully, à partir de 1163. Originaire de Sully-sur-Loire, ce fils de paysan présida trente-six ans aux destinées du diocèse de Paris. Le plan primitif de Maurice de Sully était très simple : nef à doubles collatéraux, transept non saillant, chœur profond cerné d'un double déambulatoire. Sans entrer dans le détail, on peut dire que la construction commença par le chœur, achevé vers 1180, et que le légat du pape consacra le maître-autel en 1182. Le transept ensuite fut terminé en 1198, peu

après l'arrivée de l'aristocrate Eudes de Sully (1197) qui entreprit l'élévation de la façade principale : en 1225, elle atteignait la base de la galerie à arcatures et fut terminée, tours comprises, avant 1250. On procéda aussitôt à des modifications en construisant des chapelles entre les contreforts de la nef, si bien que les bras du transept étant en retrait, Jean de Chelles dut reconstruire la façade. En 1258, il entreprit la façade sud qui fut terminée par Pierre de Montreuil. En même temps, pour éclairer davantage l'intérieur, on agrandit les fenêtres hautes, ce qui força à modifier les arcs-boutants et à les faire d'une seule volée. A la fin du XIIIe siècle, et au début du XIVe, Pierre de Chelles, puis son successeur, Jean Ravy, édifièrent les chapelles du chœur (1296-1344).

Une histoire
mouvementée

A la fin du XVIIe siècle, Robert de Cotte, chargé de la réalisation du vœu de Louis XIII, détruisit le maître-autel, le jubé, les stalles, une partie des bas-reliefs de la clôture du chœur ; plus tard, les chanoines remplacèrent les vitraux par des verres blancs ; en 1771, Soufflot supprima le trumeau et une partie du tympan central pour permettre au dais de sortir lors des processions. Sous la Révolution, les grandes statues des portails (sauf la Vierge de la porte du cloître) et les rois de Juda, pris pour des rois de France, disparurent ; leurs têtes ne furent retrouvées que par hasard en 1976, rue de la Chaussée-d'Antin, au cours de travaux dans la maison du frère de Lakanal, qui, en bon monarchiste, les avait sauvées et emportées chez lui. Elles ont été déposées au musée de Cluny.

Viollet-le-Duc

Le retour en grâce du gothique avec Chateaubriand et les romantiques, le succès de *Notre-Dame de Paris* de Victor Hugo (1831) créèrent un mouvement d'opinion favorable à la restauration de l'édifice. Elle fut décidée par un décret de 1844 et les acteurs en furent Lassus puis Viollet-le-Duc (1857-1879). Ce dernier, surtout, avec une conscience tout archéologique,

La façade occidentale de Notre-Dame. — ① Adam. ② Galerie des rois de Juda et d'Israël.
③ Anges, patriarches, rois et prophètes. ④ Couronnement de la Vierge. ⑤ Saint Etienne.
⑥ Dormition de la Vierge. ⑦ L'Eglise. ⑧ Les Vertus. ⑨ La Résurrection des morts. ⑩ Les Vices.
⑪ La Synagogue. ⑫ Saint Marcel. ⑬ La Nativité. ⑭ Vie de la Vierge. ⑮ Saint Denis. ⑯ La Vierge.
⑰ Le Jugement dernier. ⑱ Anges, rois, prophètes, vieillards de l'Apocalypse. ⑲ Eve. ⑳ Vierge
à l'Enfant. A : Le portail de la Vierge. B : le portail du Jugement dernier. C : le portail Sainte-Anne.

chercha à rétablir l'édifice dans son état d'origine et, grâce aux gravures existantes, put restituer la statuaire disparue. Son action trop zélée et systématique, qui chercha parfois à recréer l'édifice comme il aurait dû être (il créa la flèche !), a souvent été critiquée. Il faut bien savoir cependant que, sans son souffle puissant, le bâtiment qui était dans un état de délabrement incroyable, aurait disparu.

Le rayonnement de la cathédrale

Le rayonnement de Notre-Dame fut immense, tant pour sa qualité architecturale qu'en raison de la place occupée par Paris et l'Université du XIIe au XIVe siècle. Et l'on peut dire qu'elle a accompagné les grands moments de l'histoire de France : réunion des premiers états généraux (1302), couronnement du jeune Henri VI d'Angleterre comme roi de France (1431), ouverture du procès de réhabilitation de Jeanne d'Arc (1445), innombrables Te Deum et funérailles de grands personnages, sacre de Napoléon (1804), magnificat de la Libération de Paris (1944)... sans compter toutes les funérailles nationales.

L'extérieur

Du square Jean-XXIII, on ne peut qu'admirer le chevet de la cathédrale et sa solidité, presque trapue, en dépit du mouvement ascensionnel créé par la flèche de Viollet-le-Duc. A la porte rouge (rue du Cloître-Notre-Dame) le tympan figure le couronnement de la Vierge (vers 1260) et les voussures des épisodes de la mort et de la vie du Christ ressuscité, l'Assomption, le Jugement dernier et le miracle de Théophile.

Le portail nord est consacré à la Vierge (trumeau), à l'enfance du Christ (linteau) et aussi à la légende du moine Théophile qui, ayant signé un pacte avec le diable, fut sauvé par la Vierge. Avant la Révolution, les piédroits étaient occupés par les statues des Rois mages (à gauche) et les Vertus théologales (à droite). Le portail sud (à partir de 1257) est consacré à la légende de saint Etienne.

La façade occidentale

La façade principale saisit par son équilibre grandiose, son refus des solutions extrêmes (tours très élevées, porches très enfoncés créant des contrastes de lumière trop intenses), et aussi sa structure géométrique marquée avec insistance par les horizontales ou des verticales. A l'exception des linteaux du portail central, les sculptures des tympans et des vous-

Notre-Dame

« Et d'abord, pour ne citer que quelques exemples capitaux, il est, à coup sûr, peu d'aussi belles pages architecturales que cette façade où, successivement et à la fois, les trois portails creusés en ogive, le cordon brodé et dentelé des vingt-huit niches royales, l'immense rosace centrale flanquée de ses deux fenêtres latérales comme le prêtre du diacre et du sous-diacre, la haute et frêle galerie d'arcades à trèfle qui porte une lourde plate-forme sur ses fines colonnettes, enfin, les deux noires et massives tours avec leurs auvents d'ardoises, parties harmonieuses d'un tout magnifique, superposées en cinq étages gigantesques, se développent à l'œil, en foule et sans trouble, avec leurs innombrables détails de statuaire et de ciselure, ralliés puissamment à la tranquille grandeur de l'ensemble ; vaste symphonie en pierre, pour ainsi dire ; œuvre colossale d'un homme et d'un peuple, tout ensemble une et complexe comme les Iliades et les Romanceros dont elle est sœur ; produit prodigieux de la cotisation de toutes les forces d'une époque, où sur chaque pierre on voit surgir en cent façons, la fantaisie de l'ouvrier disciplinée par le génie de l'artiste ; sorte de création humaine, en un mot, puissante et féconde comme la création divine dont elle semble avoir dérobé le double caractère : variété, éternité. »

(Victor Hugo,
Notre-Dame de Paris, 1831.)

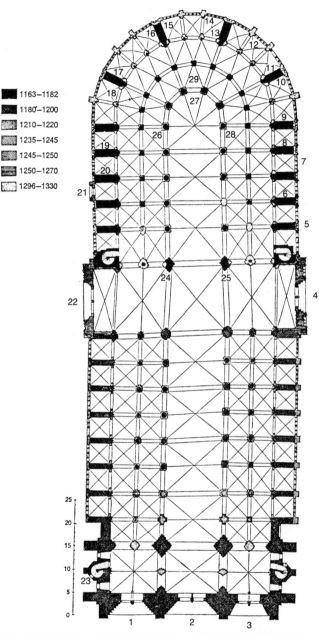

▓	1163–1182
▒	1180–1200
▥	1210–1220
░	1235–1245
▒	1245–1250
▤	1250–1270
░	1296–1330

Plan de Notre-Dame. — 1. Portail de la Vierge. - 2. Portail du Jugement dernier. - 3. Portail Sainte-Anne. - 4. Porte Saint-Etienne. - 5. Sacristie des messes. - 6. Tombeau de Mgr Affre. - 7. Entrée du trésor et de la sacristie. - 8. Tombeau de Mgr Sibour. - 9. Priants des Ursins (Jouvenet). La Visitation. - 10. Mausoléee du duc d'Harcourt (Pigalle). - 11.Tombeau de Mgr Darboy. - 12. Chapelle Saint-Georges. - 13. Fresque du XIVᵉ siècle. - 14. Chapelle de Notre-Dame des Sept Douleurs. - 15. Priants des Gondi. - 16. Tombeau du cardinal du Belloy (1819). - 17. Tombeau de Mgr de Quélen. - 18. Chapelle Saint-Louis. - 19. Tombeau de Mgr de Juigné. - 20. Tombeau de Mgr de Beaumont. - 21. Porte Rouge. - 22. Porte du cloître. - 23. Entrée des tours. - 24. Statue de Saint-Denis. - 25. Statue de Notre-Dame de Paris. - 26. Statue de Louis XIV (Coysevox). - 27. Pietà. - 28. Statue de Louis XIII (Coustou). 29. Statue de Matiffas de Bucy.

sures sont d'origine. Au portail de gauche, *Le Couronnement de la Vierge* domine *La Dormition* et *L'Assomption* représentées de manière astucieuse en une seule scène ; dans le linteau, des patriarches et des rois entourent l'Arche d'alliance. Tandis que des rois, des anges, des patriarches et des prophètes occupent les voussures, les signes du zodiaque et les travaux des mois décorent de manière un peu anecdotique les piédroits.

Au portail central, *Le Jugement dernier* et la plupart des voussures (*Jugement, Paradis, Enfer*) datent des années 1220. Tout le reste a été refait : *La Résurrection des morts* et *La Pesée des âmes*, *Le Christ* du trumeau, *Les Vertus* et *Les Vices* des piédroits. Le portail Sainte-Anne illustra aux linteaux des scènes de la vie de sainte Anne et de la Vierge ainsi que de l'enfance du Christ, et, au tympan, la Vierge entourée de saint Germain et saint Childebert qui firent tant pour l'Eglise de Paris ; les voussures sont occupées par des anges, des rois, des prophètes et les vieillards de l'Apocalypse. Au-dessus des trois portails, dans la galerie de Juda et d'Israël, ont été mises en place des restitutions de Viollet-le-Duc.

L'intérieur

A l'intérieur, la nef est flanquée de deux bas-côtés sur lesquels donnent quatorze chapelles ; l'élévation qui comprend grandes arcades, tribunes et fenêtres hautes est bien traditionnelle et son voûtement sexpartite englobe deux travées à la fois. Au-delà du transept non saillant se déploie le chœur bordé par une clôture sculptée ainsi que le double déambulatoire sur lequel donnent les chapelles rayonnantes. La rose de la façade, où sont représentés autour de la Vierge les vertus et les vices, les travaux des mois et les signes du zodiaque, a été presque entièrement refaite par Viollet-le-Duc. Les orgues sont de Clicquot (1730). Les fenêtres de la nef et les tribunes ont des vitraux modernes de Le Chevallier.

La première chapelle à droite est celle de la confrérie des Orfèvres qui contribua de manière très importante à la

Notre-Dame

« *L'empreinte gothique de l'édifice, le portail noirci, les cloches énormes, les escaliers tortueux, les antiques vitraux, la sculpture rongée, tout me fait rétrograder dans les siecles écoulés. Je redescends, je me promene, je ne puis plus quitter les dehors ni les dedans de ce temple auguste. Je repasse vingt fois devant ces objets vastes & mélancoliques ; & quand la musique du chœur se mêle au son majestueux des cloches, que le cul-de-jatte, gardien du bénitier, m'allonge une longue perche pour me donner de l'eau benite, tout me paroît dans une proportion égale ; & mon ame plus élevée, prie Dieu de meilleur cœur dans l'église* Notre-Dame *que dans tout autre temple.*

« *J'ai vu avec regret qu'on avoit reblanchi cette église, qui me plaisoit beaucoup mieux lorsque ses murailles portoient la teinte vénérable de leur antiquité. Ce demi-jour ténébreux invitoit l'ame à se recueillir ; les murs m'annonçoient les premiers jours de la monarchie. Je ne vois plus dans l'intérieur qu'un temple neuf ; les temples doivent être vieux.* »

(Louis-Sébastien Mercier
Le Tableau de Paris, *1782-1788.)*

décoration des chapelles. Sous Philippe Auguste, elle avait offert une châsse, mais c'est en 1549, avec la création de la confrérie Sainte-Anne et Saint-Marcel, que naquit une tradition : l'offrande au premier mai d'un arbre vert à la Vierge qui, à la fin du siècle, devint l'offrande d'un autel portatif. En 1630, ce don fut celui d'un tableau et jusqu'en 1707, (sauf pour 1683 et 1684), soixante-seize tableaux, des meilleurs artistes, entrèrent à Notre-Dame. La Révolution dispersa l'ensemble : certains sont au Louvre, d'autres dans les musées de province, mais les plus importants sont ici. Dans les sept chapelles du bas-côté droit on trouve : *La Lapidation de saint Etienne*

La rose de la façade. ▶

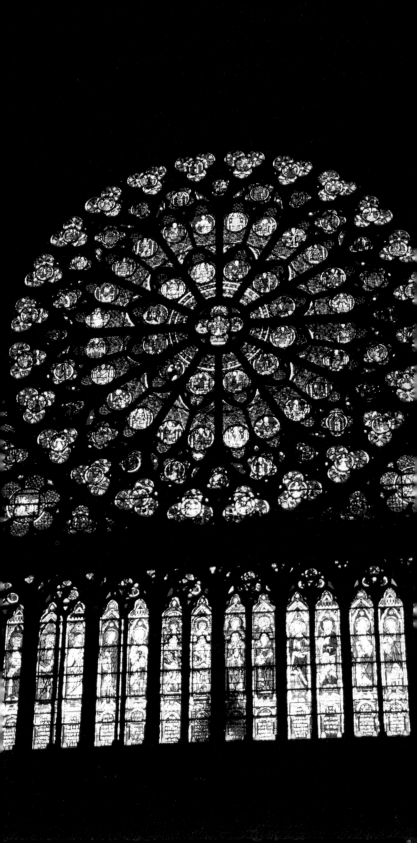

(1651) et *Le Martyre de saint André* (1647) par Le Brun, *Le Crucifiement de saint Pierre* (1653) par Sébastien Bourdon, *La Prédication de saint Pierre* (1642), par Charles Poërson, *Le Centurion Corneille aux pieds de saint Pierre* (1639), par Aubin Vouet, *La Conversion de saint Paul* (1637) et *Saint Pierre guérissant de son ombre les malades* (1635), par La Hyre. La rose du bras du transept droit, très restaurée au XVIIIe siècle, représente autour du Christ les Vierges sages et les Vierges folles, des saints et des apôtres.

L'entrée du chœur est marquée, à droite, par une statue de la Vierge (XIVe siècle) et à gauche par une de saint Denis de Nicolas Coustou. La décoration du chœur a été entièrement refaite par Robert de Cotte de 1708 à 1725, en commémoration du vœu de Louis XIII. Outre les stalles richement sculptées qui furent réalisées sur les dessins de Dugoulon et Charpentier, on remarquera, au fond du chœur, une *Vierge de pitié* (1723) par Nicolas Coustou et les statues de *Louis XIV* (1715) par Coysevox et *Louis XIII offrant sa couronne à la Vierge* (1715) par Guillaume Coustou. La clôture du chœur réalisée avant 1351 par Jean Ravy et Jean Le Bouteiller, son neveu, fut très endommagée par les travaux de Robert de Cotte, ce qui nécessita une grande restauration de Viollet-le-Duc. A droite du chœur figurent *Les Apparitions du Christ après la Résurrection*. Dans la chapelle, deux tombeaux méritent l'attention : celui de Juvenal des Ursins et de sa femme (XVe siècle) et celui du lieutenant général d'Harcourt par Pigalle ; de même, dans la chapelle de la Vierge, les monuments du maréchal et du cardinal de Gondi à genou sont de beaux morceaux de sculpture (XVIIIe siècle), tandis qu'au mur, dans une fresque, la Vierge et les saints accueillent l'âme de l'évêque Mattifus de Bucy, mort en 1304, dont le gisant se tient derrière le maître-autel.

La rose du transept nord est presque intacte et représente la Vierge entourée des grands personnages de l'Ancien Testament. Comme dans l'autre bas-côté, les chapelles sont décorées de mays, à l'exception de la première à partir du chœur, occupée par l'impressionnant monument du chanoine Yver (XVe siècle) figuré presque sous les traits d'un transi. Dans les autres on trouve les mays suivants : *Les Fils de Scéva* (exorcistes juifs) *battus par le démon* (1702) par Mathieu Elyas, *Le prophète Agabus prédisant à saint Paul ses souffrances à Jérusalem* (1687), par Louis Chéron, *Saint André tressaille de joie à la vue de son supplice* (1670), par Gabriel Blanchard, *La Flagellation de saint Paul et de saint Silas* (1655), par Louis Testelin, *Saint Paul rend aveugle le faux prophète Barjesu* (1650), par Nicolas Loir, *La Descente du Saint Esprit* (1634), par Jacques Blanchard.

Le trésor dans la sacristie, à droite du déambulatoire, conserve des manuscrits et des ornements, des souvenirs des trois archevêques assassinés (Mgr Affre, Mgr Sibour et Mgr Darboy), de l'orfèvrerie et les cadeaux des souverains et des papes et surtout la croix palatine, reliquaire contenant un morceau de la Croix, qui appartint à Manuel Comnène, empereur de Byzance au XIIe siècle.

Le musée de Notre-Dame, 10, rue du Cloître-Notre-Dame (tél. 43.25.42.92), fondé en 1951 par la Société des amis de Notre-Dame, retrace les grands moments de l'histoire de l'édifice par la gravure, la peinture (avant les travaux de Robert de Cotte), des vues des grands événements, des dessins de Viollet-le-Duc et des objets gallo-romains découverts lors des fouilles du parvis, en 1965.

Le quartier du cloître Notre-Dame, au nord de la basilique, est tout ce qu'Haussmann a laissé du vieil habitat de la Cité. En cet endroit étaient regroupées les maisons des chanoines dont il ne reste que bien peu (22 et 24, rue Chanoinesse, 16-18, rue du Cloître-Notre-Dame). On a plaisir à flâner dans ce tout petit secteur et à s'arrêter devant quelques vestiges pittoresques.

Rue Chanoinesse, la maison n° 17 est tout à fait charmante avec sa porte

Vue générale de l'île de la Cité. A gauche, la flèche de la Sainte-Chapelle,
Au loin le Louvre.

Louis XIV, sa cour garnie de lierre et son escalier à balustres de bois. Le n° 22 est une ancienne maison de chanoine (XVIe siècle) qui donne accès à des vestiges non visibles de la chapelle Saint-Aignan, fondée en 1118.

Au n° 12, l'hôtel du Grand-Chantre (XVIIe siècle) a conservé son aspect ancien et ses ferronneries, tandis que dans la cour verdoyante a été reconstruit un hôtel de style Renaissance.

Rue de la Colombe, au n° 4, le restaurant de la Colombe a succédé à la taverne Saint-Nicolas (attestée en 1250) et en a gardé la tonnelle et les portes.

Du **quai aux Fleurs** on jouit d'une belle vue sur l'île Saint-Louis, l'Hôtel de Ville et Saint-Gervais. Le n° 11 est une maison construite en 1849 sur l'emplacement de celle d'Abélard et d'Héloïse (1118), d'où la présence de leurs têtes dans des médaillons sculptés au-dessus des portes.

Le **parvis Notre-Dame** comportait jadis divers établissements : Saint-Pierre-aux-Bœufs (dont le portail remonté orne la façade de Saint-

Séverin), Sainte-Marine et l'Hôtel-Dieu à l'emplacement du square Charlemagne. Haussmann les fit disparaître ainsi que le dédale de petites rues plus ou moins lépreuses qui reliaient la cathédrale au palais. L'Hôtel-Dieu actuel, de style néo-florentin par Doet (1866-1878), a remplacé l'hôpital des Enfants-Trouvés de Boffrand (1747), dont la chapelle avait été décorée par Natoire. La crypte du parvis présente l'histoire « ancienne » du lieu : murs romains, salle hypocauste, enceinte de la Cité (IIIe siècle), vestiges de la première cathédrale Saint-Etienne, maisons médiévales...

Boulevard
du Palais

Le tribunal de commerce (n° 1) est dû à Bailly (1860-1865) et ne doit son dôme aberrant qu'à sa présence dans la perspective du boulevard de Sébastopol, ce qui nécessita la mise en place d'une forme traditionnelle pour la terminer. En façade, des statues monumentales illustrent les qualités requises en cet endroit (fermeté, loi, justice, prudence), tandis que Carrier-Belleuse a réalisé les figures de l'attique.

Le Palais de justice

(4, boulevard du Palais)

L'ouest de la Cité pendant longtemps ne fut constitué que d'îlots marécageux qui se solidifièrent par l'apport d'alluvions et de dépôts humains de toutes sortes. Bien qu'il n'y ait jamais eu de campagnes de fouilles systématiques, on pense que dès le début de l'époque gallo-romaine le prétoire se trouvait dans la cour de la Sainte-Chapelle : on y découvrit en 1845 une salle peinte dont les pierres provenaient de bâtiments publics transformés en citadelle après les invasions du IIIe siècle. L'île fut alors cernée d'un rempart qui passait à proximité de la rue de Harlay. A côté du prétoire se trouvait le palais impérial (où Julien fut proclamé empereur en 360) : ainsi les administrations civile et militaire siégeaient en cette extrémité de l'île.

De Clovis à saint Louis

Clovis et ses successeurs habitèrent le palais, en face duquel fut fondé le couvent Saint-Eloi. A partir de Dagobert, les souverains désertèrent la Cité, qui fut par trois fois prise par les Normands (845, 856, 861), cependant que l'évêque reprenait en main l'administration, rétablissait le rempart du Bas-Empire, permettant ainsi de soutenir victorieusement le grand siège de 885-886. Vers la même époque, les comtes de Paris responsables de la ville s'installèrent dans le palais. Au début du XIe siècle, Louis le Pieux le reconstruisit et éleva la chapelle Saint-Nicolas, là où saint Louis créa la Sainte-Chapelle. A la suite d'un coup de main sur le palais en 1111, Louis VI fit bâtir une grosse tour capable d'abriter le trésor, derrière la cour du Mai ; elle fut démolie en 1783 après avoir servi longtemps de prison (Ravaillac, Damiens). Louis VII poursuivit les aménagements du palais et surtout de son environnement, où se trouvait le quartier général de la communauté des drapiers, aussi riche que puissante (rue de Lutèce). Près de ses appartements, Louis VII se fit aménager une chapelle dédiée à la Vierge (l'actuelle chapelle de la Conciergerie dite des Girondins). L'œuvre de Philippe Auguste fut de compléter la défense de l'île par deux remparts sur les rives, reportant ainsi la fonction militaire à la terre ferme. Saint Louis, ayant reçu la couronne d'épines, décida de construire un écrin qui en fût digne : ce fut la Sainte-Chapelle. En même temps, il édifia de plain-pied avec ses appartements la galerie des Merciers et, au nord de la Sainte-Chapelle, une sacristie pour ses archives ; toutes deux furent détruites en 1782.

La première prison

Philippe le Bel, ayant rebâti l'entrée du palais avec deux grosses tours, fit du concierge un personnage important et le chargea de la garde de quelques prisonniers : ainsi naquit la prison. Il refit la plus grande partie du bâtiment (1308-1316) et agrandit le palais. Les générations suivantes apportèrent leurs contributions et Charles V, vers 1370, installa la première horloge publique de Paris. A la fin du XIVe siècle, les rois transportèrent leur résidence sur la rive droite (hôtel Saint-Paul, Louvre), laissant le palais à l'administration : le Parlement et la Chambre des comptes notamment. Deux incendies causèrent d'énormes dégâts : celui de 1618 entraîna l'intervention réparatrice de Salomon de Brosse (au-dessus de la salle des Gens d'armes) ; celui de 1776, beaucoup plus grave, qui fit disparaître une grande partie des archives de la Chambre des comptes, donna lieu à la construction de la cour du Mai par Antoine et Desmaisons (1783-1786). Des agrandissements furent effectués après 1850 par Duc (quai des Orfèvres, aile du Parquet ; façade de la rue de Harlay et Cour de cassation), puis, vers 1880, par Daumet. Enfin, Tournaire, de 1911 à 1914, édifia les chambres correctionnelles à l'angle du boulevard du Palais. Si l'aspect actuel de l'édifice ancien en bordure de la Seine correspond à ce qu'il était au Moyen Age, il ne faut pas méconnaître les

Les vitraux de la Sainte-Chapelle.

interventions du XIXᵉ siècle : ajout d'un étage aux trois tours, en raison de la surélévation du quai. Enfin l'utilisation intensive des locaux à la Révolution leur fut préjudiciable et le plus célèbre cachot, celui de la reine Marie-Antoinette, fut transformé en chapelle expiatoire par Louis XVIII. Par ailleurs, à côté de la vie administrative, le palais connaissait des activités variées et ses galeries étaient encombrées de boutiques et de marchands. Tout ceci n'est plus : nombre d'entre elles disparurent dans l'incendie de 1776 et quelques-unes survécurent jusqu'au temps de Louis-Philippe.

La galerie marchande et la salle des pas perdus

De belles grilles de ferronnerie d'époque Louis XVI donnent accès à la cour du Mai, surveillée par les statues de l'Abondance, de la Force, de la Prudence et de la Justice. Au-delà de l'escalier, sur toute la largeur, la galerie marchande était sous l'Ancien Régime un endroit particulièrement animé où les hommes de loi et les plaideurs côtoyaient marchands et librai-

res. A droite, la salle des pas perdus, ancienne Grande Salle reconstruite par Salomon de Brosse (1618), fut refaite à la suite des incendies de la Commune par Duc et Daumet : c'est une double nef, très vivante, que Balzac appelait la « cathédrale de la chicane ». Dans le monument de Berryer, d'après Lebas (1821), la tortue illustre les lenteurs de la justice. Au fond à droite, la première chambre civile siège dans l'ancienne Grand-Chambre, décorée sous Louis XII (1502) ; là siégea le Tribunal révolutionnaire, présidé par Fouquier-Tinville (1793-1794) ; incendiée en 1871, elle fut refaite dans le même style.

La Sainte-Chapelle
(tél. 43.54.30.09)

L'empereur Baudouin II de Constantinople (1237-1261) ayant engagé la couronne d'épines du Christ pour obtenir un prêt et ne pouvant faire face à l'échéance, saint Louis s'entremit, régla le créancier et reçut en échange la couronne (1239). Il alla la chercher à Troyes. En 1241, il acquit du même Baudouin un morceau de la vraie

Croix. Il décida alors la construction d'un édifice digne d'accueillir ces précieuses reliques, fit édifier, peut-être par Pierre de Montreuil, la Sainte-Chapelle (vers 1245-1248). L'incendie de 1630 détruisit la charpente et le clocher ; pendant la Révolution, la châsse fut fondue et les reliques en partie sauvées (aujourd'hui à Notre-Dame) ; l'édifice mis en vente devint un magasin à farine, un club, puis un dépôt d'archives ; il fut finalement restauré par Duban, Lassus et l'inévitable Viollet-le-Duc (1837-1867), et échappa par miracle à l'incendie de 1871.

Ce joyau de l'art gothique saisit par son unité, la synthèse entre les contraintes techniques et les exigences artistiques. La chapelle fut conçue sur deux niveaux : son étage inférieur destiné aux serviteurs est un peu massif et supporte l'étage supérieur. Pour ce faire, dans la chapelle basse, une rangée de colonnes a été aménagée à faible distance des murs, dégageant toutefois un vaste espace central. Au-dessus de ce socle inférieur, quelque peu rustique, les grandes fenêtres occupent tout l'espace situé entre les contreforts qui assurent la liaison entre la base austère et la partie supérieure légère et abondamment décorée. A l'intérieur, la chapelle haute est une véritable « cage de verre », prouesse technique rendue possible par la solidité et l'excellente conception des contreforts. Le soubassement est décoré d'arcatures au-dessus desquelles s'élancent les verrières (six cents mètres carrés) qui, pour plus des deux tiers, datent du XIIIe siècle. Enfin, les statues des douze apôtres accrochées aux colonnes assurent la transition entre le soubassement aveugle et les fenêtres.

La Conciergerie
(1, quai de l'Horloge
tél. 43.54.30.06)

Elle correspond à la porte médiévale du palais, parvenue jusqu'à nous. La tour de l'Horloge, à l'angle du boulevard, date du second quart du XIVe siècle. En 1371, Charles V commanda à Henri de Vic la première horloge publique, dont Germain Pilon refit le cadran et le décor sculpté avec les figures de la loi et de la justice.

Dans la Conciergerie subsistent trois belles salles gothiques : la salle des Gardes (fin XIVe siècle) et la salle des Gens d'armes (début du XIVe siècle) située sous la salle des pas perdus. Cette dernière est aussi importante que celles du Mont-Saint-Michel et du palais des Papes. On lui a donné une destination culturelle depuis quelques années (expositions, concerts, etc.). Les cuisines, qui datent des années 1350, présentent dans les angles quatre cheminées dont les contreforts sont calés par des colonnes.

On ne peut pas visiter cet endroit sans penser à la prison et à l'époque révolutionnaire. La première travée de la salle des Gens d'armes était la « rue de Paris », car le bourreau Sanson, dit Monsieur de Paris, y régnait. Sous la Terreur, on y logea les gens sans ressources qui ne pouvaient payer leur logement. La galerie des Prisonniers, au-delà, était l'endroit le plus animé par où passaient tous les condamnés, hommes de loi et visiteurs. L'une des cellules donnant sur cette galerie fut occupée par Marie-Antoinette du 2 août au 16 octobre 1793 : elle ne comprenait alors qu'un lit de camp, une chaise et une table ; dans la cellule voisine furent détenus Robespierre (une nuit) et Danton. L'ancien oratoire de Louis VII fut transformé en prison collective dans laquelle on enferma vingt-deux girondins avant leur exécution en 1793 : c'est pourquoi on l'appelle la chapelle des Girondins. On y a installé depuis un petit musée regroupant quelques souvenirs révolutionnaires, des gravures et des registres d'écrous de prisonniers politiques (Napoléon III, Clemenceau, etc.).

La place Dauphine

Alors que les travaux entrepris place des Vosges avançaient, Henri IV concéda, en 1607, au premier président du Parlement, Achille de Harlay, la pointe de l'île de la Cité, jadis occupée par ses jardins, ainsi que trois îlots marécageux. Il s'agissait de construire une nouvelle place entre le Pont-Neuf qui devait recevoir une statue du roi,

La place Dauphine. ▶

et le palais. Elle s'appellerait Dauphine en l'honneur du fils du roi, tout comme la toute voisine rue Dauphine, ouverte la même année, dans l'axe du pont. En raison de la forme de terrain, on conçut une place triangulaire fermée, qui ne communiquait avec l'extérieur que par deux ouvertures sur le pont et rue de Harlay. Comme à la place des Vosges, les façades devaient respecter une ordonnance en brique et pierre comprenant des arcades au rez-de-chaussée, deux étages et un toit d'ardoises. L'absence de règlement d'urbanisme fit qu'au fil des ans, des travaux, des ravalements, la belle unité architecturale disparut. Le coup de grâce lui fut donné en 1874, lorsque Duc, pour dégager la nouvelle façade du palais, rasa le fond de la place. Toutefois, ce qui subsiste constitue un bel ensemble du XVIIe siècle, aussi bien dans la place que sur les quais.

2. Le Quartier latin

Un peuplement ancien

Le versant de la montagne Sainte-Geneviève jusqu'à la Seine correspond à la partie de la ville en dehors de la Cité dont le peuplement est le plus ancien. Et, avec la paix romaine, l'urbanisation de cette zone ne cessa de se développer suivant un quadrillage régulier ; au point que la ville comprenait un forum (rue Soufflot), des thermes (Cluny), un théâtre (près du lycée Saint-Louis) et un amphithéâtre (les Arènes). Les invasions du milieu du IIIe siècle provoquèrent le reflux de la population dans la Cité. La rive gauche ne ressuscita, semble-t-il, qu'au temps de Clovis qui fonda sur la montagne Sainte-Geneviève une église près de laquelle s'installa l'abbaye Sainte-Geneviève au VIIIe siècle. Après la paix carolingienne, les invasions normandes causèrent des destructions et un nouveau repli de la vie dans l'île. Dans le courant du XIe siècle, la vie reprit définitivement sur la rive et les paroisses Saint-Julien-le-Pauvre, Saint-Séverin, Saint-Bacque, Saint-Etienne-des-Grès et Notre-Dame-des-Champs se développèrent. L'activité économique était agricole, répartie entre de grands clos (Bruneau, Laas, Garlande, Mauvoisin). Le processus d'urbanisation fut accéléré par la construction de l'enceinte de Philippe Auguste et l'on sait que le quartier Saint-Séverin comptait, à la fin du XIIIe siècle, des artisans, des orfèvres, des fripiers, des cordonniers, des étuves (établissements de bains)... et l'on estime que la population était ici d'environ 20 000 habitants.

Les premiers collèges

Mais ce qui imprima de manière déterminante au quartier son caractère intellectuel fut l'installation, au XIIe siècle, d'écoles transfuges de la Cité. Abélard fut l'un des maîtres qui eut le plus de succès. Ce mouvement aboutit au XIIIe siècle à la création de l'Université placée directement sous l'autorité du pape (1231). Simultanément, les collèges destinés au logement des élèves, à l'origine, firent leur apparition (Bernardins, Sorbonne, Cholets, Cluny) et proliférèrent au XIVe siècle (une trentaine). Le succès de l'enseignement fut tel que le quartier s'appela l'Université. Il était à l'époque très vivant, cosmopolite, rassemblant des maîtres et des élèves de toute provenance en Europe et il fallut la guerre civile des Armagnacs et des Bourguignons puis ensuite l'occupation anglaise pour que cette prospérité cessât.

Le quartier de l'édition

Le renouveau universitaire se fit avec l'apparition de l'imprimerie en 1470, lorsque le Badois Jean de la Pierre, régent de la nation d'Allemagne, installa une première presse à la Sorbonne même. Ce renouveau économique caractéristique de la fin du règne de Charles VII se manifesta aussi par de nombreux chantiers civils (hôtel des abbés de Cluny) ou religieux (Saint-Séverin, Saint-Etienne-du-Mont). Avec la Renaissance, la rue Saint-Jacques devint le quartier général de l'édition et, en 1500, l'on comptait déjà plus de quatre-vingts imprimeurs dans le secteur (comme par exemple les Estienne et les Ballard, rue Jean-de-Beauvais), employant plus de cinq cents personnes. L'institution du Collège de France, en 1530, apporta du sang neuf et les lecteurs royaux, en toute indépendance, enseignèrent les langues anciennes (hébreu, grec) et les sciences. Malheureusement, cette belle quiétude fut perturbée par la Réforme et la place Maubert devint un lieu d'exécution et d'autodafés. L'Université resta en majorité papiste puis devint ligueuse, tandis que le monde de l'imprimerie embrassait dans sa grande majorité la cause de la Réforme et des nouvelles idées.

Une statue de la place Saint-Michel.

Mais, en 1622, l'arrivée d'un nouveau proviseur à la tête de la Sorbonne changea la physionomie de l'établissement et, par conséquent, celle du quartier. Richelieu, devenu peu après cardinal, décida de reconstruire les bâtiments vétustes (1626) autour d'une chapelle, sur les plans de son architecte Lemercier (à partir de 1631) ; et il décida de s'y faire inhumer. L'architecte fit en même temps œuvre d'urbaniste en aménageant une place devant l'édifice. Le cardinal ministre ne réussit pas, cependant, à ranimer le quartier dont l'activité économique était beaucoup moins brillante que celle de la rive droite. Ainsi, à la fin du XVIIIe siècle, avait-on tendance à penser qu'il

rassemblait « la populace de Paris la plus pauvre, la plus remuante et la plus indisciplinable », bref, plus ou moins un peuple de ratés ou de marginaux. De fait, l'enthousiasme révolutionnaire s'empara des esprits et le club des Cordeliers installé (1790) dans le couvent des Cordeliers (rue de l'Ecole-de-Médecine) compta parmi ses membres, outre Danton, son fondateur, Desmoulins, Marat, Brissot, Legendre... qui furent les premiers chefs de la Révolution. Ailleurs, la section du Panthéon, de recrutement plus populaire, réclama en 1794 la tête de Mme Elisabeth et joua un rôle de premier plan dans la diffusion des idées collectivistes de Gracchus Babeuf. La Révolution passée, tout rentra dans l'ordre : les établissements retrouvèrent leurs locaux, et les étudiants la vie paisible et insouciante immortalisée par Murger dans *La Vie de Bohême*. Alors que le dernier grand chantier de l'Ancien Régime, la reconstruction de l'église Sainte-Geneviève, devenue Panthéon à la Révolution, n'avait entraîné que des conséquences limitées pour le quartier, celui-ci fut brusquement réveillé par les travaux d'Haussmann qui l'éventrèrent en y taillant de toute pièce des rues transversales le traversant en tous sens : outre les deux axes Saint-Michel et Saint-Germain destinés à faciliter la circulation nord-sud et est-ouest, doublée par la rue des Ecoles, on ouvrit une rocade contournant la colline (rues Monge, Claude-Bernard, Gay-Lussac) ; ailleurs, on prolongea certaines voies (rues du Sommerard, d'Ulm), ou on les régularisa... On redessina la place de la Sorbonne et l'on démolit sans compter et sans discernement pour créer une ville belle, moderne et fonctionnelle.

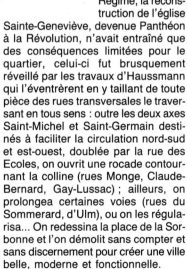

Cette politique qui tolérait la proximité d'immeubles vétustes et sordides (entre le boulevard Saint-Germain et la Seine, par exemple) eut, du moins, le mérite de laisser intacts quantités d'îlots dont on peut aujourd'hui apprécier la beauté et opérer avec discernement la restauration. L'action d'Haussmann se prolongea, en fait, jusqu'aux années 1900 et s'acheva par la reconstruction de la Sorbonne (1885-1900).

Au cœur de la contestation étudiante

Si le Quartier latin vit fleurir sur son sol tous les mouvements étudiants de droite, de gauche, anarchistes... et de soutien aux guerres (mouvements de résistance 1939-1945, aide aux Algériens, etc.), il fut à l'origine et au cœur des événements de mai 1968 : à la suite de la fermeture de la Sorbonne le 3 mai, les étudiants occupèrent la rue et, pendant un mois, dressèrent des barricades et narguèrent les forces de police sur un arrière-fond de palabres interminables où l'on refaisait la société dans des amphithéâtres transformés en asiles de clochards. A partir des accords de Grenelle (25-27 mai), de l'échec du meeting du stade Charlety et du raz-de-marée de la manifestation de soutien au général de Gaulle sur les Champs-Elysées (30 mai), le mouvement s'anéantit au courant du mois de juin. Alors que les événements de 1968 s'étaient produits en réaction contre la société de consommation (« On n'est pas amoureux d'un taux de croissance »), en décembre 1985, le mouvement lycéen puis étudiant se réveilla pour des raisons inverses : la crise, le chômage, la peur de la sélection, de l'avenir... La rue fut alors, pour un mois, aux mains des lycéens isolés des autres catégories sociales et tout rentra dans l'ordre lorsqu'on enterra un énième projet de réforme de l'enseignement...

A traverser le quartier, on repère plusieurs secteurs : celui du folklore étudiant avec cafés, restaurants, cinémas, libraires, de la rue Soufflot, à la place Saint-Michel, où l'on trouve une foule très cosmopolite ; le quartier Saint-Séverin, ancien et pittoresque, livré aux touristes avec quantité de restaurants grecs ; enfin, à l'est de la rue

Saint-Jacques, ou bien rue de l'Ecole-de-Médecine, dans une atmosphère calme et studieuse, presque dépourvue de cafés, les grands établissements scientifiques.

La **place Saint-Michel** marque le début du quartier étudiant et des librairies scolaires. Gibert en est le plus pur symbole avec ses divers bâtiments qui s'échelonnent sur le quai et sur le boulevard.

Rue de La Huchette, jadis fameuse pour ses auberges et ses rôtisseurs, les nombreux restaurants grecs perpétuent la tradition. Rue élégante aux XVe et XVIe siècles (les ambassadeurs logeaient à l'hôtel de l'Ange), elle devint par la suite la proie des coupeurs de bourse. La plupart des maisons sont anciennes. Au n° 4 subsiste l'enseigne « La Hure d'or » (1729) ; au n ° 14, de la fin du XVIIIe siècle, on trouve l'enseigne « A l'Y », rébus annonçant la vente de lie-grègues, sortes de lacets fixant les grègues aux hauts-de-chausses. Un coup d'œil dans la **rue du Chat-Qui-Pêche** permet d'avoir une bonne idée de la largeur des rues médiévales. Au n° 23, le théâtre de la Huchette joue depuis

Le square René-Viviani.

L'église Saint-Julien-le-Pauvre.

1957 quotidiennement *La Cantatrice chauve* et *La Leçon* de Ionesco.

La **rue du Petit-Pont**, élargie en 1909, ne comporte de maisons anciennes aux belles ferronneries que du côté des numéros impairs.

Rue de la Bûcherie, un square a été aménagé, bordé de restaurants d'où l'on a une belle vue sur le quai. Au n° 37, la librairie Shakespeare and Company, fondée par Sylvia Beach dans les années vingt, est restée un carrefour de poètes et d'intellectuels.

Le **square Viviani**, agrémenté par quelques fragments sculptés provenant de Notre-Dame et un sarcophage, détient l'arbre le plus ancien de Paris : un robinier planté en 1601 par le botaniste Robin.

L'église Saint-Julien-le-Pauvre
(1, rue Saint-Julien-le-Pauvre)

Située sur la route du pèlerinage de Saint-Jacques-de-Compostelle, ce sanctuaire mérovingien dédié à Saint-Julien-l'Hospitalier possédait une annexe en hospice. Ruinés plusieurs fois par les invasions normandes, les bâtiments furent reconstruits à partir de 1170 par les moines de l'abbaye de Longpont qui remplacèrent l'hospice par un prieuré. La proximité du Petit-Pont et de la rue du Fouarre où ensei-

gnaient quantité de maîtres en fit l'église paroissiale de l'Université. C'est ici que furent élus les recteurs jusqu'au saccage de l'église par les étudiants en 1524. La majorité des collèges se trouvant à proximité de l'abbaye Sainte-Geneviève, l'église Saint-Julien-le-Pauvre perdit son rôle et fut affectée à l'Hôtel-Dieu en 1651. Son état de dégradation était tel qu'on rasa le prieuré, une partie de la nef et du collatéral droit et que l'on refit le portail. Transformée en magasin pendant la Révolution, elle fut rouverte au culte en 1826 et affectée au rite catholique grec byzantin en 1889.

Extérieurement, l'église n'a pas d'arcs-boutants et est encore imprégnée du style roman. A l'intérieur, si la voûte de la nef a été refaite au XVIIe siècle, celle du bas-côté nord est intacte ; dans le bas-côté sud subsistent des pierres tombales du XVe siècle et, près du portail, un ancien puits. Enfin, selon le rite oriental, l'iconostase réalisée vers 1900 par un artiste de Damas décore le chœur.

La **rue Saint-Julien-le-Pauvre** possède de nombreuses maisons anciennes : les n° 4-10, du milieu du XVIIIe siècle, ont été édifiés au-dessus de trois étages de caves de la prison pour dettes du Petit-Châtelet, qui fut supprimée

Le célèbre restaurant de
la Tour d'Argent.

portail une figure de la justice. Au n° 18, l'immeuble du piano-bar « Les Trois Mailletz » est installé sur plusieurs étages de caves.

La **rue Galande**, élargie au XVIIᵉ siècle, fut une rue élégante au XVIIIᵉ siècle, peuplée de robins, qui, passé la Révolution, furent remplacés par des clochards, installés notamment au « Château rouge » (n° 57) et des cabarets mal famés. L'ancien hôtel de Châtillon au pignon arrondi (n° 65) aurait appartenu à Gabrielle d'Estrées. Le carrefour de la rue Saint-Julien-le-Pauvre, occupé par plusieurs terrasses de restaurants, est un endroit recherché pour son ensoleillement et son calme.

en 1782. Au n° 14, l'hôtel d'Isaac de Laffemas, gouverneur du Petit-Châtelet, présente dans le fronton du

La **rue Saint-Séverin** conserve du côté des numéros pairs toutes ses vieilles demeures des XVIIᵉ et XVIIIᵉ siècles. Au n° 13, la façade d'un cinéma est encore décorée de l'ensei-

Le quartier Saint-Séverin

« Jadis le quartier Saint-Séverin s'usait, en projetant comme au travers des boyaux comprimés de ses sentes la dernière nappe de ses boues sur la place Maubert, la Maub, ainsi que l'appellent ses malandrins. Elle figure sur le plan gravé en 1552 par Olivier Truschet et Germain Hoyau, avec un petit pendu qui se balance au fil d'un joli gibet. Et le fait est que, pendant tout le Moyen Age, on y roua, on y pendit, on y brûla les gens et que la besogne des tortionnaires ne chôma point. Au lieu de l'ancien pilori, se dresse maintenant la ridicule statue d'un glorieux bardache, le libraire philosophe Dolet. Il regarde par-dessus un bureau d'omnibus le marché sur l'emplacement duquel s'élevait autrefois le couvent des Carmes. [...]

« Quant à la place même, si elle n'est plus agrémentée par des potences et fréquentée par des condamnés et des bourreaux, elle est actuellement occupée par des souteneurs qui devisent et fument comme de bons rentiers pendant le jour, et aussi par des négociants en

mégots qui portent des musettes de soldat, en toile, sur des habits teints avec le jus délayé des macadams ; presque tous ont des barbes en mousse de pot-au-feu répandues autour de figures cuites ; presque tous sont d'opiniâtres pochards connus sous le nom des premiers métiers qu'ils exercèrent ; le Notaire est un clerc qui a fini de grossoyer à Mazas, le Zouave est un ancien troupier mûri par les sels de cuivre des absinthes. La plupart sont des déclassés, vivant au jour le jour, du hasard des cueilles. Ils vendent deux catégories de marchandises : le tabac gros, c'est-à-dire les résidus de cigares et les fonds de pipes, et le tabac fin qu'ils fabriquent avec des bouts de cigarettes débarrassées de leurs papiers et de leurs cendres. [...] Mais il faut croire que les profits quotidiens sont nuls ou qu'ils sont trop diligemment absorbés par les plus rapaces des zincs, car presque aucun de ces commerçants ne sait où il couchera le soir. »

(J.-K. Huysmans, La Bièvre, les Gobelins, Saint-Séverin, 1901.)

gne-rébus de l'« Auberge du Cygne de la croix » et l'on y voit un cygne qui entoure son cou autour d'une croix.

L'église Saint-Séverin
(1, rue des Prêtres-Saint-Séverin)
La quantité de sarcophages retrouvés en cet endroit atteste l'existence d'un lieu de culte ancien. La tradition veut que Séverin le Solitaire, abbé d'Agaune, connu pour avoir guéri Clovis et élevé son petit-fils, Clodoald, le futur saint Cloud, aurait eu ici son oratoire. La chapelle fut détruite par les Normands et relevée à partir du XIIIe siècle : clocher vers 1230, ainsi que les trois premières travées de la nef et du collatéral sud ; collatéral nord et les quatre dernières travées de la nef après 1450, chevet et flèche du clocher, vers 1490, chapelles latérales de 1498 à 1520. Le décor du chœur fut modernisé par un placage de marbre réalisé par Tuby à la fin du XVIIe siècle et, en 1837, on installa à la façade, la porte de l'église Saint-Pierre-aux-Bœufs, dans la Cité, récemment démolie. L'édifice, dont la construction s'étala sur trois siècles, est donc gothique du côté de l'entrée et flamboyant pour le reste. L'église fut, à partir du XIIe siècle, la paroisse la plus importante de la rive gauche et Foulques d'Anjou y prêcha la première croisade.

L'intérieur se signale par ses proportions, la clarté et surtout le déambulatoire aux voûtes en palmiers, sa colonne torse centrale qui reçoit en spirales les quatorze liernes des nervures des voûtes où sont admirablement répartis liernes et tiercerons. Le buffet d'orgue (1745) est de Dupré et Fichon, et l'instrument est d'une qualité telle que Saint-Saëns s'en fit nommer l'organiste en 1897. Si, à la rose de la façade, les vitraux de l'arbre de Jessé sont cachés par l'orgue, ceux réalisés à l'abside par Bazaine en 1966 ont pour thème les sept sacrements, constituant un bel exemple de création religieuse contemporaine. Aux fenêtres de la nef figurent des vitraux du XIVe siècle provenant de Saint-Germain-des-Prés (les apôtres). Le décor des bas-côtés a été réalisé de 1840 à 1870 par les Flandrin, Gérôme Biennoury, Signol, Schnetz, Heim sur des thèmes de l'Ecriture ou de la vie des saints, avec, toutefois, par Gérôme (1850), une représentation des pestiférés de Marseille (première chapelle à gauche). Outre le maître-autel du XVIIe siècle, l'église possède un *Saint Paul* de Vignon (porte de la sacristie) et une *Crucifixion* sur bois de Pierre II Brueghel (sacristie). Enfin la cloche appelée La Macée, qui date de 1412, est l'une des plus anciennes de Paris.

La **rue de La Harpe** fut, jusqu'au siècle dernier, la préfiguration du boulevard Saint-Michel. Ce lieu de passage menait de la Seine à la rue Monsieur-le-Prince. Son animation, ses cinémas font un peu oublier ses belles maisons du côté des numéros impairs : n° 13, 23, 27-29 (Louis XIII), 33 (Louis XIV), 35 (Louis XV). On observera au n° 31 l'étroite maison terminée de chaque côté par deux demi-pignons. La **rue de la Parcheminerie** qui regroupait au XIIIe siècle quantité d'écrivains, copistes et enlumineurs, s'appelait alors des Ecrivains. Au n° 29, la façade de l'hôtel Dubuisson (XVIIIe siècle) mérite l'attention pour ses ferronneries et ses motifs sculptés.

Les thermes de Cluny
(6, place Paul-Painlevé
Tél. 43.25.62.00)
Ce sont les thermes du nord qui datent de l'époque romaine, ceux de l'est se trouvant au voisinage du collège de France. Cet édifice, construit par les nautes parisiens de la fin du IIe siècle et du début du IIIe siècle, a longtemps été considéré comme le palais de l'empereur Julien, dit l'Apostat, qui séjourna effectivement à Lutèce en 358 et 360. Les ruines situées au carrefour des boulevards Saint-Germain et Saint-Michel sont imposantes et comprennent : une première salle dont la voûte s'effondra au XVIIIe siècle et qui fut recouverte en 1875 ; puis, le frigidarium pour les bains froids, vaste salle voûtée de quatre berceaux retombant sur des consoles sculptées de proues de navires armés et pourvue d'une piscine au nord ; ensuite, le tepidarium pour les bains tièdes qui n'a plus de voûte ; enfin, le caldarium et son hypocauste pour les bains chauds, dont les ruines furent dégagées en 1953.

L'hôtel des abbés de Cluny est, avec l'hôtel de Sens, le seul témoin important de l'architecture civile médiévale à Paris. Un premier hôtel avait été élevé vers 1330 par l'abbé de Cluny, Pierre de Châlus. De 1485 à 1498, il fut reconstruit dans le style flamboyant par Jacques d'Amboise, frère du cardinal. A la mort de Louis XII, Marie d'Angleterre, sa veuve, vint habiter ici (1515). En 1832, l'hôtel fut acquis par Alexandre du Sommerard, conseiller à la Cour des comptes qui y installa une importante collection d'objets du Moyen Age. A sa mort, la ville (1837), puis l'Etat, acquirent l'ensemble et, après restauration des lieux, on ouvrit un musée consacré au Moyen Age et à la Renaissance.

La façade nord donne sur le boulevard Saint-Germain d'où l'on peut voir également les vestiges des portails de l'église Saint-Benoît-le-Bétourné (XVIe siècle) et du collège de Bayeux (XIVe siècle). La cour est bordée du grand corps de logis avec une tour à pans coupés, et de deux ailes : l'une en galerie reposant sur quatre arcades et terminée par la chapelle, l'autre à usage de communs, le tout abondamment décoré de gâbles et meneaux.

Le **musée de Cluny** ouvrit ses portes en 1844 pour présenter au public les collections d'Alexandre du Sommerard. Le directeur en était son fils, Edmond, qui, pendant quarante ans, les augmenta et les mit en valeur ; à son départ, on comptait plus de dix mille pièces du Moyen Age et de la Renaissance, parmi lesquelles les tapisseries de La Dame à la licorne, L'Histoire de David, les couronnes de rois wisigoths... Trop à l'étroit, en 1977, huit mille pièces de la Renaissance furent transférées au musée de la Renaissance au château d'Ecouen.

Les œuvres présentées dans plus de vingt salles offrent un vaste panorama de l'art et de la vie quotidienne au Moyen Age. On notera, salle 2, parmi les tapisseries, celle de L'Offrande du cœur (Pays-Bas du sud, début du XVe siècle), la plus ancienne du musée, et celle du Miracle de saint Quentin. Salle 3, consacrée aux tissus, la broderie, provenant de Grenjadarstadur (Islande) et relatant la Vie de saint Martin

(XIIIe siècle) est particulièrement digne d'intérêt, de même que, salle 4, les six pièces de La Vie seigneuriale (début du XVIe siècle) où sont illustrés le bain, la chasse, la promenade, la lecture, la broderie et la galanterie... Le rez-de-chaussée concerne la sculpture. La salle 8, à laquelle on accède par le portail (remonté) de la chapelle de la Vierge à Saint-Germain-des-Prés, par Pierre de Montreuil (milieu du XIIIe siècle), est consacrée à la sculpture de Notre-Dame avec les têtes des rois de Juda et les statues-colonnes découvertes en 1977, rue de la Chaussée-d'Antin. La salle 9 offre une belle collection de chapiteaux romans de Saint-Germain-des-Prés (début du XIe siècle), de Sainte-Geneviève (début du XIIe siècle).

La grande salle des thermes (salle 12) est la seule en France à avoir conservé ses voûtes ; ses murs épais de deux mètres sont recouverts d'un enduit qui a perdu son décor peint.

A l'étage, La Dame à la licorne (salle 13) est l'une des œuvres capitales du musée. Cette série de six tapisseries au fond rouge et fleuri est une présentation allégorique des cinq sens ; la sixième, dans laquelle des bijoux sont déposés dans un coffre, représente le renoncement au monde. Elles ont été réalisées au XVe siècle pour les Le Viste, officiers royaux, dont elles portent les armes. A la suite , la salle 14 renferme quantité de chefs-d'œuvre : Présentation au Temple, par André Beauneveu ou Jean de Liège (XIVe siècle), Portement de Croix en bois polychrome et doré (vers 1400), Pietà de Tarascon (avant 1457), commandée par Jeanne de Laval, femme du roi René, Marie Madeleine (Bruxelles, vers 1500), tapisserie du Départ de l'enfant prodigue (Tournai, début du XVIe siècle). Dans la salle 16 sont regroupés les objets d'art précieux : couronnes de Guarrazar (art wisigothique du VIIe siècle), Rose d'or de Bâle par Minnuchio da Sienna (vers 1330), Crucifixion d'Hildesheim (émaillerie, vers 1160), émaux limousins... La salle 19 présente des ivoires orientaux du Bas-Empire et le devant d'autel d'or de la cathédrale de Bâle (vers 1020) offert par l'empereur Henri II, représenté

Le musée de Cluny.

aux pieds du Christ avec son épouse, trois archanges et saint Benoît. Sur les murs de la chapelle (salle 20), dont les voûtes reposent sur un pilier central, se déploie la tapisserie du chœur de la cathédrale d'Auxerre qui relate, en vingt-trois scènes, *La Légende de saint Etienne* (vers 1490). De même, la salle 21 accueille la tenture de *La Vie de la Vierge* de la cathédrale de Bayeux (fin du XVe siècle) et le fameux retable mosan de Stavelot (fin du XIIe siècle).

La Sorbonne
(17, rue de la Sorbonne)

Le maître de théologie Robert de Sorbon possédait, rue Coupe-Gueule (de la Sorbonne), trois maisons que lui avait données le roi. Il y fonda un collège destiné à l'hébergement et l'entretien des « pauvres maîtres et escholiers » en théologie. Rapidement, l'établissement acquit du prestige et devint le siège de la faculté de théologie qui intervint souvent dans la politique ou d'autres domaines : elle prit parti pour Henri V d'Angleterre contre Jeanne d'Arc, contre la Réforme et

soutint la Ligue contre Henri IV. Fermée à la Révolution, en 1801, on y installa des ateliers d'artistes (Clodion, David d'Angers, Pajou, Prudhon). Sous la Restauration, elle retrouva sa vocation universitaire et devint, en 1822, le siège de l'académie de Paris. Si divers projets d'agrandissement et de reconstruction virent le jour sous Louis-Philippe et Napoléon III, c'est Jules Ferry qui, en 1881, décida de la reconstruction des locaux et l'architecte en fut Nénot (1883-1901). Temple du savoir, la décoration est aussi recherchée qu'officielle et due aux « meilleurs » artistes contemporains : dans le vestibule de la rue des Ecoles, trônent *Homère* et *Archimède* par Falguière et s'ouvrent l'escalier monumental et le grand amphithéâtre décoré des statues de Robert de Sorbon, Richelieu, Descartes, Pascal, Lavoisier, Rollin. Puvis de Chavannes réalisa la grande composition allégorique, *Le Bois sacré*, dans laquelle la Sorbonne est entourée des principales disciplines : éloquence, poésie, histoire, philosophie, géologie, botanique, géométrie, physique et physiologie. Par l'une des deux galeries latérales, on atteint la cour d'honneur, largement inspirée de la précédente, qui est surveillée par les statues de Victor Hugo et de Pasteur. A l'étage de l'aile droite se trouve la bibliothèque décorée de peintures de J.-P. Laurens et Dubufe ; au rez-de-chaussée, l'amphithéâtre Richelieu est le cadre de soutenance d'un grand nombre de thèses.

La **chapelle** est tout ce qu'il reste des constructions de Richelieu (Lemercier, 1635-1642). Sa particularité est d'être

logie historique. Un grand nombre d'historiens et d'érudits ont reçu leur formation ici.

Rue Saint-Jacques, au n° 123, le lycée Louis-le-Grand dont les austères bâtiments sont dus à Lecœur (1885-1893) est installé à l'emplacement des collèges du Plessis, de Marmoutiers, des Cholets, du Mans et surtout des Jésuites, dit de Clermont (1562). En 1674, il prit le nom de Louis-le-Grand. Parmi ses anciens élèves on repère Molière, Voltaire, Robespierre, Hugo, Delacroix... Des constructions du bâti-

La Sorbonne.

conçue sur deux axes et d'avoir deux façades d'importance équivalente : celle de la cour précédée d'un vaste péristyle et celle de la place de la Sorbonne, qui comporte deux ordres superposés. A l'intérieur, la décoration est très soignée surtout dans les pendentifs de la coupole par Champaigne, qui a représenté les armes de Richelieu et les Pères de l'Eglise. Le tombeau du prélat par Girardon (1694), d'après les dessins de Le Brun, fut transporté à la Révolution au musée des Monuments français et n'a retrouvé sa place qu'en 1971.

L'**Ecole des chartes**, 19, rue de la Sorbonne, fondée en 1821, est consacrée à l'enseignement de la méthodo-

ment réédifié en 1628, il ne reste, dans la cour, que les façades perpendiculaires à la rue.

Le **Collège de France**, 11, place Marcelin-Berthelot, fut fondé en 1530 par François Ier à l'instigation du grand humaniste Guillaume Budé. On l'appela Collège des lecteurs royaux jusqu'au XVIIe siècle où il devint Collège royal de France. Indépendant de l'Université, il était chargé d'étudier et d'enseigner les langues mortes (latin, grec, hébreu) en recourant aux méthodes nouvelles de la philologie. A ces disciplines de base vinrent s'ajouter rapidement les sciences (mathématiques, astronomie, botanique) et d'autres langues orientales (syriaque, arabe, etc.) enseignées également dans une grande liberté d'esprit. Pour leur grande partie, les bâtiments dus à Chalgrin (1778) furent réaménagés et améliorés par Letarouilly qui ajouta des ailes rue Saint-Jacques et le charmant portique pompéien en 1831. En 1930, à l'est, les architectes A. et J. Guilbert ont construit les laboratoires et les salles scientifiques. A l'angle de la rue Saint-Jacques, le vieux collège est scandé de statues, de bustes, de médaillons et de décors évoquant les vieux maîtres : *Champollion* (Bartholdi, 1875), *Guillaume Budé* (Max Bourgeois), *Renan* (Falguière), *Michelet*, *Quinet* et la salle d'assemblée des professeurs est décorée de deux toiles de Lethière (*François Ier signant l'acte d'établissement du Collège de France*) et Thévenin (*Henri IV dotant les chaires du Collège de France*).

La **rue Jean-de-Beauvais**, comme celles que traverse la rue des Ecoles jusqu'à la rue de la Montagne-Sainte-Geneviève, est constituée, pour l'essentiel, de constructions anciennes. Cet ancien centre de libraires du XVIe siècle possède, au n° 9 bis, la chapelle du collège de Dormans, construite à partir de 1374 par Raymond du Temple, architecte de Charles V. Elle est affectée à l'église orthodoxe roumaine. Du carrefour de la rue, on voit, terminant la perspective de la rue des Ecoles, la tour Zamanski de la faculté des sciences.

Rue Lanneau ont été découverts, lors de fouilles menées depuis le début de ce siècle, les restes des thermes de l'est, qui s'étendaient aussi sous le Collège de France. Cette voie étroite, bordée de maisons à éléments de bois, est aussi calme que pittoresque avec ses murs couverts de lierre, ses petits restaurants, quelques galeries : au n° 11, la maison du Puits-Certain est une auberge depuis 1627. En 1571, on comptait dans cette voie quatorze libraires.

L'**Ecole polytechnique**, fondée en 1794, sous le nom d'Ecole centrale des travaux publics, prit, dès l'année suivante, son appellation actuelle. Après avoir siégé au Palais-Bourbon, elle demeura de 1805 à 1977 dans les locaux de l'ancien collège de Navarre

Le Collège de France.

(fondé en 1304, par l'épouse de Philippe le Bel, Jeanne de Navarre).

Par le portail dû à Renié (1838), on pénètre dans la cour d'honneur dont l'aile gauche fut édifiée au siècle dernier à l'emplacement de la bibliothèque de l'ancien collège ; au fond, le bâtiment Joffre est une partie de celui construit par Gabriel (1738) pour les bacheliers du collège. Il fut presque entièrement démoli vers 1936 ; à droite, se trouve l'ancienne résidence du général gouverneur de l'école. Depuis le départ de l'école à Massy-Palaiseau, les jardins sont ouverts au public et plusieurs centres de recherche ont pris possession des locaux.

L'Ecole polytechnique.

La **rue de la Montagne-Sainte-Geneviève** élargie en cet endroit est très agréable pour ses terrasses de cafés et ses maisons anciennes : au n° 47, se dresse la belle façade (XVIIᵉ siècle) austère du collège de Huban.

La **rue Laplace**, qui abrita de nombreux collèges, n'a pour ainsi dire que des maisons anciennes, en particulier les n° 10, 12 (entrée du collège des Grassins) et 18. Contrastant complètement avec l'environnement, le n° 9 par G. Vaudoyer (1910) présente une architecture ouvrière.

Rue Valette, au n° 4, le collège Sainte-Barbe, fondé en 1460, est le seul survivant de ces institutions médiévales. Il fut reconstruit en 1840 par Labrouste, puis augmenté par Lheureux en 1881. Au n° 21, du collège des For-

tets, fondé en 1394, qui eut pour élève le célèbre Calvin en 1531, il ne subsiste que les caves et la cour.

Saint-Etienne-du-Mont
(place Sainte-Geneviève)

En 1225, l'église Saint-Etienne-du-Mont remplaçait un sanctuaire primitif, Saint-Jean-du-Mont, dans lequel était déposée la châsse de sainte Geneviève et qui était un lieu de pèlerinage. Cette église fut reconstruite de 1492 à 1626 : en 1539, le chœur et une tour étaient achevés, puis la nef et le transept (1582-1586), enfin la façade occidentale dont la première pierre fut posée par la reine Margot en 1610. La consécration de l'église eut lieu en 1626. L'intérêt de l'édifice tient à son style et à sa décoration riche

Se loger au Quartier latin

« Cette question du lit est d'ailleurs celle qui est la plus difficile à résoudre pour les miséreux de ce quartier. La nourriture, on peut s'en tirer encore, puisque, moyennant quatre sous, l'on se repaît avec les carnes rajeunies de la rue de Bièvre ; mais le dortoir, c'est autre chose !

« Les hôtels sont tenus par des logeurs originaires de l'Auvergne, et dont la cupidité est effroyable. [...]

« Il en est partout ainsi, dans la rue Saint-Séverin, dans la rue Galande, dans la rue de la Huchette, dans la rue Boutebrie, sauf cependant dans la rue Maître-Albert, la plus accessible aux indigents. [...]

« Mais il faut avoir vu ces chambrées dont quelques-unes renferment jusqu'à quatorze grabats dans un réduit privé d'air, pour se figurer la cherté et l'horreur de ces refuges. Pour tout meuble, des couchettes avariées et des linges pourris, une cuvette de zinc qui sert aux ablutions, un broc, un seau pour les urines ; pas de chaises, pas de tables de nuit, pas de savon, pas de serviette ; sur le mur, l'ordre affiché de laisser la clef sur la porte ; cette mesure a pour but de faciliter les

recherches de la police qui souvent jaillit, avant l'aube, dans ces bouges.[...]

« S'il n'y avait encore que des réveils comme ceux-là ! me racontait un triste mendiant, habitué de ces asiles ; mais il faut aussi veiller sur ses hardes, cacher, si l'on se déshabille, sous son traversin, sa culotte, ne pas surtout quitter ses savates, car, le lendemain matin, l'on se trouverait dévalisé par ses compagnons, partis avant le jour.

« Inutile d'ajouter que, dans ces ménageries, la vermine grouille. [...]

« Si le sort des indigents en quête d'un gîte est inenviable, celui des garçons chargés d'assurer le service de ces abris ne l'est pas moins. Ils sont nourris, logés, blanchis et ils touchent une mensualité de quarante francs ; mais ils ont parfois cent lits à remuer. Couchés à trois heures du matin, ils doivent être debout à cinq, porter la lessive, fabriquer le gros ouvrage, seconder la police, se colleter avec les ivrognes, mener une vie de fatigue qui anémie des hercules en quelques mois. »

(J.-K. Huysmans, La Bièvre, les Gobelins, Saint-Séverin, 1901.)

d'éléments gothiques et nouveaux, mélangés avec une grande vitalité et, aussi, au souvenir de Pascal et de Racine... Sous la Révolution, l'église fut affectée au culte de la théophilanthropie et perdit toutes ses œuvres d'art. Sous l'Empire, la démolition de la vieille abbatiale Sainte-Geneviève dégagea son flanc sud. De 1861 à 1868, Baltard la restaura entièrement.

La façade terminée par un pignon se signale par la luxuriance du décor sculpté, étagé sur trois niveaux, avec des superpositions de frontons triangulaires et cintrés, ainsi que des niches.

A l'intérieur, l'église est de plan irrégulier, marqué par un infléchissement vers la gauche à partir du chœur. Les bas-côtés sont presque aussi hauts que la nef et forment une galerie de circulation tout autour de l'édifice. L'église a un décor et un mobilier du plus haut intérêt : le buffet d'orgue, le plus ancien de Paris, est dû à Jean Buron (XVIIe siècle) sur le thème du Christ ressuscité. La chaire, sculptée par Lestocard (1651) sur les dessins de La Hyre, est portée par un Samson et décorée des figures des vertus. Le jubé (1530), par Antoine Beaucorps sur les dessins de Philibert de l'Orme, a échappé aux destructions du XVIIIe siècle. C'est une grande arcade sculptée dans le style Renaissance et ses portes latérales (vers 1600) seraient de Pierre Biard. Les vitraux sont, pour la plupart, du XVIe siècle : dans la nef, à droite, on trouve *L'Ascension*, *L'Incrédulité de saint Thomas*, *Les Disciples d'Emmaüs*, *Les Saintes Femmes au tombeau*, et, à gauche, *La Descente de Croix*, *La Résurrection*, *Le Couronnement de la Vierge* ; dans l'abside, figurent *Les Apparitions du Christ après la Résurrection*.

Le bas-côté gauche renferme les bustes de Racine (quatrième chapelle) et de Pascal (cinquième chapelle). Autour du chœur, l'entrée de la première chapelle à droite est décorée de l'*Ex-voto à sainte Geneviève* par De Troy (1726) et l'on y trouve les épitaphes de Pascal et de Racine ; l'entrée de la seconde chapelle est marquée par un autre *Ex-voto à sainte Geneviève* par Largillière (1696). Dans la

L'église Saint-Etienne-du-Mont.

troisième chapelle a été installée la châsse de cuivre doré (XIXe siècle) contenant un élément du tombeau primitif de la sainte, dont la vie est illustrée par les vitraux. La chapelle de la Vierge est décorée de peintures de Caminade ; derrière elle, celle des Catéchismes est de Baltard, avec des peintures de Giacometti et de Timbal (1864).

Rue Clovis, on aperçoit à gauche, dans l'axe de la rue, au n° 65 de la rue du Cardinal-Lemoine, la façade bien conservée de l'ancien collège des Ecossais, dont les bâtiments furent élevés de 1662 à 1677.

Le **lycée Henri-IV** (n° 23) est installé dans les anciens locaux de l'abbaye Sainte-Geneviève. A cet endroit, Clovis et Clotilde se firent enterrer dans l'église Saint-Pierre-et-Saint-Paul qu'ils avaient fondée. Un autre sanctuaire, dédié à sainte Geneviève, fut édifié au VIe siècle et sinistré par les Normands. L'abbaye fut réformée en 1147 par les chanoines de Saint-Victor et son église reconstruite subsista jusqu'à sa démolition en 1802 : à son emplacement on établit la rue Clovis. Le rôle de l'abbaye fut essentiel tant pour la vie universitaire que pour le développement de la ville, au sud, notamment.

La tour Clovis est tout ce qui reste de l'ancienne église : romane à sa base, gothique flamboyant en sa partie supérieure. Si le beau cloître qui sert de cour d'entrée est de 1744, les vestiges médiévaux sont importants : les cuisines au-dessus de deux étages de caves voûtées (XIIe siècle), l'ancien réfectoire transformé en chapelle. D'importants aménagements furent effectués au XVIIᵉ siècle par le père Claude de Creil à qui l'on doit l'escalier dont tout le poids repose sur deux colonnes, les galeries de la bibliothèque éclairées par une coupole décorée par Restout (*Le Triomphe de saint Augustin sur Pélage, Manès et autres hérésiarques*, 1730). Le cabinet des médailles aux corniches et lambris sculptés fut aménagé par le fils du Régent qui venait souvent se retirer ici.

La **rue Descartes**, à droite, en direction de la Contrescarpe, est un endroit très animé et agréable en raison de ses innombrables restaurants qui annoncent la rue Mouffetard.

Le Panthéon
(Tél. 46.33.00.00)

Son origine remonte au vœu fait par Louis XV, lors de la grave maladie qu'il eut pendant le siège de Metz, en 1744, d'élever une belle église s'il guérissait. Il décida donc de reconstruire l'église de l'abbaye Sainte-Geneviève, très délabrée. Soufflot en fut chargé, qui, fait rare à l'époque, appréciait le gothique et rêvait de réunir « la légèreté de l'architecture gothique et la magnificence de l'architecture grecque ». Les travaux préliminaires commencèrent en 1755 et le manque de solidité du sous-sol empêcha d'effectuer la pose de la première pierre avant 1764. Mais une cabale mettant en cause la sécurité et la solidité du terrain ralentit le chantier, aboutit à la création d'une commission d'inspection en 1777, cependant que Soufflot mourait en 1780. Rondelet poursuivit son œuvre jusqu'en 1790.

En 1791, la Constituante décida de faire de l'église une nécropole des grands hommes, le Panthéon, et, pour mieux rendre cette atmosphère sépulcrale, on mura les fenêtres. Les premiers hôtes de ces sépultures furent : Mirabeau, Voltaire, Rousseau, Marat ; la mode ayant changé, Mirabeau et Marat disparurent. En 1806, l'église fut rendue au culte, puis redevint Panthéon (1831-1852) par la volonté de Louis-Philippe, qui voulait réconcilier les hommes et les époques pour la gloire de la France ; de 1852 à 1885,

ce fut à nouveau un lieu de culte et même une basilique nationale, mais le transfert du corps de Victor Hugo décida définitivement de son affectation funéraire.

Extérieurement, c'est le dôme qui a fait la célébrité du Panthéon. Sa façade rappelle un peu un temple antique (le Panthéon de Rome), précédé d'un péristyle surmonté d'un fronton décoré par David d'Angers (*La Patrie entre la Liberté et l'Histoire distribue les couronnes aux grands hommes*). De part et d'autre de la porte, deux groupes de marbre représentent *Le Baptême de Clovis* et *Sainte Geneviève et Attila*.

L'intérieur impressionne par l'ampleur et la majesté des volumes. Le plan en croix grecque détermine quatre nefs rythmées de colonnes corinthiennes et, à leur convergence, une vaste coupole. Le décor intérieur est très largement inspiré de l'histoire nationale : outre la vie de sainte Geneviève amplement narrée par Puvis de Chavannes, saint Denis, Clovis, Charlemagne, saint Louis, Jeanne d'Arc sont les principaux héros représentés ; et certains concepts ont été retenus : *Vers la Gloire* (Detaille), *L'Idée de patrie* (Humbert), *Les Grandes Destinées du peuple français* (mosaïque d'après Hébert, à la voûte du chœur). Le dôme saisit par la majesté de ses trois coupoles dont la seconde, par Gros, figure *L'Apothéose de sainte Geneviève*, en compagnie de Louis XVI et de Louis XVIII. Ses pendentifs sont occupés par les grands idéaux (*La Gloire*, *La Justice*, *La Patrie* et *La Mort*, d'après Gérard). Aux piliers du dôme, on trouve des monuments à Diderot

---

Le Panthéon

« *Pour moi, je puis affirmer que rien, dans ma première enfance, ne me fit plus d'impression que d'avoir vu le Panthéon entre moi et le soleil... Je fus saisi, ravi, atteint, et plus que je ne l'ai été de très grands événements. Ils ont passé ! cette heure me reste, et m'illumine encore.* »

(*Jules Michelet*, Mémoires de jeunesse, *1888.*)

(Terroir), à Jean-Jacques Rousseau (Bartholomé), aux généraux de la Révolution (Gasq) et aux orateurs de la Restauration (Marqueste) ; enfin, au fond du chœur, Sicard a réalisé un groupe monumental : *La Convention*. Dans la crypte sont regroupés les tombeaux de soixante et un personnages inhumés ici.

La **place du Panthéon** ne saurait être disjointe de l'édifice. En effet, lorsque Soufflot fit les plans du bâtiment, vers 1760, il conçut l'aménagement du secteur avec une grande place rectangulaire devant la façade d'où partait, dans l'axe, une rue (la future rue Soufflot) jusqu'au jardin du Luxembourg, créant ainsi une belle perspective à l'église. Pour diverses raisons, les travaux ne furent que partiellement réalisés : l'architecte eut presque le temps d'achever l'Ecole de droit (1771-1783), au numéro 12. Celle-ci a été agrandie à plusieurs reprises depuis. En face, au n° 21, la mairie du Ve arrondissement est due à Hittorff (1844-1846).

Le Panthéon.

La **bibliothèque Sainte-Geneviève**, au n° 10 (tél. 43.29.61.00), est certainement l'une des mieux connues de tous les étudiants et lycéens de Paris. Son fonds est constitué de l'ancienne bibliothèque de l'abbaye, y compris les manuscrits et les estampes ; dans la réserve, en 1932, on a installé la bibliothèque littéraire du couturier amateur Jacques Doucet, spécialisée dans les auteurs des XIXe et XXe siècles. Le bâtiment de Labrouste (1844-1850) est voûté de charpentes métalliques qui sont parmi les premières de France et la salle de lecture offre un bel exemple d'aménagement d'un espace intérieur à l'aide de structures métalliques (fonte, fer forgé).

La **rue Soufflot** fut ouverte dès 1760 jusqu'à la rue Saint-Jacques et prolongée au-delà, de 1846 à 1853. C'est une artère tranquille qui compte de nombreuses librairies juridiques et économiques, et s'anime près du carrefour du boulevard Saint-Michel, limite de la zone étudiante.

Boulevard Saint-Michel, en cet endroit, ou plus exactement au métro Luxembourg, cesse brusquement la mouvance étudiante dont les signes extérieurs sont, à y bien regarder, limités au boulevard et à une étroite bande qui va jusqu'aux rues de la Sorbonne et Victor-Cousin, d'un côté, et s'étend au long de la rue de l'Ecole-de-Médecine et à une partie de la rue Monsieur-le-Prince, de l'autre. Ses caractéristiques en sont, outre la densité et l'animation cosmopolite de la jeunesse, étudiante ou non, les cafés et les fast-foods, les cinémas dont certains sont d'art et d'essai, les librairies. Et l'on dénote une spécialisation : à proximité immédiate des facultés, on trouve les librairies, tandis que les cinémas se regroupent en trois pôles (rues Monsieur-le-Prince, Champollion et de La Harpe).

La **place Edmond-Rostand**, agrémentée par la perspective verdoyante du jardin du Luxembourg, profite en même temps d'une vue impressionnante sur le Panthéon.

La **rue Monsieur-le-Prince** aux maisons anciennes et aux restaurants asiatiques, fait par son calme la transition entre l'agitation étudiante et la tranquillité du quartier du Luxembourg. Aux n° 58-60, la belle façade enjolivée par une porte sculptée est celle du Bureau général des impositions à la fin de l'Ancien Régime ; les n° 63-65 (XVIIIe siècle) se signalent par des ferronneries et des bas-reliefs ; au n° 54 vécut Pascal de 1654 à 1662, qui écrivit, à cette époque, les *Pensées* et les *Provinciales*.

La **place de la Sorbonne** est le cœur du Quartier latin. Elle a récemment été rendue piétonnière et les terrasses de cafés s'étalent paisiblement à l'ombre de la chapelle et sous la bienveillante surveillance des Presses universitaires de France.

La **rue Champollion** est la seule survivante de l'environnement ancien de la Sorbonne. Parmi ses vieilles maisons, les n° 5-17, qui ont conservé leurs portes, furent édifiés en 1670 par Jacques Curabelle pour le collège de Sorbonne.

La **rue de l'Ecole-de-Médecine**, dite, avant la Révolution, des Cordeliers, devait cette appellation au couvent installé aux n° 14-21, dont il subsiste quelques vestiges. Si aux n° 1-3 l'église Saint-Côme-Saint-Damien fut démolie en 1836, au n° 5 se trouvent d'importants restes de l'activité de la confrérie des barbiers-chirurgiens, l'amphithéâtre anatomique, son dôme et ses portiques, élevés par Charles et Louis Joubert (1691-1695), qui accueillit, en 1731, la toute nouvelle société académique de chirurgie, transformée en 1748, en Académie royale de chirurgie. Elle siégea ici jusqu'en 1775, où une école de dessin vint la rempla-

cer pour un siècle, et fut l'objet d'améliorations par Constant-Dufeux sous Louis-Philippe. L'ancien couvent des Cordeliers (n° 15-21), où siégea le fameux club révolutionnaire fondé par Danton, fut rasé sous l'Empire, et, à l'emplacement du cloître, on édifia, à partir de 1878, les tristes façades de l'Ecole pratique de médecine. Le réfectoire de style flamboyant est tout ce qui reste de cet ensemble monumental qui fut l'un des plus importants du Moyen Age. Le musée Dupuytren, installé dans le réfectoire du couvent des Cordeliers, conserve une collection de pièces anatomiques et de gravures.

La **faculé de médecine** (n° 12) fut construite de 1768 à 1774 par Gondouin pour les écoles et l'académie de chirurgie. Le portique et la cour néoclassiques reçurent pour compléments, à partir de 1878, les constructions que Ginain éleva à l'ouest et en bordure du boulevard Saint-Germain. Le musée d'Histoire de la médecine, installé dans les locaux de la faculté, renferme des instruments et des traités de médecine (tél. 43.29.21.77).

3. La montagne Sainte-Geneviève

L'espace situé entre l'abbaye Sainte-Geneviève, fondée par Clovis et Clotilde, et le bourg Saint-Marcel, connut très tôt un peuplement tant au long de la rue Saint-Jacques, route de pèlerinage, que de la rue Mouffetard, chemin direct et escarpé aboutissant à l'église Saint-Médard. La population devint ici de plus en plus nombreuse ; ainsi arriva-t-on, dès le XVIe siècle, à une urbanisation totale d'un quartier

peuplé essentiellement de commerçants et de petites gens. Le XVIIe siècle est celui de l'établissement des communautés religieuses : en 1612, les Ursulines (au niveau du n° 255, rue Saint-Jacques) ; en 1626, les Visitandines ; en 1688, les Filles de Sainte-Perpétue (rue Tournefort) ; en 1690, les Filles de Sainte-Aure (n° 16, rue Tournefort) ; en 1603, le Carmel de l'Incarnation fondé grâce à la duchesse

« S'étant assis pensif au coin d'une masure
Ses yeux cherchaient dans l'ombre un rêve qui brilla.
Il songeait ; il avait, tout petit, joué là ;
Le passé devant lui, plein de voix enfantines,
Apparaissait ; c'est là qu'étaient les Feuillantines...
Que d'arbres ! que d'air pur dans les rameaux tremblants !
On fut la tête blonde, on a des cheveux blancs... »

(Victor Hugo, Les Châtiments, 1871.)

de Longueville ; il eut pour supérieure Mme Acarie et la duchesse de la Vallière s'y retira en 1674 ; en 1624, le Val-de-Grâce ; en 1626, l'abbaye de Port-Royal, centre de disputes théologiques célèbre. Le quartier fut, pour longtemps, le centre janséniste de Paris, et l'affaire des convulsionnaires de Saint-Médard (1727-1732) ne fut qu'un épisode du conflit politico-religieux qui opposait une partie de l'université janséniste et du monde de l'édition au roi et au pape.

Les grandes modifications survenues dans ce secteur commencent au XIXe siècle, avec l'établissement des grandes écoles : Ecole normale supérieure (1813, rue Lhomond ; 1826, rue Saint-Jacques ; enfin, 1847, n° 45 rue d'Ulm) ; Institut d'océanographie (1910) et Institut de géographie et de physique du globe (193 et 195, rue Saint-Jacques, à l'emplacement du couvent de la Visitation) ; Institut de biologie physico-chimique (rue Pierre-et-Marie-Curie) ; divers instituts dont l'institut Curie (1931, 26, rue d'Ulm) ; Ecole nationale des arts décoratifs (31, rue d'Ulm) ; Institut national de recherches pédagogiques (29, rue d'Ulm) ; Institut national agronomique (16, rue Claude-Bernard). Ces établissements marquent, pour la plupart, une grande spécialisation vers les disciplines scientifiques. L'autre facteur déterminant pour la transformation de la partie sud-ouest de ce quartier fut la grande campagne de travaux et de percées menée dès l'Empire et poursuivie par Haussmann : rues Gay-Lussac (1859), Monge (1864), Claude-Bernard (1850), Ulm (1807, 1844), Pierre-Curie (1909), des Ursulines (1800), Erasme (1937), Pierre-Bros-

solette (1923), Pierre-Nicole (1864, 1904), Berthollet (1857), sans compter la politique délibérée de reconstruction en immeubles bourgeois des habitations antérieures. A traverser ce secteur, il s'en dégage une curieuse impression de manque d'unité entre la partie « récente », faite de constructions souvent sans caractère, voire inattendues (Laboratoires de physique de l'Ecole normale, rue Lhomond, Maison des mines, 282, rue Saint-Jacques) dans les rues aux proportions médiocres et les îlots anciens préservés, comme la rue Mouffetard et les rues adjacentes. On y a conservé le cachet et le pittoresque d'un vieux village tout en l'adaptant aux exigences contemporaines. Depuis une trentaine d'années les réhabilitations soignées y ont été nombreuses, entraînant l'arrivée en masse de « bourgeois » qui ont littéralement pris d'assaut des taudis insalubres qu'ils ont intelligemment rénovés.

L'église Saint-Médard
(141, rue Mouffetard)

A l'endroit où la voie romaine traversait la Bièvre, un sanctuaire fut établi à l'époque carolingienne. L'église, qui dépendait de l'abbaye Sainte-Geneviève, fut, jusqu'au XIIIe siècle, desservie par un prieur-curé : c'est de cette époque que daterait la partie inférieure du clocher, tandis que la nef et les bas-côtés, de style flamboyant, seraient de la fin du XVe siècle. Une grande campagne de travaux entreprise au milieu du XVIe siècle eut pour objet : la surélévation du clocher et l'édification du chœur et des collatéraux. Le déambulatoire et les voûtes du chœur furent réalisés au début du

Une façade très décorée, au n° 132, rue Mouffetard.

XVIIe siècle. Le portail fut reconstruit en 1777 et, en 1784, on mit à l'antique les piliers du chœur. Parallèlement, l'extérieur subit des modifications avec la suppression, au XVIe siècle, du cimetière au nord alors remplacé par un autre au sud, transféré ensuite à l'abside (1691) et définitivement supprimé en 1784 lors de l'édification de la chapelle de la Vierge.

A l'intérieur, le buffet d'orgue, par Germain Pilon (1645), est décoré d'un Christ descendant du ciel ; la chaire est de 1718 ; la première chapelle du bas-côté gauche renferme un tableau de Natoire (*Jésus chassant les marchands du Temple*, 1728) ; la première chapelle du chœur, un attribué à Zurbaran (*Promenade de saint Joseph avec l'Enfant Jésus*) ; la sixième chapelle du chœur, un tableau de Eisen (*Sainte Geneviève gardant les moutons*, vers 1765) et la septième une statue de Challe figurant la religion (XVIIIe siècle).

Escarpée et typique, la **rue Mouffetard** est bordée de quantité de maisons anciennes dont le rez-de-chaussée est occupé par des boutiques : la « fripe » y recule devant les magasins de primeurs et d'alimentation qui animent un marché coloré ; de nombreux restaurants grecs y ont remplacé les traditionnels bougnats, faisant flotter une odeur de brochettes. C'est une voie qu'il faut parcourir en appréciant ici une lucarne, là une porte et ses ferronneries, ailleurs une enseigne (n° 122, « A la Bonne Source », XVIIe siècle). Toute la partie basse de la rue est ancienne (n° 142-134). On ne manquera pas de jeter un coup d'œil sur les petites rues adjacentes.

La **rue Daubenton** est très étroite, et possède, au n° 43, une belle porte d'entrée secondaire de l'église. Au-delà se trouvait le premier cimetière dont la porte d'entrée est murée (n° 7).

Rue Mouffetard, au n° 81, subsistent les restes du portail d'une ancienne chapelle (XVIIIe siècle) ; au n° 73 a été ouverte la galerie du Nouveau-Théâtre, passage vers la rue Gracieuse ; au n° 69, la maison du Vieux-Chêne (bal public sous le second Empire) possède une rarissime enseigne de bois sculpté.

La **rue du Pot-de-Fer** est un bel exemple de rénovation réussie, accompagnée d'une animation facilitée par sa transformation en zone piétonne. C'est ce cimetière qui, au XVIIIe siècle, fut rendu célèbre par les pèlerinages « miraculeux » aux tombeaux du diacre Pâris († 1727) et du janséniste Pierre Nicole († 1695) ; il fut fermé en 1732 en raison des troubles occasionnés par les convulsionnaires, et un plaisantin écrivit sur la porte : « De par le Roi, défense à Dieu de faire miracle en ce lieu » ; c'est aujourd'hui un square.

Ancienne et bordée d'un grand nombre de restaurants, cette vaste terrasse est, l'été, très appréciée des touristes. La fontaine du Pot-de-Fer est l'une des quatorze fontaines que Marie de Médicis fit installer sur la rive gauche, lorsqu'elle décida d'alimenter en eau d'Arcueil le palais du Luxembourg. Créée en 1624, la fontaine fut reconstruite d'après Le Vau en 1671.

La **rue Tournefort**, fort calme car dépourvue de commerces, est bordée de constructions anciennes. Au n° 18, le couvent des Filles de Sainte-Aure (XVIIIe siècle) compta parmi ses pensionnaires la jeune Jeanne Bécu (renvoyée à l'âge de quinze ans) qui allait devenir Mme du Barry. Les bâtiments n'ont pas été modifiés et donnent sur un jardin. Aux n° 7-11 subsiste une caserne édifiée en 1775 pour mettre fin au logement des militaires chez l'habitant.

La **place de la Contrescarpe**, à laquelle on arrive par la rue Blainville, bordée de maisons anciennes, appartient à l'imagerie parisienne, avec ses pigeons et ses clochards côtoyant ses cafés et ses restaurants. Les n° 1 et 6 de la rue Thouin ont conservé de belles portes anciennes. La rue de l'Estrapade doit son nom au supplice infligé jadis à cet endroit. Inventé par un Italien, il consistait à lier les mains du condamné dans le dos, puis à le laisser tomber du haut d'une potence autant de fois qu'il le fallait pour que ses membres se disloquent, entraînant la mort. Cette peine appliquée aux soldats déserteurs et aux voleurs fut supprimée par Louis XVI. Construit en 1681, le n° 3 fut habité par Diderot à l'époque où il écrivait sa *Lettre aux aveugles à l'usage de ceux qui voient* (1747-1750). Les n° 5-7 possèdent de belles ferronneries et de beaux vantaux de portes ornés d'attributs militaires.

La **rue Laromiguière**, dépourvue de commerces, a gardé un calme tout provincial et possède, du côté des numéros pairs, de nombreuses vieilles maisons (Paul-Louis Courier vécut de 1785 à 1791 au n° 11).

La **rue des Irlandais** doit son nom au collège qui s'y installa en 1769, venant du collège des Lombards. Au n° 5, les bâtiments de Bélanger sont l'une de ses premières réalisations, lorsqu'il était encore sous l'influence de Gabriel. Le caractère en est austère, interrompu seulement par les refends de l'avant-corps central. La porte est surmontée d'un écusson aux armes de l'Irlande (une harpe). Au n° 11 de la rue Lhomond, la chapelle des Irlandais fait partie de l'établissement.

Rue d'Ulm, l'église maronite Notre-Dame-du-Liban est installée dans l'ancienne chapelle du collège des Jésuites. Elle est comprise dans les constructions récentes du foyer franco-libanais (1963). En 1847, l'Ecole normale supérieure s'installa au n° 45, dans l'immeuble que venait de construire Gisors. Elle a été considérablement agrandie depuis un demi-siècle, par plusieurs bâtiments qui donnent sur la rue Lhomond et qui sont essentiellement à usage scientifique.

Rue Saint-Jacques, au n° 252, l'église Saint-Jacques-du-Haut-Pas fut construite de 1630 à 1688, grâce à la

générosité de la duchesse de Longueville. La façade est de Gittard. A l'intérieur, on notera : une *Annonciation* attribuée à Le Nain (deuxième chapelle à droite) ; une *Assomption* par Jeaurat (1765), *Le Christ guérissant la belle-mère de Pierre* par Calvaert (XVIIᵉ siècle) et *Les Quatre Vertus* par Le Sueur (autour du chœur) ; un *Saint Pierre* par Restout (1728, première chapelle à gauche). Dans la chapelle de la Vierge due à Libéral Bruant, les décors sont de Glaize (1868).

Au n° 254, l'Institut des sourds-muets, fondé par l'abbé de l'Epée en 1760, fut installé en 1794 dans les locaux du séminaire des Oratoriens qui avait lui-même remplacé, en 1629, la commanderie Saint-Jacques. Les locaux actuels datent du XIXᵉ siècle (1831-1885). Aux n° 269-269 bis, la *Schola cantorum*, école supérieure de musique fondée en 1894 par d'Indy, Bordes et Guilmart, a joué un rôle très important dans le renouveau de la musique ancienne. Elle est installée dans l'ancien couvent des Bénédictins anglais (1674), transformé en prison sous la Révolution, puis rendu aux Anglais. La chapelle est devenue une salle de concert. Au n° 284 subsiste un portail du XVIIᵉ siècle : celui du Carmel de l'Incarnation fondé en 1603 par la duchesse de Longueville ; c'est ici que se retira, le 21 avril 1674, Louise de la Vallière, qui ne mourut qu'en 1710.

Le Val-de-Grâce
(1, place Alphonse-Laveran)

A cet emplacement, les Bourbons possédaient une propriété dite « le Petit Bourbon », dans laquelle Bérulle installa l'Oratoire (1611-1616), puis Anne d'Autriche les Bénédictines du Val-Profond (1621). La reine fit le vœu d'y bâtir une église si elle avait un fils, ce qui arriva en 1638. En 1645, le jeune roi en posa la première pierre et Mansart commença un chantier poursuivi par Lemercier, Le Muet puis Le Duc à qui l'on doit le dôme, les tourelles, la coupole et les bâtiments de la cour d'entrée, achevés en 1665. En 1793, le couvent fut transformé en hôpital militaire ; l'Ecole d'application du service de santé y a été ajoutée en 1850.

Parmi tous les grands médecins qui se sont illustrés ici, le baron Larrey, chirurgien de la Grande Armée, est probablement le plus connu : sa statue par David d'Angers (1843) est dans la cour.

De part et d'autre de la chapelle, s'étendent deux ailes : celle de gauche où logeaient les personnes de qualité (Anne d'Autriche, Christine de Suède, les nièces de Mazarin) et celle de droite qui abritait le couvent. Précédée d'un péristyle, l'église est dominée par un dôme très élevé (40 mètres), au tambour décoré de médaillons fleurdelisés et de contreforts surmontés de génies et de pots-à-feu ; les fortes saillies des corniches et des colonnes accentuent les contrastes de lumière, faisant de l'édifice un témoignage du baroque français. Cette église avait une triple fonction : paroissiale (nef), royale (chapelle Sainte-Anne, à gauche), abbatiale (chapelle Saint-Louis, à droite). La richesse et la beauté du décor frappent peut-être encore plus que l'équilibre des proportions, qu'il s'agisse des pilastres cannelés, des vertus dans les écoinçons, de la voûte à caissons et des figures allongées au-dessus des fenêtres. Les stucs y sont de M. Anguier, l'autel de Le Duc qui en fit une adaptation à six colonnes du baldaquin du Bernin à Saint-Pierre de Rome ; la coupole peinte par Mignard représente le séjour des bienheureux où figurent plus de deux cents personnages plus grands que nature. Le caractère royal et majestueux de l'église apparaît dans les vocables des chapelles votives dédiées à des saints couronnés (Canut, Eric, Clotilde, Bathilde, Louis) et dans la qualité du pavement de mar-

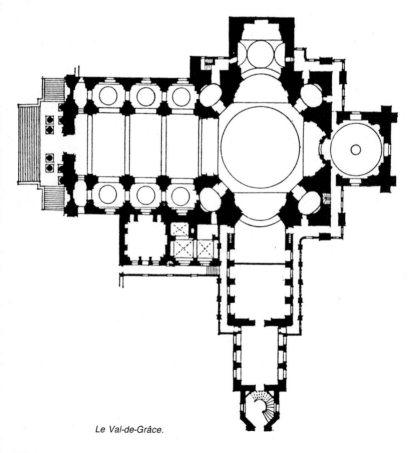

Le Val-de-Grâce.

bre et des grilles de fer forgé rehaussées d'or qui ferment les chapelles latérales ; celle de droite, affectée aux religieuses, leur permettait de suivre les offices à l'abri des regards ; celle de gauche reçut les cœurs des enfants royaux ainsi que ceux d'Anne d'Autriche et de Philippe d'Orléans ; derrière l'autel, la chapelle du Saint-Sacrement, dont la voûte fut peinte par Philippe de Champaigne, comporte quatre médaillons de M. Anguier. Par la chapelle Saint-Louis, on accède au cloître qui date de la même époque. Les bâtiments conventuels sont presque intacts et abritent un musée relatif à l'histoire du service de santé et du matériel militaire médical.

La **place Laveran**, dessinée en 1930, n'est qu'une tardive et pâle réalisation du projet de F. Mansart qui avait prévu ici une vaste place semi-circulaire destinée à mettre l'église en valeur. En empruntant la rue du Val-de-Grâce, on a une vue d'ensemble sur l'édifice et son dôme.

Boulevard de Port-Royal, au n° 88 se trouve un immeuble de P.-L. Alinot (1884) qui comporte, semble-t-il, le premier bow-window de Paris. Aux n° 123-125, l'ancienne abbaye de Port-Royal est occupée par la maternité Baudelocque. Près de Chevreuse, à Port-Royal-des-Champs, avait été fondée, en 1204, une abbaye cistercienne de femmes. Elle fut réformée au début du XVIIe siècle par la très célèbre Angélique Arnauld qui en fit un centre de recueillement et de piété très apprécié. Ayant acquis en 1625 l'hôtel de Clagny, sa mère y installa des religieuses (1626), ce qui permit aux messieurs de Port-Royal de s'installer, à leur suite, « aux champs » ; dès 1627, le couvent parisien ne dépendit plus que de l'archevêché, et son aumônier, l'abbé de Saint-Cyran y diffusa les idées jansénistes, si bien que les deux abbayes devinrent les foyers jansénistes d'où partirent querelles, libelles ou troubles : après avoir été purement religieux, le débat tourna rapidement, sous Louis XIV, au politique ; en 1656-1657, Pascal, avec ses *Provinciales*, se fit le plus célèbre défenseur de Port-Royal. En 1664, Louis XIV fit

Le dôme de l'église du Val-de-Grâce.

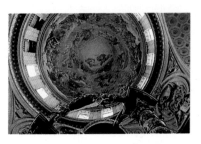

La coupole peinte par Mignard.

expulser les religieuses et, en 1709, raser Port-Royal-des-Champs. Sous la Révolution, on fit du couvent parisien une prison, puis une maison pour enfants trouvés (1795) qui allait devenir maternité (1818).

Les bâtiments qui subsistent datent du XVIIe siècle et comprennent : l'hôtel d'Atry, à un seul étage, où siège l'administration ; le cloître, de belles proportions et agrémenté d'un jardinet bien vert, ancien cimetière des religieuses ; les escaliers qui en partent ont conservé leurs balustres de bois ; la chapelle, en bordure du cloître, élevée par Lepautre (1646-1648), qui a conservé ses boiseries sculptées et sa table de communion en fer forgé ; la

L'Observatoire.

salle capitulaire, à côté du cloître, qui garde également ses boiseries anciennes.

L'Observatoire
(6, avenue de l'Observatoire)

Il fut créé par Louis XIV en 1667. C'est le plus ancien du monde. Perrault et d'Orbay élevèrent le bâtiment (1668-1672) auquel on ajouta, au XIXe siècle, un dôme et des ailes.

A l'intérieur est installé un musée de l'Astronomie où se côtoient une longue-vue de Napoléon Ier par Le Rebours, un globe céleste de Coronelli, une pendule dont le décor est de Caffieri et Coypel, des bustes d'astronomes et les statues des directeurs de l'établissement. Sa fondation s'inscrit dans le grand mouvement intellectuel concrétisé par l'apparition des académies, dont celle des sciences en 1666 : quatre générations de Cassini s'illustrèrent ici par leurs découvertes, jusqu'à la Révolution.

La **rue Cassini**, bordée d'immeubles modern'style, fut un véritable repaire d'intellectuels et d'artistes au début du siècle : Alain-Fournier (n° 1), le sculpteur Laurens (n° 5), Camille Flammarion, de 1874 à 1925, ou le philosophe Alain (n° 6). L'intérêt de cette rue tient à la variété des techniques de construction et des décors : ainsi les n° 3 bis-7 sont des ateliers conçus par Sue et Huillard (vers 1905) où fut utilisé le béton armé : leur décoration est de Louis Sire. Au n° 12, l'immeuble, bâti par Abella (1929), est décoré d'un bas-relief en béton très réaliste.

4. Le quartier du Jardin des Plantes

Le quartier du Jardin des Plantes correspond au territoire de deux faubourgs anciens : Saint-Marcel et Saint-Victor. A la suite de miracles réalisés par saint Marcel, contemporain de sainte Geneviève, et mort en 436, la dévotion populaire fit de sa tombe un lieu de culte autour duquel allait bientôt se constituer un faubourg. Si la collégiale Saint-Marcel n'apparaît dans les textes qu'au XIIe siècle, son acti-vité est bien antérieure, renforcée par sa situation sur la route de Lyon et de l'Italie (n° 79-83, boulevard Saint-Marcel). La présence d'un cours d'eau, la Bièvre, fut un facteur déterminant pour la prospérité du quartier : tous les métiers liés à la viande s'installèrent ici, car la Bièvre emportait les déchets et nettoyait les cuirs. Ainsi arrivèrent bouchers, mégissiers, tanneurs, corroyeurs, baudroyers, cordonniers, puis, toujours en raison de la présence de l'eau, tisserands, foulons auxquels vinrent se joindre, au milieu du XVe siècle, les teinturiers avec Jean Gobelin « teinturier en écarlate ». Enfin, s'installèrent d'autres teinturiers, les Canaye, qui se convertirent à la tapisserie de haute-lisse, suivis bientôt par d'autres lissiers regroupés, en 1663, en une manufacture royale de tapisseries qui devint rapidement le principal établissement industriel de l'endroit et de la ville.

Plus au nord, l'abbaye Saint-Victor, fondée en 1113 par Louis VI après l'installation de Guillaume de Champeaux (1108) qui abandonna l'école du chapitre en raison de la concurrence de son élève Abélard, s'étendait approximativement du Jardin des Plantes à la rue des Bernardins et, en bordure de la montagne Sainte-Geneviève, aux rues Saint-Victor et Linné. Par son enseignement, sa bibliothèque et la sévérité de sa discipline, cette abbaye fut un foyer intellectuel particulièrement fécond : son rayonnement dépassa de beaucoup la capitale, jouant un rôle important dans la « renaissance » du XIIe siècle. Elle fut détruite à la Révolution ; on installa à sa place une halle aux vins qui allait créer une animation commerciale et un pittoresque nouveaux, liés aux activités du port et des entrepôts.

Pour ces diverses raisons, le quartier fut très apprécié de quantité d'aristocrates qui s'y firent construire de luxueux hôtels à partir du XIVe siècle, autour de la rue du Fer-à-Moulin : le comte de Boulogne, Roger d'Armagnac, évêque de Laon, dont l'hôtel fut racheté par le fastueux duc de Berry, duc d'Orléans, Charles d'Albret, sans oublier, de l'autre côté du boulevard, l'hôtel de la reine Blanche (de Bourgogne), épouse de Charles IV, dont la fin tragique à la tour de Nesle inspira particulièrement Dumas (La Tour de Nesle, 1832) ; c'est dans cet hôtel luxueux qu'aurait eu lieu, en 1393, le fameux bal des Ardents auquel assistait le roi.

Intellectuel et industriel, le faubourg eut aussi une dimension charitable, avec la fondation de la Salpêtrière. Ici, on retrouve encore l'influence déterminante de saint Vincent de Paul qui, dans ce siècle de guerres et d'incertitudes, sut amener les autorités à engager un programme humanitaire pour les sans-abri. Aussi, en 1656, Louis XIV créa l'Hôpital général destiné à les accueillir et à les « recycler » en leur donnant du travail : ainsi naquirent les ateliers de fabrication de poudre à canon. Le succès de l'établissement fut tel que, de l'ouverture à 1679, le nombre des pensionnaires passa de 1 024 à 4 963, comprenant non seulement des pauvres, mais aussi des prostituées dont beaucoup, par la suite, allaient peupler les colonies américaines. Mais le quartier a beaucoup changé depuis le XIXe siècle, et l'on n'y rencontre plus guère de maisons anciennes, les rues ne dévoilant que de hautes façades d'immeubles de rapport. Toutefois, les principaux axes de l'activité traditionnelle subsistent : le quartier des Gobelins reste aux mains des artisans ; la Salpêtrière s'est, normalement, transformée en hôpital ; le Jardin des Plantes a conservé sa vocation première, la faculté des sciences maintient la tradition intellectuelle du secteur ; enfin, le projet de gare portuaire entrepris vers 1760 en bordure de l'hôpital, mais resté inachevé, aboutit sous Louis-Philippe à la gare ferroviaire d'Austerlitz.

Rue du Cardinal-Lemoine, du nom du collège fondé par le représentant de Boniface VIII auprès de Philippe le Bel, au n° 49, Boffrand éleva, en 1700, l'hôtel Lebrun pour un neveu du peintre, auditeur à la Chambre des comptes qui hébergea Watteau à la fin de sa vie (1718-1721). Le portail est orné d'un Bacchus, et les deux façades de frontons : celui de la cour porte les armes de Le Brun, et celui du jardin, la présentation faite par un génie des Le Brun à l'Immortalité ; ils sont dus à A. Flamen.

La **rue des Boulangers** est l'une des rares de ce secteur à comporter un grand nombre de maisons anciennes des XVIIe et XVIIIe siècles, avec de

L'Institut du monde arabe.

belles portes, des lucarnes curvilignes : n° 1-17 (cours aux n° 5 et 13), n° 18-30 et 34.

Les **Arènes**, n° 49, rue Monge, réapparurent au siècle dernier lors de l'ouverture de la rue Monge et des travaux effectués en 1869 par la Compagnie des omnibus qui dut, avec la ville, bâtir la rue et recouvrir une partie des arènes. Cependant, diverses démolitions permirent, à partir de 1884, de dégager et restaurer ce que nous en voyons aujourd'hui et d'imaginer ce qu'était l'édifice antique : long de 130 mètres, pouvant accueillir 15 000 personnes, haut de 35 niveaux de gradins, avec une scène importante (41 mètres) aménagée de niches qui en amélioraient l'acoustique : c'était le théâtre le plus vaste de la Gaule (fin du Ier siècle). Ruiné par les invasions du milieu du IIIe siècle, il devint un lieu de sépulture, puis un terrain de remblai au XIVe siècle, au point de disparaître complètement. Très endommagées et amputées de la partie occidentale incorporée dans la rue Monge, ces arènes sont devenues un jardin public.

L'**Institut du monde arabe** (I.M.A.), 23, quai Saint-Bernard (tél. 46.34.25.-25), fut fondé en 1980 afin de mieux faire connaître la civilisation musulmane, et de favoriser les échanges

entre cette culture et la culture occidentale. C'est une fondation mixte dont les frais sont assumés moitié par la France, moitié par les Etats signataires (Afrique du Nord, Proche-Orient et Moyen-Orient). L'édifice est de Jean Nouvel et de l'Architecture Studio. Situé dans le prolongement du bâtiment déjà ancien de la faculté des sciences, le bâtiment présente une façade sur le fleuve en verre et acier qui se termine par un arrondi. La façade arrière domine un vaste parvis auquel on accède par un passage en biais destiné à créer une rupture d'atmosphère avec la rue. Elle est décorée d'un motif qui évoque l'art arabe : c'est, en fait, un assemblage de petits stores métalliques dont l'ouverture est régie par des cellules photoélectriques, en fonction de l'intensité de la lumière.

L'intérieur est distribué autour des ascenseurs et comprend librairie, bibliothèque, centre de documentation, médiathèque, espace audiovisuel, auditorium et musée. Celui-ci est divisé en trois sections : Art arabo-islamique (contexte géographique avant l'Islam, l'Islam et ses développements historiques, arts et techniques) ; Art et société (XIXe-XXe siècles) ; Art contemporain. L'Institut

Les serres du Jardin des Plantes.

accueille aussi des expositions temporaires. A l'étage supérieur, le restaurant ouvre sur une vaste terrasse qui donne l'une des plus belles vues sur l'ouest et le nord de Paris, et, bien sûr, sur Notre-Dame.

(Entrée : rue des Fossés-Saint-Bernard).

La **faculté des sciences de Jussieu Paris VI et Paris VII** est installée, comme l'Institut du monde arabe, sur les terrains de la halle aux vins. Dès le XVIIe siècle, figurait à cet endroit un entrepôt de vin qui fut remplacé par une halle (1812) agrandie en 1868, mais concurrencée de plus en plus par les entrepôts de Bercy. En 1958, il fut nécessaire d'agrandir les locaux de la faculté des sciences, et les architectes Saessel, Cassan et Coulon élevèrent deux barres fonctionnelles sur le quai et rue Cuvier. En 1965, Albert paracheva l'ensemble avec, en bordure de la rue Jussieu, un édifice massif en verre et acier distribué autour d'une vaste cour, et dominé, depuis 1970, par une grande tour, dite Zamansky, du nom du doyen de l'époque. Pour humaniser ce dédale, quelques artistes ont fourni des œuvres pour les cours intérieures : Vasarely, Arp, Stahly, Beaudin et Lagrange pour le dallage de marbre, ainsi que Manoli

pour l'entrée de la rue Cuvier. Au sous-sol, un musée présente les collections de minéraux rapportés par des missions scientifiques à partir de 1809, ou entrés par achat.

Le **Jardin des Plantes** a été créé à la suite de travaux effectués par les botanistes du XVIe siècle ; à Paris, en particulier, l'apothicaire Nicolas Houel, en 1577, (rue Broca, dans le vieil hôpital) avait fondé la Maison de la charité chrétienne avec un « jardin des simples », premier jardin botanique de Paris, dans lequel on cultivait, en 1624, plus de mille espèces. En 1626, Louis XIII, à l'instigation de son médecin Héroard et de son apothicaire Guy de la Brosse, fonda le « Jardin des plantes médicinales », qui devint ensuite « Jardin du roi », reçut son organisation définitive en 1635, et fut ouvert au public en 1640. Son essor, sous Louis XIV, est dû aux récoltes des expéditions coloniales et à leur étude. Quelques noms restent particulièrement attachés à ce lieu : Fagon, médecin de Louis XIV et surintendant du jardin, qui créa des serres chaudes et un amphithéâtre de six cents places où l'on enseignait la chimie ; Tournefort ; les frères Jussieu, qui furent de grands voyageurs ; Buffon, enfin, qui, de 1739 à 1788, aidé par Daubenton et Verniquet, doubla la superficie du parc lui donnant à peu près son aspect actuel ; il construisit un nouvel amphithéâtre, et publia en trente-six volumes son *Histoire naturelle* qui allait assurer le rayonnement international de l'institution. A la Révolution, des animaux furent installés, et le jardin devint une promenade à la mode pour découvrir girafes, ours ou éléphants.

En entrant par la **rue Cuvier**, on trouve successivement sur la gauche la maison de Chevreul, directeur du Muséum, les locaux de l'administration installés dans l'hôtel de Magny (construit vers 1700 par Bullet), la maison de Cuvier, l'amphithéâtre de Verniquet (1787) qui, en 1794, hébergea la toute nouvelle Ecole normale supérieure ; à droite, sur deux monticules, on verra le labyrinthe de Guy de la Brosse, réaménagé par Buffon, et coiffé d'un édicule (1786) dont l'armature de fer provient des forges de Buffon, et aussi la tombe de Daubenton et un cèdre du Liban planté en 1734.

Tout au long de la rue Cuvier, les ménageries abritent un bel ensemble de reptiles, oiseaux, insectes, singes (1927), fauves (1937), ours, répartis dans un jardin à l'anglaise, en bordure duquel un jardin alpin a été aménagé. Au centre se trouvent l'école de botanique, le jardin d'hiver et les serres ; celles-ci ont été réalisées en 1833 par Rohault de Fleury qui, avec des structures de fer, a laissé un maximum d'espace à la lumière ; le jardin d'hiver (1938) est réservé aux plantes tropicales.

La **bibliothèque du Muséum** (tél. 43.36.14.41) renferme non seulement des ouvrages scientifiques, mais aussi les célèbres vélins du roi, collection de peintures naturalistes commencée en 1630 par Nicolas Robert pour Gaston d'Orléans et poursuivie jusqu'à nos jours. Dufy a décoré le hall de deux fresques : *Les Naturalistes* et *Les Explorateurs*.

Le musée comprend trois sections : les galeries d'anatomie et de paléontologie qui retracent l'évolution de toutes les espèces animales par la présentation de squelettes et de fossiles dont certains remontent à plus de deux milliards d'années. La galerie de botanique où l'on peut admirer les très beaux herbiers de Jussieu, Lamarck ou Brongniart. Enfin, les galeries de minéralogie et de géologie renferment plus de 250 000 spécimens et aussi les pierres fines de la collection de Louis XIV, une collection unique au monde de cristaux géants, des météorites, etc. La statue de Lamarck par Fagel (1908) est le signal de l'entrée principale, place Valhubert.

La **gare d'Austerlitz** fut, dans sa première version, l'œuvre de Callet (1843). Elle fut reconstruite par Renault, à l'occasion de l'Exposition universelle de 1867, et fort agrandie. Si l'entrée du métro aérien et la passerelle qui conduit à un parc souterrain en ont quelque peu modifié l'aspect extérieur, elle reste un bon exemple

« *Le fauxbourg Saint-Marcel* »

« *C'est le quartier où habite la populace de Paris, la plus pauvre, la plus remuante & la plus indisciplinable. Il y a plus d'argent dans une seule maison du fauxbourg Saint-Honoré, que dans tout le fauxbourg Saint-Marcel, ou Saint-Marceau, pris collectivement.*

« *C'est dans ces habitations éloignées du mouvement central de la ville, que se cachent les hommes ruinés, les misanthropes, les alchymistes, les maniaques, les rentiers bornés, & aussi quelques sages studieux, qui cherchent réellement la solitude, & qui veulent vivre absolument ignorés & séparés des quartiers bruyants des spectacles. Jamais personne n'ira les chercher à cette extrémité de la ville. Si l'on fait un voyage dans ce pays-là, c'est par curiosité ; rien ne vous y appelle ; il n'y a pas un seul monument à y voir : c'est un peuple qui n'a aucun rapport avec les Parisiens, habitants polis des bords de la Seine.* »

(*Louis-Sébastien Mercier,* Le Tableau de Paris, *1782-1788.*)

d'architecture officielle, décorée des figures de l'art et de la science, au carrefour du boulevard de L'Hôpital aménagé en arc de cercle ; et, dans le même esprit, la cour du départ est à la gloire de l'agriculture et de l'industrie.

L'**hôpital de la Salpêtrière**, 47, boulevard de l'Hôpital, fut, sous Louis XIII, une fabrique de poudre qui dut son existence à la proximité de l'Arsenal, de l'autre côté de la Seine. En 1656, Louis XIV décida d'installer, de gré ou de force, dans ce qui devenait un hôpital général, vagabonds, pauvres et prostituées. Le financement en fut assuré par le roi et de généreux donateurs : Mazarin, Fouquet, Pomponne de Bellièvre. Le Vau dessina les parties situées de part et d'autre de la chapelle ; Le Muet et Duval reprirent le chantier ; Bruant réalisa la façade de la chapelle, prélude aux Invalides dont il allait être chargé en 1669. En même temps, avec opportunisme, le vocable de la chapelle changea de Saint-Denis en Saint-Louis. Destinée à des laïcs, presque hors-la-loi, celle-ci est austère, mais majestueuse, et Bruant l'a rendue d'une réelle commodité. Terminée en coupole, la rotonde centrale est dans l'axe des quatre nefs entre lesquelles quatre chapelles ovales et coiffées également de dômes ouvrent elles-mêmes sur la rotonde. Cette fragmentation de l'espace permettait de séparer les catégories de fidèles (hommes, femmes, enfants).

A partir de 1684, l'aspect carcéral l'emporta, et l'on distingua les filles « perverses » susceptibles de s'amender, logées dans la « correction », les prostituées dans le « commun » à l'est, les femmes condamnées dans la « prison » et les condamnées à perpétuité dans la « grande force ». C'est ici que l'abbé Prévost installa Manon Lescaut et la fit délivrer par Desgrieux. A la Révolution, la Salpêtrière cessa d'être une prison pour femmes et fut remplacée, en 1794, par la prison Saint-Lazare, rue du Faubourg-Saint-Denis ; elle devint un hôpital affecté aux maladies mentales (1796) où allaient exercer Pinel (mort en 1826) et Charcot (seconde moitié du XIXe siècle). A

La chapelle de l'hôpital de la Salpêtrière.

l'extérieur, l'impression de longueur de la façade est accrue par l'importance des corniches ; au centre, entre deux pavillons à fronton triangulaire dénués d'ornementation ouvre le péristyle qui donne accès à la chapelle surmontée d'un dôme octogonal imposant.

L'**église Saint-Marcel**, n° 89, boulevard de l'Hôpital, rappelle l'existence du faubourg né autour du tombeau du saint ; due à D. Michelin (1966), elle est très bien éclairée par les vitraux d'Isabelle Rouault.

La **manufacture des Gobelins**, 42, avenue des Gobelins, fut créée en 1662 par Colbert qui, en fait, réunit les anciens ateliers du Louvre, du faubourg Saint-Marcel et de la manufacture de Fouquet à Maincy. Le Brun la dirigea et fit un lotissement pour loger les ouvriers et leurs familles. Il s'agissait, pour le roi, de fabriquer de belles tentures pour la décoration de ses demeures : ainsi virent le jour les belles séries de « L'Histoire du Roy », de « L'Histoire d'Alexandre », des « Maisons royales » ou des « Saisons », exécutées en haute et basse lisse. Mignard succéda à Le Brun et, au XVIIIe siècle, l'art de la tapisserie se

Visite de Louis XIV à la manufacture des Gobelins en 1667.
Tapisserie du XVIIIᵉ siècle, atelier de Leblond.

rapprocha singulièrement de celui de la peinture sous l'influence de Coypel ou Boucher qui fournirent de très nombreux cartons. Parallèlement, le mécénat royal s'étendit aux tapis (Savonnerie), au mobilier, à l'orfèvrerie, et l'édit de 1667 organisa la Manufacture royale des meubles de la couronne :

Le quartier des Gobelins

« *La ruelle des Gobelins est, à coup sûr, le plus surprenant coin que le Paris contemporain recèle.*

« *C'est une allée de guingois, bâtie, à gauche, de maisons qui lézardent, bombent et cahotent. Aucun alignement, mais un amas de tuyaux et de gargouilles, de ventres gonflés et de toits fous. Les croisées grillées bambochent ; des morceaux de sac et des lambeaux de bâche remplacent les carreaux perdus ; des briques bouchent d'anciennes portes, des Y rouillés de fer retiennent les murs que côtoie la Bièvre ; et cela se prolonge jusqu'aux derrières de la manufacture des Gobelins où cette eau de vaisselle s'engouffre, en bourdonnant, sous un pont. [...]*

« *A droite, la ruelle est bordée d'étables qui trébuchent sur une terre pétrie de frasier et amollie par des ruisseaux d'ordure. Çà et là, de grands murs rongés de nitre, fleuronnés de moisissures, rosacés de toiles d'araignée, calcinés comme par un incendie ; puis d'incohérentes chaumines, sans étage, grêlées par des places de clous, jambonnées par des fumées de poêle ; et, le soir, les artisans qui logent dans ces masures prennent le frais sur le pas des portes. [...]*

« *Sans doute, cette étonnante ruelle décèle l'horreur d'une misère infime ; mais cette misère n'a ni l'ignoble bassesse, ni la joviale crapule des quartiers qui l'avoisinent ; ce n'est pas le sinistre délabrement de la Butte-aux-Cailles, la menaçante immondice de la rue Jeanne-d'Arc, la funèbre ribote de l'avenue d'Italie et des Gobelins ; c'est une misère anoblie par l'étampe des anciens temps ; ce sont de lyriques guenilles, des haillons peints par Rembrandt, de délicieuses hideurs blasonnées par l'art.* »

(J.-K. Huysmans, La Bièvre, les Gobelins, Saint-Séverin, *1901.*)

La Mosquée de Paris.

c'est de ces ateliers que sortit le fameux mobilier d'argent de Versailles qui devait être porté à la fonte, à partir de 1690, pour payer les dépenses de la guerre. Derrière la façade de Formigé (1914) décorée par Landowsky et Injalbert, subsistent les vieux bâtiments du XVIIe siècle visibles de la rue Berbier-du-Mets. Outre les ateliers de tapisserie (Beauvais depuis 1940, Savonnerie), les Gobelins abritent le mobilier national, garde-meuble de l'Etat, et l'Institut français de restauration des œuvres d'art.

Rue Scipion, au n° 13, subsiste l'une des rares demeures anciennes du secteur de la rue du Fer-à-Moulin qui fut la première maison élevée en brique et pierre à Paris (1565). Scipion Sardini, qui appartenait à l'entourage de Catherine de Médicis, devint le banquier d'Henri III et se fit construire cet hôtel pourvu d'un vaste jardin allant jusqu'à la Bièvre. Après sa mort, l'hôtel fut transformé en hôpital, puis en boulangerie de l'Hôpital général (1670 à 1974). Il appartient aujourd'hui à la pharmacie centrale des hôpitaux. De la période de Sardini, il reste, à droite dans la cour, quelques arcades de la galerie surmontées de médaillons de terre cuite (guerriers, femmes). Le square qui fait face à l'édifice se termine par une fontaine ornée d'un grand bas-relief réaliste en céramique par A. Charpentier : il représente un boulanger et une femme de lessive.

La **Mosquée de Paris**, 1, place du Puits-de-l'Ermite, a été construite par Heubès, Fournez et Mantout (1922-1926) dans un style mauresque, avec la participation d'artistes d'Afrique du Nord. Elle a une triple fonction : religieuse, culturelle et commerciale. Orné de mosaïques bleues, le patio est inspiré de l'Alhambra, avec fontaine, colonnes et arcs outrepassés.

Le sol de la salle de prière est couvert de beaux tapis du XVIIe siècle ; la coupole et les plafonds ont un décor très recherché en bois de cèdre ; dans la cour d'honneur, la galerie de marbre rose donne accès à la salle d'honneur et à la bibliothèque, centre de l'Institut d'études musulmanes.

Les activités commerciales comprennent un hammam avec trois étuves, un restaurant, un café maure et un bazar oriental.

La pureté de l'architecture, la tranquillité de l'endroit et la beauté du jardin en font un lieu de repos et de méditation.

5. Le Luxembourg

En marge de la zone étudiante, le secteur délimité par la rue Monsieur-le-Prince, les boulevards Saint-Michel, du Montparnasse et Raspail, les rues du Cherche-Midi, du Vieux-Colombier et Saint-Sulpice constitue un monde à part, calme, qui occupe une place de premier plan dans le Paris intellectuel, avec ses libraires, ses éditeurs, ses établissements étrangers à l'agitation, son habitat ancien ou moderne bien construit, toujours cossu, ses petites rues vieillottes où il fait bon flâner autour de l'Odéon et de Saint-Sulpice, même si, à de rares exceptions près, la plupart des édifices n'ont pas la qualité de ceux du Marais ou du faubourg Saint-Germain. La physionomie de ce quartier est largement tributaire des différentes phases de sa constitution : palais et jardin du Luxembourg, place Saint-Sulpice, Odéon et ses annexes à l'emplacement de l'hôtel de Condé, enfin, au sud et à l'ouest, sur le terrain des Chartreux, aménagement du quartier d'Assas.

L'Odéon

En 1764, le prince Louis-Joseph de Bourbon-Condé acheta le palais Bourbon. Le roi, qui cherchait à installer ses comédiens dans un nouveau théâtre, acquit l'hôtel de Condé, et chargea les architectes Peyre et De Wailly de lotir ce vaste domaine, en aménageant, en priorité, un immense théâtre (le plus grand de Paris avec 1 913 places) et une place d'où devaient partir en patte

La Mouette, *jouée à l'Odéon en 1988.*

d'oie, comme à Versailles, les rues de l'Odéon, Casimir-Delavigne et Crébillon.

Ce fut la première opération parisienne d'urbanisme liée à une salle de spectacle, comme allait bientôt le souligner Quatremère de Quincy : « C'est le seul théâtre de Paris qu'on puisse citer comme méritant le nom de monument [...] ses abords [...] son isolement surtout, ce qui est rare dans une ville aussi serrée que Paris, en recommandant l'aspect ainsi que la facilité de la circulation. » De fait, les formes massives, le péristyle sévère, l'appareil à refends, la galerie à arcades ceinturant le rez-de-chaussée, toute cette austérité à l'antique était atténuée par deux arcades latérales, supprimées au XIXe siècle qui, en servant d'abri pour les carrosses, liaient intimement le théâtre aux édifices et cafés voisins.

Et la place de l'Odéon, achevée en 1779, témoigne bien de cette osmose. Son plan semi-circulaire, ses proportions, ses arcatures au rez-de-chaussée de même module que les arcades du théâtre, tout devait concourir à la mise en valeur du monument, jusqu'au très célèbre café Voltaire, au n° 1, qui, des origines à 1956, fut l'annexe du théâtre et le lieu de rendez-vous des comédiens, écrivains, artistes et gens de lettres tels que Delacroix, Mallarmé, Valéry, Gide ou Hemingway.

Le théâtre

La troupe des comédiens du roi qui s'était repliée sur la salle des machines des Tuileries pendant les travaux inaugura à nouveau le Théâtre-Français en 1782. Jugé monarchiste, le théâtre fut fermé en 1793 et la plupart des comédiens connurent la prison. A sa réouverture, en 1797, il reçut l'appellation antique d'Odéon.

Après deux incendies réparés par Chalgrin (1808) et Daguerre (conseillé par David, 1819), cette maison connut, pour un siècle, d'inégales fortunes sous une trentaine de directeurs parmi lesquels émergent trois personnalités : Paul Porel, Antoine et l'ancien préfet Harel, fondateur du journal satirique *Le Nain jaune*. Arrivant du théâtre de la Porte-Saint-Martin avec son égérie Mademoiselle George, celui-ci monta, en trois ans, *Christine de Suède* de Dumas, *Le Maréchal d'Ancre* de Vigny, avec Frédérick Lemaître et Mademoiselle George, *La Nuit vénitienne* de Musset et *Marion Delorme* de Hugo, avec Marie Dorval. Largement déficitaire, l'Odéon ferma (1832) et une permanence théâtrale fut assurée deux fois par semaine par la

Comédie-Française et l'Opéra-Comique, sans plus de résultat, d'ailleurs. D'où une réouverture, en 1841, avec les grands succès de George Sand (*François le Champi*, et plus tard *Le Marquis de Villemer*). Mais c'est à Sarah Bernhardt, en rupture de la Comédie-Française, que l'Odéon dut un éclat certain, de 1862 à 1872.

Un véritable renouveau se fit avec Paul Porel comme directeur (1884-1892). Il modernisa les lieux (électrification) et, secondé de son épouse Réjane, et de comédiens remarquables comme Paul Mounet et Mme Segond-Weber, il se tourna vers le naturalisme en faisant jouer *Germinie Lacerteux* des Goncourt et surtout *L'Arlésienne* de Daudet et Bizet qui fut un triomphe.

Beaucoup plus tard, survint Antoine (1906-1914), fondateur du Théâtre-Libre, qui fit de l'Odéon un théâtre de premier plan en renouvelant la décoration de la salle, en montant les classiques et, surtout, en révélant de jeunes auteurs comme Jules Romains ou Georges Duhamel. Après lui, on ne saurait manquer d'évoquer les riches heures de Firmin Gémier, puis de la compagnie Renaud-Barrault (1959-1971) interrrompues par les chaudes heures de mai 68 qui fit de l'Odéon le quartier général de la contestation théâtrale.

Depuis 1971, l'Odéon est une sorte d'annexe de la Comédie-Française et a retrouvé sa vocation de théâtre moderne et contemporain qu'il avait connue comme « salle du Luxembourg » après la Première Guerre mondiale. La dernière commande décorative importante est le plafond d'André Masson (1965) qui évoque les tragiques français, étrangers et antiques dans des teintes or, azur et pourpre, non sans rappeler les grandes compositions baroques du XVIIIe siècle.

Le palais du Luxembourg

Le complexe palais-jardin du Luxembourg, limité d'est en ouest par le boulevard Saint-Michel et la rue Guynemer, et du nord au sud par les rues de Vaugirard et Auguste-Comte, est situé à l'emplacement de villas résidentielles de l'époque gallo-romaine, comme en témoignent les hypocaustes révélés lors des fouilles de 1972.

En 1613, la reine Marie de Médicis, venant d'acheter l'hôtel de François de Luxembourg, charge Salomon de Brosse de lui construire, dans l'axe de la rue de Tournon, une belle demeure qui lui rappelle le palais Pitti de sa Florence natale, dont, par ailleurs, elle a fait faire des relevés. Il réalise là un édifice considérable pour l'époque qui, par ses dimensions, évoque davantage un château qu'un hôtel, bien qu'il en ait le plan en fer à cheval fermé par une galerie en bordure de la rue de Vaugirard. Son caractère massif, les bossages de sa façade y sont les seuls traits italianisants. Comme au château de Monceau-en-Brie, où elle l'a déjà employé (1609), elle lui demande de surmonter la grande porte d'entrée monumentale d'une vaste coupole. Si la décoration intérieure confiée aux artistes les plus prestigieux a presque entièrement disparu, la série des toiles de Rubens sur la vie de Marie de Médicis, créée pour une galerie, est actuellement exposée au Louvre, tandis que la vie de Henri IV qui devait lui répondre ne fut jamais réalisée.

Les travaux à peine terminés, à la suite de la journée des Dupes (1630), Marie de Médicis dut partir en exil où elle mourut (1642). La propriété du palais passa à la mort de Louis XIII (1643) à Gaston d'Orléans, son frère, puis à la Grande Mademoiselle et, plus tard, au Régent. Ayant fait retour au roi, il y ouvrit, en 1750, le premier musée de France : celui-ci était ouvert deux fois par semaine et comprenait une cinquantaine de toiles des collections royales. En 1778, le comte de Provence (futur Louis XVIII) reçut la propriété en apanage, mais ne put habiter le palais, les travaux de remise en état menés par Chalgrin restant inachevés à la Révolution.

Séquestré, le palais fut transformé en « Maison nationale de sûreté », c'est-à-dire en prison (1793-1795), et accueillit jusqu'à huit cents détenus, parmi lesquels Camille Desmoulins, Hébert, Vergniaud, Fabre d'Eglantine et Danton qui, à son arrivée, aurait déclaré : « Messieurs, je comptais bien

La fontaine Médicis.

vous faire sortir d'ici, malheureusement, m'y voilà enfermé avec vous. Je ne sais quel sera le terme de tout ceci. »

En 1795, le Directoire prit le relais, puis le Sénat, en 1800, quand Bonaparte, Premier consul, partit vivre aux Tuileries. Des aménagements intérieurs furent faits sous la direction de Chalgrin (escalier d'honneur dans la galerie des Rubens, décoration de la galerie des Jordaens avec des toiles des signes du zodiaque achetées en 1802. Sous la Restauration et la monarchie de Juillet siégea la Chambre des pairs, et c'est ici que furent jugés et condamnés le maréchal Ney (1815) et Louis-Napoléon Bonaparte après son débarquement à Boulogne (1840). Une grande campagne de travaux, sous la direction de Gisors, fut menée à partir de 1835 : le palais fut alors considérablement agrandi. Sur le jardin, devant la façade, on éleva un nouveau corps de logis et des pavillons. En même temps, les décors intérieurs furent repris : la chapelle, la plupart des salons et, en outre, la salle des Séances dans le style néogothique ; le plafond de la bibliothèque fut confié à Delacroix (à partir de 1847) : *Dante et Virgile parcourant les Limbes* et *Alexandre après la bataille d'Arbelles fait déposer les poèmes d'Homère dans le coffre de Darius*. Auparavant, en 1817, l'ancienne salle du Livre d'or avait été aménagée en galerie avec des éléments décoratifs provenant des appartements de Marie de Médicis (médaillons peints attribués à Van Thulden, *Apothéose de Marie de Médicis* par Jean Monnier, au plafond) et une salle carrée, avec des boiseries à arabesques attribuées à Jean d'Udine et, au plafond, *Marie de Médicis rétablissant en France la paix et l'unité du gouvernement*, également par Jean Monnier.

Depuis 1852, le palais est affecté au Sénat. Toutefois, en raison de l'incendie de l'Hôtel de Ville, en 1871, la préfecture de la Seine y siégea jusqu'en 1879. Pendant la dernière guerre, les locaux furent occupés par le commandement en chef de la *Luftwaffe* sur le front ouest, qui construisit des abris fortifiés sous le jardin.

Visites : suspendues depuis octobre 1986. Se renseigner au 42.34.20.60.

**Le jardin
du Luxembourg**

Considérablement agrandi par diverses acquisitions, ce jardin est de Boyceau, qui mêla aux parterres de broderies, bien français, des grottes et des fontaines bien italiennes, aujourd'hui disparues.

Pour rappeler ce fastueux passé, on installa, en 1861, en bordure de la rue de Médicis, la fontaine Médicis attribuée à Salomon de Brosse, en y apportant diverses modifications. Avec ses congélations, son fronton aux armes de Marie de Médicis soutenu par les allégories des fleuves et de grandes vasques, elle contribue à faire de ce lieu un endroit très recherché des touristes les chaudes journées d'été. Les terres des Chartreux saisies sous la Révolution furent annexées au jardin, ce qui permit à Chalgrin de réaliser une liaison de verdure avec l'Observatoire, non altérée par les amputations dues à l'ouverture de la rue d'Assas en 1868, ou à celle du boulevard Saint-Michel vers 1860. Dans cette perspective, la fontaine de l'Observatoire par Davioud, Carpeaux et Frémiet, qui figure les quatre parties du monde, se signale par sa puissance et son élégance.

En 1835, Gisors éleva une orangerie non loin du Petit Luxembourg qui, de 1886 à la création du Musée national d'art moderne (1937), servit de lieu d'exposition pour les artistes vivants et contribua grandement à la renommée des « pompiers » : Bouguereau, Rochegrosse, Carrier-Belleuse, etc., qui, après une éclipse, retrouvent actuellement l'estime des amateurs.

Le bassin est entouré d'un jardin à la française, tandis qu'en bordure des rues Guynemer et Auguste-Comte le jardin à l'anglaise évoque l'anglomanie horticole qui régna en France à la fin de l'Ancien Régime et au XIXᵉ siècle. En outre, son grand nombre de statues en fait un véritable musée de plein air pour la sculpture du XIXᵉ siè-

---

Le Luxembourg

« *Près des barrières de la ville
Etait alors un beau jardin,
Lieu charmant, solitaire asile,
Ouvert pourtant soir et matin.
L'écolier son livre à la main,
Le rêveur avec sa paresse,
L'amoureux avec sa maîtresse
Entraient là comme en paradis.* »

(Alfred de Musset,
Poésies nouvelles, *1840*.)

cle, avec une galerie des reines et femmes illustres autour du bassin et le monument de Delacroix par Dalou devant le Petit Luxembourg. Lieu de promenade privilégié depuis le XVIIIe siècle, ce jardin a su, à travers toutes les vicissitudes passées, conserver son charme et la faveur des Parisiens, enfants, riverains, intellectuels artistes ou flâneurs.

Le **Petit Luxembourg** ou Petit Bourbon, n° 15, rue de Vaugirard. Mitoyen du palais, l'hôtel du Petit Luxembourg ou Petit Bourbon faisait partie des acquisitions de Marie de Médicis en 1612. Elle l'offrit à Richelieu, son protégé, en 1627 ; celui-ci y résida jusqu'à son installation au palais Cardinal. Dès lors son existence fut distincte de celle du palais du Luxembourg : le Grand Condé l'acquit (d'où son nom d'hôtel du Petit Bourbon) ; sa bru y fit faire des travaux par Boffrand (1709-1716) ; le comte de Provence le loua de 1788 à la Révolution, pendant que Chalgrin rénovait le Luxembourg. Acquis au siècle dernier par la Couronne pour des raisons de commodité évidentes, on en a fait la résidence du président du Sénat.

Rue de Tournon

Dans l'axe du palais du Luxembourg, la rue de Tournon, ouverte en 1510, est ornée, du côté des numéros pairs, de quantité d'hôtels du XVIIIe siècle qui ont abrité d'illustres personnages : le poète Ducis à l'hôtel d'Entragues (reconstruit vers 1780 par Neveu, n° 12) ; le maréchal d'Ancre, au n° 10 ; Octave Feuillet, Paul Bourget, le compositeur Gabriel Pierné dans l'hôtel Chartraire de Saint-Aignan (n° 8) ; le géo-

mètre et astronome Laplace au n° 6 occupé aujourd'hui par l'Institut français d'architecture : cet hôtel où subsistent sur le jardin des fenêtres à meneaux de la Renaissance, récemment mises au jour, a été reconstruit au début du XVIIe siècle par Bullet et se signale par son portail à fronton encadré de la Justice et de la Prudence ; à l'hôtel Palaiseau (n° 4), modifié au XVIIIe siècle pour les Montmorency, ont vécu, entre autres, Lamartine, Ledru-Rollin et Renan.

Au chevet de Saint-Sulpice, la **rue Garancière** abrite, au n° 8, le remarquable hôtel de Sourdéac, construit vers 1640 par l'architecte italien Bobelini ; sa façade et sa cour sont ornées de pilastres qui, sur la rue, sont enrichis de têtes de bélier. Ici, grâce à la présidente Le Jay, grand amateur de théâtre, Adrienne Lecouvreur fit, en 1717, ses débuts sur la scène. Par ailleurs, cet hôtel fut, de 1819 à 1850, le siège de la mairie du IIe arrondissement, puis de la librairie Plon.

Saint-Sulpice

Dès le XIIe siècle existait une église pour les habitants de l'abbaye Saint-Germain-des-Prés. Elle était devenue trop petite, et l'architecte Gamard (qui œuvra à l'église de l'abbaye et dans bien d'autres à Paris) fut chargé, en 1646, de sa reconstruction. Faute de moyens financiers, les travaux traînèrent, et les plans, qui durent en être repris, furent définitivement établis par Daniel Gittard qui éleva le chœur (1660-1678). Plus tard, Oppenord acheva le transept et entreprit la nef (1719-1733), achevée par Servandoni (1733-1736). Ce dernier fut, en outre,

Editeurs et libraires

Henri Plon, d'une ancienne famille de typographes, fonda avec le brevet d'imprimeur qu'il acheta en 1833 une maison d'édition successivement appelée « Béthune et Plon », « Plon frères », puis « Henri Plon ». En 1854, il s'installa dans l'hôtel de Sourdéac (8, rue Garancière), et le développement de sa maison fut tel que Napoléon III lui confia la publication de sa Vie de César, ce qui lui valut d'être nommé et officier de la Légion d'honneur et « imprimeur de l'Empereur ».

En 1872, Eugène Plon, succédant à son frère, poursuivit son œuvre et sut faire de cette maison spécialisée dans les Mémoires militaires (Marbot, Mac Donald, Chanzy, etc.), l'une des toutes premières de Paris. A sa mort en 1895, ses neveux poursuivirent sa politique de croissance et d'ouverture, et l'on vit figurer au catalogue Huysmans, Barrès, Bernanos, Julien Green, et, dans la tradition de la maison, des écrivains militaires et politiques : De Gaulle.

Librairie Flammarion. En 1875 naissait, galerie de l'Odéon, la maison Charles Marpon et Ernest Flammarion, par l'association des successeurs des frères Taride et d'un représentant de la maison Didier. Il s'agissait alors de racheter et d'écouler tout ou partie de fonds d'éditeurs, comme celui d'Albert Lacroix dont le Paris-Guide, sorti pour l'Exposition universelle de 1867 avec des signatures prestigieuses (Hugo, Michelet, Renan, etc.), fut l'une de leurs premières ventes. Avec un sens aigu des affaires, ils mirent au catalogue les grands auteurs. Dès 1876, ils se lancèrent dans l'édition, avec une comédie d'André Gill, La Corde au cou ; mais ce qui contribua à la fortune de la maison, ce fut l'édition illustrée de luxe ou en livraisons à prix modique (1878), et les ouvrages d'astronomie de Camille Flammarion, frère d'Ernest (1879). En 1882, la maison s'installa définitivement rue Racine. Poursuivant sa politique de diversification, elle se tourna vers le livre d'art, les éditions pour la jeunesse (Hector Malot), cependant qu'elle continuait de s'assurer, Michelet disparu, les collaborations prestigieuses de Zola, Maupassant, puis de Daudet et Jules Renard. Dans un large éclectisme, on lançait les collections des « Auteurs célèbres », « Ouvrages utiles » (la chasse). Charles Marpon étant mort en 1890, Ernest Flammarion (1856-1936) resta seul propriétaire et élargit son champ d'action à la littérature étrangère (russe au moment de la visite du tsar en 1896) ou humoristique (Tristan Bernard, Courteline, etc.). Par la suite, deux collections confirmèrent définitivement la réputation intellectuelle de la maison : la « Bibliothèque scientifique » et la « Bibliothèque des connaissances médicales » (1922), embryon du département Flammarion-médecine. Ainsi, sans jamais se renier, et grâce à une politique commerciale sagement menée qui savait compenser les risques par les ouvrages à succès, cette maison a su, avec clairvoyance et dynamisme, s'adresser à tous les publics, depuis la vulgarisation et les ouvrages pratiques jusqu'à la meilleure littérature et à l'édition artistique, scientifique ou enfantine.

La rue de l'Odéon a connu, entre les deux guerres, deux librairies dont le rôle fut considérable : la **Maison des amis du livre** d'Adrienne Monnier, véritable cercle littéraire réunissant Gide, Valéry, Romains... et **Shakespeare and Company** de Sylvia Beach, lieu de rendez-vous des anglophones Hemingway, Fitzgerald, Green, Joyce... ce qui a fait dire à André Chamson de ces deux passionnées de la littérature : « Elles ont fait plus pour lier l'Angleterre, les Etats-Unis, l'Irlande et la France que quatre ambassadeurs réunis. »

L'église Saint-Sulpice.

chargé du morceau de choix : la façade. Dans un style qui rompt avec les pratiques classiques traditionnelles (partie centrale surélevée, ailerons latéraux), il trouva un compromis entre la formule italienne à portiques superposés (dorique-ionique) et la cathédrale à la française (tours latérales). Les tours qui devaient se terminer par des flèches furent modifiées et couronnées par Marc Laurin de balustrades, en harmonie avec celle qui surmonte la loggia centrale, elle-même établie en remplacement du fronton de Servandoni brisé par la foudre peu après sa mise en place. En 1778, enfin, Chalgrin ajouta des colonnes à la tour nord mais, par manque d'argent, la tour sud ne fut jamais achevée.

Les proportions majestueuses de cette église qui est l'une des plus vastes de Paris se retrouvent à l'intérieur où les jeux de lumière créent un effet théâtral. La décoration intérieure ne comporte que peu d'éléments antérieurs au XIXe siècle : le splendide buffet d'orgue de Chalgrin ; les deux énormes coquilles offertes par la république de Venise à François Ier et montées en bénitiers par Pigalle sur des socles de rochers marins en marbre recouverts d'algues, poulpes... ; au pourtour du maître-autel, Bouchardon

a réalisé huit statues d'apôtres, précédées d'un Christ à la colonne et d'une *Mater dolorosa* ; enfin, dans l'abside, à la chapelle de la Vierge, Servandoni a conçu un ensemble décoratif, modifié par De Wailly en 1774 : autel de marbre orné d'un bas-relief en bronze par les Slotz ; dans la niche, derrière l'autel, statue de Pigalle représentant la Vierge portant l'Enfant Jésus ; fresque très restaurée de la coupole par Lemoyne (1731-1732) : *L'Assomption* et sur les murs, *L'Annonciation*, *La Visitation*, *L'Adoration des bergers*, *La Présentation au Temple* par Carle Van Loo.

Pour le reste, on retiendra les monuments funéraires des Douglas, morts en 1611 et 1645, et du curé de la paroisse, Languet de Gergy, mort en 1750, ainsi que le décor peint des chapelles, réalisé au XIXe siècle ; en particulier, dans la première chapelle, à droite, l'ensemble de Delacroix (1858-1863) : au centre, *Saint Michel terrassant le dragon*, à droite, *Héliodore chassé du Temple* et surtout, à gauche, la très célèbre *Lutte de Jacob avec l'ange* dans laquelle Baudelaire a vu la lutte de l'artiste avec la vie. Rappelons enfin que l'orgue de Clicquot a été tenu de 1869 à 1905 par Charles-Henri Widor.

Les Carmes, 70, rue de Vaugirard

En 1610, les Carmes s'installèrent, sur la recommandation de Paul V, à Lyon et à Paris, rue de Vaugirard, non loin du Luxembourg, dans une maison mise à leur disposition par Nicolas Vivien, maître des Comptes. La communauté se développa rapidement et reconstruisit un nouveau couvent, achevé en 1616. La chapelle suscita l'intérêt des Parisiens à cause de son dôme, le premier de Paris, à l'exception de celui de l'Oratoire de Marguerite-de-Valois au Pré-aux-Clercs : il inaugurait en effet, la longue série des coupoles qui, de Saint-Paul-Saint-Louis à la Sorbonne, au Val-de-Grâce, au collège des Quatre-Nations, à la Salpêtrière, à l'Assomption ou aux Invalides allaient, à un rythme rapide, se dresser dans le ciel parisien. L'ordre connut un vaste succès et bénéficia de donations qui, jointes à la commercialisation de l'eau de mélisse, lui assurèrent la prospérité matérielle.

A la Révolution, le prieur accueillit dans une partie de ses bâtiments, une caserne de pompiers, puis les communautés des sœurs des Billettes et de religieuses de la place Maubert chassées de leurs couvents, ce qui n'empêcha pas, lors de la création du district du Luxembourg, la saisie de l'immeuble et l'installation d'une prison (août 1792) tout comme à l'abbaye de Saint-Germain toute voisine. Dans les semaines qui suivirent, on y enferma cent quatre-vingts ecclésiastiques et trois laïcs. Lorsque le 1er septembre l'entrée de Brunswick à Verdun fut connue, la foule se rua sur la prison et, après un simulacre de procès où les suspects comparaissaient deux par deux, l'huissier Maillard, dit Tape-dur, qui venait de faire massacrer les détenus de l'abbaye, fit procéder aux exécutions : tous périrent, sauf

quatre ou cinq qui réussirent à s'enfuir. La prison close fut louée quelques mois à un limonadier (1793) et rouvrit ses portes, de sorte que, de décembre 1793 à septembre 1794, sept cents personnes y furent détenues, dont cent dix exécutées. Au 9 thermidor s'y trouvaient encore deux cents suspects, parmi lesquels Joséphine de Beauharnais et Mme Tallien.

Après avoir servi de dépôt d'approvisionnement (1794-1797), les bâtiments furent rachetés par une carmélite, Mlle de Soyécourt, qui y installa une communauté. Par la suite, on creusa la crypte, pour en faire un mémorial de ces sanglantes journées : en 1867, on y ajouta les ossements découverts lors du percement de la rue de Rennes, qui faisait disparaître une partie des bâtiments anciens. En 1841, Mgr Affre installa, dans ce qui restait des locaux anciens, l'Ecole des hautes études ecclésiastiques et, grâce à la loi de 1875 qui établit la liberté de l'enseignement supérieur, cet établissement put devenir l'Université catholique de Paris, puis, en 1880, l'Institut catholique. La plus grande partie des bâtiments actuels date de 1930 ; seule subsiste intégralement la chapelle, avec sa coupole peinte par Berthollet Flémalle, peintre liégeois du XVIIe siècle (Elie enlevé au ciel, car Elie est considéré comme le fondateur des Carmes), des peintures de Varin, Michel Corneille et Vouet (chapelles du Sacré-Cœur et de Saint-Elie). Dans la crypte, outre l'ossuaire révolutionnaire, se trouvent les tombeaux de Frédéric Ozanam, fondateur de la Conférence Saint-Vincent-de-Paul, et du cardinal Baudrillart, ancien recteur de l'Institut.

n° 6, à l'angle de la rue des Canettes, fut réalisé en 1754 pour servir de modèle. Le coût des expropriations et des démolitions fit bien vite renoncer à ce projet.

Au centre de la place, la gracieuse fontaine de Visconti (1844) rappelle la fontaine des Innocents avec ses niches ornées des quatre grands prédicateurs que furent Bossuet, Fénelon, Massillon et Fléchier. Au n° 3, l'administration de l'Enregistrement s'est installée après 1905 dans l'ancien séminaire de Saint-Sulpice, reconstruit par Godde (1820-1840) dans un style sévère. Il s'agissait alors de l'institution fondée à Vaugirard par l'illustre curé de la paroisse Jean-Jacques Olier, transférée, dès 1645, rue du Vieux-Colombier, et qui eut un rôle si important dans la formation du clergé dès cette époque. L'un des aspects les plus visibles qui subsistent de ce rayonnement est cet art « sulpicien » si décrié par Huysmans à la fin du siècle dernier. L'empreinte laissée par cet établissement qui a quitté le quartier depuis plus de quatre-vingts ans apparaît avec la présence de nombreuses boutiques d'articles religieux et de librairies spécialisées dans tout le voisinage.

De la place et de la rue Saint-Sulpice partent des rues anciennes très animées (des Canettes, Bonaparte, Mabillon, Guisarde...) avec leurs restaurants et leurs boutiques de mode :

Le théâtre du Vieux-Colombier

En 1913, Jacques Copeau vient de fonder avec Gaston Gallimard, André Gide, Jean Schlumberger et Léon-Paul Fargue, la Nouvelle Revue française, *dans laquelle il doit assurer la critique dramatique. Sa passion du théâtre l'amène à fonder une compagnie avec Valentine Tessier, Blanche Albane, Dulin, Jouvet... qu'il installe dans la petite salle de l'Athénée Saint-Germain, 21, rue du Vieux-Colombier. Son intention est de faire du théâtre « pur », sans concession, facilité, ni préoccupation commerciale. Partie pour les Etats-Unis pendant la guerre, la troupe revient en 1919 et joue* La Nuit des rois, Le Conte d'hiver *de Shakespeare,* Le Carrosse du Saint-Sacrement *de Mérimée, éclatants succès qui n'empêchent toutefois pas les difficultés financières, ni le départ de Copeau (1924). Le théâtre continue cependant à présenter les pièces les plus diverses, comme* Huit clos *de Sartre (1944), dont l'influence va être considérable, et qui est créé peu avant la fermeture de la salle.*

elles servent de transition vers le boulevard et le quartier Saint-Germain-des-Prés.

6. Saint-Germain-des-Prés

Né de l'abbaye et de ses dépendances, ce quartier connut au début du XVIIe siècle un second souffle avec l'arrivée de la reine Margot qui s'établit dans un grand hôtel, rue de Seine, dont les jardins longeaient le fleuve jusqu'aux Invalides. Le démantèlement de cet immense domaine après sa mort est à l'origine de l'urbanisation de ce secteur.

Si son développement s'est effectué de manière harmonieuse jusqu'à l'aube du XIXe siècle, dans la juxtaposition de petites rues anciennes et de percées plus larges (rues Dauphine, de Seine, Bonaparte, des Saints-Pères), la saignée brutale du boulevard Saint-Germain et de la rue de Rennes dans ce dédale de voies fantaisistes est à l'origine des contrastes

Le célèbre café des Deux Magots.

si frappants que l'on constate çà et là. Quartier tranquille jusqu'à la Première Guerre mondiale, il ne devient à la mode que grâce à ses cafés : au Flore, c'est l'Action française et les maurrassiens et, plus tard, le quartier général de Prévert (avant 1940) ; au Deux Magots, qui prend la relève d'un magasin de nouveautés précédemment installé n° 21-23, rue de l'Echaudé (1813-1860), on trouve de tout : Gide, Apollinaire, Breton, Giraudoux, Saint-Exupéry, Audiberti ; chez Lipp, la brasserie fondée en 1880 par l'Alsacien Lippmann, et décorée par le céramiste Léon Fargue, père du *Piéton de Paris*, dans les années vingt, se rencontrent et la politique et le Tout-Paris, outre des intellectuels (Tzara, Desnos, Queneau). Par la suite, les existentialistes sont partout.

Mais c'est à la Libération que se fait véritablement Saint-Germain-des-Prés, avec sa vie nocturne, ses boîtes installées dans les caves, la musique d'avant-garde, le jazz, les pantalons noirs des femmes et leurs cheveux longs... : ses plus illustres représentants en sont, outre Sidney Bechet et Claude Luter, Boris Vian et Juliette Gréco — sous l'œil approbateur de Sartre, Beauvoir et Camus — qui se rencontrent au Tabou (rue Dauphine), au club du Vieux-Colombier, en attendant, dans les années soixante, l'apparition des discothèques et, plus récemment, des cafés-théâtres et pianos-bars. Cette vie intense a fait de ce quartier l'un des plus animés de Paris où se côtoient toujours intellectuels, hommes politiques, artistes, adolescents, bateleurs, badauds et touristes, tandis que se sont installés définitivement restaurants et boutiques de mode, antiquaires, galeries et librairies spécialisées (Denise René, La Hune). A ce propos, il faut constater la sectorisation de certaines activités : la mode, depuis les rues Saint-André-des-Arts et de Buci jusqu'à celle de Sèvres-Babylone, les galeries d'art au nord de cette zone, l'ameublement et les antiquaires sur le quai, rues Jacob, Bonaparte et des Saints-Pères, et au-delà dans le VIIe arrondissement.

La **place Saint-Germain-des-Prés**, aménagée sous le second Empire, ne se remarque guère que par ses cafés, la sculpture de Picasso à Apollinaire et, bien sûr, l'église de l'ancien monastère.

L'abbaye

La construction de la grande abbaye d'Ancien Régime remonte au lendemain des invasions normandes. Elle remplaçait la splendide basilique Saint-Vincent, élevée par Childebert vers 560 pour recevoir les reliques du saint. Elle prit le vocable de l'évêque de Paris, saint Germain, mort en 576, et inhumé dans la chapelle Saint-Symphorien à droite, sous le porche. Sauf Clovis et Dagobert, les premiers Mérovingiens s'y firent inhumer, et leurs sépultures furent profanées sous la Révolution. Cette seconde église (990-1014) fut agrandie au XIIIe siècle, et le chœur en fut consacré en 1163 par Alexandre III. Plus tard, Pierre de Montreuil érigea, dans l'abside, la chapelle de la Vierge, et les vastes bâtiments conventuels (1245-1255). Située en dehors de la ville, l'abbaye, dont le domaine correspondait à la plus grande partie des actuels VIe et VIIe arrondissements, éleva, vers 1360, ses propres fortifications (comprenant tours, créneaux et fossés) qui, comme toutes celles de la ville, furent abattues

La foire et le marché Saint-Germain

Les origines de la première foire de l'abbaye de Saint-Germain-des-Prés sont inconnues et son existence n'est avérée que par un acte dans lequel Louis VII accepte la donation que lui fait l'abbé de la moitié de ses revenus, ce qui prouve sa vitalité. La foire se tenait alors après Pâques, au pilori, c'est-à-dire au carrefour des rues de Buci et de Seine, et durait dix-huit jours. Outre les marchands parisiens, y venaient les drapiers de Flandre, les changeurs juifs et lombards, et beaucoup d'autres commerces. Les difficultés rencontrées dans l'exercice de la police, et des conflits avec la toute voisine université amenèrent le roi à acquérir, en 1285, l'ensemble des droits de la foire, puis à la transférer au marché des Champeaux (les Halles), retirant ainsi à l'abbaye une source considérable de revenus.

Il fallut attendre 1482 pour que Louis XI autorisât la tenue d'une foire franche, chaque année, au mois de février. Trente ans plus tard, l'abbé Guillaume Briçonnet fit construire une halle considérable pour trois cent quarante exposants, et plus tard quatre cents. Tenue à l'époque de Carnaval, cette foire était non seulement un lieu de commerce réputé (pour l'orfèvrerie, l'article de Paris, les gravures et les tableaux), mais aussi un lieu de plaisir fréquenté de tous — on vit même Henri IV y perdre de grosses sommes au jeu — avec les spectacles les plus divers : montreurs d'ours,

marionnettes... Ces dernières sont à l'origine du théâtre populaire né en 1678, lorsqu'on eut l'idée de substituer des acteurs aux poupées de bois. En 1715, deux forains obtinrent même de l'Académie de musique l'autorisation de faire jouer des opéras, ce qui devait donner naissance à l'Opéra-Comique, toujours vivant. Et l'on ne doit pas oublier le rôle de la foire Saint-Germain dans la très large diffusion, vers le peuple, de l'opéra, du théâtre et de leurs répertoires. Un immense incendie détruisit en deux jours la plupart des installations (1762), et malgré tous les efforts déployés pour la faire renaître de ses cendres, cette manifestation qui périclitait disparut définitivement en 1811.

Non loin de là, en 1726, l'abbaye éleva un marché permanent, reconstruit sous la Restauration par Blondel et Lusson, entre les rues Clément, Félibien, Lobineau et Mabillon : il s'agissait de quatre galeries bordées d'arcades, distribuées autour d'une vaste cour selon l'architecture fonctionnelle mais harmonieuse dont l'époque usait pour ce genre d'édifices utilitaires. Depuis 1970, le marché est la proie des convoitises ; les projets se sont succédé dans un concert de polémiques et de campagnes de presse. Presque entièrement détruit, sauf une bonne partie des murs extérieurs, on attend une solution définitive : il est question de le reconstruire à l'identique...

Lipp

Lipp reste pour moi l'établissement public n° 1 du carrefour et évoque par instants l'autorité de l'Etat, depuis que l'on s'est aperçu que le patron joignait à ses nombreuses qualités celle de ressembler à Pierre Laval, Auvergnat comme lui, mais d'un autre tonnage... Il y a quelque trente ans, je suis entré pour la première fois chez Lipp, brasserie peu connue encore et que mon oncle et mon père, ingénieurs spécialisés, venaient de décorer de céramiques et de mosaïques. A cette époque, tous les céramistes faisaient à peu près la même chose. Style manufacture de Sèvres, Deck ou Sarreguemines. On ne se distinguait entre artisans que par la fabrication, les procédés d'émaillage ou de cuisson, la glaçure plus ou moins parfaite. Aujourd'hui, quand je m'assieds devant ces panneaux que je considère chaque fois avec tendresse et mélancolie, je me pense revenu à ces jours anciens où je ne connaissais personne à la brasserie. Mes premiers camarades de banquette sont contemporains de l'après-guerre, d'Espezel, Marchesné, Bouteron, Longnon, tous quatre archivastes-paléogriffes, comme dit Mallon, qui en est un autre. Je ne vous conseille pas de vous faire pousser des colles par Marchesné, qui a le front mural, l'esprit lucide, l'œil de l'examinateur et la dialectique exigeante. Espezel, excellent gentilhomme, est bien l'homme de Montaigne et du Cabinet des Médailles. Et si vous n'avez pas entendu Bouteron parler de Balzac, ou Mallon faire ses imitations d'ecclésiastiques et de prélats, depuis le curé jusqu'au cardinal, avec l'incroyable rendu des différences de la voix, du ton, de l'autorité ou du sublime, vous n'avez rien entendu. »

(Léon-Paul Fargue,
Le Piéton de Paris.)

Le clocher de l'église
Saint-Germain-des-Prés.

en 1672. Dès lors l'abbaye ne fut plus délimitée que par un mur de clôture. Comme en témoignent les manuscrits conservés à la Bibliothèque nationale, cette institution avait connu un rayonnement intellectuel considérable de l'époque carolingienne au XIIe siècle, étant en liaison avec les abbayes anglo-normandes, en particulier au temps de l'abbé Etienne Harding ; elle fut réformée en 1631 et rattachée à l'austère congrégation de Saint-Maur. Dès lors, les moines menant une vie entièrement consacrée à la prière et à l'étude se placèrent au tout premier rang par leurs travaux historiques et leur érudition, rendant à jamais célèbres les noms de doms Mabillon, Montfaucon ou Félibien, au point de donner pour tâche à l'Académie des inscriptions et belles-lettres, créée en 1663 et restaurée sous l'Empire, de poursuivre leur œuvre.

A la Révolution, les religieux quittèrent l'abbaye (juin 1792). Les bâtiments furent, pour la plupart, vendus ou détruits. On installa dans l'église une fabrique de salpêtre : une explosion fit disparaître le réfectoire et la bibliothèque dont les collections, en partie sauvées, sont aujourd'hui conservées à la Bibliothèque nationale. En 1797, on démolit la chapelle de la Vierge, puis, en 1822, les deux tours du chœur qui menaçaient ruine ; enfin, la prison de l'abbaye disparut lors de la percée du boulevard Saint-Germain, et l'on trouva, à cette occasion, des sarcophages mérovingiens dans le sous-sol (1857).

L'église

De la reconstruction de l'an mil subsiste le massif clocher-porche, l'un des plus anciens de France, qui fut surélevé au XIIe siècle et orné d'un portail par Gamard en 1646. Cette église conventuelle et non paroissiale est de dimensions relativement modestes ; son plan est simple : nef avec bascôtés et transept (XIe siècle), chœur en hémicycle avec déambulatoire bordé de chapelles rayonnantes (XIIe siècle). C'est Gamard qui remplaça le plafond de bois de la nef et du transept par des voûtes « gothiques », à l'image de celles du chœur ; les chapiteaux (exposés au musée de Cluny) ont été remplacés par des copies vers 1820.

Dans le chœur, bien conservé, les arcades en plein cintre ont été transformées par Gamard en un triforium dont les colonnes de marbre proviennent de la basilique mérovingienne. Le XIXe siècle a fait son possible pour sauver l'édifice, opération qui fut confiée à Baltard. Flandrin fut chargé d'une grande partie de la décoration intérieure (1854-1863) : grandes compositions murales inspirées des Ancien et Nouveau Testaments (dans la nef), Entrée du Christ à Jérusalem et Portement de Croix (dans le chœur). Enfin, dans la chapelle de la Vierge reconstruite en 1819, les grisailles de Heim illustrent l'Adoration des Mages et la Présentation au Temple. Dans le transept nord se trouve le tombeau de Jean-Casimir, roi de Pologne (1672) qui, ayant abdiqué en 1668, devint abbé de Saint-Germain. Ce monument, par Marsy, est décoré d'un bas-relief de Jean Thibaut rappelant sa victoire sur les Turcs à Beresteczko. En vis-à-vis, Girardon a élevé le tombeau d'Olivier et Louis de Castellane, morts au combat en 1645 et 1677. Enfin, dans les deux dernières chapelles de chaque côté du chœur figurent les inscriptions funéraires de Boileau (à gauche) et de Descartes, Montfaucon et Mabillon (à droite).

Au sortir de l'église, on appréciera les vestiges du palais abbatial. Dans la **rue de Furstenberg**, ouverte en 1699 par l'abbé du même nom, s'intercale une place aménagée sur l'ancienne cour d'honneur du palais, qui est assurément l'une des plus agréables de

Prison de l'abbaye

En 1635, parmi les travaux confiés à Gamard, figure la construction d'une prison susceptible d'accueillir les ressortissants de la justice abbatiale. Situé à droite de l'église, le long de l'actuelle rue Gozlin et du boulevard Saint-Germain, c'était un édifice massif, d'une quinzaine de mètres de côté, avec, pour seuls éléments décoratifs, les échauguettes d'angle à la hauteur du premier étage et quelques écussons armoriés. En 1674, Louis XIV supprima les juridictions particulières : l'abbé resta justicier du seul enclos abbatial, la prison passant au roi qui en fit une prison militaire.

En août 1792, on y transféra les Suisses qui avaient échappé au massacre des Tuileries, mesure de sauvegarde rendue vaine le 2 septembre suivant, lorsque des rumeurs sur la chute de Verdun et sur un complot aristocratique suscitèrent la ruée du peuple vers l'abbaye. Passés devant un simulacre de tribunal présidé par un huissier du Châtelet, dit Tapedur, plus de trois cents détenus furent massacrés les 2, 3 et 4 septembre, parmi lesquels Montmorin, ministre des Affaires étrangères de Louis XVI. Sous la Terreur, Mme Roland, Charlotte Corday et Brissot y séjournèrent avant d'être guillotinés. Prison militaire sous l'Empire (le général Malet y fut incarcéré en 1812), elle fut démolie en 1857.

Paris, surtout au printemps lorsque fleurissent les paulownias.

Au n° 6, le musée Delacroix (tél. 43.54.04.87), installé dans l'atelier du peintre, conserve ses souvenirs ainsi que des études pour de grandes toiles, des lithographies pour l'illustration du *Faust* de Goethe, des dessins de son voyage au Maroc, des photographies, de la correspondance...

Rue de l'Abbaye, le palais abbatial (n° 3-5), situé dans l'axe de la rue de Furstenberg, est le seul vestige de l'abbaye. Construit en 1586 par le cardinal de Bourbon (futur Charles X de la Ligue), dans un style brique et pierre d'avant-garde, il fut agrandi, en 1691, par le cardinal de Furstenberg.

Rue de la Petite-Boucherie, on appréciera la façade en retour, sans oublier de jeter un coup d'œil sur le pittoresque carrefour de la rue Bourbon-le-Château.

De l'autre côté du boulevard occupé jadis par la prison, la **rue du Four** rappelle par son nom la présence du four banal que tous les ressortissants de l'abbaye devaient utiliser. C'est une rue commerçante, très animée qui limite, à sa gauche, le quartier Saint-Germain, auquel on accède par de vieilles rues pittoresques (des Canettes, Guisarde, Princesse, des Ciseaux). Au n° 48 se tint, le 27 mai 1943, la première réunion du Conseil national de la Résistance. Après le croisement de la rue de Rennes, la rue du Four laisse, sur sa droite, l'îlot paisible, mais bien actif, des rues du Dragon et du Sabot, un rien provinciales.

La **rue des Saints-Pères**, frontière d'arrondissement, marque aussi une limite culturelle entre l'agitation de ce VIe bigarré et la respectabilité tranquille du VIIe : ainsi, l'hôtel de la Meilleraye (fin du XVIIe siècle) par Gittard au n° 56 qui, après avoir appartenu à Firmin-Didot, fut occupé un temps par l'Ecole nationale d'administration, ou l'hôtel de Cavoye par Girard (vers 1643) au n° 52.

Au n° 54, la bibliothèque et musée de l'Histoire du protestantisme français (tél. 45.48.62.07) présente les grandes heures de la religion à travers des œuvres de paix ; on y verra un portrait par Clouet, le masque mortuaire de Henri IV, la convocation de la Diète de Worms par Charles Quint, de nombreuses bibles ou objets de la vie quotidienne.

De l'autre côté du boulevard Saint-Germain, presque au carrefour, l'église catholique ukrainienne, Saint-Vladimir, est installée dans l'ancienne église Saint-Pierre reconstruite (n° 49-51), qui donna, par déformation, son nom à la rue. Un peu plus loin, la façade de la nouvelle école de médecine est en pleine discordance avec l'ordonnance de la rue, en rompant l'harmonie. En face (n° 28), l'hôtel Fleury, par Antoine (1768), sagement agrandi vers 1870, a conservé son aspect original ; il est occupé par l'Ecole des ponts et chaussées. Avant d'arriver au quai, on retiendra qu'au n° 13 a habité Mme Récamier enfant et l'on remarquera, au n° 6, l'élégant balcon installé au XVIIIe siècle à l'hôtel Pidoux (vers 1640, n° 1, rue de Lille).

Le **quai Malaquais** d'où l'on a une vue privilégiée sur le Louvre se signale comme l'un des plus beaux ensembles architecturaux du XVIIe siècle (excepté le n° 13, reconstruit sous l'Empire). Ces hôtels furent édifiés lors de la vente du domaine de la reine Margot. Parmi ceux-ci, à la suite du n° 19 qui abrita George Sand et Anatole France, figure aux n° 15-17 l'hôtel de la Bazinière construit vers 1640 par Mansart, avec des plafonds de Le Brun et un jardin de Le Nôtre. Possédé un temps par Joséphine de Beauharnais, puis le prince de Caraman-Chimay, il fut acquis par l'Etat en 1892 et affecté à l'Ecole des beaux-arts qui décora sa cour de colonnes provenant des Tuileries, ainsi que de diverses sculptures. A l'angle de la rue Bonaparte, le n° 9, immortalisé par l'abbé Prévost dans *Manon Lescaut*, abrita une maison de jeux tenue par un prince hongrois réfugié dans son propre appartement et fut, pour cette raison, appelé hôtel de Transylvanie.

Dans la **rue Bonaparte** qui comprend quantité de demeures anciennes, comme l'ancien hôtel Persan où vécut Monge (n° 7), l'Ecole des beaux-arts a été installée au n° 14, dans les locaux du couvent des Petits-Augustins. Lorsque la reine Margot était arrivée au Pré-aux-Clercs en 1606, l'architecte Jean Autissier lui avait construit un vaste palais (n° 6, rue de Seine) dont les trois grands pavillons en façade touchaient le quai. Dans les jardins qui s'étendaient jusqu'à la rue du Bac, cette femme en qui dévotion et dévergondage se mêlaient, décida, en 1609, d'installer un couvent d'augustins déchaussés. Leur chapelle, surmontée du premier dôme de Paris, fut dédiée à Jacob (d'où le nom de la rue voisine). Le couvent survécut à la reine (morte en 1615) et une nouvelle église dédiée à saint Nicolas de Tolentino fut achevée dès 1619. Des anciens bâtiments du couvent il ne reste plus que l'église et le cloître.

Sous la Révolution, Alexandre Lenoir, se préoccupant du sauvetage des œuvres d'art, installa aux Petits-Augustins, le musée des Monuments français. En 1816, les locaux affectés à l'Ecole des beaux-arts furent aménagés par Debet ; de 1858 à 1862, Duban éleva le bâtiment du fond de la cour, en harmonie avec le portique de Gaillon acquis par Lenoir et récemment rétrocédé à son lieu d'origine ; Lenoir procéda aussi à l'installation dans les cours d'autres sculptures ou

---

Librairies et éditeurs

La librairie Honoré Champion a toujours siégé quai Malaquais (n° 15, 5, 7), sauf de 1884 à 1905 où elle fut quai Voltaire. Elle fut fondée en 1874 par Honoré Champion (1846-1913) qui avait fait l'apprentissage du latin et de la bibliographie historique chez le libraire Dumoulin, quai des Grands-Augustins. Passionné d'histoire, il créa la « Librairie spécialisée de l'Histoire de France », qui devint rapidement un salon littéraire avec Longnon, Schwob, Maurras ou Hérédia, et une maison réputée pour ses publications érudites. Après lui, ses fils, Pierre et surtout Edouard, amplifièrent son action, tout en conservant ses exigences scientifiques.

Les éditions du Seuil (27, rue Jacob), balbutiant à la veille de la Seconde Guerre mondiale, ne se développèrent qu'en 1945 avec la venue d'Emmanuel Mounier et de la revue Esprit, ce qui entraîna la maison dans la mouvance religieuse. Le succès financier vint avec Le Petit Monde de don Camillo. En même temps, les conseillers écoutés furent Albert Béguin et J.-M. Domenach, puis Francis Jeanson. La maison a toujours su « coller à la mode, comme un pneumatique à la route » (P. Nora), passant de la politique engagée à la décolonisation, éditant Sollers, Bazin, Barthes, Lacan ; depuis 1976, elle met l'accent sur la littérature, sans négliger les collections qui couvrent de larges pans des connaissances humaines et confortent sa réputation de qualité et de sérieux.

Les éditions Bernard Grasset (61, rue des Saints-Pères, depuis 1912) refusent au contraire toute politique cohérente et accueillent auteurs et opinions les plus divers loin, toutefois, de l'hermétisme ou du feuilleton. Ce souci de la qualité et une politique commerciale dynamique sont à l'origine du succès qui, avant 1910, arriva quand Bernard Grasset édita A la manière de de Muller et Reboux, puis deux prix Goncourt (1911, 1912), Péguy et Proust ; dans les années vingt, ce furent Benoît, Radiguet, les « cinq M » : Morand, Mauriac, Maurois, Montherlant, Malraux, outre Cendrars, Cocteau, Giraudoux. Après la Libération, le renouveau se fit avec Hervé Bazin, Marcel Aymé et Jouhandeau ; il continua quand Bernard Privat, associé à Jean-Claude Fasquelle, succéda à son oncle (1955-1980) et s'assura la collaboration d'Yves Berger, Françoise Verny et Bernard-Henry Lévy.

Les cafés

C'est en 1672 qu'un certain Pascal, arménien, ouvrit près de la foire Saint-Germain, le premier « café », bien populeux. D'autres l'imitèrent rue de Buci (1675), rue Mazarine, cependant que le « Candiot », petit bossu, faisait des livraisons à domicile. Le café acquit sa respectabilité avec l'arrivée et le savoir-faire de Francisco Procopio dei Cotelli, gentilhomme de Palerme qui, après un bref passage rue de Tournon, s'installa au 13, rue de l'Ancienne-Comédie, dans un décor luxueux. Il distribua, outre la « liqueur noire d'Arabie », des glaces, des sorbets et des alcools. Le succès fut immédiat et définitif : aristocrates, comédiens, beaux esprits, tous se retrouvèrent ici pendant deux siècles.

Procope eut bien vite des imitateurs : de 1690 à 1720, au carrefour Dauphine-Christine, le café Laurent pour écrivains et artistes fut, en fait, le premier café littéraire — « c'était une école d'esprit » — ; sur le quai, à l'angle de la rue Dauphine, le café Conti fut, tout au long du XVIIIe siècle, un cabinet de lecture de la presse anglaise qui y arrivait chaque jour.

De nos jours, le touriste peut satisfaire sa curiosité en allant prendre un verre au Twickenham (70, rue des Saints-Pères), à la Grosse Horloge (22, rue Saint-Benoît), au Munich (25, rue de Buci) ou, bien entendu, à Saint-Germain-des-Prés.

vestiges monumentaux comme le portique d'Anet, par Philibert Delorme, premier exemple français de superposition des ordres, ou l'arcade de l'hôtel de Tropane, rue des Bernardins. A droite dans la cour, l'église accueille périodiquement des expositions (tél. 42.60.34.57). Au n° 16 siège, depuis 1902, l'Académie de médecine fondée en 1820. Enfin, au n° 21, le grand hôtel Prévost de Saint-Cyr (XVIIIe siècle), avec ses façades tapissées de lierre, ses ferronneries et ses

mansardes à poulies, marque l'entrée de la rue Visconti.

La **rue Visconti**, dite jusqu'en 1864 des Marais-Saint-Germain, est l'une des plus anciennes, des plus étroites et des plus typiques du quartier. On l'appela même la « Petite Genève », car le Pré-aux-Clercs, l'un des points « chauds » de la Réforme à Paris sous Henri II (Bernard Palissy y habita) fut, en 1558, le lieu de rassemblement de

La rue de Buci.

4 000 protestants menés par les Châtillon-Coligny, tandis que l'année suivante se tenait, rue des Marais, le premier synode national de France : tout cela devait prendre fin avec la Saint-Barthélemy (1572) et la reprise en main du quartier par l'abbé de Saint-Germain, le cardinal de Bourbon, futur roi de la Ligue. Au n° 16, Adrienne Lecouvreur tint salon ; au n° 17, Balzac installa en 1827 son imprimerie et Delacroix son atelier de 1836 à 1844 ; au n° 24, mourut Racine (1699).

La **rue de Seine**, aux façades anciennes, a connu ces dernières années une métamorphose sans précédent, et les galeries d'art et les librairies spécialisées y ont remplacé des commerces vieillots et endormis. Au carrefour de la rue Jacques-Callot, la terrasse de la « Palette », à l'abri des vents dominants, est très recherchée aux premiers jours du printemps.

La **rue de Buci**, dite autrefois du Pilori à cause du pilori de l'abbaye installé à cet endroit, est depuis toujours le marché du quartier, d'où cette animation et ce caractère populaire disparus des rues avoisinantes. Au n° 12 s'installa un temps l'Opéra-Comique (1725-1736), dans le jeu de paume de l'Etoile ; au n° 14, au fond d'une cour, le traiteur Landelle fonda, en 1734, un restaurant qui, dix ans durant, joua le rôle d'académie gastronomique avec, pour habitués, les Crébillon père et fils, Piron, Helvétius, Boucher, Rameau... Ce fut aussi le « siège social » de la première loge maçonnique de Paris. Au carrefour de Buci s'élevait une des portes du rempart de Philippe Auguste. Quand il fut rasé, la place se trouva en liaison directe avec le quartier Saint-Germain-l'Auxerrois par la rue Dauphine et le Pont-Neuf. Les nombreuses rues qui aboutissent ici rendent cet endroit particulièrement animé.

En direction de la Seine, la **rue Mazarine**, qui est aussi riche en belles et vieilles maisons, en galeries d'art et en librairies spécialisées que la rue de Seine, doit cette situation à un semblable renouveau. Au n° 30 mourut du Mourier du Périer (1723), fondateur des Pompiers de Paris et grand-père du général révolutionnaire Dumouriez ; au n° 28, Champollion décripta les hiéroglyphes ; au n° 9, Molière fit ses débuts avec ses amis Béjart en fondant l'Illustre-Théâtre (1643), au jeu de paume des Métayers. En dépit de la protection de Gaston d'Orléans, il ne put éviter la faillite (1645) et dut se réfugier dans le jeu de paume de la Croix-Noire, quai des Ormes. A la mort de Molière (1673), une ordonnance royale chassa sa troupe du théâtre du Palais-Royal affecté désormais à Lulli, pour l'opéra : grossie d'anciens acteurs de la troupe du Marais, elle campa trois mois rue Mazarine dans le jeu de paume du Bel-Air, avant de trouver un autre jeu de paume plus approprié, rue Guénégaud (1673-1680).

Palais de l'Institut
(23, quai Conti)

Trois jours avant sa mort, Mazarin, qui avait amassé une énorme fortune, décida de créer une fondation qui perpétuât son souvenir. Laissant deux millions de livres et 45 000 livres de rente, il décida la construction d'un collège susceptible d'accueillir soixante boursiers nobles, originaires des quatre provinces ou « nations » réunies à la France sous son gouvernement (Alsace, Artois, Piémont, Roussillon), ainsi que la création d'une académie de manège, où les militaires apprendraient le métier des armes ; enfin, il légua sa riche et précieuse bibliothèque, souhaitant expressément son ouverture au public deux fois par semaine. Comme Richelieu, qui avait tant fait pour la jeunesse en reconstruisant la Sorbonne et qui y avait établi son tombeau, Mazarin demanda que le sien fût placé dans la chapelle du collège des Quatre-Nations.

Louis XIV approuva le legs. Le Vau, qui dirigeait alors les travaux du Louvre (façade sur Seine de la cour Carrée occultée plus tard par Perrault) fut chargé de l'opération. Il conçut un ensemble monumental harmonieux de part et d'autre du fleuve : le nouveau bâtiment situé dans l'axe de la cour Carrée occuperait les terrains libérés par la démolition de l'hôtel de Nesle. Ce dialogue architectural entre les deux rives plut au roi et, après la mort de Le Vau (1670), le chantier fut dirigé par d'Orbay. L'ouverture du collège se fit en 1688, mais le chantier ne prit fin que cinq ans plus tard. Si la bibliothèque mazarine fut bien installée dans l'aile gauche, l'opposition de l'Université empêcha l'académie de manège de voir le jour. Fermé à la Révolution (1790), le collège fut transformé en prison : David et Guillotin y furent détenus.

En 1793, les académies furent supprimées : Académie française créée par Richelieu (1635), Académies des inscriptions et belles-lettres (1663), des sciences (1666), de peinture (1648) et d'architecture (1671). En 1795, la Convention, si attachée aux sciences et à

L'Institut de France.

l'éducation, fonda l'Institut de France qui n'était rien de moins que la réouverture des trois premières académies auxquelles on adjoignait une classe des sciences morales et politiques ; en raison de sa liberté d'esprit, cette dernière fut supprimée en 1803 pour ne

renaître qu'en 1833. En 1803, Bonaparte créa l'Académie des beaux-arts, héritière des académies royales de peinture et sculpture, et d'architecture. En 1805, il installa l'Institut au collège des Quatre-Nations ; Vaudoyer fut alors chargé d'aménager la chapelle

Le quai Conti.

en salle des séances et déplaça dans le vestibule le tombeau de Mazarin par Coyzevox.

Le bâtiment est largement inspiré des solutions italiennes contemporaines : en avant-corps central, une chapelle précédée d'un péristyle et surmontée d'un dôme élancé ; de chaque côté, comme deux bras ouverts, s'élancent deux ailes en quart de cercle, flanquées de pilastres colossaux et d'arcatures en demi-cintre, et terminées par des pavillons carrés : à l'emplacement de celui de gauche se trouvait jadis la tour de Nesle.

Quai Conti, au n° 13, dans l'hôtel de Sillery, bâti par Mansart en 1659, vivait, avant la Révolution, Mme Permo qui accueillait, ses jours de sortie, un jeune Corse élève à l'Ecole militaire : Napoleone Buonaparte. Sa fille Laure épousa, en 1799, un aide de camp de Bonaparte, Junot, et devint, en 1809, duchesse d'Abrantès.

L'**hôtel des Monnaies**, au n° 11 (tél. 40.46.56.66), est édifié à l'emplacement d'un hôtel partiellement élevé après 1580 par Louis de Gonzague, reconstruit par Guénégaud et acquis, en 1670, par la princesse de Conti, nièce de Mazarin. Ses enfants l'agrandirent successivement des petits hôtels de Guénégaud (1679) et de Conti (1718).

La municipalité de Paris se trouvait à l'étroit dans ses locaux de l'Hôtel de Ville : en 1750, elle acquit l'hôtel de Conti pour s'y installer, mais trouva l'emplacement peu pratique ; en 1768, Louis XV y relogea donc la Monnaie installée jusque-là dans des locaux vétustes, derrière Saint-Germain-l'Auxerrois. Le jeune architecte Jacques-Denis Antoine en dirigea les travaux (1771-1777) et réalisa là un monument majestueux dont le couronnement en terrasse accentue le caractère géométrique du décor dans ce qui est le premier édifice important de style néoclassique à Paris : l'avant-corps central comprend un soubassement à arcatures, refends et niches rondes, deux étages décorés de colonnes ioniques colossales, une large frise et, couronnant le tout, un attique en terrasse ; de chaque côté se développent deux ailes aux lignes très simples. En retour sur la rue Guénégaud, la façade secondaire a été traitée avec soin.

A l'intérieur, à la suite d'un vestibule monumental distribué en galeries dont le voûtement à fleurons est soutenu par des colonnes doriques, se déploie l'imposant escalier à double révolution qui est décoré de colonnes ioniques et donne accès au musée créé en 1827. Au fond de la cour d'honneur en hémicycle, la façade dotée d'un péristyle dorique est surmontée d'un attique dans lequel les allégories de l'abondance et de la foi entourent l'écu de France. Des bustes de Henri II, Louis XIII, Louis XIV et Louis XV adoucissent l'austérité de ce décor.

Sous l'Empire, les régies des Monnaies et des Médailles ont été réunies. Actuellement, la monnaie est frappée à Pessac (Gironde) et seuls sont fabriqués ici monnaies de collection, médailles et poinçons de la Garantie et des Poids et Mesures.

La visite du musée est recommandée tant pour l'intérêt des collections exposées que pour les décors (notamment ceux de la salle Guillaume-Dupré, au centre de l'hôtel) qui sont parmi les plus beaux de l'époque Louis XVI à Paris. On peut aussi visiter les ateliers.

Au n° 3 du quai Conti s'ouvre la très étroite et très médiévale rue de Nevers, percée au XIIIᵉ siècle, et qui aboutissait au rempart. Au-delà, ouverte en 1607 dans l'axe du Pont-Neuf pour assurer une meilleure liaison entre les deux rives, la rue Dauphine doit son nom au fils aîné de Henri IV ; elle fut longtemps considérée comme l'une des plus belles de Paris, à cause de sa rectitude et de sa largeur. Son animation contraste avec l'atmosphère paisible et endormie du secteur délimité par le quai et les rues Mazarine et Saint-André-des-Arts.

Le **quai des Grands-Augustins**, au-delà de la rue Dauphine, fut le premier quai parisien créé sur l'ordre de Philippe le Bel : il voulait en effet protéger des inondations le couvent qu'il venait d'installer entre les actuelles rues de Nevers et des Grands-Augustins. Les jardins furent amputés à l'ouest par l'ouverture de la rue Dauphine (1607) et, avec l'indemnité reçue, les religieux édifièrent des maisons de rapport de chaque côté de la rue, ce qui les enrichit fort. L'importance des bâtiments conventuels permit au clergé d'y tenir, à partir de 1605,

ses assemblées générales et d'y déposer ses archives. De même, après l'incendie qui dévasta ses locaux, la Chambre des comptes se réfugia ici (1737-1747). Saisis à la Révolution, les bâtiments servirent de siège aux contributions, puis furent vendus et démolis (1797). A l'emplacement de l'église, on éleva sous l'Empire le marché de la Vallée pour la volaille et la crèmerie (démoli en 1867). Au n° 51, le restaurant Lapérouse est installé dans un hôtel du XVIIᵉ siècle.

Rue des Grands-Augustins, après le n°3 (début du XVIIᵉ siècle), l'hôtel d'Hercule (n° 5-7), dont le nom évoque ses décors du début du XVIᵉ siècle, fut reconstruit vers 1610. De 1936 à 1955, Picasso y a occupé un atelier : c'est ici qu'il réalisa *Guernica*.

Rue Séguier, dans l'hôtel de Montholon (n° 2), édifié vers 1635, ont été domiciliées au XIXᵉ siècle la famille des éditeurs Didot et la librairie académique Perrin.

La **place Saint-Michel** a été créée lors des grands travaux haussmanniens de la percée reliant la gare de l'Est à l'Observatoire. Ce vaste carrefour est dominé par la fontaine de Davioud (1860) et son *Saint Michel terrassant le dragon* de Duret. Sa hauteur considérable tient au fait qu'elle a été conçue comme une façade ornementale de l'immeuble auquel elle est adossée. Bien que située au milieu de la place, elle participe moins au boulevard qu'elle ne sert d'entrée au carrefour Saint-André-des-Arts. Ici se trouve, en effet, la jonction entre le Quartier latin étudiant, avec ses librairies scolaires, ses boutiques de « fripes » et ses marchands ambulants d'une part, et le quartier Saint-Germain-des-Prés, socialement plus ouvert, d'autre part. La place Saint-André-des-Arts a été aménagée en 1809, à l'emplacement

pas ignorer, aux n° 47 et 49, les hôtels de la Vieuville et de Châteauvieux construits vers 1640 à l'emplacement de l'ancien hôtel de Navarre où habita Louis XII (1484) avant de régner ; au n° 52, le splendide hôtel du Tillet de la Bussière (1750), remarquable pour son balcon, sa porte, son escalier...

Rue de l'Eperon, au n° 10, dans un bel hôtel du XVIIIe siècle, Théodore de Banville tenait salon littéraire le dimanche matin avec Daudet, Richepin, Coppée, Mallarmé.

LE PLUS ANCIEN CAFE DU MONDE

C'EST en 1686 que Francesco Procopio dei Coltelli, gentilhomme de Palerme, installa rue des Fossés-Saint-Germain (aujourd'hui rue de l'Ancienne Comédie) son débit de café. L'excellence des boissons et des sorbets qu'il y offrait à consommer, le cadre aimable, le voisinage aussi de l'ancienne Comédie-Française firent que son établissement devint très rapidement le lieu de réunion des beaux esprits. Le premier café littéraire du monde était né, et pendant plus de deux siècles, tout ce qui portait un nom, ou qui espérait en porter un, dans le monde des lettres, des arts et de la politique, fréquenta le CAFE PROCOPE. De La Fontaine à Anatole France, en passant par Voltaire, Rousseau, Beaumarchais, Balzac, Hugo, Verlaine et tant d'autres, la liste des « habitués » du PROCOPE est celle-là même des grands noms de la littérature française. Au XVIIIe siècle, les idées libérales y prirent leur essor, et l'histoire de l'Encyclopédie est intimement liée à celle du PROCOPE où fréquentaient Diderot, d'Alembert et Benjamin Franklin. Pendant la révolution, Robespierre, Danton et Marat s'y réunissaient, et le lieutenant Bonaparte y laissa son chapeau en gage.

Le PROCOPE renaît aujourd'hui, fidèle aux grandes ombres de son histoire. Symbole du passé, la table de Voltaire témoigne de sa pérennité et s'apprête à accueillir de nouvelles gloires nouvelles.

de l'église du même nom démolie de 1800 à 1808, qui avait été édifiée vers 1210, restaurée par Gamard au XVIIe siècle et vendue comme bien national en 1793. De cet endroit métamorphosé dès l'apparition des beaux jours en une immense terrasse de café, bruyante et agitée tard dans la nuit, part la rue qui mène à Saint-Germain-des-Prés.

La **rue Saint-André-des-Arts** est l'ancien chemin qui menait à l'abbaye, à travers les vignobles du clos du Laas. On y trouve cinémas, librairies, restaurants, marchands ambulants mais aussi déjà des boutiques « chics ». Parmi ses nombreuses et belles façades anciennes, on ne peut

L'**impasse du Jardinet** donne accès à la cour de Rohan (pour Rouen), succession de trois cours dépendant de l'hôtel parisien des archevêques de Rouen (XVIe siècle).

Retiré et silencieux, cet endroit est l'un des plus attachants de Paris, surtout à la belle saison, avec ses fleurs et sa vigne vierge. Dans la seconde cour donne la façade (fin du XVIe siècle) de l'hôtel des archevêques ; on y trouve aussi, à gauche, un rarissime pas de mule, pièce métallique qui servait alors à se hisser sur les animaux. La troisième cour, moins agréable, débouche dans la **cour du Commerce-Saint-André** où, au n° 8, Marat imprima *L'Ami du peuple* et, au n° 9, le docteur Guillotin essaya sa machine sur des moutons.

Rue de l'Ancienne-Comédie, le café Procope (n° 13), installé en 1689, a vu défiler pendant des générations tout ce qui comptait à Paris... Au n° 14 vint s'établir en 1689, dans une salle neuve, la troupe des Comédiens du roi, établie depuis 1680 rue Guénégaud. C'est ici que se déroula au XVIIIᵉ siècle l'histoire du Théâtre-Français. En 1770, toutefois, la salle étant devenue vétuste, le roi la ferma et décida la construction d'un grand théâtre moderne sur le terrain de l'hôtel de Condé qu'il venait d'acheter, à côté du Luxembourg : ainsi naquit l'Odéon.

C'est bien de l'Odéon à la rue des Saints-Pères que le boulevard Saint-Germain présente les traits qui font sa renommée : cafés, restaurants, cinémas, librairies, boutiques de mode plus ou moins élégantes ; cette synthèse des divers aspects rencontrés ailleurs dans le quartier (à l'exception du commerce d'art qui n'est qu'exceptionnellement représenté) définit bien ici le style « rive gauche ».

7. Le quartier d'Orsay

Le quartier d'Orsay, triangle délimité par le quai, la rue des Saints-Pères et le boulevard Saint-Germain, occupe l'extrémité de l'hôtel de la Reine Marguerite (l'entrée étant à l'emplacement du n° 6 de la rue de Seine) et la rue de Lille en est l'axe principal. L'urbanisation de ce secteur a commencé à l'est sous Louis XIII, lorsqu'un groupe de financiers, parmi lesquels Le Barbier et Potier (dont le nom fut déformé pour désigner la rue de « Poitiers »), a acquis et loti ces terrains ; d'où la distribution géométrique de ces rues, exceptionnelle pour l'époque, l'unité d'atmosphère qui se manifeste dans leur caractère un peu vieillot et cette tranquillité provinciale qui contraste avec le tout voisin quartier de Saint-Germain-des-Prés. Cet aspect est particulièrement sensible à l'est de la rue de Poitiers où l'on rencontre les demeures les plus anciennes, cependant que des activités artisanales et commerçantes traditionnelles ont su s'y maintenir. En allant vers l'ouest, surtout à partir de la rue du Bac, de vastes terrains gagnés sur les marécages de la Grenouillère ont permis l'élévation de luxueux hôtels, à proximité du Louvre et de la rive droite par le Pont-Royal.

Ce quartier qui s'endormait un peu a été complètement ressuscité par la transformation de la gare d'Orsay en musée. Dans le même temps, galeries et marchands se sont rénovés et organisés en « Carré rive gauche », regroupant les antiquaires du quadrilatère formé par le quai, les rues du Bac, de l'Université et des Saints-Pères.

Comment ne pas tenir compte de l'ancienne dimension intellectuelle de cet endroit ? Au XVIIIᵉ siècle s'y tenaient des salons comme ceux de Mme du Deffand, Mlle de Lespinasse

Le pont Royal

Ce pont fut construit à partir de 1685 par le frère Romain. Louis XIV l'ayant entièrement financé, on lui donna le nom de « Royal ». Situé au débouché de la rue du Bac, ainsi appelée en raison du bac desservant les deux rives, il avait pour but d'assurer la liaison entre les Tuileries et le faubourg Saint-Germain. Jusqu'à la fin du XVIIIᵉ siècle et la mise en service du pont de la Concorde, ce fut le seul lieu de passage entre les deux rives en aval du Pont-Neuf.

Un hôtel particulier, au n° 150 bis, boulevard Saint-Germain.

ou du marquis de Villette ; au XIXᵉ siècle, nombre d'artistes y élirent domicile : Ingres, Delacroix, Corot, Pradier, etc.

De nos jours, outre l'Ecole nationale d'administration (13, rue de l'Université), l'Institut des langues orientales (2, rue de Lille), le monde de l'édition est particulièrement représenté par la maison Gallimard et la *Nouvelle Revue française* (5, rue Sébastien-Bottin), les éditions de la Table ronde (40, rue du Bac) ou la très érudite maison Klincksieck (11, rue de Lille).

Le **boulevard Saint-Germain**, à partir de la rue des Saints-Pères, n'est plus guère qu'une agréable artère résidentielle, bordée de marronniers, de magasins de décoration et d'ameublement et de quelques boutiques d'antiquaires, sauf au carrefour de la rue du Bac où l'animation rappelle un peu, le jour, celle de Saint-Germain-des-Prés. Dans l'**église Saint-Thomas-d'Aquin**, reconstruite pour le noviciat des dominicains, d'après les plans de Pierre Bullet (1682-1688), le chœur des religieux date de 1722 et la façade de 1765-1769. Outre le couvent (occupé de nos jours par la direction du matériel de l'Armée, les religieux réalisèrent une opération immobilière fructueuse

en édifiant sur leur terrain une dizaine d'hôtels qu'ils louèrent à d'illustres personnages, tel Saint-Simon qui vécut, de 1714 à 1746, au n° 218 du boulevard Saint-Germain (la façade sur rue de son hôtel a été reconstruite lors de l'ouverture du boulevard). On remarquera à l'intérieur de l'église, à la voûte du chœur des religieux, derrière l'autel, une *Transfiguration* par François Lemoine (1724), au maître-autel, une *Transfiguration* par Restout et, à l'autel du bras gauche du transept, une statue de Gilles Guérin représentant la Vierge à l'Enfant (XVIIᵉ siècle).

Rue du Bac, au n° 46 subsiste, bien altéré, le somptueux hôtel que se fit construire le fils du banquier Samuel Bernard, vers 1740. Ses initiales (S.B.) surmontent la porte monumentale ornée d'un mascaron et de pots à feu.

Boulevard Saint-Germain, au n° 246, l'hôtel de Roquelaure, élevé par Lassurance, et continué par J.-B. Leroux à partir de 1722, et dans lequel résida Cambacérès de 1808 à 1816, est occupé par le ministère des Transports. Ses trois perrons, son discret décor de mascarons et sa porte encadrée de colonnes doriques lui confèrent une indéniable majesté.

Rue de l'Université, au n° 51, bâti par Lassurance en 1707, l'hôtel de Maisons ou Pozzo di Borgo (depuis 1836) est le mieux conservé de la rue. Il se signale par la grande sobriété de son décor, limité à son portail encadré de colonnes doriques et à son avant-corps central, orné de pilastres et de colonnes et surmonté d'un fronton.

Rue de Poitiers, au n° 12, l'hôtel de Poulpry, élevé en 1703, de dimensions assez restreintes, ne manque pas de charme et conserve de beaux décors intérieurs du XVIIIᵉ siècle, notamment un plafond peint par Claude III Audran et attribué à tort à son élève beaucoup plus célèbre, Watteau. Depuis 1930, l'édifice est occupé par la Maison des polytechniciens.

La **rue de Verneuil**, ouverte en 1640, doit son nom à l'abbé de Saint-Germain-des-Prés, Henri de Verneuil, fils naturel d'Henri IV et d'Henriette d'Entraigue. Au n° 53, à l'hôtel d'Avejan (1725) qui s'étend jusqu'à la rue de l'Université (n° 60-64) siègent le Centre national des lettres et la Maison des écrivains destinés à favoriser les publications littéraires. Au n° 42, la brasserie du Courrier de Lyon rappelle que dans ce cabaret fut organisée, en 1796, la célèbre affaire qui défraya la chronique sous le Directoire.

La **rue de l'Université**, de la rue du Bac à celle des Saints-Pères, est riche de vieilles demeures et de boutiques d'antiquaires. Si l'hôtel Cambacérès (n° 21), construit en 1663, a été amputé par l'ouverture de la rue Sébastien-Bottin, au n° 17, l'hôtel Bochard de Saron (1639), dû à un beau-frère de Le Vau, a eu pour propriétaire le poète Chapelle et pour locataire Tallemant des Réaux (1646-1655). Au n° 15, l'hôtel Laugeois d'Imbercourt (à partir de 1682) où vécut quelque temps l'amiral de Tourville, se signale par un imposant

N° 26, rue de Lille.

portail surmonté d'un fronton ; il est depuis 1884 le siège de la *Revue des Deux Mondes* fondée en 1831 par Buloz. Presque en face, au n° 24, l'hôtel de Sénectère, bâti par Thomas Gobert en 1685, dans un style qui rappelle celui de Le Vau, est affecté à la direction de l'Electricité de France.

Au n° 16 de la **rue des Saints-Pères**, la cour des Saints-Pères regroupe plusieurs galeries d'antiquaires, comme le début de la paisible rue de Verneuil. Sortant de la rue Allent, on tombe au n° 26 de la **rue de Lille** sur l'entrée secondaire de l'église du couvent des Théatins, réalisée par l'architecte Desmaisons, après 1754. Ce portail, orné d'une *Ascension*, est le seul vestige de l'édifice qui fut démoli en 1821. Un peu plus loin, le n° 30 est un immeuble de rapport construit par les religieux en 1730. En remontant vers la rue des Saints-Pères, on remarquera les demeures des XVIIᵉ et XVIIIᵉ siècles (n° 1, 11, 13 à 16) et surtout, au n° 15, à la galerie Montagut, une apothicairerie des Antonins d'Avignon, d'époque Louis XIII, entièrement remontée : sol, plafond, meuble.

Le **quai Voltaire** se signale par la quantité et la qualité de ses antiquaires, et par son passé riche de souvenirs. Au n° 1, dans l'hôtel de Tessé, en grande partie reconstruit par Le Tellier (1765), vécut l'excentrique marquis de Bacqueville qui, en 1742, tenta de s'envoler du Pont-Neuf, en s'accrochant des ailes aux jambes : un ressort s'étant cassé, il plana un temps, puis s'écrasa sur un plateau de lavandières avec une fracture du fémur... Le sculpteur Pradier habita ici en 1839. Au n° 11, dans l'hôtel Boulleau (1665), moururent Ingres et Vivant Denon. Delacroix puis Corot vécurent au n° 13 (1829-1848). Au n° 19, le Voltaire, hôtel meublé, accueillit Baudelaire (1856-1858), Wagner qui y acheva les

Maîtres chanteurs (1861-1862) et Oscar Wilde. Enfin, au n° 29, l'hôtel de Mailly-Nesle doit sa célébrité à sa beauté et à celle des trois filles du marquis de Nesle, qui furent successivement les maîtresses de Louis XV. Il est occupé par la Documentation française.

Le n° 1 de la **rue de Beaune** (et n° 27 du quai Voltaire) est occupé par l'hôtel de Villette construit vers 1660 et remanié par De Wailly vers 1760, comme en témoigne le décor néoclassique du portail fait de sphinx, animaux ailés, guirlandes de fleurs et de fruits, caducées sculptés aux portes. C'est ici que Voltaire passa ses derniers jours, visité et célébré par toute l'intelligentsia parisienne (1778). En souvenir de lui et de son séjour, on donna, dès 1791, son nom à cette partie du quai Malaquais.

En descendant la **rue de Lille** vers l'ouest, au n° 41, la Maison des dames des postes, télégraphes, téléphones, foyer pour stagiaires-cadres de province, est due à Eugène Bliault (1905) et représente l'un des premiers édifices en béton de Paris, et conserve à l'intérieur son décor d'origine. Lors de la Commune, aux destructions de l'hôtel de Belle-Isle et de la Cour des comptes s'ajouta celle de l'hôtel de Pomereu (n° 67) qui fut reconstruit par l'ingénieur Marcou ; et son gigantesque escalier d'honneur est l'un des plus splendides témoignages de l'architecture parisienne de la seconde moitié du XIXe siècle. Actuellement, l'immeuble est occupé par la Caisse des dépôts et consignations.

Le musée d'Orsay
(tél. 45.49.48.14)

La gare de la Compagnie du Paris-Orléans et l'hôtel l'accompagnant furent construits sur les plans de Victor Laloux (1850-1937), tout en pierre pour ne pas « heurter » le voisinage ; à l'intérieur, le staff camoufla les éléments trop métalliques. L'inauguration eut lieu le 14 juillet 1900 lors de l'Exposition universelle. L'édifice fut bien reçu et Edouard Detaille put dire : « La gare est superbe et a l'air d'un palais des Beaux-Arts. »

Dès 1939, le trafic fut limité à la banlieue et, en 1973, l'hôtel ferma définitivement. On songea à remplacer l'ensemble par un hôtel de luxe, solution écartée (1973) à la suite de campagnes de presse souhaitant que ne soit pas renouvelé le désastre de la démolition des halles de Baltard. Dès 1973 se fit jour l'idée d'y installer un musée, intermédiaire entre le Louvre et le musée national d'Art moderne. Les architectes Bardon, Colhoc et Philippon furent chargés du chantier et l'architecte italienne Gae Aulenti de l'aménagement intérieur.

Le parti adopté dégage et met en valeur la voûte, cependant que les structures créées dans le sens des anciennes voies ferrées accentuent le parti axial de l'édifice et respecte l'architecture de fonte et les décors de stuc originaux.

Conçu comme un centre pluridisciplinaire, le musée d'Orsay évoque toutes les formes d'expression artistiques : peinture, sculpture, dessin, architecture, arts graphiques, photographie, objets d'art et cinéma. En outre, les collections sont complétées et mises en valeur par les manifestations les plus diverses (concerts, films, conférences, expositions-dossiers, etc.) ou l'évocation des périodes concernées par la présentation d'objets contemporains (affiches, téléphone, sculpture, journaux, etc.) afin de permettre au visiteur de situer dans le bon contexte les œuvres exposées.

Les collections ont diverses provenances : le Louvre pour les œuvres de la période 1848-1900 qui y étaient exposées ; le musée du Jeu de Paume où l'on voyait, jusqu'en 1986, les impressionnistes ; le palais de Tokyo pour les collections post-impressionnistes non transférées au Centre Pompidou ; les musées de province et les administrations dans lesquels quantité d'œuvres avaient été déposées ; des dons, legs et dations.

L'entrée principale se fait rue de Bellechasse, par le parvis décoré de bronzes exécutés pour les jardins du Trocadéro lors de l'Exposition universelle de 1878 : *Les Six Continents* (l'Amé-

Le musée d'Orsay.

rique comptant pour deux) et trois animaux.

Rez-de-chaussée

Dans l'allée centrale la sculpture du second Empire témoigne de la diversité des courants : romantisme avec le *Napoléon s'éveillant à l'immortalité* de Rude, ou le *Lion* de Barye ; classicisme avec la *Sapho* de Pradier ; éclectisme et redécouverte de la polychromie à l'antique avec le *Nègre du Soudan* de Charles Cordier ; créations dynamiques et puissantes de

Carpeaux (*Ugolin*, *La Danse*, *Les Quatre Parties du monde*).

Les trois salles de droite. Dans la première, consacrée à Ingres (1780-1867) et à l'ingrisme, on retiendra *La Source* et *Vénus à Paphos* et, à la suite, le *Combat de coqs* de Gérôme, œuvre néogrecque. Ensuite, la fougue romantique de Delacroix (1798-1863) est représentée par la *Chasse au lion*, le *Passage d'un gué au Maroc*, cependant que le *Tepidarium* de Chassériau (1819-1856), inspiré d'une salle mise au jour à Pompéi, témoigne de son sens de la ligne et des couleurs. Enfin sont évoqués la peinture d'histoire et le portrait de 1850 à 1870 : la virtuosité mondaine de Winterhalter (*Madame Rimski-Korsakov*) contraste avec l'idéalisation glacée de la *Naissance de Vénus* de Cabanel ou le marbre représentant une *Femme piquée par un serpent* de Clésinger.

Au-delà, l'immense tableau de Thomas Couture, *Les Romains de la décadence*, qui doit tant à Titien, Véronèse et Tiepolo, est un bon exemple de l'éclectisme au milieu du siècle.

Les trois salles de gauche. Daumier (1808-1879) est représenté par trente-six bustes de caricatures en papier cru enluminé à l'huile et des peintures qui témoignent de son goût pour la couleur, les contrastes lumineux, les déformations des visages (*La Blanchisseuse*). La collection Chauchard est ensuite répartie dans deux salles. D'abord Millet (*L'Angélus*, *Les Glaneuses*) et les paysagistes de l'école de Barbizon : Théodore Rousseau (*Une avenue, forêt de l'Isle-Adam*), Corot (*Une matinée, danse des nymphes*, *Souvenir de Mortefontaine*). Ensuite le réalisme avec Meissonnier (*La Campagne de France 1814*), Rosa Bonheur (*Le Labourage nivernais*) ou Daubigny (*La Moisson*) dont les couleurs juxtaposées préfigurent les impressionnistes.

Dans la salle Courbet qui suit sont réunis ses principaux chefs-d'œuvre : *L'Enterrement à Ornans*, *L'Atelier*, *Les Falaises d'Etretat*, *La Source*...

Le second groupe de salles à droite, au-delà de l'allée transversale, est consacré d'abord à Puvis de Chavannes (1824-1898) avec les premières œuvres symbolistes à la peinture claire et mate que sont *L'Espérance*, les *Jeunes Filles au bord de la mer* ou *Le Pauvre Pêcheur* qui fascina les contemporains. Autre symboliste Gustave Moreau, qui doit tant à Delacroix et Chassériau : il est représenté par *Jason et Orphée*, témoin s'il en fut de son goût pour l'étrange et le détail minutieux. Enfin, du Degas antérieur à 1870, si original déjà, on retiendra *La Famille Bellelli*, *L'Orchestre de l'Opéra*, l'une des premières représentations de danseuses prises sur le vif.

En vis-à-vis à gauche, Manet avant 1870, avec *L'Olympia*, *Emile Zola* et *Le Balcon*, précède l'évocation, pour la même période, de Monet (*Femmes au jardin*, *La Pie*, *Le Déjeuner sur l'herbe*), Bazille (*Réunion de famille*) et Renoir (*Frédéric Bazille*).

Au-delà de l'allée Courbet, *Un atelier aux Batignolles* de Fantin-Latour est un hommage à Manet dans un style réaliste. Puis viennent les précurseurs de l'impressionnisme : Boudin (*La Plage à Trouville*), Jongkind et surtout, de la collection Moreau-Nélaton, Monet (*Les Coquelicots*) et Manet (*La Blonde aux seins nus*, *Le Déjeuner sur l'herbe*).

La collection Edouardo Mollard regroupe les paysages impressionnistes : Sisley (*Passerelle d'Argenteuil*), Pissarro (*Gelée blanche*), Jongkind (*La Seine et Notre-Dame de Paris*). Le réalisme (Monticelli : *Nature morte au pichet blanc* ; Théodule Ribot : *Saint Sébastien martyr*) et l'orientalisme nourri de souvenirs de voyages (Guillaumet : *Le Désert*, Tournemine : *Eléphants d'Afrique*), achèvent l'évocation des origines du renouveau de la conception et de la vision esthétique à la fin du second Empire.

Les salles obscures qui suivent sont destinées à la présentation des fragiles collections de photographies et d'art graphique du musée. A l'extrémité de l'allée transversale à droite sont présentés les arts décoratifs (1850-1880) dominés par l'éclectisme, dans une synthèse qui réunit l'art et

La grande verrière du musée d'Orsay.

l'industrie (Christofle), l'archéologie érudite et la création (coffret à bijoux de Froment-Meurice, médaillier de Diehl) et l'orientalisme (meuble à deux corps de Lièvre de Detaille).

La salle de l'Opéra tente de donner une idée globale de l'édifice et de son insertion dans l'environnement, en 1914, avec une maquette au 1/100, une maquette du théâtre, celle de la scène réalisée pour l'Exposition universelle de 1900 et diverses esquisses de Carpeaux pour *La Danse*.

Le pavillon amont évoque l'architecture avant 1900 avec la présentation de la structure métallique de la gare complètement dégagée, et le renouveau des arts décoratifs avec Raprich-Robert, Viollet-le-Duc, Pugin et Sullivan, Morris.

Niveau supérieur

Largement éclairé par la grande verrière, cet espace a permis la présentation et la mise en valeur de la très importante collection d'impressionnistes que possède le musée. Ainsi se déroule, à partir du pavillon, l'histoire de ce mouvement qui regroupa, en 1874, cent soixante-cinq toiles et trente participants toujours « refusés » par les jurys officiels : Cézanne, De-

gas, Monet, Sisley, Renoir, Pissarro... Le tableau de Monet *Impression, soleil levant*, qualifié méchamment par un critique « d'impressionniste », est à l'origine du nom de ce mouvement. Les sept autres expositions eurent lieu jusqu'en 1886, cependant que, dès 1876, Caillebote rejoignait ces artistes, en devenait le mécène, puis en 1894 léguait sa collection à l'Etat. En 1879, le groupe accueillit l'Américaine Mary Cassatt et Gauguin, puis, en 1886, Seurat et Signac.

Les œuvres exposées ici sont toutes célèbres, qu'il s'agisse de celles de Monet (*La Gare Saint-Lazare*, *Les Régates à Argenteuil*, les *Cathédrale de Rouen*, *Les Nymphéas bleus*), de Pissarro (*Les Toits rouges*), de Sisley (*Inondation à Port-Marly*), de Berthe Morisot (*Le Berceau*), de Degas (*L'Absinthe*, *A la Bourse*, *Chevaux de course devant les tribunes*, *Danseuses bleues*), de Manet (*Sur la plage*), de Renoir (*Danse à la ville*, *Danse à la campagne*, *Les Baigneuses*).

La collection du docteur Gachet, ami des impressionnistes, a fait entrer dans les collections nationales un nombre prodigieux d'œuvres de Van Gogh (*Portrait de l'artiste*, *Portrait du docteur Gachet*, *L'Eglise d'Auvers-sur-*

189

Oise, L'Arlésienne) et de Cézanne (Les Joueurs de cartes, L'Estaque, Pommes et oranges, Baigneurs, entre autres). Les pastels de Degas occupent une salle entière : l'artiste utilisa ce procédé tout au long de sa carrière.

Dans le néo-impressionnisme, on retiendra surtout : Odilon Redon (le Bouddha et une série de pastels), Toulouse-Lautrec (La Toilette, Jane Avril dansant, La Clownesse Cha-U-Kao), le Douanier Rousseau (La Guerre ou La Chevauchée de la discorde, le puissant Portrait de femme), l'école de Pont-Aven autour de Gauguin (La Belle Angèle, Femmes de Tahiti, Le Cheval blanc, Le Repas), Emile Bernard (Madeleine au bois d'amour), enfin les Nabis avec Pierre Bonnard (Femme à la robe quadrillée, L'Enfant au pâté, La Partie de croquet), Maurice Denis (Les Muses, Le Ballon) et Vuillard (Au lit, Les Panneaux de jardins publics).

Niveau médian

Ce niveau est essentiellement consacré à la sculpture et aux arts décoratifs. En bordure de Seine, dans l'ancienne salle de bal est présenté l'art officiel. En effet, la proclamation de la République suscita une vague de commandes à la gloire du nouveau régime et d'un nouvel idéal : statues et monuments publics envahirent la ville ; le Salon continua à consacrer cet art officiel autour de Bonnat, J.-P. Laurens, Cabanel, Puvis de Chavannes et Cormon, ce qu'illustre Un jury de peinture par Gervex (1885). Les grands noms de cette section sont : Gérôme (Tanagra), Barrias (La Nature se dévoilant devant la science), Bouguereau (La Naissance de Vénus inspirée de La Source d'Ingres), Aubé (Surtout de table, 1900, évoquant l'alliance franco-russe), et pour la peinture décorative Benjamin Constant (plafond de l'Opéra-Comique, 1898), Bénard (la Comédie-Française) et Puvis de Chavannes (le Panthéon). A la terrasse des sculptures qui domine et contourne la nef, figure la sculpture monumentale de la IIIe République : Chasseurs d'alligator par Barrias pour le Muséum, Saint Michel par Frémiet

pour le Mont-Saint-Michel. Ensuite Rodin (L'Age d'airain, Ugolin, Balzac, La Porte de l'enfer) et Camille Claudel (L'Age mûr) ; puis des suiveurs (Desbois) et de réelles personnalités : Bourdelle (Tête de combattant, Héraklès archer), Bartholomé (Anatole France, Fillette pleurant, fragment du monument aux morts du cimetière du Père-Lachaise). La terrasse se termine du côté de la rue de Lille par la sculpture postérieure à 1900 : Maillol (Méditerranée et Le Désir), Joseph Bernard qui, par la technique de la taille directe, rechercha la sincérité (Effort vers la nature).

En bordure de Seine, à la suite de la salle de bal, le naturalisme glorifie des travaux champêtres (Les Foins, par Bastien-Lepage), la vie moderne (La Forge, par Cormon), ou l'histoire religieuse (Caïn, par Cormon, d'après « La Conscience » de Victor Hugo, dans La Légende des siècles) ; en sculpture, ce mouvement est représenté par Dalou (Le Forgeron) ou Meunier, très attaché à l'industrie, (Puddleurs). Plus loin, le symbolisme, en réaction contre le naturalisme et l'impressionnisme, traduit les pensées et les rêves : Sérénité, par Henri Martin, La Roue de la fortune, par Burne-Jones, Nuit d'été, par Homer, Le Rêve, par Puvis de Chavannes. L'Art nouveau, venu de Belgique et diffusé par l'école de Nancy, dans son souci de faire table rase des formules antérieures, eut recours à de nouveaux matériaux et techniques (céramique, émail, vitrail) et à des formes nouvelles dans un éclectisme où l'on retrouve les courants naturaliste et symboliste, ainsi que les inspirations florales japonisantes. Ce mouvement trouva à s'exprimer essentiellement dans l'architecture et surtout dans les arts décoratifs représentés ici par les bijoux (Lalique) et le mobilier (meuble formant cheminée et vitrail provenant de la propriété Roy, aux Gévrils, dans le Loiret, par Guimard ; meuble orchidées, par Majorelle ; porte du salon d'essayage des magasins Vaxelaire, par André, Vallin et Gruber ; vitrine aux libellules, par Gallé ; bibliothèque, par Carabin ; salle à manger de la villa Bénard, à

Champrosay, par Charpentier ; mobilier industriel de la firme autrichienne Thonet ; verres et faïences de Gallé). Du côté de la rue de Lille, les écoles de Vienne, Glasgow et Chicago, et leur rôle dans la promotion de l'art industriel sont représentées par des meubles de Loos, Mackintosh et Wright.

La peinture postérieure à 1900 et l'évolution des Nabis apparaît dans la maquette du plafond du théâtre des Champs-Elysées par Maurice Denis, *La Bibliothèque* de Vuillard, *En barque* de Bonnard. Dans une petite salle, des

lement acquis en 1804 par la chancellerie de la Légion d'honneur (qui y siège encore aujourd'hui). Après l'incendie de la Commune, Anastase Mortier en fit la reconstruction presque à l'identique, à l'exception de la coupole, beaucoup plus considérable. Le palais présente un contraste entre les deux façades : rue de Lille, l'arc de triomphe, la colonnade et le portique allient la sévérité à la majesté ; sur la Seine, la rotonde, les médaillons, les sculptures et la coupole ont l'élégance et la grâce d'une façade sur jardin. Il

Le musée de la Légion d'honneur.

œuvres de Matisse (*Luxe, calme et volupté*), de Klimt (*Rosiers sous les arbres*), du Douanier Rousseau (*La Charmeuse de serpents*) et de Munch (*Nuit d'été à Aasgaarstrand*) donnent un panorama de la peinture internationale au début du XXᵉ siècle. Enfin, une pièce est consacrée à la naissance du cinéma autour de Muybridge, Edison et surtout des frères Lumière.

Musée de la Légion d'honneur et des ordres de chevalerie
(2, rue de Bellechasse tél. 45.55.95.16)

L'hôtel du prince de Salm-Kyrbourg fut élevé par l'architecte Pierre Rousseau de 1782 à 1787. Le prince fut arrêté et guillotiné en 1794 et l'édifice fina-

existe deux copies de ce bâtiment : l'une à l'échelle, qui est le palais de la Légion d'honneur de San Francisco, l'autre, au double, à Rochefort-en-Yvelines.

Le musée, créé en 1925, est installé dans une aile récemment élevée à l'emplacement des écuries. Au rez-de-chaussée, trois salles présentent les ordres royaux (Saint-Esprit, Saint-Louis, Saint-Michel, Saint-Lazare, etc.), l'ordre de la Légion d'honneur et les autres décorations françaises, tandis qu'à l'étage est offerte une vaste recension des ordres étrangers.

Rue de Lille
Au-delà de la rue de Bellechasse, le côté des numéros pairs se caractérise

par une architecture « bourgeoise » de qualité, de la première moitié du XIXᵉ siècle, en particulier au n° 91, où l'hôtel de Solférino avec sa façade ornée de niches et de statues, fut le dernier domicile du chirurgien de la Grande Armée, Larrey.

Du côté de la Seine, de l'hôtel de Belle-Isle (n° 56) au Palais-Bourbon, s'offrait, jusqu'à la Commune, une succession impressionnante de demeures aussi majestueuses que luxueuses, dont les jardins allaient jusqu'au quai. Outre l'hôtel de Salm (n° 64), certaines subsistent : l'hôtel de Beauharnais (n° 78) bâti en 1713 par Boffrand, acquis par le marquis de Torcy, neveu de Colbert, transformé et rénové sous l'Empire par Eugène de Beauharnais qui en refit, à partir de 1803, l'intérieur (boudoir turc, salle de bains de glaces, salons somptueux aux décors pompéiens) et « moder-nisa » la façade sur cour avec un portique égyptien. Depuis 1818, hormis les vicissitudes des guerres, l'hôtel est la résidence de l'ambassadeur d'Allemagne.

L'hôtel de Seignelay, mitoyen (n° 80), également construit par Boffrand (1714) et vendu à un autre Colbert, le marquis de Seignelay, est occupé par le ministère du Commerce et de l'Artisanat. Au-delà, les hôtels du Maine (par Robert de Cotte) et d'Humières (par Mollet) ont été démolis au siècle dernier (emplacements des n° 84-86 et 88-90).

De même, des sept hôtels élevés à l'extrémité de la rue, seul subsiste, au n° 121, l'hôtel Turgot, occupé par la fondation Custodia de l'Institut néerlandais qui conserve, depuis 1957, la collection de dessins flamands réunie par Fritz Lugt, et organise des expositions (tél. 47.05.85.99).

8. Le quartier des Invalides et de l'Ecole militaire

La rue de Constantine et le boulevard des Invalides marquent la limite du faubourg Saint-Germain, de son habitat ancien ; les deux grands établissements militaires élevés en marge de la ville, les Invalides et l'Ecole militaire, ont longtemps encadré le quartier populaire et champêtre des blanchisseuses du Gros-Caillou. Il n'est devenu résidentiel qu'avec le renouveau immobilier lancé sous Napoléon III par l'ouverture des avenues Rapp (1858) et Bosquet (1864), celle des avenues Elisée-Reclus, Emile-Deschanel et Charles-Floquet définissant les marges du Champ-de-Mars (1907). Cette transformation du quartier n'a pas été intégrale et, toujours animé, il a conservé partiellement son artisanat, ses petits commerces et une vie bien organisée avec ses marchés (rues Cler et Saint-Dominique), et ses boutiques. Au contraire, la patte d'oie qui, devant les Invalides, part de la place Vauban, est l'un des quartiers les plus calmes et les mieux aérés de Paris grâce à ses larges avenues plantées d'arbres.

Les Invalides
(tél. 45.55.92.30)

C'est en 1671 que Louis XIV décide la construction d'un hôtel pour les invalides de guerre et, dès 1676, les premiers pensionnaires s'y installent. Chargé du chantier, Libéral Bruant conçoit un édifice à distance du fleuve, ce qui permettra à Robert de Cotte d'organiser l'esplanade en 1704. En fait de caserne, Bruant construit une immense façade sévère, mais harmonieuse, qui fait de cet édifice la plus grande réalisation de Louis XIV à Paris. La grande porte centrale en plein cintre est surmontée d'une statue équestre de Louis XIV (refaite en 1916 par Cartelier, d'après celle de Coustou, détruite à la Révolution). De chaque côté, la Justice et la Prudence, ainsi que Mars et Minerve, explicitent les vertus royales.

La cour d'honneur, très austère, n'a pour éléments décoratifs, que les lucarnes sculptées dont une, la cinquième à gauche, évoque Louvois, chargé du secrétariat à la guerre,

Aux Invalides

« Les soldats y sont logés pêle-mêle, & la propreté n'a pu s'établir dans ces salles spacieuses. Mais les officiers y sont bien en comparaison du soldat ; les officiers m'ont tous paru assez contents de leur sort, & cet aveu peut tenir lieu d'une louange complete.

« Il n'y règne pas la même fraternité que dans les camps. Chacun s'isole, & l'indifférence la plus absolue regne entre ces êtres jadis si unis. C'est qu'il n'y a plus le danger des batailles, ni la société d'armes, ni le poids des fatigues à soutenir ; les régiments mêlés, les soldats ne se reconnoissent plus. De-là peu d'échanges de bienfaits ; l'esprit militaire ne s'y manifeste plus que par des rêveries sur la gloire ; cette retraite n'ouvrant plus de moyens à une sorte d'avancement, chacun ne vit plus que pour le présent, & ne se repaît plus que des fantômes du passé.

Les vieillards ont des infirmités & de l'humeur : il faut donc adoucir leur état ; c'est ce qu'on a fait depuis quelques années. »

(Louis-Sébastien Mercier, Le Tableau de Paris, 1782-1788.)

reconnaissable à un loup dont la tête et les pattes encadrent la fenêtre (« loup voit »). Au fond de la cour, le pavillon sert d'entrée à l'église des soldats, commencée par Bruant et achevée par Hardouin-Mansart. La sévérité de la nef est atténuée par la couleur des drapeaux pris à l'ennemi et suspendus aux corniches. La verrière, derrière l'autel, sert de séparation avec l'église du dôme, depuis 1873. Celle-ci est, à Paris, le monument le plus célèbre de l'époque classique avec son rez-de-chaussée à colonnes doriques, orné des statues de saint Louis par Coustou et de Charlemagne par Coysevox, au-dessus son étage corinthien, puis le tambour rythmé par des colonnes, la base de la calotte aux baies cintrées, enfin le dôme et son lanternon qui s'élèvent à plus de cent mètres de hauteur. La sobriété des lignes, mais aussi l'abondance de la sculpture et des éléments en relief contrastent avec les réalisations un peu figées de Bruant. De même, à l'intérieur, les quatre *Evangélistes* des pendentifs et le *Saint Louis remettant ses armes au Christ* de la partie haute de la calotte sont dus à La Fosse, discipline de Le Brun.

L'église de plan centré est entourée de chapelles qui, depuis 1800 et sur l'intervention de Bonaparte, ont reçu les restes de grands militaires : Turenne dans la chapelle de la Vierge, à gauche, et dont le tombeau est de Tuby, d'après les dessins de Le Brun ; le maréchal Lyautey, au fond à gauche ; Foch, au fond à droite, dont le tombeau est dû à Paul Landowski ; Vauban dans la chapelle Sainte-Thérèse ; enfin, de part et d'autre de l'entrée, Joseph et Jérôme Bonaparte. Les fresques et peintures de toutes ces chapelles sont l'œuvre de collaborateurs de Hardouin-Mansart : Michel Corneille, Bon Boullogne, Van Loo. Et, au fond, l'autel à baldaquin dans le style de Bernin est une réfection (1849), à peu près à l'identique de celui de Mansart détruit à la Révolution.

En 1840, Louis-Philippe, décidant d'accomplir le vœu de Napoléon qui avait souhaité que « son corps repose sur

L'esplanade des Invalides. Au loin, la tour Montparnasse.

les bords de la Seine, parmi ce peuple français qu'il avait tant aimé », chargea le prince de Joinville du « retour des cendres » de l'empereur ;

arrivées à Paris le 15 décembre, celles-ci furent entreposées une vingtaine d'années dans la chapelle Saint-Jérôme, à gauche, le temps pour Vis-

conti d'aménager le tombeau de porphyre rouge, dans la crypte, en évidant la partie centrale du rez-de-chaussée, ce qui le rend visible d'en haut. Le 15 décembre 1940, le mémorial impérial fut complété par le retour des cendres du roi de Rome (1811-1832).

Le musée de l'Armée
(Tél. 45.55.92.30.)

En 1905, le musée de l'Artillerie (1871), dont le noyau était constitué par la collection d'armes formée à l'arsenal depuis 1685 et les confiscations révolutionnaires, fusionna avec le musée historique de l'Armée (1896). Le musée actuel occupe deux bâtiments de part et d'autre de la cour d'honneur ; c'est l'un des plus riches du monde. Le bâtiment de l'Occident regroupe les armes depuis l'Antiquité jusqu'au XVIIe siècle, ainsi que celles de l'Orient. Au rez-de-chaussée, dans la salle François Ier, installée dans un réfectoire qui a conservé ses décors de Parrocel représentant les campagnes de Louis XIV, on remarquera une collection d'épées (l'une, de François Ier, dont la garde est ornée de feuilles d'or et d'émail, porte la devise *Fecit potentiam in brachio suo*) ; une arquebuse à rouet, l'une des premières armes à feu portatives ; des armures ; deux rondaches (l'une de fer doré dont le motif est inspiré de Raphaël, l'autre ornée d'un *Jugement de Pâris*) ; et surtout, l'armure du dauphin, futur Henri II, largement décorée de son monogramme uni à ceux de Catherine de Médicis et de Diane de Poitiers.

La salle Henri IV est essentiellement consacrée aux tournois, avec des armures complètes de cavaliers et des caparaçons, pour adultes et enfants. La salle orientale renferme des pièces ottomanes et extrême-orientales. La salle Pauilhac contient une collection de trois mille pièces, acquises en 1964 ; la salle Louis XIII, une épée dont la garde est de Benvenuto Cellini et des armures de Louis XIII enfant et adulte ; une autre salle présente des armes de chasse.

Au deuxième étage, enfin, sont exposés des souvenirs des deux dernières guerres ; au troisième étage est présentée l'histoire militaire et coloniale, de 1870 à 1914, ainsi que des modèles réduits retraçant l'histoire de l'artillerie.

Le bâtiment de l'Orient évoque l'histoire militaire de la France à travers la peinture et la sculpture, jusqu'en 1870.

Le musée des Plans-Reliefs
(Tél. 47.05.11.07.)

Il est constitué d'une partie de la collection formée par Louis XIV à partir de 1668 et protégée par le secret militaire. En cours de réaménagement, la galerie présente dix-huit maquettes, dans un contexte pédagogique, et notamment celles de Metz, Brest, Strasbourg, Briançon et du château Trompette à Bordeaux.

Le musée de l'Ordre de la Libération
(Tél. 47.05.04.10.)

Cet ordre a été créé par le général de Gaulle en 1940, et le musée conserve une quantité impressionnante de souvenirs de la dernière guerre, ainsi que des manuscrits du général.

Le musée d'Histoire contemporaine
(Tél. 45.51.93.02.)

Il a été formé à partir de la donation Leblanc et représente un fonds iconographique aussi riche que varié en affiches, médailles, gravures et objets. Il est en perpétuel accroissement.

Le Gros-Caillou

« Ce lieu, peuplé de guinguettes, est sur le bord de la rivière, au-dessous des Invalides. Là, on mange des matelottes, objet définitif & chéri des gageures Parisiennes. Une bonne matelotte coûte un louis d'or ; mais c'est un manger délicieux, quand elle n'est pas manquée. Les cuisiniers les plus fameux baissent pavillon devant tel marinier qui fait mélanger & apprêter la carpe, l'anguille & le goujon. Ils cèdent ce jour-là leur emploi à la main grossière qui manie l'aviron. Les cuisiniers ont beau être jaloux, ils accommodent les autres plats, excepté la matelotte : ainsi l'ordonne tout maître friand ou connoisseur. »

(Louis-Sébastien Mercier,
Le Tableau de Paris, *1782-1788.)*

Une cariatide, au n° 148 de la rue Saint-Dominique.

Le quartier du Gros-Caillou

Il n'est pas très animé hormis le marché de la rue Cler et la très commerçante rue Saint-Dominique où, au n° 64, la boulangerie « Excelsior » a conservé son décor de Benoist (vers 1900), avec des moulins peints en façade et, à l'intérieur, un plafond de céramique à décor floral. Divers éléments méritent le détour.

Le musée de la Seita
(12, rue Surcouf
tél. 45.56.60.17.)

Fondé en 1937, il s'attache à faire connaître le tabac et les objets qui le concernent (pipe, cigare, etc.). Il dispose d'une galerie qui accueille d'intéressantes expositions temporaires, souvent en liaison avec celles de la Bibliothèque nationale, sur les sujets les plus divers.

Si l'architecture du quartier est assez conventionnelle, on retiendra toutefois sur le quai d'Orsay, au n° 59, l'ambassade d'Afrique du Sud par Lambert, Thierrart et Garet (1974) qui contraste passablement avec son environnement ; au n° 63, la tardive église américaine de style néogothique par Greenough (1927), au n° 135 de la rue de l'Université, le conservatoire d'arrondissement par Portzemparc (1985) est une œuvre ambitieuse.

Rue Saint-Dominique, l'église du Gros-Caillou par Godde (1822) est conventionnelle, alors qu'au n° 123 l'ambassade de Roumanie occupe un splendide pastiche du XVIIIᵉ siècle par Destailleur (1866). Au n° 110, le décor de la boulangerie est un fort joli pastiche de style Louis XV avec ses boiseries sculptées et ses dessus-de-porte peints (vers 1896). Au n° 129, sur la charmante fontaine de Mars, par Bralle (1806), Hygie, déesse de la santé, abreuve Mars dans un style néoclassique très pur.

Le quartier se signale aussi par quelques édifices d'art nouveau de grande qualité, parmi lesquels on signalera ceux de Jules Lavirotte, à proximité du Champ-de-Mars : le n° 12, **rue Sédillot** (1899) dont la porte rappelle celle du Castel Béranger de Guimard ; le n° 3, square Rapp (1901), et surtout le n° 29, **avenue Rapp**, décoré par le céramiste Bigot ; cette façade de grès flammé et de brique entremêlant motifs floraux, animaliers et féminins, a été primée par la ville de Paris en 1903.

La tour Eiffel
(Tél. 45.50.34.56)

Le centenaire de la Révolution française fut célébré par une Exposition universelle dont l'objet était également de montrer la puissance industrielle de la France. Pour l'illustrer, un concours fut ouvert proposant l'édification sur le Champ-de-Mars d'une tour de fer de trois cents mètres de haut. L'ingénieur Gustave Eiffel le remporta, non sans soulever les passions. Ce « chandelier creux » constitué de deux millions et demi de rivets et de sept mille tonnes d'acier fut construit en deux ans par trois cents ouvriers : c'est le prince de Galles (Edouard VI) qui en fit le premier l'ascension, le 10 juin 1889.

La concession étant de vingt ans, l'édifice aurait dû disparaître en 1910. C'était sans compter sur sa popularité dans les milieux intellectuel et artistique : Dufy, Delaunay, Utrillo, Pissarro,

Desnoyers et tant d'autres en firent le thème majeur de leurs peintures. La tour qui a trois étages (57 mètres, 115 mètres, 276 mètres) a été surélevée de vingt mètres en 1957 pour y installer les antennes de télévision. Son entretien exige qu'elle soit repeinte tous les sept ans avec... cinquante tonnes de peinture ! Mais depuis 1986 son illumination nocturne a été revue d'une façon plus économique et particulièrement judicieuse, ce qui met en valeur sa structure de dentelle de fer. Au pilier nord figure la statue d'Eiffel, par Bourdelle (1930).

Le **Champ-de-Mars** a été dessiné par Gabriel (1765) pour assurer la liaison entre l'Ecole militaire et la Seine : il joue le même rôle que l'esplanade des Invalides. Ce vaste espace fut le domaine des grandes manifestations parisiennes du XVIIIᵉ siècle jusqu'en 1937 : expériences aérostatiques de Robert, Charles (1783) et Blanchard (1784), fête de la Fédération (14 juillet 1790), fête de l'Etre suprême (8 juin 1794), cérémonies militaires sous l'Empire, courses de 1833 à 1860 et surtout, Expositions universelles qui se prolongeaient généralement sur l'autre rive (Grand et Petit Palais pour celle de 1900, complexe du palais de Chaillot en 1937), conçu dans l'axe et en complément de l'Ecole militaire. Le parc actuel a été aménagé au début du siècle par Bouvard et Forestier qui s'inspirèrent du jardin de Monet à Giverny. A la même époque, on créa les avenues Charles-Floquet et Elisée-Reclus, vite considérées comme les « Champs-Elysées de la rive gauche », où Lucien Guitry se fit construire par Jules Guadet une maison récemment démolie.

Le Village suisse

En remontant le jardin vers l'Ecole militaire, les amateurs d'antiquités ne manqueront pas de faire le détour par le Village suisse situé entre l'avenue de Suffren et la rue Alasseur, en bordure de l'avenue de La Motte-Picquet. Lors de l'Exposition universelle de 1900, la Suisse avait présenté ici un village dans son cadre d'alpages et de montagnes ; plus tard, les brocanteurs s'y sont installés. Complètement rénové depuis 1968, le secteur est entièrement occupé par les marchands d'art.

« *Tour Eiffel* »

(Dédié à Delaunay.)

« Tour Eiffel
Guitare du ciel

    Ta télégraphie sans fil
    Attire les mots
    Comme un rosier les abeilles

Pendant la nuit
La Seine ne coule plus

    Télescope ou clairon
    Tour Eiffel

Et c'est une ruche de mots
Ou un encrier de nuit [...]

Tour Eiffel
Volière du monde
    Chante, chante
Souvenir de Paris
Le géant tendu au milieu du vide
Est l'affiche de France
    Le jour de la victoire
    Tu la raconteras aux étoiles »

          (Vincente Huidobro, 1917.)

Le Champ-de-Mars et la tour Eiffel. A l'arrière-plan, le Trocadéro.

L'Ecole militaire
Elle a été créée en 1755 pour l'instruction de jeunes gentilshommes pauvres se destinant à la carrière militaire. C'est à Gabriel que l'on doit l'immense bâtiment dont la construction s'acheva

par la façade (1768-1773). L'avant-corps central précédé d'un péristyle corinthien est coiffé d'un dôme et

occupé par la chapelle, selon la for-mule traditionnelle, brillamment inau-gurée un siècle auparavant à la Salpêtrière. Du côté du Champ-de-Mars, l'architecte a mis l'accent sur la longueur de l'édifice pour lui donner plus de majesté et il en a atténué l'austérité grâce à un décor sculpté relativement important : quatre figures à l'entablement symbolisent la Paix, la Force, la France et la Victoire sous les traits de Louis XV ; cette effigie échappa aux destructions révolutionnaires. Pour augmenter la capacité de l'édifice, Brongniart, en 1782, le prolongea par deux longues ailes basses.

La chapelle, chef-d'œuvre néoclassique, est décorée sur toute sa hauteur de semi-colonnes, de neuf tableaux par Vien, Lépicié, Restout, Doyen (1773). La façade sur la cour d'honneur, place de Fontenoy, bien limitée par ses pavillons d'angle, est plus raffinée dans ses détails que l'autre : superposition des colonnades dorique et ionique sur les côtés, pilastres corinthiens au centre, fronton sculpté au milieu surmonté du dôme... Cette façade est directement reliée à l'église du dôme des Invalides par les deux voies axiales qui se rejoignent à la place de Breteuil, et, dès l'origine, on a conçu un faisceau de voies destinées à unir de manière harmonieuse ces deux institutions militaires.

L'avenue de la Motte-Picquet

« Cette avenue reste, en somme, composée d'un assemblage de maisonnettes à un, à deux, à trois étages, de frugales maisonnettes qui regardent avec les yeux âgés de leurs vitres le radotant spectacle de longs plumeaux, plantés, sur le trottoir, le manche en bas, dans des cuvettes de terre couvertes d'une roue en fonte.

Çà et là, parmi ces bicoques, de caducs hôtels, habités par des officiers et par des filles et flanqués derrière leur corps de logis de jardins à guinguettes visibles par la claire-voie des portes, insèrent un faible parfum d'entremetteuse dans la fade odeur de province que l'avenue répand. [...]

« Mais, aujourd'hui, ces cafés qui regorgèrent d'uniformes sont presque déserts. Une brasserie, située au bout de l'avenue, au coin d'une rue voisine, a détourné le cours de cette clientèle dont le crédit était, ailleurs, épuisé peut-être. [...]

« Cette brasserie serait inintéressante, sans cachet particulier, sans saveur propre, si les capitaines n'avaient, là comme partout, apporté avec eux la senteur officielle de la province, la tristesse titulaire des garnisons. [...]

« Ce perpétuel coude à coude d'hommes réunis ensemble, au quartier, à la brasserie, au mess, d'hommes qui s'occupent forcément, ainsi que des voisines de paliers, de mesquins intérêts et de bas cancans, déteignent fatalement sur les lieux qu'ils fréquentent et les imprègnent d'une atmosphère spéciale qui dégage surtout cette odeur de placard renfermé, ce relent poussiéreux qu'exhalent les petites villes.

« C'est à l'heure de l'absinthe surtout que ce morose estaminet s'emplit. Alors des caserniers de toutes armes et de tous grades brassent des cartes ; les tailles sanglées et les képis à soufflets et à visières d'aveugles foisonnent. [...]

« Partout, sur des chaises, des gens vautrés, tendant sous de courts vestons de gros derrières ; partout, sous les tables sablées, des jambes rouges et des bottes noires ; partout des crânes dénudés, avec du duvet de canard sur l'occiput ou de rares mèches ramenées à tour de brosses, le long des tempes ; partout les mêmes physionomies accentuées et usées, les mêmes traits durs, les mêmes yeux vacants, les mêmes trous poilus de bouche ; partout, les mêmes conversations, les mêmes lieux communs, les mêmes rires, les mêmes plaisanteries. »

(J.-K. Huysmans, Croquis parisiens, 1887.)

L'Ecole militaire.

L'U.N.E.S.C.O.
(7, place de Fontenoy
tél. 45.68.03.59)

L'Organisation des Nations unies pour l'éducation, la science et la culture (U.N.E.S.C.O.), fondée en 1945 pour promouvoir la paix par la culture, regroupe cent vingt Etats. Son siège occupe la partie sud de la place de Fontenoy dont la demi-lune achève la cour d'honneur de l'Ecole militaire. L'U.N.E.S.C.O. est un chef-d'œuvre technique et artistique de coopération internationale, réalisé par l'Américain Breuer, l'Italien Nervi et le Français Zehrfuss (1958) ; avenue de Ségur, son jardin japonais est dû à Isamu Noguchi, avec ruisseau, lac et l'inscription japonaise du mot « paix ». L'entrée des bâtiments du secrétariat, avenue de Suffren, est signalée par un grand mobile de Calder, une sculpture de Henri Moore et deux compositions de céramique par Miró : *Le Mur du soleil* et *Le Mur de la lune*. Dans le bâtiment des conférences, en bordure de la place de Fontenoy, la salle des commissions est décorée d'une fresque de Tamayo (*Prométhée apportant le feu à l'homme*) cependant qu'une sculpture gigantesque de Picasso figurant la *Victoire de la lumière et de la paix sur le mal et la mort*, orne le hall d'entrée. En 1965 a été inauguré un bâtiment supplémentaire, œuvre de Zehrfuss, dont la décoration est due au Brésilien Burke Marx.

L'U.N.E.S.C.O.

203

9. Ministères et ambassades : le quartier des beaux hôtels

C'est ici, au cœur du faubourg Saint-Germain, que s'est installée massivement l'aristocratie, depuis la fin du XVIIe siècle jusqu'au milieu du XVIIIe siècle, se faisant élever des demeures vastes et régulières, sur de larges terrains alors en culture : ce secteur constitue ainsi un véritable musée de l'architecture parisienne du XVIIIe siècle. C'est ici encore que se passa une part de la vie intellectuelle, dans des salons restés célèbres (Mme du Deffand, Mlle de Lespinasse).

Autant dire que le quartier fut particulièrement touché par les saisies révolutionnaires, et que nombreux furent ses habitants qui émigrèrent ou périrent sur l'échafaud.

D'emblée, l'administration apprécia le parti qu'elle pouvait tirer de ces grandes et belles maisons, et elle se les appropria. La tourmente passée, quelques aristocrates récupérèrent leurs biens, d'autres furent indemnisés, mais la vocation administrative du quartier était définitivement établie, et n'a fait depuis que se développer. Dès le XVIIIe siècle, un autre phénomène était apparu : l'installation d'ambassades dans ce secteur proche du Louvre, et sur la route de Versailles, et riche en immeubles de standing, suffisamment vastes pour accueillir un diplomate et sa suite. Le courant se poursuivit, s'amplifia même au XIXe siècle, du seul fait de la proximité du ministère des Affaires étrangères.

La Révolution n'a pas brisé la vie mondaine du quartier ; sous l'Empire, nombre de vieilles familles se rallièrent à l'empereur et accueillirent la nouvelle noblesse des « comtes refaits ». Mais c'est sous la Restauration que le gros des émigrés retrouva ses biens, reprenant ses habitudes, rouvrant ses salons, même si ces fortunes étaient bien amputées. Avec Louis-Philippe, le noble faubourg légitimiste bouda les Tuileries et, sous le second Empire, allait les ignorer carrément.

Après 1880, la vie mondaine redevint très brillante, comme en témoignent les fêtes du prince de Sagan à l'hôtel de Monaco, ou les salons des duchesses de Galliera et Doudeauville, ou de la comtesse de Montebello (fréquenté par Robert de Montesquiou et Boni de Castellane). Actuellement, à côté de la vie officielle subsiste dans ce quartier, qui a partiellement perdu ses activités artisanales, certaines zones très vivantes avec boutiques, commerces, bistrots et petits artisans : le début de la rue de Grenelle, les rues du Bac, de Bourgogne et de Babylone (depuis la rue Vaneau jusqu'au boulevard), sont très animées la journée. Les commerces évoluent vers le luxe, et il n'est pas rare qu'un antiquaire remplace un crémier, détruisant une boutique ancienne. Toutefois, on peut continuer d'admirer à la crèmerie du n° 41, rue de Bourgogne, le décor intact mis en place par Benoist vers 1900 : en façade deux panneaux représentant des vaches et des chèvres au pré, ainsi que l'inscription « La ferme de Sainte-Suzanne » et, à l'intérieur, le plafond et les murs de céramique ornés de guirlandes de fleurs.

Ailleurs, au n° 108 de la rue du Bac, on peut encore voir de la main des repasseuses au travail. La richesse et l'unité monumentale du secteur font qu'il serait vain de citer tous ces hôtels qui sont, sans exception, d'une rare qualité architecturale. Les règles de la vie administrative font que leurs portes sont fermées en dehors des heures de bureau ; par ailleurs, ceux qui appartiennent encore à des particuliers gardent depuis quelques années leurs portes perpétuellement fermées pour des raisons de sécurité. Il est donc recommandé de visiter le quartier la journée, en semaine, en pleine animation, les rues étant désertes le soir. Des visites-conférences permettent de pénétrer dans certains intérieurs et d'admirer mobiliers, lambris et décors ainsi que des façades sur de bien charmants jardins.

Se renseigner auprès de la Caisse nationale des monuments historiques, 62, rue Saint-Antoine, ou dans la presse.
Tél. 42.74.22.22.

L'hôtel de Lassay
(128, rue de l'Université)

En 1724, cet hôtel fut construit en bordure de Seine pour le marquis de Lassay, par Aubert et Giardini sur les dessins de Lassurance. Le marquis en fit sa demeure, laissant à son épouse le Palais-Bourbon. Les deux bâtiments furent toutefois réunis par un souterrain. Saisi à la Révolution, l'hôtel abrita les premières années de l'Ecole polytechnique (1794-1804), fut rendu aux Condé sous la Restauration avant de devenir, de manière définitive, la résidence du président de la Chambre des députés.

Jusqu'en 1846 l'hôtel se présentait comme un long bâtiment à un seul rez-de-chaussée surmonté d'un toit en terrasse, dans la tradition du Grand Trianon. L'architecte Joly l'agrandit alors en le surélevant d'un étage, ce qui lui enleva son caractère de maison de campagne. En même temps, il le réunit au Palais-Bourbon par une galerie basse dont la décoration devait être « en harmonie avec les salons restaurés » et riche de boiseries et de stucs du XVIIIe siècle que l'on compléta par d'habiles pastiches, ce qui fait de cet hôtel le plus somptueux du faubourg.

Le Palais-Bourbon
(126, rue de l'Université)

Il fut commencé en 1722 par l'architecte italien Giardini pour Mademoiselle de Nantes, fille de Louis XIV et de Madame de Montespan, qui avait épousé Louis III de Bourbon-Condé. Lassurance y travailla ; Aubert et Gabriel l'achevèrent en 1730. Comme l'hôtel de Lassay, son voisin, c'était un édifice à rez-de-chaussée coiffé d'un toit en terrasse, lui-même bordé d'une balustrade ornée de sculptures. Le prince de Condé acquit l'édifice en 1764 par échange avec le roi de son hôtel situé près du Luxembourg. Il chargea Barrau de Chefdeville des agrandissements qui consistèrent essentiellement en la construction de deux ailes et de cours secondaires derrière celle de gauche. Le Carpentier (1765), puis Bellisard (1773) continuèrent les travaux en suivant ses plans, mais donnèrent à l'édifice un aspect néoclassique.

Saisi à la Révolution, le palais fut affecté au Conseil des Cinq-Cents : Gisors et Lecomte furent chargés d'aménager la salle des séances qu'ils dessinèrent en hémicycle, à l'emplacement de l'ancien salon ; la façade de la cour d'honneur dut alors être modifiée pour dissimuler la coupole ainsi créée. Sous l'Empire, la modification la plus importante fut celle de la façade sur Seine, dans l'axe de la place de la Concorde, de la rue Royale et de la Madeleine. Poyet la traita comme une réplique de cette église et, par le péristyle surmonté d'un fronton, il fit du palais du Corps législatif une sorte de temple de la Loi (1807). Sous la Restauration, le prince de Condé loua l'hôtel à l'Etat pour la Chambre des députés, puis le vendit (1827), ce qui permit la reconstruction in situ de l'hémicycle par De Joly, qui en profita pour aménager des annexes : salle des pas perdus, salon du Roi, bibliothèque (1828)... Pendant la dernière guerre, le Palais-Bourbon a été le siège de l'administration militaire du Grand Paris.

A l'ouest de la salle des séances, ornée de colonnes ioniques et d'un important programme sculpté, la salle des pas perdus, ouverte aux journalistes, a un plafond peint par Horace Vernet à la gloire de la science ; à l'est, dans la salle des conférences qui est réservée à l'usage des députés, on note, outre les peintures historiques de Heim, *Les Bourgeois de Calais* par Ary Scheffer, à la voûte. Enfin, et surtout, le plafond de la bibliothèque, vaste galerie terminée par deux hémicycles, est dû, comme celui du Sénat, à Delacroix ; au centre, *La Poésie, la Théologie, la Législation, la Philosophie* et *Les Sciences de l'Antiquité* ; aux extrémités *Attila et ses hordes foulent aux pieds l'Italie et les arts* et *Orphée venant enseigner aux Grecs encore sauvages les arts et la paix.*

Complémentaire du palais, la **place du Palais-Bourbon** a été conçue par le prince de Condé dans un double but : embellir son hôtel et se procurer des revenus par la location d'immeubles. La place projetée par Leroy (1782) comportait deux quarts de cercle d'où partait la rue de Bourgogne ; mais le marquis de Saisseval, qui se chargea complètement de l'opération, transforma le plan pour lui donner l'actuelle forme trapézoïdale, plus facile à réaliser et donnant une plus grande surface à bâtir. A une maison près, la place fut achevée, dès 1792, et connut un vif succès sous l'Empire : Daru, Ordener et Percier s'y installèrent.

Rue Saint-Dominique, au n° 14, l'hôtel de Brienne construit en 1724-1726 par Debias-Aubry, avec des décors somptueux, eut pour occupant, sous Louis XVI, Loménie de Brienne, ministre de la Guerre en 1787, qui devait être guillotiné en prairial de l'an II, en même temps que Malesherbes et Mme Elisabeth. A l'intérieur, il fit d'importants travaux de remise au goût du jour. Lucien Bonaparte, en 1802, puis Madame Mère, en 1805, s'y installèrent, et Lucien y exposa ses collections fort réputées. Ce fut le temps de l'aménagement de la chapelle et de l'orangerie. Acquis par l'Etat en 1817, l'hôtel fut affecté, de manière définitive, au ministère de la Guerre qui l'agrandit, en 1834, par l'acquisition de l'hôtel de Broglie, mitoyen. Ce dernier, dû également à Debias-Aubry (1728), avait été occupé en 1789 par Puységur, alors secrétaire d'Etat à la Guerre. En 1871-1877, la décoration de l'hôtel de Brienne fut en partie refaite par Huber Frères. Les proportions de la cour, l'équilibre de la façade et le raffinement de la décoration font de cet hôtel l'un des plus représentatifs de l'art du début du règne de Louis XV.

L'église Sainte-Clotilde

Dès 1815, l'église des Invalides fut érigée en chapelle paroissiale. Mais la population du faubourg devenant plus nombreuse, il devint nécessaire d'ouvrir une nouvelle paroisse (1823) dédiée successivement aux saints patrons des monarques (Charles puis Amélie) avant de recevoir le patronage de Clotilde en 1857. L'église fut établie au cœur du quartier et confiée aux architectes Gau (1846), puis Ballu (1853). A l'époque où le néogothique faisait fureur, dans un grand mouvement intellectuel de redécouverte des sources et des racines nationales, on réalisa ici la première église parisienne de ce style, inspiré de celui du XIVe siècle. La façade est décorée des statues des souverains fondateurs de la monarchie chrétienne : Clotilde et Clovis, par Defroy-Dechaume.

L'intérieur est parfaitement homogène : les vitraux ont été réalisés d'après les dessins de Paul Jourdy, à droite, et ceux d'Auguste Galimard, à gauche ; le chemin de croix est, à droite, de Francisque Duret, et, à gauche, de Pradier ; les peintures des transepts sont, à droite, de Lenepveu (*Conversion et martyre de sainte Valère*) et, à gauche, de Désiré Laugée (*Baptême de Clovis, Sainte Clotilde faisant l'aumône*) ; les sculptures sises au revers du mur du chœur sont d'Eugène Guillaume.

Rue de Grenelle, au n° 138, l'hôtel de Noirmoutier, par Courtonne (1722), se signale par l'harmonie de ses proportions et ses dimensions restreintes. Construit pour le duc de Noirmoutier, il fut occupé par Mlle de Sens, arrière-petite-fille de Condé (1734-1765). Affecté à l'état-major à partir de 1825, il fut mis à la disposition de Foch et de sa famille (1919-1950). Depuis 1970, il est la résidence du préfet de la région d'Ile-de-France : ses balcons fleuris, sa vigne vierge et ses arbres en font l'une des plus charmantes demeures du VIIe arrondissement. Au n° 127, la façade de l'hôtel du Châtelet édifié par

Le musée Rodin.

Mathurin Cherpitel (1770-1776) est ornée de quatre colonnes corinthiennes d'ordre colossal, représentatives du courant néoclassique qui s'imposa à la fin du règne de Louis XV. Saisi à la Révolution, il hébergea successivement l'Ecole des ponts et chaussées (1830-1849), l'archevêque de Paris (1849-1906) privé de domicile depuis le saccage de 1831, enfin, le ministère du Travail depuis 1907. C'est l'un des rares hôtels parisiens à avoir conservé ses décors intérieurs à peu près intacts.

Le musée Rodin
(77, rue de Varenne
tél. 47.05.01.34.)

L'accès au musée par le boulevard permet de jouir d'une belle vue sur le dôme de l'église des Invalides et sur les annexes de l'hôtel. On doit cet hôtel à la largesse de Peyrenc de Moras qui s'était enrichi par le système de Law. L'architecte Aubert aurait été chargé de sa construction (1728-1730) ; il suivit les plans de Gabriel. La duchesse du Maine y vécut, de 1737 à 1753, date de sa mort. La congrégation du Sacré-Cœur l'occupa de 1820 à 1904, puis Rodin, de 1908 à sa mort en 1917, cependant que l'Etat en devenait propriétaire en 1910. Rodin ayant donné ses œuvres à l'Etat, on décida d'y installer un musée qui lui

fût consacré. Lors des travaux d'aménagement, on a remis en place une bonne partie des boiseries d'origine qui avaient été dispersées au siècle passé. Tel qu'il se présente, le musée est exemplaire : il permet de percevoir globalement ce que fut un grand hôtel parisien sous l'Ancien Régime avec son jardin peuplé de sculptures et ses décors intérieurs.

Dans la cour d'entrée sont exposés les chefs-d'œuvre : *Les Bourgeois de Calais*, *La Porte de l'enfer*, *Le Penseur* et *Balzac*. Dans le jardin, restauré en 1927, se trouvent, au fond, *L'Appel aux armes*, et, au centre du bassin, *Ugolin*.

Au rez-de-chaussée, les deux premières salles sont consacrées aux œuvres de jeunesse et d'apprentissage dans l'atelier de Carrier-Belleuse. Dans le salon ovale de la duchesse du Maine, *L'Age d'airain* traduit l'influence de Michel-Ange, tandis que, plus loin, *La Main de Dieu* témoigne de la puissance imaginative du sculpteur ; dans le grand salon *Saint Jean Baptiste* et *Le Baiser* révèlent la même sensibilité. L'ancienne chambre de parade et une autre salle traitent des femmes dont la place dans la vie de Rodin a été si grande : d'abord Camille Claudel, sœur du poète (pour la période 1882-1898) et, pour la suite, la duchesse de Choiseul, lady Sackville-West et Mme

Elisseieff. Au premier étage se trouvent les travaux et études préparatoires pour *La Porte de l'enfer*, *Les Bourgeois de Calais*, les œuvres acquises de ses amis (*Le Train bleu*, *Le Père Tanguy*, de Van Gogh, *Le Paysage de Belle-Isle*, de Monet), des portraits (Shaw, Clemenceau, Mahler), ainsi que des projets pour de grands monuments.

Rue de Varenne, au n° 69, l'hôtel de Clermont, par Leblond (1708-1714) fut célèbre au XVIIIe siècle par le goût de son propriétaire le comte d'Orsay (1768-1799) qui en refit en grande partie la décoration (plafonds de Taraval, entre autres) et y réunit une précieuse collection. Le caractère hétéroclite de la façade actuelle, avec ses demi-rotondes, est dû à l'intervention de Duchâtel, ministre de l'Intérieur de Louis-Philippe, qui fit complètement refaire le décor intérieur après 1838, si bien que certaines boiseries sont aujourd'hui conservées à Washington (Corcoran Gallery).

Au n° 78, le financier Hogguer fit construire (1720-1724) pour sa maîtresse, la comédienne Mlle Desmares, un hôtel mitoyen du sien (n° 101, rue de Grenelle), actuel ministère de l'Industrie). L'architecte Debias-Aubry conçut un édifice au décor raffiné, mais discret. Le duc de Villeroy fit, ensuite, plus que doubler les jardins, et chargea Leroux d'édifier, à gauche, le salon en rotonde. Bâtiment administratif depuis la Révolution, cet hôtel fut affecté définitivement en 1870 au ministère de l'Agriculture qui en fit reconstruire les éléments en bordure de rue. C'est seulement dans les années trente que la rotonde de droite fut élevée en symétrie de celle de Leroux. Dégagé de toute construction et entouré d'abondantes frondaisons, cet hôtel est, avec ses balcons fleuris, l'un des plus plaisants du faubourg.

Au n° 72, l'hôtel dit de Castries depuis 1708, fut construit vers 1700 et fut transformé par Payen en 1762 (porte cochère). En 1790, Lameth ayant été blessé en duel par le jeune Arnaud-Charles de Castries « antirévolutionnaire », la foule saccagea et pilla l'hôtel, comme en témoignent des estampes contemporaines. A la Restauration, la famille récupéra son bien et Frolicher y fit d'importants travaux (1843-1863) : la façade sur cour fut avancée, les salons reçurent des lambris de style Louis XV et le rez-de-chaussée fut refait à l'identique. Il est l'hôtel du ministre chargé des Relations avec le Parlement.

Au n° 58, l'hôtel de Feuquières est dû à Boscry (1719), qui imprima une note baroque dans la décoration de la façade sculptée par Nicolas Pineau, spécialiste du genre rocaille. Depuis 1948, c'est une annexe de l'hôtel Matignon.

Au n° 57, l'**hôtel Matignon**, à l'usage du chef du gouvernement depuis 1935 est l'œuvre de Courtonne (1722) qui y fit une large place à la sculpture décorative. Commandé par le prince de Tingry, il fut acquis avant son achèvement par le comte de Matignon : le fils de celui-ci, qui avait épousé une héritière du trône de Monaco, fit achever la décoration somptueuse et y réunit une fabuleuse collection d'œuvres d'art. Sous l'Empire, Talleyrand y séjourna quelque temps avant de le céder aux Domaines. En 1815, Louis XVIII l'échangea contre l'Elysée et, en 1852, le duc de Galliera en fit l'acquisition, le restaurant entièrement. Par la suite, la duchesse de Galliera en fit don à l'empereur François-Joseph qui y installa l'ambassade d'Autriche jusqu'en 1914. La qualité de l'architecture et des décors que n'ont pas altérée les diverses campagnes de travaux, fait de cet édifice l'un des plus beaux de Paris.

Au n° 56, l'hôtel de Gouffier de Thoix, édifié en 1721 par Baudouin, est très riche de décors sculptés : fronton orné de coquillages variés, porte à trophées musicaux et médaillons représentant Mars et Bellone, murs latéraux de la cour avec sources jaillissant d'entre les sabots de chevaux guidés par des enfants, mascarons des quatre saisons au rez-de-chaussée du corps de logis, aile de gauche peinte en trompe l'œil, etc. Le bâtiment est occupé par des services du Premier ministre.

Au n° 50, l'hôtel de Gallifet s'élève à l'emplacement du cimetière Sainte-Croix et se présente aujourd'hui tel que l'ont laissé les remaniements apportés par l'architecte Legrand et le sculpteur Boiston (1784-1791) : ordre colossal ionique sur les deux façades, décoration intérieure toute néoclassique rythmée de colonnes d'ordres divers dans les différents salons et l'escalier monumental éclairé par une coupole. De la Révolution à 1822, l'hôtel fut affecté au ministère des Affaires étrangères et Talleyrand y séjourna jusqu'au traité de Tilsitt (1807). En 1894, le gouvernement italien loua la demeure, puis l'acheta (1909) pour son ambassade ; depuis 1962, c'est le siège de l'Institut culturel italien. L'état de conservation du bâtiment, son unité architecturale et décorative, son environnement de verdure et de fleurs en font l'un des plus représentatifs de l'art de vivre à la fin de l'Ancien Régime.

Au n° 47, en face, l'ambassade d'Italie occupe, depuis 1937, l'hôtel de Boisgelin, édifié en 1732 sur les

La fontaine de Grenelle.

plans de Courtaud pour le sieur de Janvry. Sous le second Empire, Henri Parent, spécialiste du style Louis XV l'agrandit, le restaura et y posa des boiseries provenant du château de Bercy. L'ambassade d'Italie a fait d'importants travaux : remplaçant certains décors de Parent par des boiseries ou des panneaux représentatifs de l'art italien du XVIIIe siècle, elle y a réalisé un ensemble d'une qualité exceptionnelle.

Au n° 45, l'hôtel de Jaucourt, construit par Antoine (1775), est, par la pureté et la sobriété de ses lignes, un exemple de l'art néoclassique parisien.

Rue de Grenelle, au n° 57, la fontaine de Grenelle dite des Quatre-Saisons, est le monument le plus célèbre de la rue. Le peuplement de la rue avait imposé la construction d'une fontaine : elle fut confiée à Edme Bouchardon, élève de Coustou, en 1739 ; les travaux s'achevèrent en 1745 et son

inauguration eut lieu en 1749. C'est l'un des plus beaux morceaux d'architecture et de sculpture de la ville : pilastres, niches et panneaux sculptés pour les ailes incurvées alternent, cependant que l'avant-corps central, surmonté d'un fronton, est précédé d'un groupe qui comprend : au centre, la Ville de Paris en femme assise sur un trône, et de chaque côté la Seine et la Marne. Fort appréciée par ses usagers, ses deux seuls robinets lui attirèrent les critiques de Voltaire et, bien plus, de Diderot : « Point de belle fontaine où l'eau ne forme la décoration principale. »

Au n° 79, la façade de l'hôtel d'Estrées, par Robert de Cotte (1711-1713), a été surélevée d'un étage au XIXe siècle, mais, pour l'essentiel, les décors d'origine ont été préservés ; et en 1864, l'ambassade de Russie s'installa définitivement ici. Au n° 85, l'hôtel d'Avaray, édifié par Leroux vers 1720, est resté — fait unique — propriété de la même famille pendant deux siècles avant d'être acquis, en 1920, par le gouvernement néerlandais pour la résidence de son ambassadeur : au portail ont été installées les armes des Nassau et leur devise : « Je maintiendrai ».

Au n° 87, l'hôtel de Bauffremont au portail majestueux est dû à l'architecte Boscry (1732) ; c'est l'un des mieux conservés de ce quartier ; il doit son nom à la famille qui le posséda sous l'Empire.

Au n° 106, l'ancienne chapelle des Cisterciennes de l'abbaye de Pentémont, vouées à l'instruction des jeunes filles, est affectée depuis 1844 au culte réformé ; dû à Contant d'Ivry, cet édifice est coiffé d'un dôme et se singularise par son plan : le transept suit immédiatement la façade. D'importantes modifications y ont été apportées par Baltard en 1846.

10. Le quartier Sèvres-Babylone

Peu étendu, ce quartier se caractérise par le rôle important des magasins de prêt-à-porter et solderies de tout genre, ainsi que par la forte densité d'établissements religieux. Il sert de transition entre un Saint-Germain-des-Prés snob, agité, aux boutiques élégantes et originales, l'aristocratique et résidentiel VIIᵉ arrondissement et Montparnasse, animé, sans classe, en train d'accéder au monde des affaires. Du point de vue architectural, on y retrouve les mêmes innombrables façades bourgeoises du début du siècle côtoyant des hôtels historiques de qualité et des vestiges d'un habitat ancien populaire. Du point de vue religieux, ce quartier, riche jadis en couvents et institutions de toutes sortes, possède encore quelques établissements considérables : le séminaire des Missions étrangères fondé en 1663 et qui envoie des missionnaires dans le monde entier ; la maison mère des Filles de la Charité, ordre fondé en 1633 à l'instigation de saint Vincent de Paul et dont il est inutile de rappeler le rayonnement, là aussi, à travers le monde, les Prêtres de la Mission, dits Lazaristes, fondés aussi par lui, la même année, les Jésuites, sans compter les congrégations des Dames de Saint Maur (rue de l'Abbé-Grégoire), des Antonines (rue du Regard), des Sœurs de la Présentation...

Ainsi, l'endroit acquiert, au-delà des vitrines des magasins, une dimension spirituelle non négligeable qui fait que la chapelle de la Médaille miraculeuse (rue du Bac) est l'un des édifices religieux les plus fréquentés de Paris, par des touristes de toutes origines venus en pèlerinage.

Le **square Boucicaut** est contemporain du boulevard Raspail qui le limite à l'est et qui constitue une véritable frontière avec Saint-Germain-des-Prés. Lors des travaux, on rasa l'hospice des Ménages, ancien hospice des Petites-Maisons, lui-même ancienne léproserie transformée sous Henri II en hôpital, et qui comprenait un grand nombre d'édicules répartis autour d'une cour centrale ; créé en 1801, cet hospice des Ménages était réservé aux veufs sans ressources, et fut démoli en 1868. Inauguré en 1873, le square est décoré par un monument de Moreau-Vauthier (1914) offert par un bienfaiteur de l'Institut Pasteur avec, au dos, la représentation d'Osiris. Ce groupe commémore les bienfaits de la baronne de Hirsch et de Mme Boucicaut.

Boulevard Raspail (n° 45, au carrefour de la rue du Four), se dresse l'hôtel Lutetia dont la façade abondamment décorée de Boileau, auteur du nouveau magasin du Bon Marché, est particulièrement mise en valeur par son éclairage nocturne. Au n° 56, un grand immeuble de verre et métal par Lods, Depondt, Malizard et Beauclair occupe l'emplacement de la prison militaire du Cherche-Midi qui vit se dérouler le premier procès de Dreyfus (1894) : c'est la Maison des sciences de l'Homme, organisme d'enseignement et de recherche fondé par Fernand Braudel et qui regroupe en équipes pluridisciplinaires des laboratoires du C.N.R.S. et l'Ecole des hautes études en sciences sociales (ancienne VIᵉ section de l'Ecole pratique des hautes études).

La **rue du Cherche-Midi** au tracé sinueux est un ancien chemin. L'hôtel du n° 40 a été habité par le maréchal de Rochambeau en 1779, (porte et bel escalier conservés) ; l'immeuble de rapport aux proportions harmonieuses du n° 42 date du XVIIIᵉ siècle.

La **rue du Regard** doit son nom à une ancienne fontaine. Du côté des numéros impairs, elle possède de beaux hôtels : le n° 1, construit en 1720, (ainsi que les n° 3 et 5) par Dailly pour les Carmes, a conservé sa porte ancienne ornée de refends et surmontée d'une tête de lion grimaçant : y vécurent les marquis de Dreux-Brézé (1714-1789) et, à partir de 1821, les Récamier ; si le n° 3, qui était somptueux, a été démoli en 1905, le n° 5 subsiste, derrière la maison en bordure de rue ; l'hôtel de Beaune (n° 7, du nom de son locataire en 1720) est intact avec des façades très simples et sa porte surmontée d'un fronton triangulaire et d'une tête de femme.

La **rue Saint-Placide** est une rue très vivante, en raison de ses nombreuses boutiques de vêtements, chaussures, articles de sport... et surtout de ses solderies permanentes dont les articles sont particulièrement recherchés. Les n° 36-38 qui datent de l'ouverture de ce tronçon de rue sont de Davioud.

Rue de Sèvres, le magasin du *Bon Marché* (n° 20) occupe une partie de l'emplacement de l'hospice des Petites-Maisons et de son cimetière (carrefour Bac-Babylone), ainsi que du cimetière de la Trinité (carrefour Bac-Sèvres). En 1852, le petit magasin de bonneterie d'un certain Videau, à l'angle des rues de Sèvres et du Bac, avait pour enseigne le « Bon Marché ». Aristide Boucicaut, ancien chef de comptoir au « Petit Saint-Thomas » devint son associé et, en 1863, resta seul propriétaire. Il introduisit des méthodes nouvelles : entrée libre, possibilité de manipulation des produits par la clientèle, échange voire reprise des marchandises, ventes-réclames ou par correspondance... Simultanément, il motiva son personnel avec de meilleurs salaires, des installations confortables, des possibilités de formation (enseignement des langues), des activités annexes (sport, culture). Le succès du magasin fut rapide et l'architecte Boileau, aidé de G. Eiffel pour la charpente métallique, éleva en 1876 un nouveau magasin dont le décor intérieur a disparu (à l'exception des verrières et des balustrades en ferronnerie, à l'étage). A la Belle Epoque, les soldes annuels de blanc étaient un événement. Et pour mesurer le développement du magasin, il suffit de rappeler qu'en 1852 il occupait trente mètres carrés et en 1912 vingt-cinq mille cinq cent vingt mètres carrés tous étages confondus ! Un second magasin dû au fils de Boileau ouvrit ses portes en 1923 et est réservé à la nourriture.

Au n° 33, l'église Saint-Ignace, de style néogothique, sert de chapelle à la communauté jésuite et au Centre études et recherches (n° 35) qui publie notamment la revue *Les Etudes*, universellement distribuée. Fondée il y a plus d'un siècle pour convertir les Russes au catholicisme par la controverse théologique, cette publication s'est rapidement ouverte « aux divers domaines des sciences sacrées et profanes ».

La **rue du Bac** symbolise toutes les activités religieuses du quartier. Au n° 128, le séminaire des Missions étrangères fut fondé en 1663 pour former des missionnaires destinés essentiellement à l'Asie, chargés, autant que faire se peut, de former des clergés autochtones. La chapelle a été réalisée de 1683 à 1691 par Lepas-Dubuisson qui dessina une façade très pure où fronton et pilastres ioniques ou doriques sont superposés. C'est ici que Chateaubriand fut enterré : il habitait au n° 120.

Au n° 136, le couvent des Filles de la Charité est installé dans l'hôtel de Mademoiselle de la Vallière. Au n° 140, la chapelle de la Médaille miraculeuse, consacrée en 1815 et réaménagée en 1930, conserve les restes de Louise de Marillac, fondatrice de l'ordre, et de Catherine Labouré, à qui la Vierge apparut en 1830 et qui fut canonisée en 1947. Le succès de ce sanctuaire qui accueille plus d'un million de fidèles chaque année est dû aux apparitions de la Vierge, à partir de 1830, à la jeune religieuse Catherine Labouré, lui révélant la médaille miraculeuse qui fut diffusée à partir de 1832. Ces apparitions furent les premières d'une série qui compta, entre autres en France, La Salette, Lourdes, Pontmain.

Rue de Sèvres, au n° 95, siègent, dans un hôtel de la Restauration, les Prêtres de la Mission, fondés par saint Vincent de Paul ; la chapelle de 1827 renferme les restes du saint fondateur. Au n° 42, l'hôpital Laënnec a succédé, en 1878, à l'hospice des Incurables qui avait été fondé en 1634 par le cardinal de la Rochefoucauld. L'architecte en fut Gamard. Bordée de constructions basses en brique et pierre, la cour a conservé son aspect d'origine. Au fond, la chapelle allie des éléments gothiques traditionnels (rose au-dessus de la porte, flèche) aux formes classiques alors en vigueur (fronton, pilastres) ; ce procédé était cher à l'architecte qui procéda de la même façon ailleurs (église Saint-André-des-Arts, par exemple). Contre le mur de l'hôpital, près du métro, une fontaine égyptienne dite « fontaine du Fellah » (par Bralle et Beauvallet) fut installée en 1810 lors de l'adduction des eaux de l'Ourcq à Paris ; d'autres fontaines furent installées à cette occasion (celle de la place de la République, qui fut transportée, en 1874, à La Villette où elle est toujours). Ici apparaît la permanence de l'égyptomanie, déjà en vigueur sous Louis XVI (on parlait alors de « goût turc ») mais rendue populaire par la campagne d'Egypte. Au n° 111, à l'angle de la rue Saint-Romain, subsiste, caché derrière des bâtiments de 1886, l'hôtel de Choiseul-Praslin (édifié par Gobier en 1729), dont les fenêtres cintrées sont surmontées de têtes féminines et de coquilles ; de part et d'autre du portail s'étendent les communs ; l'intérieur a conservé de belles boiseries.

Rue du Cherche-Midi, au n° 95, se présente un charmant petit hôtel, construit vers 1805 par l'entrepreneur Davia, l'hôtel de Montmorency (n° 89) qui remonte à 1756. Il est connu pour avoir été la résidence de la célèbre maréchale Lefebvre (Madame Sans-Gêne). Au n° 85 (de 1743), le petit hôtel de Montmorency est dans un excellent état de conservation (dallages, lambris) : il abrite le musée Hébert créé par l'héritier du peintre, le baron d'Uckermann qui en a fait récemment don à l'Etat.

Musée Hébert

(85, rue du Cherche-Midi
tél. 42.22.23.82.)
Elève de David d'Angers et de Delaroche, Ernest Hébert (1817-1908) passa une grande partie de sa vie à Rome, tant dans sa jeunesse qu'à la fin de sa carrière, comme directeur de la Villa Médicis ; aussi est-il connu comme spécialiste du paysage italien, mais aussi comme un excellent portraitiste de la société de la fin du XIXe siècle (*Catherine du Bouchage enfant*, 1879).

11. Le quartier de Montparnasse

A l'époque gallo-romaine commença l'exploitation des carrières de pierre, et au fur et à mesure de leur épuisement, on creusa vers le sud pour atteindre Montrouge au XIXe siècle. C'est cette activité qui permit au Moyen Age l'édification des églises et autres bâtiments parisiens. Les moulins à vent étaient un autre élément du paysage ancien de ce quartier, installés à partir du XIIIe siècle : la tour de celui de la Charité subsiste dans le cimetière de Montparnasse ; ces moulins avaient une activité annexe de cabaret et tenaient déjà le rôle des futures guinguettes du XIXe siècle. Deux phénomènes modifièrent considérablement le quartier au siècle dernier : l'installation du chemin de fer qui favorisa l'arrivée et l'installation massive des Bretons et l'annexion du Petit Montrouge à la ville en 1860 ; il s'ensuivit une modification de l'espace urbain lors de la campagne de travaux orchestrée par Haussmann qui se manifesta par l'édification de grands

La tour Montparnasse.

immeubles bourgeois. Comme ailleurs dans Paris, il s'agissait de faciliter la circulation permettant une industrialisation aisée, et de créer un réseau d'infrastructures (eau potable, égout, espaces verts). Ainsi, une fois le mur des Fermiers généraux rasé, apparurent progressivement les larges boulevards Edgard-Quinet, Raspail, Arago et René-Coty qui relient le parc Montsouris, créé par Alphand, au boulevard Saint-Germain.

Le groupe des Six, autour de Jean Cocteau, en 1931.

Pendant cette période, le quartier abandonna ses activités agricoles pour se lancer dans l'industrie ou l'artisanat : ainsi, l'abbé Migne employa dans son imprimerie de l'avenue du Maine (emplacement du n° 189) jusqu'à six cents ouvriers qui publièrent plus de mille ouvrages d'érudition et de patristique. De même, les Bréguet, au n° 81 du boulevard du Montparnasse, se lancèrent dans la mécanique de précision et l'appareillage électrique, puis s'installèrent en 1882 rue Didot (n° 17-21). Quantité de modestes artisans (ébénistes, menuisiers, graveurs, imprimeurs, etc.) suivirent.

A la Belle Epoque, le mouvement s'amplifia au temps où les lois sociales étaient peu nombreuses et les conditions de vie du travailleur le plus souvent misérables. Elles suscitèrent l'apparition d'œuvres humanitaires discrètes mais efficaces, comme celles des abbés Viollet (logements économiques, colonies de vacances, préventoriums), Soulange-Bodin (société de secours mutuel, coopératives, travail à domicile) et Carton (fondateur de l'hôpital du Bon-Secours).

Mais ce qui a fait la réputation de Montparnasse, ce sont, dès le XIXᵉ siècle, les intellectuels et les artistes qui apprécièrent beaucoup le caractère campagnard du boulevard où se succédaient potagers, petites maisons de qualité médiocre, cabanons susceptibles de devenir des ateliers. Ainsi, en 1828, Victor Hugo s'installa au n° 11 de la rue Notre-Dame-des-Champs, à côté de Devéria dont l'atelier fut repris par Henri Regnault. De même Carolus-Duran, Gauguin, Henner ou Pompon ont-ils fréquenté le quartier ; mais c'est surtout vers 1910 que les artistes commencèrent à affluer de Montmartre et à s'installer dans le secteur de Plaisance. Par ailleurs, en 1824, l'ouverture du cimetière de Montparnasse favorisa l'installation toute proche de marbriers et de sculpteurs. La présence de ces intellectuels eut pour conséquence la prolifération des cafés et restaurants comme « Chez Génin », rue Vavin, où le père Génin inventa le café à quatre sous accompagné d'un « petit verre » qui connut un immense succès amplifié par Murger. De même, c'est en 1900 que Paul Fort lança la « Closerie des lilas », à l'angle de la rue Notre-Dame-des-Champs et du boulevard du Montparnasse, où les soirées du mardi furent immortalisées par Francis Carco dans ses *Mémoires d'une autre vie*. A la même époque, Modigliani, Apollinaire, puis Zadkine et

La « Closerie » aujourd'hui.

Foujita firent la célébrité de la Rotonde (n° 105, boulevard du Montparnasse), pendant que le café du Parnasse, bien avant 1914, était le rendez-vous des cubistes (il fut annexé par la Rotonde en 1924).

La rue de la Gaîté joua un rôle considérable dans la vie de la bohème dès le début du XIXe siècle, au point d'être surnommée, jusqu'à la Grande Guerre « rue de la Joie ». Là se rencontraient artistes, artisans, ouvriers, femmes du demi-monde et, dès 1819, y fut créé le théâtre Montparnasse, tenu successivement par les Seveste père et fils, puis par Henri Larochelle (1851), et qui fut longtemps la seule salle de spectacle du quartier.

En 1867, venant du quartier du Luxembourg, le théâtre Bobino s'installa ici, devançant celui de la Gaîté-Montparnasse (1869) et, plus tard, le Casino-Montparnasse et les cafés-concerts. Mais le plus intellectuel fut le théâtre Montparnasse, au répertoire varié qui accueillit le Théâtre-Libre d'Antoine, de 1877 à 1888. A la même époque, les bals publics, installés dans des jardins, firent beaucoup pour lancer le quartier : d'abord celui de la Grande Chaumière (n° 112-116, boulevard du Montparnasse), créé en 1788 avec pour cadre des guinguettes à toit de chaume ; à la fin de l'Empire on y pratiquait le tir au pistolet et, plus tard, on y fit de la polka une danse à la mode (1845). En perte de vitesse, le bal ferma en 1855, supplanté par la « Closerie des Lilas » et le bal Bullier.

Paul Fort, à la terrasse de la « Closerie des lilas », en 1920.

L'apogée de Montparnasse correspond en fait aux Années folles (1918-

1932). Y vécurent et se rencontrèrent Picasso, Derain, Kessel, Cocteau, Max Jacob, les surréalistes (installés 54, rue du Château), Eric Satie et le groupe des Six (Honegger, Auric, Milhaud, Poulenc, Durey, Taillefer).

A l'heure actuelle, le quartier a été entièrement remodelé par l'aménagement du carrefour Maine-Montparnasse, la reconstruction de la gare et celle du secteur délimité par le boulevard Vaugirard et l'avenue du Maine, axé sur la rue Vercingétorix. Désormais coexistent et se côtoient une architecture contemporaine et un habitat populaire et vieillot qui créent des contrastes saisissants. La promenade à travers le quartier n'apportera que de rares révélations architecturales, sauf dans le domaine contemporain : son intérêt sera bien plutôt de retrouver des atmosphères, des sites qui permettent d'imaginer la grande époque de Montparnasse.

Rue Notre-Dame-des-Champs, au n° 70, l'Ecole alsacienne fut fondée en 1876 par des réfugiés d'Alsace et s'est acquis une solide réputation en raison du grand nombre de personnalités qui en ont été les élèves. La rue est riche en souvenirs littéraires et artistiques : Othon Friesz (n° 73 bis, de 1914 à 1949), Léon Gérôme (n° 70 bis), Rosa Bonheur (n° 61), Paul Baudry (n° 56). La plupart des immeubles du côté des numéros impairs ont été reconstruits en grands ensembles de luxe, avec vastes jardins intérieurs.

La **rue de la Grande-Chaumière** compta dans le mouvement artistique, avec l'Union des artistes (n° 15), les académies Colarossi (n° 10) et de la Grande Chaumière ; entre deux séjours à Tahiti, Gauguin y installa son atelier. Au n° 4, la maison Sennelier, tant fréquentée des artistes pour ses fournitures de couleurs et accessoires, maintient la tradition artisanale de la peinture, de même qu'un atelier de vitrail au n° 6. Au n° 14, l'académie de la Grande Chaumière, créée en 1904, poursuit son enseignement dans six ateliers de peinture et de sculpture.

Rue Jules-Chaplain, au n° 2, l'académie Charpentier dispense un enseignement de renommée internationale.

Montparnasse

« A côté de ce Montparnasse de terrasses, de tangos, de cacahuètes et de boissons originales, existe dans l'air, comme une mélodie, le vrai Montparnasse, celui qui n'a ni murs ni portes et qui, plus que tout autre sanctuaire, pourrait revendiquer le célèbre mot de passe, un peu retouché : "Nul n'entre ici s'il n'est artiste." Montparnasse doré, aérien, tendre, qui met en fuite les démons de la solitude, celui de Baudelaire, de Manet, d'Apollinaire, et de tant d'autres pour qui la vie en marge des institutions et coutumes bourgeoises n'était pas une affectation, mais une nécessité en quelque sorte congénitale. Le véritable état-major de Montparnasse se composait de Moréas, de Whistler, de Jarry, de Cremnitz, de Derain, de Picasso, de Salmon, de Max Jacob, haut patronage de morts et de vivants qui donne encore le ton aux débutants dans l'art d'avoir du génie. Il y a un peu plus de vingt ans, quand Picasso vint s'établir aux environs de la Rotonde, tout le monde comprit à Paris qu'une colonie nouvelle, qui s'étendrait jusqu'à la porte d'Orléans, allait remplacer la rue Lepic agonisante. Le restaurant Baty connut une vogue soudaine et eut l'honneur de faire crédit à Léon Trotsky, lequel, encore qu'il ait inventé l'armée rouge et la position de révolutionnaire absolu, restera toujours un type de Montparnasse, et montrait bien des points communs avec Modigliani, Vlaminck ou le Douanier Rousseau, autres clients de Montparnasse, plutôt touristes d'ailleurs, Vlaminck arrivant de la grande banlieue et Modigliani de Montmartre. Cette présence de peintres, d'esthètes, de courtiers en tableaux, de poètes et de midinettes toujours prêtes à se déshabiller pour poser un nu n'a pas été sans influencer fortement la gent "vadrouillarde" du quartier. »

(Léon-Paul Fargue,
Le Piéton de Paris, *1939.)*

Rue Notre-Dame-des-Champs, le Lucernaire (n° 53) est un véritable centre culturel qui regroupe deux salles de cinéma d'art et d'essai, une galerie de peinture, et qui propose des pièces de théâtre.

Rue Vavin, au n° 26, se dresse le grand immeuble à la façade très originale de Sauvage et Sarazin (1912) ; de lignes très sobres, il est entièrement recouvert de céramique blanche, et comprend des gradins laissant pénétrer la lumière dans les appartements.

Le **boulevard Raspail** est une avenue résidentielle plantée d'arbres et bordée de grands immeubles : autant dire qu'il échappe à peu près complètement à l'animation de Montparnasse.

C'est le **boulevard du Montparnasse** qui incarne effectivement le quartier, depuis Vavin jusqu'au carrefour de la rue de Rennes, avec ses cafés, ses bars, ses cinémas, ses librairies, son animation tard dans la nuit. Si la Rotonde (n° 105) est devenue un cinéma, le Dôme (n° 108), ouvert en 1898 et qui eut pour habitués Lénine, Trotsky et Krassine, est toujours très fréquenté. De même, le Select Bar (n° 99), qui a conservé son mobilier de 1925, et la Coupole (n° 102), ouverte en 1927, sont toujours des endroits « à fréquenter ».

La **rue de Rennes** fut ouverte sous le second Empire pour relier le tout nouveau boulevard Saint-Germain à la gare Montparnasse. C'est une artère très commerçante, surtout dans sa partie méridionale, beaucoup plus populaire, qu'aux environs du carrefour de la Croix-Rouge. Le carrefour de la place du 18-Juin-1940 est l'un des plus animés de la rive gauche.

Le complexe Maine-Montparnasse fut envisagé dès 1934 par Raoul Dautry, décidé en 1958 et engagé en 1961, à l'époque même où, à l'ouest de la capitale, démarrait la construction du quartier de la Défense destiné à doter Paris d'un quartier de bureaux. Ici, il s'agissait de reconstruire la gare Montparnasse et de donner forme à l'intervalle compris entre les rues du Départ et de l'Arrivée. De plus, on a voulu créer un grand centre d'affaires, dont la rive gauche manquait cruellement et, ainsi, rééquilibrer la ville dont l'activité économique est traditionnellement liée essentiellement à la rive droite.

La **tour Montparnasse** qui surgit d'un immense parvis piétonnier est un édifice de verre fumé aux proportions harmonieuses et équilibrées qui fit, lors de sa construction, couler beaucoup d'encre (on lui a reproché tout à la fois sa disharmonie avec le quartier ou de « gâcher » la perspective du Trocadéro). Haute de deux cents mètres, elle comprend cinquante-huit étages, de bureaux pour l'essentiel. Du cinquante-sixième étage, occupé par un restaurant panoramique, on voit toute la région parisienne. Son rez-de-chaussée et son sous-sol sont occupés par des galeries marchandes, restaurants, salles de sport, piscines, etc. Sur la dalle sont aménagés plusieurs jardinets qui humanisent les abords un peu secs de l'édifice.

La gare Montparnasse comprenait en fait trois gares : l'ancienne gare (1852), plusieurs fois remaniée dans laquelle Von Choltitz a signé la reddition de sa garnison le 25 août 1944 et qui servait au trafic de banlieue, et les gares Maine-Arrivée (1929) et Maine-Départ

---

Musée Zadkine

*Ce musée est constitué des œuvres données à la ville de Paris par la veuve de l'artiste. Il est installé dans la maison où vécut le sculpteur de 1928 à sa mort en 1967. On y trouve, dans une présentation chronologique, près de trois cents œuvres qui permettent de suivre l'évolution de son art, du cubisme (*Femme à l'éventail, 1923*) à l'abstraction (*Le Poète, 1954*, La Girouette, *1965*) après une longue période d'inspiration antique à partir des *Ménades (1929).*

Musée Zadkine
100 bis, rue d'Assas
Tél. 43.26.91.90.

(1936) pour les grandes lignes. La réorganisation de tout cet ensemble a été achevée en 1974 : c'est l'œuvre des architectes Lopez, Beaudoin, Arretche, de Hoym et Dubuisson. Située place Raoul-Dautry, elle est intégrée à un immeuble de bureaux et comprend en sous-sol une chapelle d'architecture très simple. Son hall comprend quelques compositions de Vasarely. En retour, de part et d'autre des voies ferrées, s'étirent deux immeubles (plus de deux cents mètres de long) occupés, boulevard de Vaugirard, par le siège social d'Air France et le Crédit agricole (1975, par Genin), et, de l'autre côté, par des logements (Dubuisson) et un centre de tri postal (Arretche). De l'avenue du Maine, on peut pleinement apprécier et compa-

---

Soirée dans une goguette à la Gaîté

« En bas, dans la cour, l'obscurité est à peu près complète ; une lampe à schiste éclaire, seule, enfumant les murs ; cependant les yeux s'habituent à l'ombre, et alors, confusément, l'on distingue des arbres plantés dans des barriques, des pins et des lauriers-roses, des tables, du gravier qui crie sous les pas et tout au fond, une tonnelle qui abrite un grouillement de foule. [...] Un garçon arrive et demande ce que l'on veut boire ; les consommations sont peu variées ; tout le monde réclame un saladier et bientôt l'on entend au-dessus des voix, le bruit du sucre que l'on écrase à coups de cuillers dans un peu d'eau, puis le dégoulinage des litres qui tombent en cascade dans la faïence.

« Un second quinquet s'allume, à l'autre bout de la cour, et alors apparaît une petite estrade et le profil de l'homme-orchestre assis sur une chaise sans dossier, une grosse caisse dans le dos, cymbales pardessus, un immense biniou dégonflé entre les bras. Deux autres figures coiffées de chapeaux pointus, des modèles italiens avec des dents de loup, s'installent sur des tabourets et ils lèchent aussitôt pour le lubréfier la bouche de leurs flageolets.

« — Un peu de silence ! crie une voix enrouée.

« Et l'homme-orchestre se lève, souffle dans son instrument qui s'emplit comme un ballon et jappe tel qu'un chien, tandis que la mailloche tape sur la caisse et que les cymbales claquent. Il joue la Mandolinata avec calme d'abord, puis sans qu'on sache pourquoi, il presse le mouvement, accélère les borborygmes du biniou, suivi dans cette hâte fébrile par ses comparses, qui sucent plus avidement le bec des flageolets qui crient dans la nuit, et vous entrent dans l'oreille comme une pointe. [...]

« Deux ouvriers escaladent l'estrade. Comme ils ne peuvent, faute de la place nécessaire pour exécuter les gestes, se tenir en face du public, ils se présentent de profil, bec contre bec, haleinant droit, l'un sur l'autre, penchés en avant, prêts à se cogner le front comme chez Guignol. Ils entament, sans musique toujours, un duo polisson qui secoue la foule.

« Des salves d'applaudissements partent ; la cour entière vocifère des bis. Ils dégoisent alors un nouveau couplet où, par une facile divination de la bêtise humaine, le chansonnier a ajouté aux malheurs d'une belle-mère les infortunes d'une jeune fille qui avoue naïvement sa faute. Le triomphe est retentissant et se prolonge jusqu'à ce que les chanteurs soient descendus et aient regagné leur place.

« Depuis dix minutes déjà, d'étranges bruits me parviennent dans l'obscurité, j'entrevois de vagues enlacements, je perçois des rires énervés de femmes que l'on brasse. Je tourne la tête et, à la lueur d'une allumette qui brûle une pipe, je regarde au fond de la tonnelle, en un rapide éclair, des couples échauffés près des litres vides, dominés, comme dans une apothéose, par une énorme fille en cheveux, debout, le corsage dégrafé dans lequel un mécanicien plonge, en ricanant, une grosse patte noire. »

(J.-K. Huysmans,
Croquis parisiens, 1886.)

rer les divers cubes et tours, immeubles de bureaux et d'habitation, élevés depuis une quinzaine d'années.

Rue du Maine, on retourne en plein XIXe siècle, avec de petites maisons et des ateliers du côté des numéros impairs. Au n° 10, une librairie bretonne rappelle la permanence culturelle de cette région dans le quartier.

Le **square Poinsot** est quasiment une place de village, charmante et tranquille, bordée de maisons dépareillées.

Le **boulevard Edgar-Quinet**, ouvert en 1880, est un endroit en marge de l'agitation de Montparnasse, avec son marché animé, ses arbres, ses maisons basses. Au n° 56, le « Café d'Edgar », café-théâtre à succès, est un centre d'animation qui comprend des ateliers.

La **rue de la Gaîté**, autrefois livrée aux guinguettes, l'est aujourd'hui aux sex-shops, peep-shows, vidéoclubs et aux bistrots. Ont toutefois survécu les salles de spectacle : cafés-théâtres (le « Grand Edgar » au n° 56 ; la « Comédie-Italienne » au n° 17). Au n° 1, le « Café de la Liberté » est installé à l'emplacement du restaurant Richefeu, célèbre au siècle dernier. Au

Musée Bourdelle

Il est installé dans l'atelier où le sculpteur travailla pendant toute sa vie et qu'il légua à la ville de Paris ; le musée ouvrit en 1949 et s'agrandit en 1961 et 1968. Dans le jardin sont exposés des bronzes animaliers de l'artiste. Le musée conserve aussi des peintures (portraits de famille et de la jeune Cécile Sorel), des souvenirs de l'atelier d'ébénisterie de son père. Parmi ses sculptures, signalons des études pour Beethoven, des bustes de Carpeaux, Perret et, parmi les plâtres originaux pour la sculpture monumentale exposés dans le hall figurent l'Héraklès archer (1901) qui le rendit célèbre, le monument du général argentin Alvear (1926), le décor du théâtre des Champs-Elysées (1912) conçu autour de thèmes mythologiques, la statue de Mickiewicz (1920, cours Albert-Ier), La France saluant l'Amérique (1923-1925, destiné à la pointe du Grave).

Musée Bourdelle
16, rue Antoine-Bourdelle
Tél. 45.48.67.27.

Musée de la Poste

Il siège dans un immeuble moderne et est un modèle de muséographie par sa présentation et son support pédagogique. Outre des collections exhaustives de timbres, le musée évoque de manière vivante le passé de cette prestigieuse institution qu'est la poste fondée par Louis XI ; et il est bien plaisant de découvrir les « pigeon-grammes » utilisés pendant le siège de Paris en 1870, le bateau postal qui reliait Marseille et Nice au XVIIIe siècle, les préposés successifs, la fabrication des timbres, le tri automatique... et de flâner ainsi à travers le temps.

Musée de la Poste
34, boulevard de Vaugirard
Tél. 43.20.15.30.

n° 20, a disparu le music-hall de Bobino installé à la fin du second Empire et qui vit passer sur sa scène tous les grands noms de Mayol à Fernand Raynaud. Au n° 22 survit, inanimé, le bal des Mille Colonnes qui connut un très grand succès de 1830 à 1860. Au n° 26, le théâtre de la Gaîté-Montparnasse, créé en 1865, présente une façade délabrée, ornée de guirlandes et de masques. Au n° 31, le théâtre Montparnasse, fondé en 1819, a connu un succès ininterrompu avec des acteurs célèbres (Marie Dorval, Frédérick Lemaître) et de bons auteurs (Anouilh qui y fit jouer L'Alouette ou Becket). Il est spécialisé dans le théâtre contemporain. Il fut reconstruit en 1886 par Peignet et Marnez qui s'était signalé en 1922-1923 en créant le théâtre de la Chimère au carrefour Saint-Germain-des-Prés, puis au studio des Champs-Elysées ;

Le réservoir de l'avenue Reille.

Gaston Baty en a été l'un des directeurs les plus dynamiques (1930-1947).

La **rue Vercingétorix**, bordée d'immeubles récents, est au cœur des programmes de rénovation. Le premier lancé en 1966 sur vingt-cinq hectares, comprenait plus de cinq mille cinq cents logements dans le secteur de la rue Vandamme ; le second, commencé en 1974, concerne la zone délimitée par l'avenue du Maine et les rues Raymond-Losserand, de Gergovie et Vercingétorix : c'est une opération qui concerne onze hectares et doit fournir plus de quatre mille logements. Elle est en liaison avec l'aménagement de l'autre « rive » des voies ferrées, au sud du boulevard Pasteur (programme Atlantique-Montparnasse pour soixante-douze mille mètres carrés de bureaux).

La **place de Catalogne**, située au carrefour des rues Vercingétorix et du Château, est au cœur de ce secteur et constitue la partie la plus spectaculaire de cette opération de rénovation. Elle est due à Ricardo Bofill et représente une intéressante expérience architecturale de création de place bordée d'édifices néoclassiques en béton. L'ensemble contient près de six cents logements et s'articule autour de trois places. La place de Catalogne proprement dite, qui est située dans l'axe du boulevard Pasteur, en constitue la perspective et le point d'aboutissement. Inversement, de là, on jouit d'une vue privilégiée sur la tour Eiffel. Au sud, par une grande arche, on accède à deux places secondaires : la place de l'Amphithéâtre, semi-circulaire ornée de balcons, de vasques et de gradins de verdure, qui joue le rôle de place intérieure ; et la grande place-forum de Séoul, vaste lieu de passage de forme elliptique, aux murs rythmés de colonnes doriques et faits de verre réfléchissant, est agrémentée de pelouses bien vertes. Au-delà du passage central, un vaste parvis piétonnier assure la transition avec l'église Notre-Dame-du-Travail et le grand jardin qui la précède. On remarquera, dans le prolongement du mur latéral de l'église, devant les immeubles de la place de Séoul, une grande perspective architecturale peinte dans des ocres et verts qui rappellent les teintes amorties des fresques romanes. Elle est due à Geneviève et Henri Taillefert et représente une vue intérieure de l'église avec ses structures métalliques au-dessus de la nef, son buffet d'orgue et sa porte de sortie.

La place de Catalogne.

Notre-Dame-du-Travail, 59, rue Vercingétorix (1898-1902, par J. Astruc) fut édifiée à la demande de l'abbé Soulange-Bodin, instigateur de nombreuses œuvres sociales dans ce quartier alors bien défavorisé. Son intérêt architectural tient surtout à ses structures métalliques, exceptionnelles dans un édifice religieux, et utilisées probablement par le manque d'argent qui fut également responsable de la diversité des matériaux employés, de la non-réalisation des clochers ou du grand vitrail qui devait surmonter la porte d'entrée. Cependant c'est ici que se trouve la cloche de Sébastopol rapportée par Napoléon III en 1854. Le décor intérieur est très pauvre : quelques feuillages peints de style Art nouveau et, dans les absidioles, des peintures figurant saint Joseph (patron des charpentiers), saint Luc (des peintres) et saint Eloi (des forgerons), principaux métiers représentés dans le quartier.

La **rue Raymond-Losserand** est bien à part et maintient vivante l'atmosphère du XIXe siècle, avec ses petites boutiques, une forte animation populaire, quantité de passages et cités d'artistes, des cours et arrière-cours où les ateliers continuent de fonctionner. C'est une voie pittoresque qui, du côté des numéros impairs, a conservé un habitat vieillot fait le plus souvent de charmantes petites maisons basses : n° 71 où, au fond d'une arrière-cour campagnarde apparaît un petit édifice orné de deux niches vides ; aux n° 59-61, figure au fond de la cité, une petite maison d'un seul rez-de-chaussée pourvu d'une marquise ; au n° 45, la boulangerie a conservé ses panneaux peints par Benoist et fils (vers 1900) figurant des moulins aux

La place Denfert-Rochereau

Elle doit sa célébrité à la statue du Lion de Belfort, réduction en bronze du monument que Bartholdi sculpta dans le roc à Belfort en 1880, en souvenir de la défense héroïque menée par le colonel Denfert-Rochereau et ses soldats. Dans sa partie méridionale, à proximité de la gare, subsistent les deux pavillons de l'enceinte des Fermiers généraux que Ledoux érigea en 1784 : ils constituent de fort beaux exemples de l'architecture néogrecque rustique de la fin du règne de Louis XVI.

quatre saisons et, à l'angle, deux figures féminines récentes par la maison Pilloud ; à l'intérieur, le plafond peint par Gilbert représente un ciel entouré de paysages et de bouquets de fleurs ; au n° 28, le passage de Vanves — qui va bientôt disparaître — bordé de maisons pauvres, est un reflet de la vie artisanale au siècle dernier ; au n° 33, le passage des Artistes rappelle la présence importante de ceux-ci, vivant souvent dans de fort modestes conditions ; au n° 23 enfin, subsiste une maison ancienne représentative d'un habitat plus « aisé ».

La **rue Daguerre**, vieillotte à souhait, est entièrement encore aux mains des artisans, rempailleurs, plombiers, encadreurs... et, au n° 63, une cité artisanale rassemble imprimeurs, ébénistes, décorateurs, architectes, graphistes, etc.

La **rue Froidevaux**, en bordure du cimetière de Montparnasse, comprend quantité de cours et d'ateliers de grands immeubles bourgeois. Le n° 21-23 (1929, par Grimbert), dont le milieu est occupé par une grande verrière, se remarque par son décor de mosaïque à motifs floraux stylisés. Au n° 11, à l'angle de la rue Boulard, les motifs de la porte reprennent ceux des mosaïques de la façade.

La **rue Schoelcher** conserve de beaux ateliers : n° 11 bis (1927, par Gauthier) et surtout n° 5 (1911, par Follot ; on en remarquera le fronton, la forme du bow-window et le décor).

Les Catacombes

(1, place Denfert-Rochereau)
Le sous-sol parisien, riche en matériaux utilisés pour là construction, fut exploité dès l'époque romaine et fournit la pierre et le plâtre des édifices de la capitale. Il s'ensuivit qu'à la fin du XVIIIe siècle Paris comptait cent soixante kilomètres de galeries souterraines. Or, à la même époque, les cimetières regorgeaient de cadavres qui, depuis des siècles, entouraient les églises afin que les défunts pussent profiter de la protection des saints patrons. Odeurs pestilentielles, accidents, nuisances diverses firent que les Parisiens réclamèrent le déplacement du plus grand d'entre eux, le cimetière des Innocents. Voltaire orchestra la campagne et, en 1780, le roi y interdit toute nouvelle inhumation, puis, en 1785, ordonna l'assainissement du lieu par le transfert des ossements dans les carrières de la Tombe-Issoire. L'opération dura de 1786 à 1914 et fut complétée, sous l'Empire, par la suppression de tous les cimetières urbains. Cet ossuaire, le plus grand du monde, renferme plus de six millions de cadavres. Il n'occupe que soixante-cinq kilomètres de galeries, dans un espace de onze hectares délimité par les rues Rémy-Dumoncel, Hallé, d'Alembert et René-Coty. Il est ouvert au public.

Le cimetière de Montparnasse

Le cimetière de Montparnasse, créé en 1824, agrandi en 1847 est, avec ceux du Père-Lachaise et de Montmartre, l'un des trois grands cimetières parisiens ; il fut d'abord réservé aux habitants de la rive gauche, mais il est aussi devenu celui des artistes et des écrivains. Réparti en vingt-huit divisions et coupé en deux par la rue Emile-Richard ouverte en 1887, il renferme trente-quatre mille sépultures. Nombre de monuments y retiennent l'attention : les pavillons d'entrée, boulevard Edgar-Quinet ; la tour de l'ancien moulin de la Charité, dans la 27e division ; le monument de Baudelaire, par Charma, à l'entrée de la rue Froidevaux, qui figure un gisant enveloppé de bandelettes en train de regarder le génie du Mal ; à l'angle de l'avenue du Maine, la Séparation du couple par Max, retiré du Luxembourg pour indécence (1965) et qui montre un homme nu en larmes devant la fosse où sa compagne lui adresse un dernier baiser.

Parmi les personnages célèbres enterrés ici, on peut retenir : les Jussieu, Houdon, le baron Gérard, Rude (1re division), Littré (3e), Baudelaire (6e), Tzara et Zadkine (8e), Cécile Sorel, Sandeau, Coppée, Chabrier (9e), l'aviateur Coli, Charles Garnier, Le Verrier (11e), d'Indy, Saint-Saëns, Jean Seberg (13e), Larousse (14e), Bourdelle, Dumont d'Urville, Soutine, Desnos, Hachette (15e), Henri Poincaré (16e), Sainte-Beuve (17e), Augustin Thierry (19e), Sartre (20e), César Franck, Maupassant, Louÿs, Paul Bourget (26e), Citroën, Kessel, Dreyfus, Bartholdi (28e), Charles Cros (29e).

Boulevard Raspail, au n° 276, Théo Petit a réalisé, en 1905, une façade très géométrique dont les ferronneries sont ornées de guirlandes de houx ; sous les balcons, E. Derré a sculpté les trois âges du couple, thème insolite. Au n° 254, l'Ecole spéciale d'architecture, installée depuis 1907, possède dans sa cour des colonnes provenant du palais des Tuileries. En face, au n° 261, l'American Center, installé dans la verdure, avec ses ateliers de danse, de théâtre, de vidéo, etc., est l'un des endroits les plus innovateurs de Paris (il est en travaux jusqu'en 1991). Au n° 240, la cité Nicolas-Poussin constitue un agréable ensemble d'ateliers et de maisons d'artistes à colombages.

Le **passage d'Enfer**, au n° 243, a été ouvert en 1847, et est un bon exemple d'habitat populaire construit de façon homogène, surtout à droite.

Rue Campagne-Première logèrent quantité d'artistes entre les deux guerres : Picasso, Miró, Pompon (n° 3), Kandinsky, Friesz (n° 9). Au n° 31, la « Maison céramique » (par Arfvidson en 1911) se remarque par son décor polychrome de feuilles mortes et de motifs floraux. Le n° 21 est une entrée du passage d'Enfer. Au n° 17, le photographe Atget installa son atelier de 1898 à 1927. Au n° 6 bis enfin, la façade (vers 1900) présente un étonnant décor de pommes de pin qui envahissent aussi les ferronneries.

Boulevard du Montparnasse, le n° 120 bis (1913, par Lozourt) est orné de panneaux de mosaïques à motifs floraux sur fond d'or ; le n° 126, de la même époque, possède, au fond de la cour, un fort bel hôtel et, au-delà, dans le jardin, des ateliers.

12. Le quartier de la place d'Italie

Situé au sud de la place d'Italie, ce quartier est fait de contrastes où voisinent petites maisons du XIXᵉ siècle et tours contemporaines, orientaux récemment arrivés et artisans traditionnels, installés de part et d'autre de l'avenue d'Italie, au-delà du faubourg Saint-Marcel, dans un secteur dont l'urbanisation remonte au siècle dernier.

L'ouest, jadis dominé par des collines occupées par des moulins (la Butte-aux-Cailles), a conservé des appellations champêtres : rues du Moulin-des-Prés, des Peupliers, de la Butte-aux-Cailles. Bien qu'en évolution, il conserve quantité d'ateliers et de maisons anciennes, et le tissu urbain est intact. A s'y promener, on est d'ailleurs frappé de la médiocrité des proportions de ces voies : en général trop larges pour la faible hauteur des constructions qui les bordent, elles manquent « d'âme », ayant un caractère pauvre et populaire rarement atteint à ce point dans Paris, et qui correspond à la réalité du XIXᵉ siècle, lorsque la Bièvre attirait les activités les plus polluantes et la main-d'œuvre la moins qualifiée.

A l'est de l'avenue d'Italie, jusqu'à la rue Nationale et parfois au-delà, l'espace situé au sud de la rue de Tolbiac a été complètement remodelé, même si les grands axes subsistent (avenues de Choisy, d'Ivry, rue de Tolbiac) ; les anciens immeubles ont été rasés, remplacés par des résidences pourvues de vastes cours et installées dans de très vastes quartiers piétonniers ; des rues nouvelles y ont été ouvertes.

On parle de Chinatown car les Asiatiques, réfugiés de Chine, du Viêt-nam, du Cambodge, du Laos, de Corée ont « investi », depuis une vingtaine d'années, les tours des trois grands axes où prospèrent boutiques et res-

Le Jour de l'an vietnamien.

taurants aux enseignes à idéogrammes ; en quelques années, ils ont réussi à constituer un quartier culturellement autonome et prospère. La communauté asiatique s'est organisée au point de pouvoir vivre en parfaite autarcie, avec ses produits alimentaires importés d'Orient, ses fruits et ses légumes : le magasin Tang est l'un des plus visités de Paris. Ateliers en chambre, solidarité et loi du silence donnent à ce quartier quelque mystère et en rendent la pénétration difficile à l'« étranger ».

Après la construction des grandes tours, on est revenu à une conception urbanistique plus sage, et l'on voit en bien des endroits, des tentatives parfaitement réussies pour créer une architecture moderne, fonctionnelle, esthétique et bien intégrée à l'environnement. La visite du quartier est une promenade d'atmosphère, d'ambiance et de contrastes architecturaux.

De la place d'Italie, par la rue Bobillot, on entre dans la **rue du Père-Guérin** et le Paris urbanisé au XIXᵉ siècle de manière anarchique. Pas de petites folies, ni de maisons de campagne, mais une succession de maisons basses occupées par des ateliers, pourvues quelquefois de jardins, et le plus souvent de cours et d'arrière-cours. Par les **rues Gérard** et **Jonas**,

La Bièvre

« Pour la suivre dans ses détours, il faut remonter la rue du Moulin-des-Prés et s'engager dans la rue de Gentilly ; alors, le plus extraordinaire voyage dans un Paris insoupçonné commence. Au milieu de cette rue, une porte carrée s'ouvre sur un corridor de prison, noir comme un fond de cheminée incrusté de suie ; deux personnes ne peuvent passer de front. Les murs s'exostosent et se couvrent d'eschares de salpêtre et de fleurs de dartres ; un jour de cave descend sur une boutique de marchand de vin, à la mine pluvieuse, à la devanture éraillée, frappée de pochons de fange, puis ce boyau se casse, dans un autre également étroit et sombre ; l'on arrive à une porte à moitié fermée et sur le fronton de laquelle on lit en caractères effacés ces mots : « Respect à la loi et aux propriétés. » [...] ; puis, si l'on continue sa route dans le couloir qui s'achemine en pente, [...] l'on tombe dans une rue bizarre, avec des maisons avariées et des pins de cimetière écimés, rejoints entre eux par des fils sur lesquels flottent des draps.

« C'est la ruelle des Reculettes, un passage habité par les ouvriers des peausseries et des teintures. Aux fenêtres, des femmes dépoitraillées, les cheveux dans les yeux, vous épient et vous braquent. [...]

« Cette ruelle se meurt, rue Croulebarbe, dans un délicieux paysage où l'un des bras demeuré presque libre de la Bièvre paraît ; un bras bordé du côté de la rue par une berge dans laquelle sont enfoncées des cuves ; de l'autre par un mur enfermant un parc immense et des vergers que dominent de toutes parts les séchoirs des chamoiseurs. Ce sont, au travers d'une haie de peupliers, des montées et des descentes de volets et de cages, des escalades de parapets et de terrasses, toute une nuée de peaux couleur de neige, tout un tourbillon de drapeaux blancs qui remuent le ciel, tandis que, plus haut, des flocons de fumée noire rampent en haut des cheminées d'usine. Dans ce paysage où les resserres des peaussiers affectent, avec leurs carcasses ajourées et leurs toits plats, des allures de bastides italiennes, la Bièvre coule, scarifiée par les acides. Globulée de crachats, épaissie de craie, délayée de suie, elle roule des amas de feuilles mortes et d'indescriptibles résidus qui la glacent, ainsi qu'un plomb qui bout, de pellicules.

« Mais combien attrayantes sont ses deux petites berges ! celle qui longe le mur du verger garni de treilles, plantée de chrysanthèmes et de tomates, hérissée d'artichauts trop mûrs dont les têtes sont des brosses couleur de mauve ! et l'autre, celle qui était jadis réservée aux lavandières, évoque à elle seule toute une antique province, avec ses pavés encadrés d'herbe et ses blanchisseuses, enfouies, au ras de l'eau, jusqu'aux aisselles, dans ces baquets où elles se démènent et chantent, en battant le linge ; ce lavoir des anciens temps est aujourd'hui presque désert. [...]

« La rue Croulebarbe continue, mais toute la gaîté du parc voisin s'arrête. Il ne reste plus, jusqu'à l'avenue des Gobelins, qu'un amas de bouges dont la vicieuse indigence effraye. Pour retrouver la morne rivière, il faut passer devant la manufacture de tapisserie et s'engager dans la rue des Gobelins. »

(J.-K. Huysmans, La Bièvre, les Gobelins, Saint-Séverin, 1901.)

on atteint celle des **Cinq-Diamants**, l'une des plus typiques du quartier de la Butte-aux-Cailles ; les ateliers sont nombreux : imprimerie, lithographie, mécanique, etc.

On appréciera le calme champêtre du **passage Barrault** où de verts feuillages enjambent les murs. Par la **rue Alphand** tout en verdure, et par le passage Sigaud, on atteint la **rue Barrault** dans laquelle l'Ecole nationale supérieure des télécommunications récemment construite interrompt cet habitat populaire et homogène. Par les **rues de la Butte-aux-Cailles**, **de l'Espérance** et **de la Providence** également vieillottes, on rejoint la rue de Tolbiac où, au carrefour de la rue Bobillot, se dresse la grande église néoromane Sainte-Anne-de-la-Maison-Blanche, par Bobin (1894-1900) ; sa décoration intérieure, monumentale et originale, est due à Maumejean (vitraux, céramiques exécutés entre les deux guerres).

Le parc Montsouris

Il fait partie du programme de mise en place d'espaces de verdure et de délassement, voulu par Napoléon III et réalisé par Alphand et son équipe à partir de 1865, sur d'anciennes carrières, à l'instar du parc des Buttes-Chaumont. Ici encore, l'ingénieur dessina un jardin à l'anglaise, aux allées sinueuses, agrémenté d'un vaste lac, d'une île, de groupes sculptés et surtout du pavillon du Bardo : c'est une réplique du palais du bey de Tunis qui figura à l'Exposition universelle de 1867 au Champ-de-Mars et fut remonté ici peu après. Occupé par un service météorologique jusqu'en 1974, il a été baillé à la Tunisie pour quatre-vingt-dix-neuf ans, à charge pour elle de le restaurer et d'en faire un centre culturel.

La cité universitaire

(1-6, boulevard Jourdan, XIVᵉ)
C'est une fondation des années vingt due à l'initiative du recteur Paul Appel et du mécène Emile Deutsch de la Meurthe, soucieux de fournir des conditions d'existence décentes aux étudiants, dans le même esprit que celui qui présida à la création des collèges au Moyen Age. Ainsi, dans un vaste parc de plus de quarante hectares, l'on a élevé trente-cinq pavillons comportant des équipements sportifs importants (1925-1960), autour de la Maison internationale destinée à tous. Elle comprend les installations communes (restaurant, théâtre, bibliothèque, etc.). Ces bâtiments d'époques variées présentent des architectures différentes et l'on retiendra en particulier les fondations Deutsch de la Meurthe (L. Bechmann, 1926-1936, n° 37), néerlandaise (Dudok, 1928, n° 61), celles de la Suisse (Le Corbusier, 1932, n° 7k), du Brésil (Le Corbusier et Lucio Costa, 1959, n° 71), de l'Iran (Parent, Fouroughi, 1968, n° 27d.)

Par la rue Bobillot, on atteint la **place Paul-Verlaine** au vaste square ombragé et bordée au sud par une piscine de brique due à L. Bonnier (1924) et alimentée par l'eau d'un puits artésien à 28 °C, conçu par Arago pour augmenter le débit de la Bièvre en cas de sécheresse.

Cette rue et le passage champêtre Vandrezanne permettent de rejoindre la **rue du Moulin-des-Prés**.

Entre la rue des Peupliers et la rue Damesme ont été construites, sur un modèle identique très fortement inspiré de l'Angleterre, des résidences ouvrières, parfois dotées de jardinets, et distribuées dans les rues qui partent de la place Hénocque.

La **place de l'Abbé-Georges-Hénocque** charme par sa forme rigoureusement circulaire, ses proportions harmonieuses et son vaste square planté d'arbres. On remarquera l'hôpital de la Croix-Rouge, en brique, et la Mutuelle générale des cheminots (1900) en brique bicolore, dotée d'une frise de céramique, et dont la porte est surmontée d'une locomotive, emblème approprié.

Par les rues du Docteur-Leray et Damesme, on rejoint la rue du Tage qui débouche sur l'**avenue d'Italie** : celle-ci n'a pas subi de transformations majeures, et reste bordée de petits immeubles anciens disposés de façon anarchique.

La **rue Caillaux** pénètre progressivement dans le secteur d'architecture contemporaine occupé par la colonie asiatique et bariolé d'enseignes lumineuses : les néons agressifs, les nombreux restaurants et boutiques témoignent d'une activité économique débordante : c'est une véritable fourmilière humaine. On y flânera, chacun au gré de ses fantaisies et de ses curiosités, sans oublier de passer par le **square Bertheau** où se retrouvent des familles asiatiques entières.

13. Les quais

Si la Seine est bien à la fois ce qui sépare et ce qui unit les deux rives, les quais sont une promenade très fréquentée entre le pont d'Austerlitz et le pont Royal principalement. Jusqu'au XIVe siècle, les berges restées à l'état naturel étaient bordées de chemins de halage et de ports aux activités spécialisées. Philippe le Bel décida l'aménagement du quai des Grands-Augustins en 1313, suivi de plusieurs autres sur la rive droite (quais du Louvre, de l'Hôtel-de-Ville, des Célestins) qui furent améliorés et reliés entre eux lors des grands travaux du Louvre sous Henri IV. Simultanément, l'apparition de nouveaux ponts (Royal, Neuf, du Carrousel) donna aux quais une nouvelle importance. Ainsi, à la fin du XVIIe siècle, l'Arsenal et le jardin des Tuileries étaient réunis par une ligne ininterrompue de quais. La rive gauche combla son retard sous Louis XVI et l'on aménagea alors les quais Saint-Bernard, aux Fleurs, Saint-Michel, de Montebello, de la Corse, d'Orsay, des Invalides, cependant que l'on démolissait, par mesure de sécurité et d'esthétique, toutes les maisons et boutiques qui encombraient les ponts (à partir de 1786). Ainsi la vue sur le fleuve et les berges fut dégagée, même si, çà et là, subsistaient des moulins et des lavoirs. Napoléon Ier les fit disparaître pour améliorer la navigation fluviale. Cette mesure fut insuf-

---

Le pont Neuf

« C'est un pont que je vois si je clos mes paupières
La Seine y tourne avec ses tragiques totons
O noyés dans ses bras noueux comment dort-on
C'est un pont qui s'en va dans ses loges de pierre
Des repos arrondis en forment les festons

« Un roi de bronze noir à cheval le surmonte
Et l'île qu'il franchit a double floraison
Pour verdure un jardin pour roses des maisons
On dirait un bateau sur son ancre de fonte
Que font trembler les voitures de livraison

« L'aorte du Pont Neuf frémit comme un orchestre
Où j'entends préluder le vin de mes vingt ans
Il souffle un vent ici qui vient des temps d'Antan
Mourir dans les cheveux de la statue équestre
La ville comme un cœur s'y ouvre à deux battants »
(Aragon, Le paysan de Paris chante.)

Le Pont-Neuf

fisante et comme les inondations persistaient en partie du fait de l'encombrement du fleuve, celui-ci fut « restauré » de 1846 à 1855 : on le dragua et l'on releva les berges en amont du pont de la Concorde, tandis que Haussmann y faisait planter des arbres pour en faire une promenade.

Les problèmes de la circulation automobile étant devenus insolubles du fait des transhumances quotidiennes, on créa, de 1961 à 1967, en bordure du fleuve, la voie expresse rive droite, en partie en tunnel, qui permet de traverser Paris d'ouest en est en dehors des zones bâties. On songea à en faire autant sur la rive gauche, mais une

violente campagne d'opinion fit abandonner le projet. En dépit de ces atteintes, la plus grande partie des quais est préservée et il est fort agréable de se promener au bord de l'eau en profitant des variations de la lumière au cours de la journée et des points de vue sur ce bel ensemble monumental qui comprend aussi bien Notre-Dame et la Conciergerie que le Louvre, l'Institut et les vieilles façades de la rive gauche ou de l'île Saint-Louis. Suivant que l'on choisit une approche solitaire et retirée de l'agitation urbaine ou, au contraire, que l'on préfère « faire les quais et les bouquinistes », on choisira la promenade

des berges, propice à toutes les rêveries et méditations, ou les trottoirs à ras de chaussée. Dans le premier cas, il faut bien savoir que sur la rive droite, du pont des Arts au quai de l'Hôtel-de-Ville, la berge est occupée par la voie Georges-Pompidou et, que, dans l'île Saint-Louis, le quai de Béthune n'a pas de berge, non plus que dans l'île de la Cité, la rive nord ou celle du square de l'Archevêché. Cette promenade enchante par son romantisme un peu désuet : pigeons, clochards débonnaires, bateaux amarrés, promeneurs et flâneurs. Le **pont d'Austerlitz** (1807) fut le second pont métallique de Paris, destiné à relier les deux rives orientales de la ville. Il fut reconstruit en pierre en 1854. Le viaduc d'Austerlitz (1903-1904) à l'usage exclusif du métro, est d'une seule portée pour ne pas gêner la circulation fluviale, compte tenu de l'immédiat voisinage du pont d'Austerlitz. Biette et Formigé sont les auteurs de cet ouvrage d'art, ainsi que du pont de Bir-Hakeim, en aval.

Le **quai Saint-Bernard** est très large, ce qui a permis d'y établir un centre sportif et surtout le jardin Tino-Rossi. Créé en 1985, ce vaste espace est scandé de sculptures contemporaines qui en font un musée en plein air de la sculpture, de la seconde moitié de ce siècle, avec des œuvres de Brancusi, César, Etienne Martin, Gilioli, Cardénas, Ipoustéguy...

Des ponts et des quais proprement dits, on a une vue horizontale sur la rive opposée et le recul suffisant pour apprécier les façades du quai où l'on se trouve. Les bouquinistes les plus nombreux se trouvent sur la rive gauche, du pont de la Tournelle au quai Malaquais ; ils offrent un choix de livres et d'estampes plus varié que ceux de la rive droite, du quai du Louvre au quai de l'Hôtel-de-Ville. Ces échoppes de libraires, souvent spécialisés, présentent de tout, du roman policier à l'ouvrage de bibliophile et des estampes originales aux rééditions modernes et aux posters.

Le **pont de la Tournelle** doit son nom à la tourelle qui marquait le départ de l'enceinte de Philippe Auguste, sur la rive gauche.

Le musée de l'Assistance publique
(47, quai de la Tournelle tél. 46.33.01.40.)

Il présente l'histoire des hôpitaux parisiens à travers des exemples précis : les Enfants-Trouvés, fondés en 1638 par saint Vincent de Paul, l'Hôpital général (1656), destiné à recueillir tous les miséreux, l'hôpital Necker (1776), créé pour soigner les malades et non pas pour être un hospice. Différentes salles reconstituent la vie hospitalière

Les quais

« C'est encore sur les quais, c'est-à-dire un peu en dessous de la surface parisienne, dans une patrie obscure et honteuse au sens que Shakespeare donnait à ces mots, que l'on peut faire connaissance avec les derniers petits métiers poétiques dont s'inspiraient naguère chansonniers, caricaturistes et poètes : le tondeur de chiens, le coupeur de chats, le glaneur de charbon, le ramasseur de petits objets, tels que lames de rasoir usagées, fermetures de canettes de bière, boucles de ceinturon, épingles de sûreté, crochets à bottines et fragments de pipes en terre, le ramasseur qu'on voit longer les ruisseaux en baissant la tête, à la fin de la journée. Cour des Miracles dotée d'une plage, ce monde des berges, dont les dos se durcissent au contact des pavés, jouit d'un des plus grands bonheurs que connaisse notre époque : l'ignorance totale du journal quotidien. [...]

« M'étant hasardé une nuit parmi ces longs gaillards si bien portants, si hardiment barbus que je les compare volontiers aux hommes des cavernes, [...] j'avais vaguement l'impression de déranger une secte. Je ne me trompais pas. Une voix s'éleva tout à coup derrière moi : ''Veux-tu fermer ta porte !'' me criait-on. J'avais visiblement affaire au Crocheteur Borgne de Voltaire...

« Tout autre est la population périphérique. Ce sont des savants. Je tiens les bouquinistes pour les êtres les plus délicieux que l'on puisse rencontrer, et, sans doute, participent-ils avec élégance et discrétion à ce renom d'intelligence dont se peut glorifier Paris. [...]

« La gent bouquiniste est la seule qui ne soit ni organisée ni syndiquée, qui ne donne aucun bal, aucun banquet annuel. Elle vit de rumeurs intellectuelles, de poussières d'idéal et d'indifférence. »

(Léon-Paul Fargue, Le Piéton de Paris, 1939.)

Le viaduc d'Austerlitz.

au XVIIIe siècle. Le musée possède enfin une très belle collection de pots d'apothicaire.

Il est installé dans un hôtel bâti vers 1635 pour un riche partisan (financier). Mme de Miramion, qui avait été enlevée par Bussy-Rabutin, refusa de l'épouser et se consacra toute sa vie aux œuvres de charité. Ainsi elle fonda, en 1661, les Filles de la Sainte-Famille, dites Miramionnes, ordre destiné à l'enseignement et au soin des malades. Après avoir fusionné avec les Filles de Sainte-Geneviève, les religieuses s'installèrent, en 1691, quai de la Tournelle. A la Révolution, l'hôtel fut occupé par une manufacture d'armes, puis la Pharmacie centrale des hôpitaux s'y installa et y créa le musée de l'Assistance publique (1934). Les arabesques de l'oratoire de Mme de Miramion témoignent de la qualité de la décoration de l'hôtel au XVIIe siècle.

Rive gauche, en face des bouquinistes, la plupart des immeubles sont occupés par des commerces : restaurants, libraires, galeries, antiquaires. Si les libraires et les restaurants sont les plus nombreux en amont, jusqu'au quai Conti, à partir de là, le relais est pris par les galeries et les grands antiquaires qui vont jusqu'à faire la répu-

tation du quai Voltaire. Le **Pont-Neuf** est le plus ancien de Paris puisqu'il fut commencé en 1578 et n'a jamais été reconstruit. Conçu en pierre et sans maisons, destiné uniquement à relier et à glorifier le roi par une statue équestre. Le cheval de bronze est un cadeau de Côme II de Médicis à sa fille, Marie, épouse de Henri IV. Il fut mis en place en 1614 et reçut la statue royale en 1634. Celle-ci ayant été détruite à la Révolution, on la remplaça en 1818 par celle de Lemot qui regarde vers la place Dauphine entrouverte. Ce pont qui est le plus populaire de Paris connut un grand succès dès sa construction, attirant forains, marchands et attractions, et l'un de ses derniers épisodes fut l'emballage qu'en fit le sculpteur Christo en 1985. De cet endroit on jouit d'une fort belle vue sur le quai des Grands-Augustins et ses vieilles maisons, au nombre desquelles on doit compter le restaurant Lapérouse (n° 51, XVIIIe siècle).

Le **quai Conti** est peut-être le plus beau de Paris avec les très belles faça-

---

La Seine

« *Et tu coules toujours, Seine, et tout en rampant
Tu traînes dans Paris ton cours de vieux serpent,
De vieux serpent boueux, emportant vers tes havres
Tes cargaisons de bois, de houille et de cadavres !* »
(Paul Verlaine, Nocturne parisien, 1862.)

des de la Monnaie par Jacques-Denis Antoine (1771-1777) et le parvis de l'Institut de France par Le Vau (à partir de 1663) ; la partie gauche de ce dernier occupe l'emplacement de la tour de Nesle qui marquait la limite occidentale du rempart de Philippe Auguste.

Le **pont des Arts** fut le premier pont métallique de France (1802-1804), créé pour les seuls piétons, afin de relier l'Institut au Louvre, alors appelé palais des Arts. C'était, en fait, un lieu de promenade et de rencontre agrémenté par des réverbères, des fleurs et des arbustes, tandis qu'aux extrémités les guérites servaient à prélever le péage. Gênant pour la circulation fluviale par ses nombreuses piles, il fut plusieurs fois endommagé par des péniches, en 1970 notamment, ce qui causa sa fermeture pour raison de sécurité. Il a été reconstruit en 1982, en acier et non en fonte, avec cinq arches au lieu de neuf et l'on a tenté de recréer l'atmosphère d'origine en y installant des bancs et des plantes.

Le **quai de la Mégisserie**, qui date de 1369, est l'un des plus anciens de Paris. Autrefois on y traitait les peaux d'animaux en raison de l'importance et de la rapidité du courant de la Seine. Actuellement, c'est l'un des endroits les plus pittoresques et les plus animés du fait de la présence de bouquinistes, du grand magasin de la Samaritaine et surtout des boutiques d'oiseaux, d'animaux, de graines et de plantes, dont les cris donnant un caractère campagnard au quai font la joie des enfants.

En face, la Conciergerie dresse sa masse imposante et ses quatre tours.

Le **quai des Célestins**, créé dès la fin du XIVe siècle, est intéressant pour les maisons qui le bordent et la vue que l'on a sur les quais d'Anjou et de Bourbon.

14. L'île Saint-Louis

Cette île qui dépendait du chapitre de Notre-Dame s'appela île Notre-Dame jusqu'au XVIIIe siècle. Pendant tout le Moyen Age elle fut un lieu de pâture, de rassemblement : saint Louis y adouba Philippe le Hardi, y reçut la bénédiction pontificale au départ de la VIIIe croisade ; Philippe le Bel y adouba à son tour ses fils et y donna des fêtes, ce qui explique la construction de ponts de bois occasionnels, peu solides, pour des raisons de défense. Et pour ces mêmes raisons, on y creusa, au XIIIe ou au XIVe siècle, un large fossé reliant la tour Barbeau (rive droite) et la Tournelle (rive gauche) et créant une île orientale : l'île aux Vaches. L'encombrement des ponts de la Cité fit imaginer à la fin du XVIe siècle d'aménager un passage par l'île Notre-Dame. Cette idée ne se concrétisa qu'à la fin du règne de Henri IV où l'entrepreneur Christophe Marie fut chargé de construire, à ses frais, deux ponts de bois (1610) ; l'opé-

ration fut bientôt élargie : en 1614, il fut décidé que ces ponts seraient de pierre, que le fossé entre les deux îles serait comblé et que la nouvelle île ainsi formée serait cernée de quais maçonnés. Du fait de difficultés juridiques, et financières, le pont Marie ne fut achevé qu'en 1630 et l'on y construisit des maisons à partir de 1643, qui furent supprimées en 1658, en raison d'une crue qui endommagea deux arches. L'autre pont, celui de la Tournelle, achevé en 1645, ne comporta jamais de maisons. Enfin, dès 1625, une passerelle de bois dite « pont Saint-Landry » relia l'île à la Cité. Simultanément, on construisit les quais et l'urbanisation démarra, selon un plan géométrique régulier.

Les premiers habitants, artisans, entrepreneurs s'établirent au carrefour de deux principales rues ; plus tard, les personnages de haut rang choisirent les quais d'où l'on jouissait d'une

Le quai de Béthune.

vue exceptionnelle sur les rives. Très vite, l'endroit devint à la mode : Philippe de Champaigne s'installa quai de Béthune, Louis Le Vau, qui était aussi promoteur, s'établit quai d'Anjou. Ce dernier fut en fait le promoteur et l'architecte de l'île et c'est lui qui réalisa ces belles demeures que furent l'hôtel Hesselin, aujourd'hui disparu, et l'hôtel Lambert, toujours en place. A la fin du XVIIe siècle, les grandes demeures étaient achevées et l'île avait acquis un caractère aristocratique qu'elle n'a jamais perdu. En 1726, l'église Saint-Louis-en-l'Ile fut consacrée et l'île prit son nom actuel. Après un assoupissement à la fin du XVIIIe siècle et pendant la Révolution, l'endroit fut relancé à l'époque romantique par les écrivains et les artistes qui vinrent s'y installer : Daumier, Daubigny, Meissonnier, Cézanne, Théophile Gautier, Baudelaire... Au siècle dernier, l'île ne fut que peu atteinte par les travaux d'urbanisme. Si les dégâts causés par l'ouverture de la rue Jean-du-Bellay (1862) furent limités, beaucoup plus grave fut la construction du pont de Sully (1845) qui fit disparaître l'hôtel de Bretonvilliers, l'un des plus

beaux, ainsi que son vaste jardin ; de même, plus récemment, l'élargissement de la rue des Deux-Ponts (1913) a totalement défiguré l'île en cet endroit.

En dépit de ces dégradations, le lieu est resté un petit village où les maisons communes du XVIIe ou du XVIIIe siècle, aux façades enduites de plâtre, s'intercalent entre les beaux hôtels de pierre aux portails majestueux. De ce balcon l'on a une fort belle vue sur les quais et le chevet de Notre-Dame, qui varie avec la lumière, et, à l'intérieur de l'île, c'est un plaisir de flâner dans ces vieilles rues, d'y admirer sculptures et ferronneries ou, rue Saint-Louis, de faire le lèche-vitrines de boutiques qui, volontairement, refusent la modernité. Si le secteur du pont Louis-Philippe est envahi de touristes, les quais et la partie centrale sont fort calmes.

La **rue Jean-du-Bellay** est, à ses débuts, au débouché du pont Saint-Louis, l'endroit le plus animé de l'île : à deux pas de la zone de stationnement des cars, elle est visitée par des hordes de touristes qui viennent prendre ici la rituelle photographie du chevet de Notre-Dame.

La **rue Saint-Louis-en-l'Ile** est une artère commerçante et populaire depuis l'origine. Elle a conservé ses petites boutiques et ses petits restaurants qui se sont le plus souvent embourgeoisés. Au n° 61, le restaurant « Aux Anysetiers du roi » présente ses grilles et son enseigne d'autrefois, celle du cabaret du Petit Bacchus, couronné de pampres et à cheval sur un tonneau. Au n° 51, l'hôtel Chenizot fut édifié en 1625 pour un secrétaire du roi, Pierre Verton. Il doit son nom au receveur général des Finances de Rouen qui y apporta d'importantes modifications et fit refaire le portail par Pierre de Vigny (1726) : les chimères et la tête qui soutiennent le balcon aux splendides ferronneries est l'un des plus beaux décors rocaille de Paris. L'hôtel qui abrita l'archevêché de 1840 à 1850 puis une caserne de gendarmerie a perdu ses décors intérieurs, sauf la rampe du grand escalier, par Nicolas Viennot.

Du **quai d'Orléans** l'on jouit d'une très belle vue sur la rive gauche. Les immeubles qui, pour la plupart, datent du XVIIe siècle, possèdent de fort belles ferronneries (n° 8, 12, 18, 28-34). Le n° 6 est l'hôtel construit en 1655 pour le secrétaire du roi, Antoine Moreau. En 1852, le comte Ladislas Zamoiski l'acheta pour y installer la bibliothèque polonaise, fondée en 1838, par les Polonais réfugiés en France. Outre un fonds iconographique et cartographique important, on y trouve près de 200 000 volumes et, depuis 1903, le musée Adam-Mickiewicz (tél. 43.54.35.61) y siège, qui est consacré au grand poète qui enseigna au Collège de France ; le premier étage présente des souvenirs de Chopin, notamment son masque mortuaire par Clésinger.

Le **quai de Béthune** offre une belle homogénéité architecturale et présente une série d'hôtels construits entre 1640 et 1650 par les Le Vau père et fils. Au n° 36, l'hôtel Violle joua un rôle important pendant la Fronde, ce qui valut, par la suite, l'exil à son propriétaire. Au n° 34, l'hôtel Gontaut-Biron possède un bel escalier à balus-

tres de bois. Les n° 32 et 30 furent construits par Louis Le Vau père, les bas-reliefs musicaux ont été ajoutés à une époque récente par des locataires musiciens. Au n° 28, l'hôtel du président Perrot fut construit également par le père de Louis Le Vau pour un officier de la ville, Claude Aubert ; les bas-reliefs sculptés sont également postérieurs. Au n° 24, la porte cochère, ornée de masques et de guirlandes par Etienne Le Hongre, est tout ce qui reste du somptueux hôtel Hesselin de Le Vau. C'était l'un des plus beaux de l'île, décoré par Gilles Guérin, Le Brun, Le Sueur. Ayant souvent changé de mains et de destination, il subit de nombreuses modifications avant d'être démoli en 1935 par Helena Rubinstein.

Les deux hôtels jumeaux édifiés en 1643 par les frères Lefebvre de la Barre (n° 20) et de Malmaison (n° 22) ont conservé leurs portes à panneaux de bois cloutés et, au n° 22, une belle chimère qui déploie ses ailes ; Baudelaire habita le second en 1842. Aux n° 16-18, Le Vau éleva pour Thomas de Coomans, en 1647, un hôtel dont le décor rappelle celui de l'hôtel Lambert (pilastres colossaux, arcatures feintes) ; de 1725 à 1791, il appartint à la famille de Richelieu et porte pour cette raison habituellement ce nom. Au n° 14, enfin, l'angle de la rue de Bretonvilliers ne contient plus de vestiges du splendide édifice de Du Cerceau pour Claude Le Ragois de Bretonvilliers, receveur général des Finances (1637-1640), qui fut décoré par Vouet, Mignard, Bourdon... Sur son grand terrain, Le Ragois avait construit au nord trois hôtels destinés à la location, dont l'entrée se situait rue Saint-Louis (n° 3-13), puis deux de l'autre côté de la rue, à laquelle il avait donné son nom ; afin d'affirmer avec solennité et sans équivoque le caractère privé de cette voie, il l'avait terminée par un pavillon et une arcade.

Le décor rocaille de l'hôtel Chenizot.

Le **square Barye**, à la pointe de l'île, constitue le seul vestige des jardins qui descendaient en terrasse jusqu'au fleuve. C'est un point de vue admirable sur l'amont de la Seine.

Rue Saint-Louis-en-l'Île, au n° 2, l'hôtel Lambert est le plus beau vestige de ce que fut l'île en sa période de splendeur : Le Vau l'édifia à partir de 1639 pour le secrétaire du roi, Jean-Baptiste Lambert, qui y décéda l'année même où il emménagea (1644). Son frère Nicolas commanda la décoration comprenant le cabinet de l'Amour, le cabinet des Muses, la galerie d'Hercule due à François Perrier, Le Sueur, Le Brun entre autres. Dès 1776, les décors commencèrent à être démantelés et les peintures des cabinets des Muses et de l'Amour entrèrent dans les collections royales. De 1809 à 1841, l'hôtel appartint au ministre de l'Intérieur, Montalivet, qui

emporta certains éléments dans son château de La Grange, si bien qu'à l'heure actuelle cette demeure acquise en 1976 par le baron de Rothschild possède encore, non seulement ses jardins et son aspect extérieur, mais la belle galerie d'Hercule par Le Brun. La décoration de l'hôtel Lambert fut tellement appréciée qu'on en publia un recueil de planches gravées en 1740. Depuis le pont de Sully, on aperçoit la façade sur le jardin, rythmée de pilastres corinthiens, et l'extrémité en rotonde de la galerie d'Hercule qui regarde vers la Seine.

Quai d'Anjou, la maison que Le Vau se construisit au n° 3, tandis qu'il travaillait à l'hôtel Lambert, le prolonge et est ceinturée du même balcon. Il l'habita jusqu'en 1648. Les maisons suivantes présentent de belles ferronneries et sont construites suivant la même ordonnance en épousant la forme du quai. Au n° 9 vécut Daumier de 1846 à 1863.

L'**hôtel de Lauzun** (n° 17) fut construit entre 1655 et 1657 pour le commissaire général aux Armées Gruyn des Bordes. L'architecte n'est pas connu et il semble difficile de penser à Le Vau, compte tenu de la relative lourdeur de l'édifice. En 1682, le duc de Lauzun, époux de la Grande Mademoiselle, l'acheta et le revendit bientôt (1685). C'est au XIXe siècle que la maison devint célèbre car elle fut habitée par des artistes et des hommes de lettres : Baudelaire, Gautier, Privat d'Anglemont qui y menèrent une vie un peu excentrique, y découvrant le haschisch. L'édifice passa à la ville de Paris en 1928. C'est le seul hôtel parisien de cette époque ouvert au public qui ait conservé ses décors, dont on ne connaît malheureusement pas les auteurs.

Le grand escalier est pourvu d'un important programme décoratif comprenant deux statues d'Apollon et

L'hôtel de Lauzun.

Minerve, dans des niches, des bas-reliefs en dessus-de-porte dans le style de Gilles Guérin (*Les Arts* et *Les Sciences*), un plafond peint : *Le Temps découvrant la Vérité*. Au premier étage, la salle des gardes a un traditionnel plafond à poutres décorées d'arabesques ; ensuite, le cabinet de portraits et de tableaux de fleurs comporte, au plafond, un *Triomphe de Cérès*. Au second étage se trouvent les pièces les plus richement décorées : un salon aux boiseries dorées finement sculptées et aux dessus-de-porte ornés de divinités avec, en outre, les portraits du duc de Lauzun et de la Grande Mademoiselle ; ensuite figure la chambre à l'italienne dont le plafond présente *Le Triomphe de Vénus* ; du côté de la cour, la grande tribune était réservée aux musiciens. Dans la chambre suivante, une allégorie du Sommeil occupe l'alcôve et, *Diane et Endymion*, le plafond. Enfin, dans la dernière pièce, aux boiseries architecturées et sculptées très richement, *Le Triomphe de Flore* achève cette série de compositions à la gloire des déesses antiques. Par ailleurs, des paysages, des grisailles et des grotesques animent ces boiseries.

La **rue Poulletier** doit son nom à l'un des associés de Christophe Marie lors du lotissement de l'île. Au n° 20, l'hôtel du procureur général du Parlement, Blaise Méliand, a conservé son beau portail orné de deux têtes d'Hercule couvertes d'une peau de lion.

L'église Saint-Louis-en-l'Ile
(19 bis, rue Saint-Louis-en-l'Ile)

En 1623, les habitants de l'île obtinrent l'édification d'une chapelle dédiée à la Vierge qui, en 1634, devint église paroissiale. Trop petite, on décida de la reconstruire ; Le Vau en donna les plans et la première pierre fut posée en 1664. Les difficultés financières et la mort de Le Vau firent traîner les travaux. Le Duc reprit le chantier, et, en 1701, commença la nef, mais la mort le surprit. Doucet le remplaça (1704) et acheva l'édifice en 1725. Si l'extérieur ne présente aucun intérêt, exception faite du portail de Nicolas Legendre, l'intérieur très clair offre des proportions agréables ; il est scandé de pilastres corinthiens qui soutiennent une frise sculptée, dont le dessin est dû, comme toute la décoration de l'édifice, à Jean-Baptiste Champaigne. La plus grande partie des décors peints est du XIXe siècle ; toutefois, dans le bas-côté gauche, la chapelle des fonts baptismaux possède un *Baptême du Christ* par Stella (XVIIe siècle) et la deuxième chapelle à gauche du chœur : *Saint Jean et saint Pierre guérissant un boiteux* par Carle Van Loo (1742) et *Les Disciples d'Emmaüs* attribué à Titien. Dans la chapelle du Saint-Sacrement, les huit panneaux de la vie du Christ appartiennent à l'école hollandaise du XVIe siècle. La première chapelle du bas-côté droit est décorée de tableaux de Coypel (*Les Disciples d'Emmaüs*, 1746), Peyron (*La Résurrection*, 1784) et Perrin (*La Nativité*, 1784). Enfin, dans la chapelle Saint-Louis, figurait autrefois *La Dernière Communion de saint Louis* d'Ary Scheffer.

Le **quai de Bourbon**, froid et sévère, offre une vue de premier ordre sur Saint-Gervais et l'Hôtel de Ville. Au n° 1, la maison du procureur au Châtelet, Pierre Le Mercier, dont le rendez-vous était occupé par le cabaret du Franc-Pinot dès le XVIIe siècle, a conservé ses grilles ornées de grappes de raisin. En 1794, Cécile Renault y habitait ; n'ayant pas réussi à assassiner Robespierre, elle fut guillotinée avec sa famille.

Au n° 11, Philippe de Champaigne se fit construire ce joli hôtel à mascarons (1636) qu'il loua, ne l'habitant que de 1643 à 1650. Au n° 19, l'hôtel de Jassaud présente une immense façade surmontée de trois grands frontons ornés de guirlandes de fruits. Les n° 45-47 sont des maisons que François Le Vau se construisit en 1658, et il mourut en 1676 au n° 49. Les bas-reliefs de l'hôtel (n° 45-47), représentant Hercule terrassant Nessus, font appeler cet édifice : la maison du Centaure. Le n° 49, qui jouit d'une vue splendide sur la montagne Sainte-Geneviève et la Cité, a toujours été très recherché des écrivains : Drieu La Rochelle, Louis Chadourne, la princesse Bibesco, André Billy, André Breton vécurent ici.

15. Le Marais

Le Marais dont l'apogée se situe au XVIIe siècle connut une nette désaffection à la fin de l'Ancien Régime, concurrencé par le faubourg Saint-Germain, plus proche de Versailles. Le XIXe siècle aggrava encore la situation et le quartier fut livré aux artisans et industriels qui en prirent à leur aise avec les bâtiments : adjonctions, démolitions... et cela, d'un commun accord avec l'Etat et la ville qui, par exemple, installaient l'Imprimerie nationale dans l'hôtel de Rohan, remplaçaient le couvent des Minimes par une caserne et, en 1934, un hôtel et des maisons du XVIIe siècle par le central téléphonique de la rue des Archives (n° 61).

Ce quartier qui s'étend de Beaubourg à la Bastille et de la Seine à la République doit son unité à plusieurs facteurs : l'ancienneté de son habitat, une prise de conscience de la valeur de ce patrimoine qui a entraîné depuis une quinzaine d'années la restauration, pas toujours heureuse, de nombreux édifices, l'embourgeoisement de la population avec la venue des intellectuels, des artistes et des professions libérales, une remise en cause des activités professionnelles traditionnelles par l'ouverture de nombreuses galeries et boutiques de mode, sans faire disparaître totalement les magasins et ateliers qui ont encore un rôle prédominant dans la partie septentrionale. Le renouveau visible et encore inachevé est dû, en fait, à l'insertion du Marais dans le schéma culturel général de la ville grâce à la loi Malraux (1962) sur la protection du patrimoine immobilier, puis à l'installation du centre Georges-Pompidou, puis, enfin, à celle, toute récente, du musée Picasso. Par leur rayonnement, ces deux poumons culturels ont réveillé les différentes institutions en place (musée Carnavalet) et ranimé le quartier ainsi qu'en témoigne l'ouverture quotidienne de restaurants, boutiques et galeries. Cet axe culturel relie directement Beaubourg à la place des Vosges, et irrigue très largement les rues avoisinantes.

La topographie du quartier reflète l'urbanisation lente et patiente des censives de Saint-Martin-des-Champs et du Temple, brisée çà et là par l'ouverture de quelques rues au siècle dernier (Rambuteau en 1839, de Turbigo en 1854-1858) ou l'aménagement du square du Temple et de ses abords. La richesse architecturale du quartier est infinie, et l'on a proposé deux itinéraires qui, tout en englobant les musées et monuments importants, s'attachent à montrer les diversités économiques et sociologiques. Et l'amoureux des vieilles pierres pourra, sans risque, flâner dans toutes ces rues et y trouver façades, portails et cours, riches ou modestes, mais toujours harmonieux, ornés de belles ferronneries et de mascarons souriants, datant le plus souvent des XVIIe et XVIIIe siècles.

Le quartier du Temple

Ici, l'artisanat et le commerce restent la principale activité, que ce soient la bijouterie (rue des Archives), les colifichets et la bijouterie (le nord de la rue du Temple), ou les articles de cuir (le sud de la rue du Temple). Le commerce y est dans une large mesure entre les mains des Asiatiques (rue du Temple et plus à l'ouest), qui détiennent également de nombreuses sociétés d'import-export. L'autre grand pôle artisan est la confection (rue de Turenne) où l'on ne rencontre que des magasins de vêtements, surtout de cuir. Le centre économique du quartier se situe autour de la mairie du IIIe arrondissement qui est bordée par la très commerçante rue de Bretagne, avec son marché, et par le carreau du Temple, débouché naturel des ateliers de confection du voisinage.

Le musée Picasso
(5, rue de Thorigny
tél. 42.71.25.21.)
Ce grand hôtel fut élevé en 1658 par Boullier de Bourges, proche de Le Vau, pour le fermier des gabelles, Aubert de Fontenay, ce qui lui valut le surnom d'hôtel « salé ». La fortune considérable du personnage lui permit de mener à bien tous les travaux avant même la chute de Fouquet qui entraîna sa propre ruine. L'hôtel fut dès lors loué, et Mme de Sévigné l'occupa avec sa fille, la future comtesse de Grignan. Au XIXe siècle, l'immeuble reçut une affectation éducative, accueillant l'Ecole centrale des arts et manufactures (1829-1884) et, plus récemment, l'Ecole des métiers d'art (1944-1962), ce qui acheva de dégrader les lieux.

La façade sur la cour est peu décorée, hormis les sphinges des extrémités et les ailerons ; l'intérieur, au contraire, a conservé intacts le monumental escalier de pierre décoré d'*ignudi*, de bustes à l'antique, et de génies tenant des guirlandes, de même que le vestibule haut qui lui fait suite, « surveillé » par les bustes de Minerve, Apollon, Diane, Mars, Cérès et Bacchus tandis qu'aux voussures, Louis XIV et Anne d'Autriche apparaissent sous les traits de Jupiter et Junon. Ce sont là les seuls vestiges visibles de la décoration primitive. Le musée réunit aux œuvres figurant déjà dans les collections nationales la donation faite par la famille de Picasso de sa collection personnelle et, surtout, la très importante dation, en paiement des droits de succession (203 peintures, 158 sculptures, plus de 3 000 dessins, estampes, les archives, manuscrits, etc.).

La présentation en est chronologique, commençant par la période bleue (*Autoportrait*, 1901), puis la période rose (*Autoportrait*, 1906, et études pour *Les Demoiselles d'Avignon*). Les œuvres les plus significatives de la période cubiste viennent ensuite (1907-1915), avec *L'Homme à la guitare*, *La Nature morte à la chaise cannée*, qui comporte un morceau de toile cirée et annonce la belle série de papiers collés, *L'Homme à la pipe*, *Le Peintre et son modèle* et le *Portrait d'Olga*. A côté de ces créations figurent les œuvres de la collection personnelle de l'artiste qui semblent l'avoir influencé le plus (Chardin, Cézanne, Matisse, Derain), les autres étant présentées au deuxième étage. Au premier figurent encore les œuvres des années vingt : *La Flûte de Pan* (1923), des projets de décors et de costumes de théâtre et *Le Baiser* (1925) dont le caractère violent reflète une période de crise chez l'artiste.

Le rez-de-chaussée est consacré à l'œuvre gravé et aux tableaux-reliefs, composés d'objets hétéroclites, ainsi qu'aux sculptures réalisées dans les années trente à Boisgeloup et au carton de tapisserie-papier collé, *Femmes à leur toilette* (1938). Le sous-sol rassemble les œuvres postérieures à la Seconde Guerre mondiale, ainsi que les illustrations de poèmes de Max Jacob, de René Char ou de Tristan Tzara.

Rue de Thorigny, en face du musée, subsistent (n° 4, 6) deux beaux porches d'hôtels élevés vers 1660. Des cafés voisins et du square de la rue Vieille-du-Temple, on peut admirer la majesté impressionnante de la façade sur jardin de l'hôtel Salé décorée de lions et de lévriers.

L'**église Saint-Jean-Saint-François**, n° 13, rue du Perche, est l'ancienne chapelle du couvent des Capucins fondé en 1621 grâce à la générosité du financier Charlot. Reconstruite en 1715, elle subit, au XIXe siècle, les interventions de Baltard, qui lui ajouta un porche (1855), et de Godde qui en construisit le chœur (1828). Erigée en paroisse en 1791, elle reçut les stalles et les boiseries de l'église des Billettes (dans le chœur). C'est ici qu'on vint chercher, le 21 janvier 1793, les ornements pour célébrer la messe à laquelle assista Louis XVI avant de mourir. C'est aujourd'hui le siège de l'exarchat arménien. A l'intérieur, la nef est ornée de peintures (*Sacrifice de Noé*, par Taraval), ainsi que la chapelle de la Vierge (*Ensevelissement du Christ* et *Vœu de Jephté*, par Natoire) et les piliers de la nef (*Saint François et saint Bruno en prière*, XVIIe siècle) ; à l'entrée du chœur, on voit un *Saint Denis* (par Sarrazin) et un *Saint Fran-*

çois d'Assise (par Germain Pilon, provenant de la chapelle des Valois à Saint-Denis).

Rue Charlot, l'harmonie et le charme sont de rigueur avec de beaux balcons et d'élégantes lucarnes, notamment aux n° 7 et 9 datant du début du XVIIe siècle.

Le côté de la rue des Quatre-Fils qui lui fait face est occupé par les Archives nationales et le bâtiment élevé par

La Femme au stylet, *Picasso, 1931.*

l'architecte Fiszer (1988) pour l'accueil du public prolonge l'hôtel de Boisgelin au portail majestueux (fin du XVIIe siècle).

Le musée Bricard
musée de la Serrurerie
(1, rue de la Perle
tél. 42.77.79.62.)

Construit en 1683 par Libéral Bruand, cet édifice se signale par ses dimensions restreintes, son décor soigné de niches occupées de bustes et d'enfants jouant dans le fronton, ainsi que par la pureté de ses lignes. En 1965, il a été acquis par la société Bricard pour y présenter au public les collections de serrures réunies par la maison depuis deux siècles. Outre de nombreuses pièces antiques, on notera d'impressionnants heurtoirs sculptés des XVIe et XVIIe siècles, français et étrangers, des serrures de bronze doré des maisons royales (de Versailles aux Tuileries de Napoléon III) et quantité d'éléments de pendules, des clefs... Dans la cour est pré-

Les Archives nationales.

senté un atelier de serrurier en activité il y a encore peu.

Rue du Parc-Royal. Après l'hôtel de Croisilles (n° 12), l'hôtel de Vigny (n° 10) bâti en 1628 pour l'intendant des finances Bordier, possède encore un riche plafond peint par M. Loir, élève de Vouet, et Jacques Germain (*Les Eléments* et *Les Saisons* dans des encadrements de stuc). Au-delà, les anciens hôtels ont souvent été médiocrement restaurés, et seul l'hôtel de Canillac (n° 4) possède encore sa porte et, à l'intérieur, l'un des plus beaux escaliers de bois de Paris, avec de gros balustres sculptés (1620).

La **rue de Turenne** doit sa largeur aux projets de Henri IV pour la place de France entreprise dès 1608, près du carrefour de la rue de Bretagne. On y compte beaucoup de constructions du XVIIe siècle : au portail du n° 50 apparaissent deux têtes de profil ; aux n° 52-54, l'hôtel de Montrésor, occupé aujourd'hui par une école, est composé de deux bâtiments jumeaux ; sa cour date de l'époque Louis XIII, même si la façade a été remaniée au XVIIIe siècle ; de même, à l'angle du

n° 58, une *Vierge à l'Enfant* du XVIIe siècle occupe une niche.

La rue Villehardouin qui constitue un ensemble tout à fait homogène de maisons d'époque Louis XIII a gardé un aspect villageois, et reste l'un des endroits les plus charmeurs du quartier. En prenant à gauche la petite rue de Hesse, on pénètre dans le jardin de l'hôtel d'Ecquevilly pour y admirer les façades récemment restaurées, dans le cadre d'une vaste opération immobilière qui a mis en place les immeubles et les passages piétonniers que l'on voit à droite. De nouveau rue de Turenne, au n° 60, se situe l'entrée principale de cet hôtel dit, à tort, du Grand Veneur, commencé en 1637, agrandi par le chancelier Boucherat et achevé par Hennequin d'Ecquevilly, capitaine général de la vénerie du roi : il reconstruisit l'aile droite, décora l'immeuble d'attributs cynégétiques visibles dès la façade et refit plus tard la décoration de certaines pièces. En 1880, les boiseries furent vendues. Actuellement, il est occupé par la société Jacob Delafon. Au n° 64 enfin, l'hôtel de Tanlay, également de 1637, se signale par ses vantaux sculptés.

L'**église Saint-Denis-du-Saint-Sacrement** (n° 70 bis) a succédé au couvent des Bénédictines du Saint-Sacrement (1684-1790), lui-même édifié à l'emplacement de l'hôtel de Turenne. Le bâtiment actuel, dû à Godde et achevé en 1835, est caractéristique du style néogrec contemporain, avec son péristyle ionique, sa façade presque aveugle ornée au fronton des vertus théologales et, sous le porche, des vertus cardinales. A l'intérieur, le décor peint est assez abondant avec, notamment, une vaste grisaille d'Abel de Pujol représentant saint Denis prêchant dans les Gaules (chœur) dominée par la coupole décorée d'un Père éternel, de Jésus-Christ et de la Vierge entourés d'anges. A droite, en entrant, on admirera une *Déposition de croix* (par Delacroix, 1843).

Rue Vieille-du-Temple, au n° 102, l'hôtel de Ferrary, construit vers 1625, est à peu près intact, et nécessite une restauration. A l'intérieur subsistent quelques ornementations mises en place au milieu du XVIIIe siècle ; il est occupé par le lycée Victor-Hugo. Au n° 106, construit comme le précédent à l'emplacement de l'hôtel d'Epernon,

L'hôtel du Grand-Veneur

l'hôtel Mégret de Sérilly date du début du XVIIe siècle, comme en témoignent son architecture de brique et de pierre (cour) et ses lucarnes. Au n° 110, l'hôtel d'Hozier fut occupé, de 1735 à 1798, par les célèbres généalogistes du roi ; outre la porte splendide ornée d'attributs militaires, on peut admirer, au fond de la cour, l'escalier dont la rampe, magnifique morceau de ferronnerie, est marquée d'un dragon à son départ.

La **rue Debelleyme**, qui relie par un demi-cercle les n° 85 et 113 de la rue de Turenne, est une survivance du grand projet de place de France dont, vers 1606, Henri IV chargea les architectes Alleaume et Châtillon, mais qui fut abandonné à la mort du roi. La base en était la rue de Turenne d'où rayonnaient les rues de Normandie, Bretagne, Poitou, reliées entre elles par des anneaux concentriques.

Rue Vieille-du-Temple, au n° 137, l'immeuble d'angle de la rue de Bretagne (n° 1) est un bel exemple des maisons de rapport d'époque Louis XVI, avec ses refends et sa corniche à modillons. Il est dû à Jean-Louis Blève, et possède encore, au-dessus des fenêtres, les bas-reliefs des cinq sens moulés par d'Hollande (1777).

La **rue de Bretagne**, avec tous ses commerces et son animation est l'artère nourricière de l'arrondissement. A droite, entre les rues Debelleyme et de Saintonge, P.-F. Gorse a représenté sur un grand mur aveugle un arbre gigantesque. Au n° 41, le très traditionnel marché des Enfants-Rouges, qui appartient aux Cassini, durant le XVIIIe siècle, est l'un des plus anciens de Paris, et doit son nom au tout voisin orphelinat fondé par Marguerite de Valois, sœur de François Ier, et dont les pensionnaires étaient de rouge vêtus.

Un marché, rue de Bretagne.

On atteint le **carreau du Temple** par la pittoresque rue de Picardie. Il a remplacé, en 1903, les pavillons métalliques de Legrand (1863-1865), qui, eux-mêmes, avaient succédé à la construction ovale de Pérard de Montreuil (1788) : il s'agissait alors d'assainir l'enclos du Temple, repaire de gens aux activités plus ou moins avouables et aux métiers les plus divers, pour en faire un véritable centre commercial ; cette opération était liée à la construction d'immeubles de rapport. Franchises et privilèges anciens avaient attiré de nombreux commerces dans l'enclos, encouragés par le roi qui souhaitait le développement de métiers échappant aux réglementations pointilleuses. Ainsi, dès le milieu du XVIIe siècle, se développa ici la fausse bijouterie, dite « pierrerie du Temple », dont le prolongement est aujourd'hui l'en-

semble d'ateliers, de magasins d'orfèvrerie, de bijouterie de fantaisie (rue du Temple), ou l'établissement du comptoir Lyon-Alemand-Louyot, rue de Montmorency. De même, la friperie y tenait une place importante : elle a survécu dans le marché, et dans les rues alentour où les vêtements sont souvent exposés sur le trottoir ; les rues Perrée, Caffarelli et de Picardie sont un des hauts lieux du marchandage des tissus dans la capitale. Dans l'édifice actuel, à moitié occupé par une salle de sport, la prédominance des cuirs et fourrures n'empêche pas la présentation, à de très bas prix, de tous les secteurs de l'habillement, même si, depuis le début du siècle, la concurrence des puces de Clignancourt, se fait durement sentir. Ces activités commerciales se poursuivent rue Dupetit-Thouars, située dans l'axe de l'église.

Sainte-Elisabeth
(95, rue du Temple)

C'est l'église d'un couvent de Franciscaines fondé en 1614. De l'édifice élevé en 1646 par Villedo, ne subsistent que la façade (les statues y sont du XIXe siècle) et les quatre premières travées de la nef ; vers 1830, Godde a construit le chœur et le déambulatoire dont le mur est décoré de panneaux de bois provenant de l'abbaye de Saint-Vaast (scènes de l'Ancien et du Nouveau Testament) plaqués sur les peintures murales de Jourdy, Roger, Bézard et Bohn (1844). A l'entrée, sous l'orgue, un tableau de Gustave François représente la famille royale au Temple.

Le **square du Temple** aménagé en jardin anglais avec kiosque, rocaille et pièce d'eau par Alphand (1865), est le seul grand jardin public de l'arrondissement. Il est situé à l'emplacement de l'hôtel du grand prieuré, démoli en 1848. Ultime résidence de Louis XVI, Babeuf, Cadoudal ou Pichegru, la tour en a été rasée en 1811, étant devenue un gênant lieu de pèlerinage des royalistes. Une statue de Béranger rappelle que le chansonnier mourut dans le quartier (1857). Dominant le square,

Un détail des Chevaux du Soleil, *à l'entrée de l'hôtel de Rohan.*

l'immeuble néogothique du 18, rue Perrée (par Barbaud et Baumain, vers 1900) est orné d'une immense allégorie du temps en haut-relief par Rispol. Au fond du square, la mairie du III⁰ arrondissement, par Caillat et Chat (1814-1867) a remplacé un établissement de bains et un lavoir. Le fronton de sa façade (*Le Commerce, L'Industrie*) annonce les décors intérieurs sur des thèmes civiques : naissance, mariage, vote, mort, loi, charité.

Rue des Archives, en croisant à droite la rue Portefoin, on ne manquera pas d'apprécier les façades solides et rustiques des premières maisons (n° 4, 6, début du XVIIᵉ siècle). Cette rue très passante, spécialisée dans l'horlogerie et la bijouterie, a été aménagée en 1874, tout en conservant, du côté des numéros pairs, de beaux hôtels : n° 78, hôtel Amelot de Chaillou ou de Tallard, par Bullet (1660), dont l'esca-

lier d'honneur par Le Muet est l'un des plus beaux de Paris ; n° 70, celui bâti en 1610 et où mourut Lamennais en 1854.

Le musée de la Chasse et de la Nature
(60, rue des Archives
tél. 42.72.86.43.)

Il est installé dans l'hôtel de Guénégaud dû à François Mansart (vers 1652), et est particulièrement représentatif de l'architecture dépouillée du milieu du siècle. Sauvé de la destruction, il a été restauré par la ville de Paris, et loué pour quatre-vingt-dixneuf ans en 1964 à la fondation Sommer qui y a installé ses collections consacrées à la chasse (1967). Outre une belle collection d'armes de chasse et d'animaux naturalisés ou de trophées de chasse des divers continents, on

243

Le square du Temple.

notera des tableaux de peintres animaliers (Desportes, Chardin et Oudry). En retour, sur la rue des Quatre-Fils, la façade arrière domine un beau jardin à la française, dont les deux murs sont décorés de treillages à motifs architecturaux.

Au carrefour de la **rue des Haudriettes** se dresse la fontaine commandée en 1760 à Moreau par la ville, et décorée d'une source par Mignot. Au n° 4, la cour de l'hôtel de Bondeville (début du XVII° siècle) a été récemment restaurée.

La **rue du Temple**, l'une des plus anciennes du quartier, se remarque par sa succession de vieilles maisons étroites plus ou moins surélevées, pourvues de devantures qui ignorent complètement le contexte architectural dans lequel elles se trouvent, et présentant presque toutes de la bijouterie et des colifichets, alors que le sud de la rue Rambuteau est le domaine de la maroquinerie.

Rue de Montmorency, au n° 5, l'hôtel appartenant au comte de Montmorency-Boutteville, exécuté en 1627 sur l'ordre de Richelieu pour s'être battu en duel, fut alors saisi et, plus tard, apporté en dot par la femme de Fouquet : celui-ci le vendit en 1660. L'édifice fut alors reconstruit dans un style sobre et agrémenté d'un fronton armorié. Il est actuellement occupé par des services du ministère des Finances.

La **rue Michel-le-Comte**, en pleine rénovation, possède un édifice de pre-

mier plan : au n° 28, l'hôtel d'Hallwyl, datant du début du XVIII° siècle, reconstruit par Ledoux, fut habité de 1757 à 1766 par la banque Thélusson, Necker et Cie, et c'est ici que naquit la future Mme de Staël. François-Joseph d'Hallwyl, colonel du régiment de la garde suisse, l'acquit et le fit remanier par Ledoux : c'est l'un des hôtels les plus représentatifs de l'époque Louis XVI, avec sa porte à colonnes doriques, ses fenêtres sans encadrement, son tympan sculpté en retrait, ses refends sur toute la façade. Au fond du jardin, la grotte à l'italienne est malheureusement incomplète, le groupe en terre cuite de deux femmes supportant une coquille ayant été enlevé à une époque récente.

En descendant la **rue du Temple**, au n° 79, l'hôtel de Montmor fut élevé vers 1623 pour Jean Hubert, seigneur de Montmor, dont le fils fréquenta savants et gens de lettres et hébergea, en 1635, la jeune Académie française et, plus tard, pendant la Fronde, la Grande Mademoiselle, puis, avant sa mort, Gassendi. Homme de culture universelle, reconnu de ses contempo-

---

Habitat populaire, rue du Temple

« Durant le jour ce taudis est éclairé par une lucarne étroite, oblongue, pratiquée dans la partie déclive de la toiture, et garnie d'un châssis vitré, qui s'ouvre et se ferme au moyen d'une crémaillère... A peu de distance du chevet de la grand-mère s'étend aussi, parallèlement au mur, la paillasse qui sert de lit aux cinq enfants. Et voici comment : on a fait une incision à chaque bout de la toile, dans le sens de sa longueur, puis on a glissé les enfants dans une paille humide et nauséabonde ; la toile d'enveloppe leur sert ainsi de drap et de couverture. Deux petites filles, dont l'une est gravement malade, grelottent d'un côté, trois petits garçons de l'autre. »

(Eugène Sue, Les Mystères de Paris, 1842-1843.)

rains, il fut à l'origne de l'Académie des sciences (1667) et Colbert acquit à sa mort sa bibliothèque. En dépit des modifications ultérieures (XVIIIe et XIXe siècles), l'ensemble reste de qualité et conserve un très bel escalier. La maison voisine (n° 77), occupée par une boulangerie, est un très bel exemple de l'architecture du début du règne de Louis XIII. L'hôtel d'Avaux (n° 71) se remarque par l'originalité de sa façade, son portail majestueux aux têtes de sauvages puissamment sculptées. Tout autour de la vaste cour règne une ordonnance de pilastres corinthiens colossaux. La façade de l'aile gauche est un trompe-l'œil destiné à cacher le mur de l'enceinte de Philippe Auguste. Cet hôtel a été construit par Le Muet (1640-1650) pour Henri de Mesmes, comte d'Avaux, l'un des négociateurs des traités de Westphalie (1648), et il fut acquis en 1680 par le comte de Saint-Aignan, duc de Beauvilliers, chargé plus tard de l'éducation des jeunes ducs de Bourgogne, d'Anjou et de Berry. Il est partiellement occupé par les archives de l'état civil parisien et l'on va y installer un musée d'Art juif.

Rue de Braque, tandis qu'à droite se succèdent de jolies façades du XVIIe siècle, en face, aux n° 4-6, l'hôtel de La Grange, bâti en 1673, est constitué en fait de deux maisons aux portails surmontés de balcons aux belles ferronneries ; dans la seconde (n° 4) subsistent sous le porche des éléments de sculpture (dragon, les quatre continents) et un grand vestibule d'où part un escalier monumental. Dans la cour commune aux deux hôtels, les clefs des arches représentent des faunes, des nymphes ainsi que Diane et Apollon.

Rue des Archives, au n° 45, demeure une partie des bâtiments du couvent de la Merci fondé en 1613 par Marie de Médicis, à l'emplacement de l'hôpital de Braque (créé en 1384 par le surintendant des Finances de Charles VI). Les religieux de cet ordre avaient pour mission de racheter les captifs chrétiens détenus par les « barbaresques » ou, à défaut, de prendre leur place. Le portail est de Boffrand. En face, au n° 58, les tourelles et la

porte gothique sont les seuls vestiges de l'hôtel du connétable de Clisson (ami de Du Guesclin) passé plus tard à la famille des Guise (1553-1688) qui y menèrent une vie particulièrement brillante. Cet ensemble est aujourd'hui occupé par les Archives nationales.

Musée de l'Histoire de France
(60, rue des Francs-Bourgeois
tél. 40.27.60.00.)

Acquis en 1700 par François de Rohan-Soubise, l'hôtel de Guise fut entièrement reconstruit par Delamair (1704) qui ne conserva que quelques éléments anciens en bordure de la rue des Archives. S'inspirant de l'hôtel du

Le n° 60, rue des Archives.

grand prieur du Temple (1667) par Delisle-Mansart, il ménagea une cour de grandes dimensions, ceinturée par un portique de doubles colonnes corinthiennes prolongeant celles de la façade, et il supprima la fontaine située à l'angle de la rue des Archives, ne laissant qu'un regard. La façade est ornée de sculptures de Robert Le Lorrain (à qui sont dus également les *Chevaux d'Apollon* de l'hôtel de Rohan) : *Les Quatre Saisons* (copies) ; à l'étage *La Gloire* et *La Magnificence*, et, audessus du fronton, deux groupes d'enfants. La décoration intérieure fut confiée à Boffrand qui conçut de somptueux appartements lors du mariage du prince Hercule-Mériadec (1732). Il choisit pour collaborateurs les sculpteurs Adam, J.-B.II Lemoyne (1735-1736) et les peintres Boucher, Carle Van Loo, Trémolières, Restout et Natoire (1736-1739). Son petit-fils, le malheureux maréchal de la bataille de Rosbach, lui succéda dans un luxe incroyable, et resta jusqu'au bout fidèle à Louis XV dont il fut le seul à suivre le convoi mortuaire clandestin à Saint-Denis.

Le musée de l'Histoire de France ouvert en 1867 est le seul hôtel particulier du XVIIIe siècle pourvu de ses décors d'origine que l'on puisse voir régulièrement à Paris. De plus, dès leur création, ces appartements ont été considérés comme des modèles de décoration. Ici est présentée une rétrospective de l'histoire nationale à travers des documents originaux, dans les appartements de la princesse, au premier étage. Une bonne partie du rez-de-chaussée est occupée, comme à l'hôtel de Rohan, par un grand vestibule d'où s'élance un monumental escalier qui a remplacé, en 1844, celui que Brunetti avait décoré d'un trompe-l'œil. En face de l'entrée, l'ancienne chapelle des Guise, due à Primatice et à Nicolo dell'Abate, a perdu son décor (sauf deux baies cintrées), de même que la salle des gardes consacrée à une présentation pédagogique des documents importants de l'histoire de France : papyrus de Dagobert, testaments de Louis XIV et Napoléon, édit de Nantes, Déclaration des droits de l'homme, lois sur le travail des enfants, sur les congés payés, etc.). Les dessus-de-porte de la salle d'assemblée sont de Van Loo (*Vénus à sa toilette*, *Vénus au bain*, *Jupiter et Junon*) et de Restout (*Dispute de Pallas et de Neptune*).

Dans la chambre de la princesse, les boiseries blanc et or sont intactes et décorées de médaillons ovales évoquant Jupiter et Callisto, Sémélé, Europe et Io ; les dessus-de-porte sont de Boucher (*Les Grâces présidant à l'éducation de l'Amour*) et de Trémolières (*Minerve enseignant à une jeune fille l'art de la tapisserie*) ; les médaillons de la corniche représentent : Léda, Ganymède, Hébé, Danaé, et, dans les angles, Bacchus et Ariane, Diane et Endymion, Minerve et Mercure, Vénus et Adonis. Le lit d'apparat a été reconstitué derrière la balustrade. Le salon ovale est l'un des exemples les plus représentatifs de l'art rocaille en France. Les écoinçons en sont décorés par huit toiles de l'histoire de Psyché (par Natoire). La petite chambre de la princesse où il ne subsiste que des dessus-de-porte peints, est consacrée, à l'instar de la salle du dais qui suit, à la Révolution (1789-1799).

Au rez-de-chaussée subsistent dans leur décor deux pièces des anciens appartements du prince de Soubise, auxquelles on accède par la cour des marronniers, au fond de la cour d'honneur, à gauche.

Dans la chambre du prince dont l'alcôve est limitée par deux colonnes, les médaillons des parcloses ont pour thèmes : le désarmement, la richesse, la vérité et la gloire, tandis qu'aux dessus-de-porte Trémolières a représenté Hercule et Hébé enchaînés par l'amour ; Van Loo, Mars et Vénus ; Restout, Neptune et Amphitrite ; Boucher, l'Aurore et Céphale. Le salon ovale est l'homologue de celui de l'étage, mais ici l'occupant est un homme, les écoinçons des glaces sont des hauts-reliefs de plâtre par L.-S. Adam (*La Poésie et les arts plastiques*, *La Musique*, *L'Histoire*, *La Justice*) et J.-B. II Lemoyne (*La Fable et la Vérité*, *L'Arithmétique*, *L'Astronomie*, *L'Epopée et la Tragédie*).

Rue des Francs-Bourgeois, vis-à-vis des Archives nationales, derrière une grille étroite, subsiste une tour de l'enceinte de Philippe Auguste. Au-delà (n° 55), le Crédit municipal qui a succédé au Mont-de-Piété, fondé et installé rue des Blancs-Manteaux en 1777 pour le prêt sur gage, occupe une partie des locaux de l'ancien couvent des Blancs-Manteaux. En face (n° 58-54), les hôtels d'Assy, de Breteuil, de Fontenay et de Jaucourt font partie des Archives nationales.

Rue Vieille-du-Temple, après le bel hôtel de la Tour-du-Pin (n° 75), l'hôtel de Rohan (n° 87), élevé par Delamair pour le cardinal de Rohan (1705), fils du prince de Soubise, présente une façade sur cour haute et austère qui contraste avec celle des jardins, élégante, harmonieuse, décorée avec discrétion. Occupé de 1801 à 1925 par l'Imprimerie nationale, il a perdu presque tous ses décors. Subsistent toutefois le très monumental escalier à double volée et, à l'étage, le grand salon doré avec quatre dessus-de-porte mythologiques de J.-B. Pierre et, surtout, le très célèbre cabinet des Singes de Huet (1749-1752), dans lequel fleurs, oiseaux et arabesques sont dans un parfait état de conservation et de fraîcheur. La cour de droite était jadis affectée aux écuries, et le haut-relief de Robert Le Lorrain (*Les Chevaux du soleil*) en marque l'entrée, au-dessus des abreuvoirs. L'hôtel est occupé par les Archives nationales.

L'église des Blancs-Manteaux
(12, rue des Blancs-Manteaux)

Elle doit son nom au couvent de mendiants servites au manteau blanc, installé par saint Louis en 1258 et remplacé en 1297 par des Bénédictins guillemites qui, en 1618, s'affilièrent à la congrégation de Saint-Maur. En 1685, l'église ayant été reconstruite sur les plans de Dom de Machy, le couvent devint le noviciat général des mauristes, et un centre d'érudition considérable. En 1844, on ajouta une chapelle à droite, puis, en 1863, Baltard allongea la nef d'une travée devant laquelle il remonta la façade de l'église des Barnabites (dans la Cité), par Cartault, en 1704, démolie en raison des travaux d'Haussmann.

Cette église se distingue par la clarté, la solidité et l'unité de l'architecture soulignée par la répétition d'une même travée autour de la nef, ceinturée par une forte corniche. Le programme décoratif est discret mais important, avec de petits bas-reliefs répartis à la voûte et à l'entablement. La chaire au décor biblique de marqueterie est d'origine germanique (1749) et a été mise en place par Baltard, de même que la tribune d'orgue dont les boiseries proviennent de l'abbaye Saint-Victor, cependant que le buffet est de Varcollier. L'orgue est l'un des meilleurs de Paris et est souvent joué lors de concerts.

En face de l'église, la petite rue Aubriot, bordée d'immeubles des XVIIe et XVIIIe siècles, est assurément l'une des plus charmantes du quartier.

La **rue des Archives**, en direction de l'Hôtel de Ville, s'élargit et est actuellement en pleine mutation : boutiques de vêtements, de mobilier de bureau, galeries remplacent chaque jour les traditionnels commerces d'alimentation et de bijouterie. Au n° 40, on a récemment mis au jour une demeure à meneaux dont la façade de brique et pierre serait l'une des plus anciennes de Paris (XVe siècle) ; elle aurait appartenu au fils de Jacques Cœur ; son portail est du XVIIIe siècle. Au n° 22, le couvent des Billettes fut fondé, en 1290, en expiation du sacrilège commis sur une hostie qui, ayant été percée, jetée au feu, puis bouillie, fut retirée saignante et conservée jusqu'à la Révolution. Le cloître de ce couvent, reconstruit en 1427, est le seul cloître médiéval parisien qui subsiste. Ses proportions harmonieuses et le calme de son jardinet en font un cadre idéal pour les expositions qui y sont présentées. A côté, l'église protestante a été reconstruite, en 1756, par les Carmes d'après les plans du dominicain le frère Claude ; la seconde rangée de tribunes a été ajoutée au XIXe siècle. La qualité de ses orgues permet d'y donner des concerts. L'élargissement de la rue et ses arbres ont permis l'aménagement de très agréables terrasses de café qui annoncent, à gauche, la **rue de la Verrerie**, ses bistrots et ses nombreux restaurants exotiques. Celle-ci se termine au carrefour de la rue du Bourg-Tibour par une large place piétonnière, ombragée, peuplée de cafés, qui est agréablement complétée, au-delà de la rue de Rivoli, par la place Baudoyer, et dominée par le clocher de Saint-Gervais.

Le quartier Saint-Paul

Le quartier Saint-Paul, de part et d'autre de la rue Saint-Antoine, se distingue du quartier du Temple par son atmosphère : des activités professionnelles très variées, un renouveau affirmé vers le secteur culturel qui se manifeste par la prolifération de galeries, librairies d'art, magasins de vêtements très « mode jeune », boutiques de création de mode, de curiosités diverses et de gadgets, transformation « artistique » des vitrines des métiers traditionnels au point de risquer de faire prendre un atelier de plomberie pour une galerie, ou de vouloir considérer comme intrus un cordonnier ou un crémier... multiplication des restaurants et de lieux mixtes : salons de thé-galeries ou salons de thé-librairies. Tous ces changements accompagnent la restauration des vieilles maisons d'une façon souvent abusive qui aboutit plus ou moins à une démolition déguisée et à une reconstruction approximative. Ces modifications architecturales et économiques risquent de faire passer le quartier d'un extrême à l'autre, sauf dans le secteur juif qui, seul, semble conserver son âme : de populaire et industrieux, il devient artificiellement culturel et « mode », et si la disparition des constructions parasites est un bien, ce nouvel aspect « astiqué » l'est beaucoup moins.

Rue Pavée, après avoir dépassé la synagogue (n° 10) construite par Guimard en 1913 dans un style austère, on entre sur la gauche dans le quartier juif.

La **rue des Rosiers**, cœur du quartier juif depuis le Moyen Age, est devenue, au XIXe siècle, le centre des réfugiés ashkénazes (Europe centrale). Bordé par la rue des Ecouffes et la rue Ferdinand-Duval, c'est un véritable village aux maisons anciennes, souvent jolies, dont le pittoresque est dû aux magasins casher, aux produits rituels, aux spécialités orientales, aux librairies et boutiques d'instruments de culte, sans oublier les restaurants (« Jo Goldenberg »), le tout sur fond de langue yiddish, de musique traditionnelle et d'enseignes hébraïques. Le pittoresque apparaît bien au-delà du hammam (n° 4), et du début de la rue qui se « modernise » (boutiques de mode), dans la partie consacrée à l'alimentation (à partir du carrefour des rues Ferdinand-Duval et des Ecouffes où se succèdent cafés, restaurants et hôtels).

La **rue Vieille-du-Temple**, toujours encombrée, est en pleine rénovation :

galeries, commerces de curiosités et de vêtements côtoient ou remplacent entre les vieux hôtels (n° 15, hôtel de Vibraye, vers 1650) les boutiques traditionnelles en en conservant parfois leurs façades : au n° 15, la devanture de carreaux rouge d'une ancienne boucherie chevaline annonce « Achat de chevaux ». Au n° 20, de vieux murs ventrus font le pittoresque de l'impasse de l'hôtel d'Argenson ; au n° 30, le café du Petit Fer à cheval a conservé son zinc en fer à cheval et sa clientèle populaire, tandis qu'au n° 42 le Swing Bar se veut moderne et attire une clientèle jeune et « branchée ». On ne manquera pas au carrefour de la rue des Rosiers (n° 40) d'embrasser d'un coup d'œil ces maisons, cette population et ces activités si typiques.

Au n° 47, l'hôtel Amelot de Bisseuil ou des Ambassadeurs de Hollande, par Pierre Cottard et son fils (1637-1660), est l'un des plus somptueux de Paris. Il fut occupé par Beaumarchais (1776-1787) qui y créa une société destinée à fournir des armes aux insurgés d'Amérique, et y composa Le Mariage de Figaro. Pendant la Révolution, on y installa un bal public. L'édifice appartient à la fondation Paul-Louis Weiler. Le porche majestueux, avec ses Renommées au fronton et ses vantaux sculptés de masques et de blasons, annonce le luxe intérieur : au revers du porche, un bas-relief de grande qualité (Romulus et Remus, 1660), quatre cadrans solaires, des mascarons, des putti ; dans la seconde cour, des pilastres et des statues dans les niches et surtout, dans les appartements où la chambre à l'italienne, le cabinet des Livres et la galerie de Psyché ont de riches décors.

Rue des Francs-Bourgeois, l'hôtel d'Hérouet (n° 42) et son échauguette à l'angle de la rue Vieille-du-Temple, ne donnent qu'une faible idée de ce qu'était cet édifice de 1510, très atteint en 1944 et reconstruit de médiocre façon. Au n° 30, l'hôtel d'Alméras en brique et pierre (1603) a conservé un portail baroque très original. Au n° 41, le musée Kwok On, du nom de son fondateur chinois, présente une collection rare d'objets relatifs au théâtre en Extrême-Orient (tél. 42.72.99.42.).

L'hôtel de Coulanges (n° 35) est occupé par la maison de l'Europe ; en face, l'hôtel de Sandreville (n° 26), avec ses pilastres doriques, est un beau specimen de l'architecture Louis XVI. Au n° 31, l'hôtel d'Albret comprend des bâtiments d'âges divers (XVIe-XVIIIe siècle), avec, en façade, un balcon richement sculpté et orné de belles ferronneries (1740). Au n° 29, la boulangerie a conservé sa façade du début du siècle par Albert, avec un panneau peint représentant un moulin à eau, tandis qu'à l'intérieur le plafond peint en ciel avec un décor floral est malheureusement altéré par un large éclairage au néon. L'angle de la **rue Pavée** est marqué par l'hôtel de Lamoignon (n° 24). Cet hôtel aurait été construit par Androuet du Cerceau qui y aurait utilisé pour la première fois l'ordre colossal, vers 1585, pour Diane d'Angoulême, fille légitimée de Henri II ; le neveu et héritier de celle-ci, Charles de Valois, y ajouta l'aile gauche qui se termine, à l'angle, sur la rue, par une échauguette construite sur trois trompes. Le portail, enfin, de 1718, est orné en son fronton, de deux *putti* symbolisant la vérité et la prudence, allusion à l'intégrité du magistrat Lamoignon de Malesherbes. A l'intérieur, les solives du plafond de la grande salle sont ornées du monogramme de Diane de France et de motifs cynégétiques (flèches, carquois, chiens couchés, etc.). Depuis 1968, la Bibliothèque historique de la ville de Paris est installée ici, ce qui a entraîné la construction des bâtiments de droite, dans la cour ; le noyau de ses collections est le don fait à la ville, en 1759, du procureur du roi Antoine Moriau.

Rue Payenne, le n° 5 abrite le temple de l'Humanité, réplique de celui que l'Eglise positiviste du Brésil a édifié à Rio de Janeiro. Sa façade est ornée du buste d'Auguste Comte dont on peut lire la devise : « L'amour pour principe, l'ordre pour base, le progrès pour but. » Au n° 11, l'hôtel de Marle, qui renferme plusieurs plafonds peints à poutres du XVIIe siècle, a été res-

Un magasin de mode dans un décor de boulangerie du début du siècle.

tauré avec beaucoup de fidélité par le centre culturel suédois qui y présente périodiquement des expositions essentiellement consacrées aux artistes contemporains. Au n° 13, l'hôtel de Châtillon, d'époque Louis XIII, avec sa façade sur cour entièrement tapissée de vigne vierge, ce qui lui confère beaucoup de charme, possède un très bel escalier. En face, on peut admirer au-delà de la verdure des squares Léopold-Achille et Georges-Cain, les façades sur jardin de l'hôtel Le Peletier de Saint-Fargeau et de son orangerie (n° 29, rue de Sévigné).

Rue de Sévigné, au n° 29, l'hôtel Le Peletier de Saint-Fargeau a été élevé par Bullet (1686-1689) et le monogramme du propriétaire orne l'imposte de la porte. Il faut remarquer la pureté de ses lignes et son absence totale d'ornements hormis, au fronton de la façade sur le jardin, la figure du temps représenté sous les traits d'un vieillard ailé aux membres noueux, et, au fronton de l'orangerie, une figure de la vérité : ces deux allégories sont visibles des squares de la rue Payenne.

Musée Carnavalet
(23, rue de Sévigné
tél. 42.71.21.13.)

L'hôtel primitif fut construit en 1548 autour de l'actuelle cour d'honneur avec, dans l'aile gauche, une loggia de cinq arcades ; son portail et son important décor sculpté attribués à Jean Goujon furent à l'époque fort loués ; celui-ci comprend les quatre saisons et les signes du zodiaque correspondants au fond de la cour, une *Diane* flanquée de *La Victoire* et de *La Paix* au revers du portail et, en bordure de rue, *L'Abondance* et deux *putti*. En 1578, la propriété passa à la famille de Kernevenoy (nom breton qui fut francisé en Carnavalet) qui marqua le portail de son emblème : une tête masquée, image du carnaval. Au milieu du XVIIe siècle, lorsque l'hôtel passa au financier Boislève, Mansart ajouta aux ailes et pavillons un étage orné de pilastres ioniques et il modifia la façade sur rue (1655-1661). Tuby, Regnaudin et Van Obstal réalisèrent l'ensemble sculpté : dans la cour, *Les Eléments* à gauche et, à droite, *Junon*, *Hébé*, *Diane* et *Flore* ; sur la rue de Sévigné, *La Stabilité*, *Minerve* et *La Vigilance* ; sur la rue des Francs-Bourgeois, *L'Abondance*, *La Prudence*, *La Fidélité* et *La Vigilance*.

Mme de Sévigné loua les lieux de 1677 à 1696 et, en son hommage, on donna son nom à la rue en 1867. La ville de Paris acheta l'hôtel en

Le musée Carnavalet.

1866 pour y installer un musée qui ouvrit ses portes en 1880. On procéda à des agrandissements : le long de la rue des Francs-Bourgeois par une cour ornée de morceaux rescapés d'édifices anciens (arc de Nazareth provenant du Palais de justice, XVIe siècle), avant-corps central de l'ancien hôtel de Choiseul, rue Saint-Augustin (XVIIIe siècle). Au nord, le long de constructions préexistantes ont également été créées deux cours. Les modifications apportées par Mansart, en harmonie avec la décoration déjà en place, ont fait de cet hôtel l'un des plus magnifiques de la capitale et la cour a été encore embellie par l'installation de la statue de Louis XIV par Coysevox, la seule qui ait échappé à Paris aux destructions révolutionnaires car elle appartenait à la ville.

Le musée consacré à l'histoire de Paris depuis les origines est un complément indispensable à la visite de la ville car, dans nombre de salles, ont été installés des décors provenant d'édifices disparus et aussi parce qu'à quelques exceptions près il est impossible de visiter les hôtels qui sont parvenus jusqu'à nous.

Au rez-de-chaussée, deux salles décorées de vitraux anciens sont consacrées à la vie quotidienne et artisanale (devanture Empire de l'apothicaire Lescot, enseignes, ferronneries, etc.) et cinq salles traitant du XVIe siècle, jusqu'à la mort de Henri IV : retable en pierre de l'église Saint-Merri (1542) par Pierre Berton, figuration de Paris dans des tableaux allégoriques (*Sainte Geneviève*), portraits des contemporains, épisodes des guerres de Religion et de la Ligue, etc., qui permettent, par le détail, de percevoir la vie quotidienne et d'avoir une représentation exacte de certains quartiers. Au premier étage, outre l'évocation du XVIIe siècle par des vues de Paris et de ses environs, des portraits de célébrités et de l'échevinage, de Mme de Sévigné et de sa famille, certains décors ont été transposés : hôtel de La Rivière (n° 14, place des Vosges, vers 1655, par Le Brun), cabinet de l'hôtel de Villacerf (n° 23, rue de Turenne, vers 1660). Du Paris du XVIIIe siècle on retiendra surtout les vues peintes par Nicolas Raguenet et celles des environs par Grevenbroek qui témoignent d'un réel souci du détail, le petit salon du graveur Demarteau par Boucher et Fragonard, et le très riche mobilier provenant des demeures parisiennes du temps de Louis XV et Louis XVI. Dans le grand escalier a été installée la décoration murale réalisée par Brunetti en 1750 pour l'hôtel de Luynes, rue Saint-Dominique.

Au rez-de-chaussée consacré à la Révolution et à l'Empire, on admirera le salon de l'hôtel d'Uzès par Ledoux, dont les boiseries à décor arborescent portent les symboles des quatre parties du monde, ainsi que le décor du café Militaire (rue Saint-Honoré, 1762) également par Ledoux. D'innombrables objets évoquent la Révolution (portraits, esquisse du *Serment du Jeu de paume* par David, maquette de la Bastille faite dans une pierre provenant de la forteresse, souvenirs de la famille royale au Temple, etc.) et l'Empire (*Madame Récamier* par Gérard, nécessaire de campagne de l'Empereur, par Odiot, en vermeil, etc.).

Rue des Francs-Bourgeois, à droite, l'arc de Nazareth donne une large vue sur le jardin du musée et les monuments parisiens qui y ont été remontés. En face, le jardin de l'hôtel de Lamoignon éclaire la rue. Au carrefour de la rue de Sévigné (n° 23), la boulangerie, à laquelle a succédé en 1988 un magasin de mode, a conservé son plafond peint et surtout sa devanture par Thivet (postérieure à 1904), avec ses panneaux peints figurant des moulins à vent, à eau et une glaneuse.

Au-delà, la rue se poursuit en une succession de petites maisons occupées par de traditionnels commerces de tissus et de récentes boutiques de curiosités, verrerie, argenterie, antiquités, des librairies, des restaurants, etc.

Rue de Sévigné, le recul permet d'apprécier la façade et le dôme de l'église Saint-Paul-Saint-Louis, située dans son axe.

La **rue de Jarente**, provinciale et tranquille, possède, au fond de l'impasse de la Poissonnerie, la belle fontaine de Necker édifiée par Caron en 1783.

La **rue de Turenne** contraste par sa largeur, sa clarté et la hauteur de ses façades de pierre avec les rues avoisinantes. Au-delà du n° 14, où l'on devine une cour ancienne derrière des arcades aménagées récemment, l'hôtel Colbert de Villacerf (n° 23) a été excessivement restauré et surélevé en 1931 ; sa façade sur rue décorée d'une fontaine n'a pas la qualité de celle du jardin, précédée d'un large escalier en fer à cheval ; cet édifice construit vers 1650 avait des décors somptueux et un cabinet aux boiseries peintes par Vouet, aujourd'hui installé au musée Carnavalet.

La place des Vosges

L'hôtel des Tournelles, résidence royale qui avait été construite sous Charles VI, avait pour limites au milieu du XVIe siècle les rues Saint-Antoine, Saint-Gilles, de Turenne et des Tournelles. A la suite du tournoi qui coûta la vie à Henri II, Catherine de Médicis fit raser l'édifice et l'endroit devint un marché de chevaux et le lieu affectionné des duellistes. Henri IV, qui avait des préoccupations esthétiques et économiques, décida, en 1605, l'établissement d'une place sur des critères urbanistiques nouveaux : plan régulier, façades identiques interrompues par les deux pavillons symétriques du roi et de la reine. Les nouveaux bâtiments devaient abriter une manufacture de soie et les logements des ouvriers. Dès 1607, l'idée de manufacture fut abandonnée. L'architecte (du Cerceau ? Métezeau ?) est inconnu, mais les travaux furent promptement menés ; l'inauguration qui eut lieu lors du double mariage du roi et de sa sœur (1612) en fit un endroit définitivement résidentiel. Les hôtels en furent bientôt occupés par l'aristocratie (au n° 1 bis naquit Mme de Sévigné). De nos jours, c'est une place tranquille, réservée aux galeries et aux restaurants et qui abrite deux grandes institutions : l'Académie d'architecture à l'hôtel de Chaulnes (n° 9) et le musée Victor-Hugo dans l'hôtel de Rohan-Guémenée (n° 6). Appelée place Royale jusqu'à la Révolution, elle reçut son nom actuel en 1800, car le département des Vosges fut le premier à payer sa contribution à l'Etat.

Le musée Victor-Hugo
(6, place des Vosges
tél. 42.72.16.65.)

Ici vécut le poète de 1832 à 1848. Son appartement a été reconstitué au second étage : l'antichambre évoque sa jeunesse, le salon rouge son séjour dans l'hôtel, les pièces suivantes l'exil, avec d'exceptionnelles photographies (1852-1870), les dernières années et la chambre mortuaire de l'avenue d'Eylau (1885).

La **rue Saint-Antoine**, qui est l'âme du quartier, reprend le tracé de l'ancienne voie romaine qui menait de Paris à Melun. Son marché, sa population, sa vitalité y attirent le flâneur : point de

La place des Vosges.

galeries, mais des magasins de première nécessité, de vêtements et d'ameublement.

L'**hôtel de Sully** (n° 62), dont la restauration exemplaire en a fait l'un des plus beaux du Marais, a été bâti d'après les plans de Jean du Cerceau en 1625. Il doit son nom à Sully qui l'acheta en 1634 et fit construire au fond du jardin le petit hôtel qui communique avec la place des Vosges (n° 7). L'abondance et le style de la sculpture des façades dénote une influence nordique (*Les Eléments*, *Les Saisons*, *Les Signes du zodiaque*). A l'intérieur, le rez-de-chaussée ne possède plus que quelques plafonds à solives peintes et le bel escalier central abondamment décoré. Dans l'appartement de la deuxième duchesse de Sully (antichambre et chambre) subsistent les décors intacts d'Antoine Paillet.

L'**église Saint-Paul-Saint-Louis**, au n° 99, est de peu postérieure. La maison professe des Jésuites, sorte de maison de retraite, avait été fondée en 1580, puis supprimée lors de l'expulsion de l'ordre en 1595, après la tentative d'assassinat du roi par un de leurs élèves. Avec l'appui du roi, les religieux élevèrent une nouvelle église d'après les plans du R.P. Martellange (1627), élève lui-même de Vignole. La façade est due au R.P. Derand (1634) et la décoration au R.P. Turmel.

Dédiée à saint Louis, l'église fut d'emblée célèbre pour son dôme (le premier de cette importance à Paris), la variété de son programme décoratif, la qualité de ses offices (musique de Charpentier) et de ses prédicateurs (Bourdaloue, Fléchier, etc.) au point que les valets occupaient dès la nuit les places de leurs maîtres pour le sermon de l'après-midi. La proximité de

la place des Vosges et des hôtels de l'aristocratie lui assura de beaux monuments funéraires (mausolée d'Henri de Bourbon, aujourd'hui au château de Chantilly, monuments des cœurs de Louis XIII et Louis XIV). Ce n'est qu'en 1802 qu'elle devint église paroissiale.

A l'intérieur, le plan rappelle celui de l'église du Gesù à Rome : nef et chapelles latérales communiquent entre elles ; l'église séduit par sa clarté et son décor de têtes de chérubins. On y remarquera nombre d'œuvres d'art : dans le transept droit, *La Mort de saint Louis* par Jacques de Lestin et *Louis XIII offrant le modèle de l'église à saint Louis* de l'atelier de Vouet ; dans le transept gauche, *Saint Louis recevant la couronne d'épines des mains du Christ*, de l'atelier de Vouet, et, en vis-à-vis, *Le Christ au jardin des Oliviers* par Delacroix, qui rappellent

la part prise par Louis XIII dans la construction de l'édifice. A la voûte des deux chapelles latérales du chœur, qui renfermaient les cœurs des rois, sont évoqués des versets des litanies de la Vierge, et dans celle de gauche, la *Vierge de pitié* est de Germain Pilon (1586). Au maître-autel, le bas-relief en bronze doré des *Pèlerins d'Emmaüs* par François Anguier provient de l'église du Val-de-Grâce.

Les bâtiments conventuels sont occupés par le lycée Charlemagne (n° 101) et conservent divers décors anciens, dont le très bel escalier d'honneur qui, au plafond, a reçu une *Apothéose de saint Louis* de Gherardini.

La **rue François-Miron** est une partie de l'ancienne rue Saint-Antoine, d'où son tracé sinueux. En pleine rénovation, elle compte de nombreux commerces de produits exotiques, curiosités, jouets ainsi que des librairies, des restaurants et des salons de thé. Au n° 82, à la belle façade de l'hôtel Hénault de Cantobre (1702), une tête de maure soutient en sa partie centrale le grand balcon. Au n° 68, l'hôtel de Beauvais dû à Antoine Lepautre (1657) est un beau morceau d'architecture à l'italienne, somptueusement décoré jadis : il fut construit pour Catherine de Beauvais, née Bellier, femme de chambre de la reine, et c'est de son balcon qu'Anne d'Autriche et Mazarin assistèrent à l'entrée solennelle de Louis XIV et de Marie-Thérèse (1660). L'édifice fut conçu avec des boutiques au rez-de-chaussée. Si la façade paraît un peu compliquée, la cour surprend par la pureté de ses lignes et la puissance de ses corniches ; mais c'est surtout le vestibule circulaire du porche soutenu par des colonnes doriques et décoré de têtes de bélier (armes parlantes) et la cage d'escalier abondamment sculptée par Desjardins qui retiennent l'attention. Au n° 29, si la boulangerie « Au Petit Versailles » n'a plus qu'une partie de son décor peint en façade, l'intérieur en est resté intact, avec un plafond de céramique peinte représentant deux ciels. A partir de la place Baudoyer, les maisons (n° 14-2) du pourtour de Saint-Gervais ont été construites en 1732 pour la fabrique de l'église par le grand-père de Gabriel. Les Couperin, organistes de l'église, ont habité les n° 2 et 4 de 1734 à la Révolution.

L'église
Saint-Gervais-Saint-Protais

Proue avancée du Marais dans le quartier de l'Hôtel de Ville, elle domine une place ombragée par un orme qui rappelle celui au pied duquel on rendait la justice. Dès avant le VIe siècle, un premier sanctuaire dédié aux martyrs Gervais et Protais fut construit en ce lieu. L'église actuelle a été commencée en 1494, à partir du chœur, et poursuivie dans le même style de gothique flamboyant, sauf la façade plaquée devant la nef par Clément Métezeau (1616-1621) ; ce fut, à Paris, la première façade classique présentant les trois ordres superposés. De l'église précédente, entreprise au XIIIe siècle, il ne reste que l'étage inférieur du clocher.

A l'intérieur, l'unité de cet ensemble architectural construit sur plus d'un siècle est d'autant plus remarquable que les dégâts causés à la nef par un obus de la grosse Bertha pendant l'office du Vendredi saint en 1918 ont nécessité réparation (1921). Le mobilier est riche, en dépit du vandalisme révolutionnaire qui s'attaqua également aux statues de la façade. Dans les premières chapelles de droite, on trouve une *Décollation de saint Jean-Baptiste* et une *Adoration des Mages*, par Pignon ; puis, dans celles du chœur, des vitraux du XVIe siècle (*Jugement de Salomon* par Pinaigrier, 1531 ; *Martyre des saints Gervais et Protais*) ; le tombeau incomplet du chancelier Le Tellier, par Mazeline et Hurtrelle, est entouré du décor mural de Hesse évoquant la vie des deux saints patrons de l'église (1863) ; dans la chapelle de l'abside, les vitraux attribués à Pinaigrier illustrent la Légende dorée ; en redescendant à gauche, une belle grille de Vallet (1741) ferme la sacristie, décorée de boiseries sculptées de 1740. De chaque côté du chœur, outre les statues de saint Gervais et de saint Protais par Bourdin (1625), on trouve les « miséricordes » des stalles, ornées de la salamandre de François Ier, du croissant de Henri II, et surtout de représentations des corps de métiers et des scènes de mœurs. Dans le transept, un tableau sur bois représente les scènes de la Passion (école flamande, XVIe siècle). De la chapelle suivante, on accède à la chapelle dorée (s'adresser à la sacristie) fondée en 1628 ; elle a conservé ses boiseries peintes en une série de petits panneaux sur le thème de la Passion ; dans la chapelle des fonts baptismaux, on remarquera, du XVIe siècle, un *Saint Jean-Baptiste* (en bois) et les vitraux (*Baptême du Christ*, *Saint Jean* et *Saint Nicolas*). L'orgue enfin, dont certaines parties remontent au XVIIe siècle, a longtemps été tenu par les Couperin.

En sortant à gauche par les rues piétonnières, la rue des Barres, calme et agréable avec ses maisons couvertes de vigne vierge, permet une vue unique sur le chevet de l'église et ses contreforts sculptés.

A l'angle de la **rue de l'Hôtel-de-Ville** (n° 62) subsistent les belles grilles ornées de pigeons de l'ancienne auberge du Pigeon Blanc.

La **rue du Grenier-sous-l'Eau**, dont les premières maisons sont à pans de bois, aboutit à la **rue Geoffroy-l'As-nier**. Au n° 26, un splendide porche sculpté (vers 1650), au tympan occupé par une vaste coquille et une tête de lion et aux portes richement sculptées, donne accès au bel hôtel de Châlons-Luxembourg construit en brique et pierre vers 1612.

Rue de Jouy, au n° 12, la porte rocaille est surmontée d'une tête d'Hercule coiffée de la peau du lion de Némée ; au n° 7, l'hôtel d'Aumont fut bâti sur les plans de Le Vau par Michel Scarron (1648) dont la fille épousa le futur duc d'Aumont. Ce dernier l'acheta en 1655 et l'agrandit. Mansart, chargé des travaux, en modifia dans la cour certains éléments sculptés et, surtout, éleva la grande façade sur le jardin dont on remarquera l'équilibre des lignes. Des somptueux décors qui valurent au maréchal le surnom de Tarquin le Surperbe il reste peu, si ce n'est un plafond de Le Brun et des boiseries du XVIIIe siècle. L'hôtel est affecté au tribunal administratif de la Seine.

De la **rue des Nonnains-d'Hyères**, on a une belle vue sur la façade et le jardin de l'hôtel d'Aumont et, en face, sur le jardin et l'hôtel des archevêques de Sens.

Rue du Figuier, au n° 1, s'élève l'hôtel parisien des archevêques de Sens (jusqu'en 1622, Paris ne fut qu'un évêché), construit à la fin du XVe siècle par Tristan Salazar, dans le style gothique. A ce titre, l'histoire religieuse de la capitale est liée à l'édifice qui fut un centre actif de la Ligue. Quand l'archevêque Semblançay devint grand maître du collège de Navarre, l'hôtel inhabité fut alors prêté à Henri IV pour y loger sa première épouse la reine Margot (1605) de retour à Paris : du pieux hôtel elle fit un lieu de débauche, pour peu de temps, car elle prit bientôt le quartier en dégoût après l'assassinat sous ses yeux de l'un de ses amants. L'hôtel fut loué à plusieurs entreprises de messageries et de roulage (1689-fin

du XIXe siècle) puis à diverses industries, enfin à Gabriele d'Annunzio qui y aurait occupé un logement en 1911 lorsqu'il écrivit *Le Martyre de saint Sébastien*.

Acquis par la ville en 1911, l'immeuble était dans un tel état de délabrement qu'il fallut en grande partie le reconstruire : d'où l'impression de sécheresse de l'ensemble. C'est pourtant, par sa silhouette, un bâtiment imposant qui, avec l'hôtel de Cluny, reste le seul édifice médiéval important de la capitale. Il est occupé depuis 1962 par la bibliothèque Forney (tél. 42.78.17.34.) consacrée aux arts décoratifs, aux techniques et à l'artisanat.

De la **rue de l'Ave-Maria**, qui doit son nom à un couvent de béguines démoli en 1878, on a une très belle vue sur le dôme et le chevet de l'église Saint-Paul, la fontaine de la rue Charlemagne (1840) et un morceau de l'enceinte de Philippe Auguste comportant une tour.

Au n° 2 commence le **village Saint-Paul** qui occupe tout l'îlot allant jusqu'à la rue Charlemagne. Il a été formé lors de la rénovation du secteur et est constitué d'un dédale de cours de différents niveaux, entièrement occupées au rez-de-chaussée par des galeries, des librairies, des boutiques d'antiquaires et quelques cafés et où il fait délicieux flâner. A son extrémité nord, la très étroite rue Eginhard, avec ses hautes maisons de pierre aux balcons fleuris, son puits du XVIIe siècle et son jardin bien vert, retiendra le promeneur. La rue Saint-Paul, à droite, en direction de la Seine, est presque exclusivement occupée par des galeries et des commerces qui animent le « village ».

La **rue des Lions**, dont l'entrée est marquée par une échauguette, a conservé son charme provincial avec ses maisons basses, ses ferronneries, ses façades anciennes et ses cours plantées de vigne vierge et de verdure : au n° 12, l'hôtel Amelot, d'époque Louis XIII, servit de prison pour les contrefacteurs d'assignats sous la Terreur ; au n° 11 vécut Mme de Sévigné (1644-1650) ; à droite, dans la cour du n° 10 se trouve l'un des plus beaux escaliers à balustres de bois du Marais (XVIIe siècle) ; au n° 1, on peut voir la façade intacte de l'hôtel de Gaspard Fieubet, chancelier d'Anne d'Autriche, dont le jardin est transformé en cour d'école.

Quai des Célestins, au n° 2, Raymond Phelypeaux s'était fait construire à la fin du XVIe siècle un hôtel, refait en 1650 par François Mansart à la demande de Gaspard Fieubet, et agrandi en 1676 par Jules Hardouin-Mansart. Le décor extérieur subit quelques changements comme l'installation, à la porte d'entrée, de deux sphinx, les premiers de Paris, ou la perspective peinte d'architecture dans le jardin. En revanche, l'intérieur fut somptueusement décoré, en particulier par Le Sueur. Malheureusement, en 1858, le comte de la Valette y ajouta un campanile et un dôme bien superflus.

Bibliothèque de l'Arsenal
(1-3, rue de Sully
tél. 42.72.19.09.)

Dès le XIVe siècle existait un dépôt d'armes qui allait devenir la résidence du grand maître de l'Artillerie. En 1584, Henri III demanda à Philibert Delorme le dessin du portail ; Sully, devenu grand maître en 1600, agrandit l'ensemble ; La Meilleraye le décora à l'occasion de son mariage (1637). La chambre de la duchesse a conservé son plafond attribué à Vouet (*Apollon et les muses*) et ses panneaux muraux (*Le Silence*, *Les Parties du monde*, *Le Siège de La Rochelle*, etc.), tout comme l'oratoire dominé par les grandes figures féminines de l'histoire (*Judith*, *Déborah*, *Porcie*, *Jeanne d'Arc*, *Marie Stuart*) traitées dans le style « grotesque » des années 1640. Le duc du Maine ayant reçu cette charge en 1694 fit remanier les lieux par Boffrand (1715-1729 à la façade sud) et redécorer luxueusement les appartements et les boiseries du salon de musique (*Saisons*, par Bouchardon, en dessus-de-porte). En 1770, le marquis de Paulmy, grand amateur de livres, se retira à l'Arsenal ; en 1785, il vendit au comte d'Artois son incroyable bibliothèque riche d'estampes et de manuscrits du Moyen Age.

A la Révolution, les archives de la Bastille furent déposées ici. Durant tout le XIXe siècle, l'Arsenal fut au centre de la vie littéraire parisienne et compta, entre autres bibliothécaires, Nodier et Hérédia. Cette annexe de la Bibliothèque nationale est spécialisée dans les ouvrages littéraires ayant trait aux arts du spectacle. Considérablement modifié par Labrouste au XIXe siècle, l'édifice, qui doit faire face à ses exigences administratives, n'a qu'une ressemblance fort lointaine avec la bibliothèque du marquis de Paulmy.

Rue Beautreillis, on a une vue très belle sur le dôme de Saint-Paul depuis le n° 22, ancien hôtel de Charny (1674) où vécurent, en 1858, Baudelaire et Jeanne Duval.

Rue Saint-Antoine, à droite, au n° 21, l'hôtel de Mayenne, dû à Jean du Cerceau, est l'un des premiers à avoir été construit entre cour et jardin. Modifié par Boffrand en 1709, il fut, comme l'hôtel de Sully, agrandi de trois travées au-dessus du porche. Des décors anciens ne subsistent que ceux de l'escalier. Depuis 1870, il abrite l'école des Francs-Bourgeois.

Le temple Sainte-Marie, n° 17, est l'ancienne chapelle du couvent de la Visitation édifiée en 1632 par Mansart : il s'inspira de Notre-Dame-de-Lorette à Rome. L'édifice de plan centré se signale par l'élégance de ses proportions, l'importance du dôme, la puissance des contreforts du tambour et le rôle décoratif de la sculpture, surtout à l'intérieur où la coupole est enrichie de coquilles, de têtes de chérubins et de cartouches généreux. Bien que de dimensions restreintes, ce couvent fut très fréquenté (familles de Sévigné, Fouquet, Coulanges). Depuis 1802, il est affecté au culte protestant.

D'ici à la Bastille, la rue est différente : peu de boutiques d'alimentation, mais des terrasses de café, en particulier au carrefour animé et ombragé de la rue des Tournelles d'où l'on peut apprécier tant le dôme de l'église que la place de la Bastille.

16. Beaubourg et les Halles

Le Centre Georges-Pompidou.

Ce quartier limité par les rues Beaubourg, de Réaumur, du Louvre et de Rivoli est l'un des plus vieux de Paris : depuis Philippe Auguste, les Halles ont été le grand marché d'approvisionnement de la ville. A l'est, c'est suivant un axe Saint-Merri-rue du Temple, en direction du nord, que s'est faite l'urbanisation, et ce dernier secteur a commencé à péricliter dès le siècle dernier avec les travaux d'Haussmann (boulevard de Sébastopol, rues de Turbigo, de Réaumur, Beaubourg), au point d'entraîner la démolition d'un grand nombre de vieilles maisons devenues dangereuses et insalubres dès avant 1934. C'est la décision (1962) de déplacer les Halles à Rungis (1969) puis d'inclure le secteur Beaubourg dans le réaménagement du quartier des Halles, qui entraîna ce remodelage total. De nourricier, utilitaire et artisanal, le quartier allait devenir, aux Halles, un grand centre commercial, complété, à Beaubourg, d'un grand centre culturel : il s'agissait d'accéder à la culture et de jouir de la consommation ; l'endroit était particulièrement bien choisi, car situé au carrefour des deux grands axes du Réseau express régional : les banlieusards pouvaient y venir facilement.

Le centre pluridisciplinaire Georges-Pompidou, créé sur l'initiative du Président (1969), fut le premier achevé (1977) et le Forum des Halles le fut par tranches successives à partir de 1979, ajoutant à sa vocation commerciale initiale de nombreux établissements culturels de la municipalité. Ces deux réalisations d'architecture résolument contemporaine ont entraîné une mutation culturelle fondamentale du quartier : rénovation et modernisation des immeubles anciens, souvent insalubres, livrés désormais aux « bourgeois », suppression des activités et commerces traditionnels (alimentation, prostitution officielle), remplacés par d'autres (galeries, boutiques de prêt-à-porter, vidéo-clubs, sex-shops, etc.) ou rénovés (disparition de nombre de bistrots crasseux), toujours dans un esprit « culturel » et « jeune » : en effet, le phénomène le plus marquant est l'appropriation du secteur piétonnier le plus grand d'Europe par la jeunesse qui y impose ses modes et ses codes, les seuls adultes qui s'y rencontrent étant des passants ou des touristes, qui profitent des innombrables terrasses de café étalées dans ces rues piétonnières devenues d'authentiques places. Cette vaste opération s'est accompagnée de la construction de logements sociaux (près de Saint-Eustache) ou non (quartier de l'Horloge), d'immeubles de bureaux (rue Berger) et d'hôtels de catégories variées. Au nord de la rue Etienne-Marcel subsiste un secteur « à l'ancienne », nettoyé, certes, mais qui a conservé ses commerces (marché Montorgueil), ses artisans, sa population modeste et ses « trottoirs ».

Le Centre Georges-Pompidou
(Rue Saint-Martin
tél. 42.77.12.33.)

« Je voudrais passionnément que Paris possède un centre culturel qui soit à la fois un musée et un centre de création, où les arts plastiques voisineraient avec la musique, le cinéma, les livres, la recherche audiovisuelle » : l'idée lancée en 1969 par le président de la République aboutit à un concours international où furent présentés six cent quatre-vingt-un projets provenant de quarante-neuf pays différents. L'Italien Piano et l'Anglais Rogers l'emportèrent, mais leur réalisation n'a pas encore fini de susciter des passions contradictoires. L'originalité de leur propos a été de concentrer le programme prescrit dans un volume minimum, en rejetant à l'extérieur toutes les structures qui auraient dû y être cachées (escalier, poutrelles, ascenseurs, etc.) et à ménager une grande place conviviale devant la façade : il s'y manifeste un autre type de culture, qui n'est parfois que de saltimbanques, mais qui a été souhaité, complémentaire des activités du centre. Cette place, « la piazza », a aussi une fonction esthétique : empêcher un contact trop étroit entre les façades anciennes de la rue Saint-Martin et cette architecture de verre et d'acier coloré.

Le rez-de-chaussée est un grand forum d'information générale, complété par une salle d'actualité de l'édition (presse, périodiques, livres), une librairie et deux espaces réservés aux enfants : l'atelier (à partir de six ans) pour éveiller la créativité et les activités manuelles, et la bibliothèque. De plus, le Centre de création industrielle (C.C.I.) dispose d'une vaste salle de documentation. Créé en 1969 par l'Union centrale des arts décoratifs, il est l'un des départements du centre et a pour but d'étudier et de faire connaître les relations entre l'homme et son environnement, ce qui a pour conséquence directe de toucher aussi bien la création industrielle que les beaux-arts.

Le sous-sol est réservé aux salles de conférence, spectacles et rencontres ainsi que l'Institut de recherche et de coordination acoustique-musique dirigé par Pierre Boulez (I.R.C.A.M.).

La mezzanine est essentiellement occupée par les galeries d'exposition du C.C.I., du musée (actualité) et la salle de cinéma Garence.

Au deuxième étage se trouve l'entrée principale de la Bibliothèque publique d'information (B.P.I.) qui couvre tous les champs de la connaissance sur trois niveaux auxquels on accède par un escalator interne. Les livres sont accessibles directement et l'on peut également consulter des films, des diapositives, des banques de données, des cassettes qui permettent l'apprentissage d'une centaine de langues étrangères.

Au quatrième étage, le Musée national d'art moderne présente les collections autrefois installées au palais de Tokyo (1947-1970), et celles réunies par le Centre national d'art contemporain (C.N.A.C., 1967) : y figurent toutes les formes d'art plastique français et étranger renforcées par une politique dynamique d'acquisitions et d'expositions. Le noyau est constitué par d'importantes donations (Paul Rosenberg, Eva Gourgaud, Georges Salles, Sonia Delaunay, Leiris, Kandinsky et Brancusi dont l'atelier a été reconstitué à l'extérieur, sur la piazza). La rénovation des espaces d'exposition est l'œuvre de l'architecte Gae

L'église Saint-Merri et les fontaines décorées par Tinguely et Niki de Saint-Phalle.

Aulenti qui a transformé l'éclairage et la distribution des cimaises. Sont ici présentées les œuvres postérieures à 1905.

A droite en entrant, on trouve le fauvisme (*Les Deux Péniches* de Derain et *L'Estaque* de Braque, 1905-1906),

Bonnard (*Nu à la baignoire, Atelier aux mimosas*, portrait de l'artiste), Matisse (*La Blouse roumaine, Grand Intérieur rouge, Nu sur fond décoratif*), et le cubisme : retenons le bronze capital de Duchamp-Villon (*Le Cheval majeur*), Braque (*L'Homme à la guitare, Le*

Guéridon), Picasso (*Portrait de jeune fille*), Gleize, La Fresnaye, un très grand nombre d'œuvres de Léger et des sculptures de Brancusi, Laurens, Gonzalez, Picasso.

A gauche figurent les grandes tendances depuis la Première Guerre mondiale jusqu'à 1965 : l'abstraction et l'avant-garde (Mondrian, Malevitch, Kandinsky, Klee, Delaunay et Le Bauhaus) ; les figurations (Derain, Chagall, Rouault) ; le surréalisme (Chirico, Max Ernst, Miró, Dali, Magritte) ; le groupe Cobra (Atlan, Alechinsky) ; l'école de Paris (de Staël, Bazaine, Vieira da Silva, Szenes, Poliakoff), Giacometti, Balthus, Bacon.

Dans la salle Zoltan-Kemeny est présentée l'abstraction des années cinquante-soixante (Sam Francis, Pollock, Rothko, Mathieu, Hartung, Soulages), les nouveaux réalistes qui incorporent à leurs œuvres des objets de la vie quotidienne (Arman, Tinguely, Niki de Saint-Phalle) et le pop'art (Oldenburg, Warhol).

Au troisième étage réservé à l'art contemporain, les œuvres sont exposées en alternance, excepté : *Le Jardin d'hiver* de Dubuffet et *Le Magasin* de Ben ; les courants concernés sont l'abstraction géométrique, l'art conceptuel, le groupe Support/Surface et l'art minimal. Le cinquième étage est occupé par des galeries d'exposition, la cinémathèque et un restaurant ; on y découvre un superbe panorama de Paris.

La **place Igor-Stravinski** borde une fontaine installée au-dessus de l'I.R.C.A.M. ; elle est animée de sculptures dynamiques de Tinguely, colorées de Niki de Saint-Phalle, toutes en perpétuel mouvement. De cette terrasse ombragée, peu fréquentée des punks, on a une vue privilégiée sur le centre, la place Saint-Merri et ses gargouilles.

Dans la **rue de la Verrerie** à laquelle on accède par la très jolie petite rue des Juges-Consuls, la porte sculptée du transept de Saint-Merri est encastrée dans le presbytère (1730). En face, l'escalier de la rue Saint-Bon témoigne des travaux de nivellement

effectués lors de l'établissement de la rue de Rivoli.

A l'angle de la rue du Renard, on se trouve au pied d'un grand mur publicitaire peint (un singe y mange des yaourts). En face, au n° 12, la façade modern'style de l'immeuble du Syndicat de l'épicerie (1901) est due à Rispal.

L'**église Saint-Merri**, n° 78, rue Saint-Martin, a une façade flamboyante qui comporte en haut à gauche une tourelle où se trouve la plus ancienne cloche de Paris (1331) ; ses statues datent de Louis-Philippe. Cette église doit son existence aux ossements exhumés de l'abbé d'Autun, saint Médéric (d'où Merri), qui brillaient comme des pierres précieuses, ce qui incita l'évêque de Paris, Gozlin, à lui dédier une église (884). Au XVIe siècle, il fallut reconstruire l'édifice devenu trop petit pour ce quartier très peuplé, et on le fit dans le traditionnel style gothique (1521-1612) dont le caractère flamboyant culmine à la croisée du transept où les nervures se terminent en clef pendante. Au XVIIIe siècle, Boffrand éleva à la place des charniers, à droite, une chapelle à éclairage zénithal, décorée par Slodtz (1758) à qui l'on doit la remise au goût du jour du chœur (stucs, marbre, gloire dorée, 1752), la chaire et la tribune de l'orgue ; le buffet de ce dernier est l'œuvre du menuisier Germain Pilon (1647) et l'orgue a été tenu par M. Norbert Dufourcq de 1923 à 1983.

Dans les chapelles du déambulatoire ont été représentées, au XIXe siècle, des vies de saints : Denis (Lévy), Joseph (Lafon), François-Xavier (Glaize), Jacques (Matout), Philomène (Amaury-Duval), Marie l'Egyptienne (Chassériau). Dans le transept nord, Vouet a peint pour le dessus de l'autel un *Saint Merri délivrant les prisonniers*. Dans la crypte, à gauche, la voûte repose sur une colonne centrale dont le chapiteau est orné de grappes de raisin.

La **rue des Lombards**, jadis rue des changeurs et banquiers, ancienne et avec de nombreux restaurants, a son entrée marquée par une sculpture de

Lipchitz, *Le Chant des voyelles* (1932). On pénètre ici dans le secteur des galeries qui sont la spécialité de la **rue Quincampoix**, non moins ancienne, avec de beaux mascarons (n° 10, 14, 36), tandis qu'au carrefour de la rue Aubry-le-Boucher, de fausses fenêtres par Rieti (1976) camouflent une cheminée de ventilation. Outre les galeries classiques, Pindinello, n° 44, est spécialisé dans les marionnettes d'Extrême-Orient. Au n° 91, la galerie Palluel occupe une maison aux très belles portes sculptées, tandis qu'en face, aux n° 82-84, dans les vestiges du théâtre Molière (1791), qui fut aussi une salle de bal révolutionnaire, s'ouvre le passage Molière où survivent quelques artisans et bouquinistes.

Rue Saint-Martin, au n° 161, la galerie Clair-Obscur présente des marionnettes tandis qu'au n° 147 l'ancienne fromagerie possède son ancien décor de panneaux de céramique.

Rue Rambuteau, le quartier de l'Horloge, dû aux architectes Bernard et

Le quartier Saint-Merry

« *Plus heureuse que la plupart de ses sœurs de Paris, elle n'est pas isolée dans un milieu moderne et elle demeure en accord avec les très anciennes rues qui l'avoisinent et qui n'ont pas encore subi la stupide emphase des constructions en fer et en plâtre de notre temps. Il y a, là, autour d'elle, des ruelles délicieuses et infâmes, entre autres une certaine rue Taillepain que l'on retrouve, avec le même nom et avec la même forme, sur le plan de Turgot. Elle ressemble à une pipe, couchée sur le sol et sur le flanc. [...]*

« *Cette rue Taillepain est un couloir bordé par des dos de maisons ; presque toutes sont privées de portes et n'ont que des fenêtres, démesurément carrées ou qui montent, alors, trop allongées, de guingois, encadrant, dans leurs liserés de pierres sales, des paysages dessinés avec de la poussière, sur d'invisibles vitres ; celles qui ont des entrées se contentent, en fait d'huis, de simples fentes, surmontées, à hauteur d'homme, de barreaux de fer, l'on dirait de meurtrières de défense et de poternes d'attaques ; tout le quartier est misérable, mais il efflue un relent de vieille truandaille qui réjouit. Les sentes sont façonnées par des devants d'hôtels, noirs et gluants, qui arborent sur des écriteaux cette inscription : "On loge la nuit" ; les boutiques sont obscures et partout des réflecteurs dépassent l'alignement des façades et s'effor-* cent de projeter un peu de jour dans les ténèbres des pièces. La majeure partie est occupée par des marchands de vin de dernier ordre, des bistros pour souteneurs, surtout par des magasins de rapetasseurs de chaussures, par des échoppes de vieilles bottes ; c'est le marché des ripatons usés !

« *La chaussée pue le marécage et des bords des trottoirs s'échappe une odeur qui tient et de l'eau de choux-fleurs et de la vase de marée ; quelques-unes de ces ruelles dont ni le nom, ni l'aspect, n'ont, depuis des siècles, changé, paraissent pourtant s'être à la longue désinfectées ; telle cette rue de Venise dont le bas jadis s'ouvrait en des boutiques qui étaient à la fois des taudis et des remises ; l'on y apercevait, dans la pénombre, un lit avec un thomas dessous et une dame centenaire, assise sur une chaise de paille, qui déterminait, par l'effort d'un engageant sourire, de profondes crevasses dans le plâtre mollet de sa face. Maintenant ces bouges appartiennent à des négociants des halles qui les ont mués en des resserres de légumes et de fruits ; en pleine rue, l'on y déballe des caisses et l'on y remplit des mannes.*

« *Les étonnantes fenestrières qui habitèrent ces clapiers sont désormais éparses dans toutes les rues avoisinantes.* »

(J.-K. Huysmans,
Trois Eglises, *1920*.)

Le tombeau de Colbert dans l'église Saint-Eustache.

Bertrand, est une véritable cité autonome avec supermarché, crèche, cafés, fontaine et une œuvre d'art monumentale, l'horloge à automates de Monestier, où, à midi et à dix-huit heures, le défenseur du temps affronte trois monstres venus de la terre, de la mer et des airs.

La **rue Beaubourg** est également un des hauts lieux de la peinture avec, notamment, la galerie Daniel Templon. Au n° 37, on remarquera la façade qui reçut le premier prix d'architecture de la ville en 1930 et, au carrefour de la rue Grenier-Saint-Lazare, les vieilles maisons au nord, dont certaines ont plusieurs étages de lucarnes (n° 14).

Rue de Montmorency, à gauche, au n° 51, la maison de l'alchimiste Nicolas Flamel (1407) est l'une des plus anciennes de Paris, fondée pour loger des pauvres à l'étage, le rez-de-chaussée étant à usage de boutiques ; sur les piliers sont sculptés des personnages et des lettres ; c'est aujourd'hui un restaurant.

Rue de Palestro, au n° 3, le passage du Bourg-l'Abbé, ouvert en 1828, est marqué par une belle porte ornée de deux femmes sculptées en haut-relief. Il se prolonge de l'autre côté de la rue

Saint-Denis (qui, d'ici au boulevard, redevient une rue « chaude ») par le passage du Grand-Cerf dont le n° 145 était, avant 1789, un point de départ des voitures publiques : il est toujours occupé par des artisans et des cafés.

Rue Dussoubs, au débouché de ce passage, un grand mur peint en 1987 par Bertin Sanabria a pour thème *La Ville imaginaire*, et présente des modèles de Boullée, Ledoux, Mallet-Stevens, Loos et Sauvage.

Rue des Petits-Carreaux, au n° 12, subsiste, presque intact, le grand tableau de céramique de la maison de café « Au Planteur », par Crommer, qui représente un Noir apportant du café à un Blanc.

Rue Montorgueil, au n° 78, « Au rocher de Cancale », restaurant où, sous le Directoire, se réunissait le club littéraire des « dîners de vaudeville » : la façade en a été refaite au XIXe siècle en néo-Louis XVI, cependant que le décor du premier étage en était confié à Gavarni.

Au n° 51, la porte de l'immeuble est surmontée des attributs de l'architecture et la boulangerie Stohrer, fondée par le boulanger de Marie Leszczyńska, Stohrer, qui inventa le baba au rhum (1730), conserve son décor refait par Thivet en 1864 : avec à l'intérieur deux panneaux de verre, par Baudry, ornés des allégories de la boulangerie et de la pâtisserie. A proximité des Halles, cette rue spécialisée dans la boucherie connaît actuellement une évolution rapide et probablement irréversible : galeries et boutiques de vêtements s'y installent... Seul le début de la rue Montmartre semble « résister » encore avec ses magasins de gros (viande, poisson, produits régionaux et surgelés).

L'église Saint-Eustache
(rue du Jour)

L'église médiévale de Sainte-Agnès, devenue trop petite, fut remplacée, à partir de 1532, par une autre, beaucoup plus grande, dédiée à saint Eustache le chasseur. Dans cet édifice reconstruit en pleine Renaissance, P. Lemercier resta fidèle à la tradition

Le Forum des Halles et l'église Saint-Eustache.

(plan inspiré de Notre-Dame, gothique flamboyant). En 1647, un affaissement de terrain entraîna la démolition de la façade et sa reconstruction (restée inachevée), en supprimant la première travée (après 1750). L'église joua un rôle important (première communion de Louis XIV, obsèques de Colbert, Turenne, La Fontaine, Mirabeau, etc.) et devint le temple de l'Agriculture sous la Révolution. Incendiée en 1840, elle fut restaurée par Baltard. Depuis la disparition des Halles, l'édifice est dégagé, et l'on peut en apprécier l'architecture toute gothique avec ses arcs-boutants, gargouilles et décor sculpté abondant, surtout par son éclairage nocturne. Décorée d'un grand portail de tradition médiévale dont les voussures ont perdu leurs statues et dont certains éléments décoratifs sont de pur style Renaissance, la façade sud est surmontée d'un pignon orné d'une tête de cerf, allusion à saint Eustache, et contraste avec la façade principale au classicisme beaucoup plus conventionnel. A l'intérieur, on est saisi par la hauteur des voûtes (clefs pendantes) : en effet, elles sont aussi élevées qu'à Notre-Dame, alors que le bâtiment est beaucoup moins vaste. Le mobilier y est d'importance : on en retiendra, outre le banc d'œuvre, en face de la chaire, par Lepautre (1720), l'orgue reconstruit après l'incendie de 1840 par Merklin et Shutz et refait par Dunand avec cent six jeux ; son buffet fut dessiné par Baltard et sculpté par Moisy ; sous la tribune, l'épitaphe du général Chevert par Diderot (1769), un *Martyre de sainte Agnès* d'après le Dominiquin, et celui de saint Eustache, par Vouet ; non loin de là, dans le bas-côté gauche, le groupe sculpté par Raymond Muson représente, dans un style réaliste, *Le Départ des fruits et légumes de Paris (28 février 1969)* ; aux fenêtres du chœur, les vitraux d'Antoine Soulignac (1631) représentent saint Eustache entouré des apôtres et des Pères de l'Eglise, sur un fond architectural ; à gauche, dans la troisième chapelle du déambulatoire, *Tobie et l'ange*, par Santi di Tito ; dans la quatrième, fresques de la *Vie de sainte Madeleine* (XVIIᵉ siècle), puis une *Extase de Madeleine*, par Manetti ; plus loin, le tombeau de Colbert, par Coysevox et Tuby, d'après les dessins de Le Brun ; dans la chapelle de la Vierge, une belle *Vierge à l'Enfant* de Pigalle (1748) provenant des Invalides et, dans la deuxième chapelle, à droite, une *Déploration du Christ*, par Luca Giordano.

Rue Coquillière, les larges trottoirs ont été aménagés en de vastes terrasses où se succèdent des restaurants ignorés de la foule du Forum. D'ici, à proximité, la Bourse de commerce occupe l'emplacement du somptueux palais (dit plus tard hôtel de Soissons) que Bullant éleva pour Catherine de

Les Halles vers 1910.

Médicis ; la colonne astrologique qui l'accompagnait en est le seul vestige. En 1768, on le remplaça par la halle au blé que Bélanger couvrit d'une coupole métallique en 1811. Des remaniements importants ont été effectués lors de l'installation de la Bourse de commerce.

Par la **rue de Viarmes**, qui épouse la forme arrondie de ce bâtiment et dont les maisons sont également ornées de colonnes doriques, on atteint la **rue Sauval** aux demeures anciennes (n° 4-8 du XVII° siècle).

La **rue Saint-Honoré** possède, en face, l'une des plus anciennes pharmacies de Paris (n° 115, 1762). A côté, la fontaine du Trahoir (n° 111) a été construite par Soufflot dans un

style néo-Renaissance, avec des bossages et des congélations, tandis que Boizot sculptait une nymphe à la manière de Jean Goujon : elle remplaça celle du carrefour de l'Arbre-Sec décorée par Jean Goujon (1519).

En dépit de sa largeur, la **rue de l'Arbre-Sec** est fort ancienne, a conservé de belles façades (au n° 52, hôtel de Truden, vers 1720, avec un beau balcon ; au n° 48, hôtel de Saint-Roman, vers 1680). Au n° 43, l'intéressante librairie de vieux journaux « La Galante » s'engage à vous procurer celui du jour de votre naissance.

La **rue Saint-Honoré** est l'une des plus riches de l'histoire parisienne, reliant le Louvre aux Halles et, sous la Révolution, la Conciergerie à la guillotine installée place de la Concorde. Dans cette partie subsistent de vieux commerces (boucheries) et de jolies façades avec d'anciennes enseignes (n° 105, n° 95) « A la renommée des herbes cuites », n° 93 « Au Bouton d'or »), tandis qu'au n° 91 s'est ouverte, dans la cour, une galerie d'antiquités-salon de thé.

Par la **rue des Prouvaires** aux belles demeures construites par le drapier Boucher au XVIIIe siècle (n° 3, balcon), on débouche sur le Forum.

étaient démontés : l'un d'eux, remonté à Nogent-sur-Marne, abrite des manifestations culturelles. L'aménagement de l'espace libéré s'est fait à partir de l'est : un tiers pour le bâtiment Pierre-Lescot et le Forum proprement dit, deux tiers pour les jardins et la place en forme de coquille (conçue par L. Arretche) elle-même décorée d'une sculpture de Henri de Miller : *Ecoute*, alors que les portiques ont été imaginés par le sculpteur Lalanne. A l'ouest, bambous et frangipaniers se côtoient

Le carré aux poissons aux Halles, au début du siècle.

Le Forum des Halles

En 1135, Louis VI décide le transfert ici, aux Champeaux, du marché de la place de Grève : c'est la naissance des Halles, où tous les métiers tiennent boutique. A la fin du XVIIIe siècle, la suppression du cimetière des Innocents permet l'installation d'un grand marché aux légumes couvert de parasols rouges. Devenues vétustes et trop étroites, ces halles sont reconstruites, à la demande de Napoléon III qui demande à Baltard « un parapluie, rien de plus » (1852). Tandis que le marché aux légumes partait pour Rungis (1969), les pavillons métalliques

dans la serre tropicale ; le nord-ouest est affecté au très vaste Centre de la mer, sur trois niveaux, conçu sur les indications du commandant Cousteau ; à l'est, en bordure de la rue Rambuteau, le jardin des enfants conçu par Lalanne comprend un espace pour les tout-petits (les rhinocéros) et un pour les six-douze ans (les éléphants) où les parents sont interdits et où les enfants suivent le parcours d'un monde imaginaire (jungle, volcan, planète molle, etc.).

Différentes portes, dues à Chemetov, permettent l'accès aux installations souterraines : celles-ci, vers Saint-Eustache, sont distribuées autour de la place carrée et regroupent discothèque, auditorium, photothèque, vidéothèque, salle de billard, piscine, gymnase, serre tropicale, cinémas desservis par des galeries marchandes sur deux niveaux qui rejoignent les installations du Forum à l'avant-dernier niveau. Le Forum se signale par sa population bigarrée voire marginale et son animation. Conçu par Vasconi et Penchreach (1979), il comprend quatre étages de galeries souterraines distribuées autour de la place des Verrières ornée d'un *Pygmalion* de Julio Silva ; c'est une architecture de verre et d'aluminium. Ce vaste ensemble commercial comprend, outre quantité de boutiques consacrées à la maison et à la mode, des bars, des restaurants, une grande librairie (FNAC), de nombreux cinémas, et, au premier étage, une annexe du musée Grévin qui évoque le Paris de la Belle Epoque (tél. 42.61.28.50) ainsi que le musée de l'Holographie qui présente divers hologrammes qui, éclairés par un rayon laser, donnent l'illusion du réel (tél. 42.96.96.83).

En bordure des rues Rambuteau et Pierre-Lescot, Jean Willerval a réalisé, pour la ville de Paris, des « girolles » en verre réfléchissant qui ont une vocation culturelle : information, conservatoire des quatre premiers arrondissements, Maison des ateliers, de la poésie, du geste et de l'image, bibliothèque pour enfants, Pavillon des arts qui abrite de prestigieuses expositions. De la terrasse, on jouit d'une vue privilégiée sur les jardins et Saint-Eustache. Dans le secteur des rues Pierre-Lescot et de la Grande-Truanderie, et jusqu'à la rue Etienne-Marcel, sont installés, en quantité, d'agréables restaurants et magasins de création de mode, spontanée et imaginative, souvent éphémères ; (au bout de la rue Pierre-Lescot, depuis la station de métro Arts-et-Métiers, on voit, rue Etienne-Marcel, à gauche, émergeant des arbres, la tour Jean-sans-Peur (1408), couronnée de machicoulis, vestige de l'hôtel du duc de Bourgogne qui fut démoli en 1543). De la même façon, cette partie de la rue Saint-Denis a vu le recyclage de la prostitution visible en sex-shops et vidéo-clubs spécialisés.

L'**église Saint-Leu-Saint-Gilles** (n° 92 bis), du XIVᵉ siècle, a été modifiée aux XVIᵉ siècle (bas-côtés) et XVIIᵉ siècle (chœur et chapelle) ; lors du percement du boulevard de Sébastopol qui coupa l'abside, Baltard, en 1858, supprima la chapelle de la Vierge au nord, pour en ajouter une au sud. Outre le groupe sculpté de *Sainte Anne et la Vierge* par Bullant (XVIᵉ siècle), le buffet d'orgue refait par Clicquot en 1787, la châsse de sainte Clotilde en argent doré, à droite du chœur, deux tableaux du XVIIIᵉ siècle méritent l'attention : *Les Fils de Simon, Pierre et André, quittant leurs filets pour suivre Jésus*, attribué à Restout, *L'Annonciation* par F.-A. Vincent, ainsi que trois bas-reliefs en albâtre provenant du cimetière des Innocents : *Jésus trahi par Judas*, *La Cène*, *La Flagellation* (XVᵉ siècle).

Piliers des Halles

« Sous les piliers des Halles, subsiste encore la maison où est né notre Moliere, le Poëte dont nous nous glorifions. Là, regne une longue file de boutiques de frippiers, qui vendent de vieux habits dans des magasins mal éclairés, & où les taches & et les couleurs disparoissent.

« Quand vous êtes au grand jour, vous croyez avoir acheté un habit noir ; il est verd ou violet, & votre habillement est marqueté comme la peau d'un léopard.

« Des courtauds de boutique, désœuvrés, vous appellent assez incivilement ; & quand l'un d'eux vous a invité, tous ces boutiquiers recommencent sur votre route l'assommante invitation. La femme, la fille, la servante, le chien, tous vous aboient aux oreilles ; c'est un piallement qui vous assourdit, jusqu'à ce que vous soyez hors des piliers. »

(Louis-Sébastien Mercier, Le Tableau de Paris, 1782-1788.)

La **rue Saint-Denis** est particulièrement vivante au carrefour de la rue Berger où a été installée la fontaine des Innocents (1549), chef-d'œuvre de Jean Goujon, autrefois adossée à l'église des Innocents. Lors de la démolition de l'église et du cimetière (1780), Pajou et Houdon furent chargés de sculpter, sur le quatrième côté, deux nymphes drapées comme le sont les autres. La **rue de la Ferronnerie**, à laquelle on accède par deux arcades ouvertes en 1786, est formée, au nord, d'un immense immeuble de rapport (n° 2-14) de 1669, tandis qu'en face, au n° 6, le café « Au Cœur couronné » conserve le souvenir de l'assassinat de Henri IV par Ravaillac (14 mai 1610) signalé par une plaque apposée devant le n° 11.

17. Le Sentier

C'est un quartier où flâner, sans beauté architecturale particulière, mais attachant, car il a conservé ses rues anciennes, et nombreuses sont les maisons à caractère populaire des XVIIe et XVIIIe siècles dont les proportions ou les imperfections évoquent le charme du passé. Un dédale de petites rues et de passages plus ou moins clandestins et populaires le rend particulièrement pittoresque. Ce quartier est aussi passionnant à voir vivre car, en semaine, aux heures de travail, il se transforme en une véritable fourmilière humaine où se côtoient Français et étrangers : toute la journée, ses rues étroites sont embouteillées par des voitures et camionnettes de livraison, tandis qu'artisans et manœuvres portent des balles de tissus et des vêtements sur des cintres, à moins qu'ils ne poussent des diables lourdement chargés. C'est une atmosphère de ruche où le loisir n'a pas de place, où les cafés sont remarquablement peu nombreux, et où les prostituées ne sont visibles que dans les rues Saint-Denis, Blondel et quelques autres, en direction du boulevard de Sébastopol. A l'intérieur de ses limites (boulevard Poissonnière, rues de Turbigo, de Réaumur, d'Aboukir, du Mail, Montmartre), on peut distinguer plusieurs zones : le quartier des tissus rues du Mail, de Cléry jusqu'à la place du Caire et tout ce qui est à l'ouest du carrefour Jeûneurs-Mulhouse ; le quartier de la confection et des boutiques de prêt-à-

L'immeuble Félix Potin.

porter rue d'Aboukir, tout ce qui va de la rue Poissonnière au boulevard de Sébastopol et au-delà, rues du Vert-Bois et de Notre-Dame-de-Nazareth, beaucoup plus calmes ; cette dernière rue est davantage tournée vers la mode masculine et, en son extrémité, ont débordé certains ateliers de vêtements de cuir du quartier du Temple ; enfin la rue des Chaussures, la rue Meslay. Si la rue Turbigo n'est guère qu'un axe de liaison entre la République et les Halles, il n'en va pas de même de la rue Réaumur qui a une véritable fonction économique tant comme vitrine du Sentier que comme haut lieu de la presse ainsi qu'en témoignent les façades majestueuses de ses splendides temples de l'industrie et du commerce élevés au moment de son ouverture (1896).

La **rue Montmartre**, ancien chemin menant à l'abbaye, est bien, par son activité, du Sentier, mais ce n'est pas visible, à première vue, car on n'y trouve que quelques magasins de vêtements. Pour le reste, c'est une grande rue large, très animée, qui relie la rue de Rivoli aux boulevards. On note d'intéressantes façades : le n° 136, petite maison charmante de l'époque de la Restauration, décorée de niches et de statues ; le n° 142, par Ferdinand Bal (1882) pour la maison de presse d'Emile de Girardin que la décoration illustre ; au n° 144, le café « A la Chope du croissant » où Jaurès fut assassiné le 31 juillet 1914 : à l'intérieur une vitrine commémore l'événement par quelques souvenirs.

A partir de la **rue des Jeûneurs** on peut flâner dans le quartier aux rues semblables par leur atmosphère fébrile, et rejoindre la rue Saint-Denis : rue du Sentier jusqu'à la rue Réaumur, rue d'Aboukir (ancienne rue des Fossés-Montmartre car elle correspond à l'enceinte de Charles-V et reçut son nom à la suite de la victoire en Egypte de Bonaparte (1799), de même que la **place du Caire** avec son immeuble orné de deux sphinx et de motifs égyptiens qui marquent l'entrée du passage du même nom). En continuant la **rue d'Aboukir**, on tombe sur une bien agréable place plantée d'arbres au carrefour des rues Sainte-Foy et d'Alexandrie. On pénétrera par là dans le **passage du Caire**, primitivement occupé par les imprimeurs, mais aujourd'hui par le prêt-à-porter et surtout les accessoires de ce commerce : étiquetage, présentoirs, emballages... Ce passage comprenant trois galeries, on ressortira **rue Saint-Denis** pour prendre, au n° 212, le **passage du Ponceau**, à moins que l'on préfère traverser l'immeuble du n° 226 au fond duquel subsiste, dans un fort bel état, l'hôtel de Saint-Chaumont par lequel on ressort boulevard de Sébastopol au n° 131.

Le **square Chautemps**, créé par Davioud, comporte deux fontaines (1861) à l'Agriculture et à l'Industrie par Gumery et à Mercure et à la Musique par Ottin, thèmes en harmonie avec le Conservatoire des arts et métiers auquel ils servent d'ornements. Dans le même esprit a été récemment installé, en bordure de la rue Saint-Martin, un buste de Marc Seguin qui a tant apporté au chemin de fer.

Rue Papin, aux n° 3-5, le théâtre de la Gaîté-Lyrique (1861), dit d'abord « du Prince impérial », remplaça l'ancien théâtre Nicolet, devenu de la Gaîté, qui disparut lors de l'ouverture du boulevard Voltaire. Il est dû à Alphonse Cusin et sa façade présente Hamlet, Scapin, l'Art, la Poésie et la Comédie.

Le Conservatoire
des arts et métiers
(292, rue Saint-Martin
tél. 42.71.24.14)

Il est installé dans une partie des locaux de l'abbaye Saint-Martin-des-Champs, fondée par Henri Ier en 1060, en souvenir d'un oratoire ancien érigé à la suite d'un miracle du saint évangélisateur de la Gaule. Des bâtiments conventuels subsistent l'église et le réfectoire édifiés en remplacement du sanctuaire de 1067 ; la tour romane (début XIIe siècle) au sud du transept de cette église primitive, le chœur (vers 1130) avec les premières voûtes d'ogives de Paris et les premiers embryons d'arcs-boutants de France ; le réfectoire chef-d'œuvre antérieur à Pierre de Montreuil, où est installée la bibliothèque, la nef enfin (fin XIIIe siècle) très restaurée. Pendant tout le Moyen Age, le rayonnement de cette « troisième fille de Cluny » fut considérable ainsi qu'en témoignent les manuscrits qui en proviennent et les trente-trois églises citées comme en dépendant (1096). Elle favorisa le peuplement du quartier et, dès le XIIe siècle, on éleva la chapelle Saint-Nicolas pour les hôtes du prieuré.

Au XVIIIe siècle, les bâtiments furent démantelés : construction d'immeubles de rapport rue du Verbois par Bullet (1712), réfection des dortoirs et du cloître par Antoine. En 1798, les locaux furent affectés au Conservatoire des arts et métiers créé en 1794 qui ouvrit au public, en 1802. Les bâtiments furent restaurés et agrandis à partir de 1836, le portail refait avec les figures de la science et de l'art (1850). Le musée national des Techniques, premier du genre au monde destiné à montrer au public tous les secteurs de l'activité humaine, s'est constitué autour de la collection d'automates de Vaucanson, de celle de l'Académie des sciences et des saisies révolutionnaires. Dans la nef de l'église où les peintures des murs et de la voûte datent du XIXe siècle sont présentés des véhicules à moteur : fardier de Cugnot (1770), locomotive de Stephenson, modèles des locomotives et wagons français ; sont particulièrement intéressantes les salles consacrées à l'horlogerie et aux automates anciens, à l'optique, aux mathématiques (machine de Pascal, 1652), à la photographie, à la radiophonie, etc.

A côté du musée, le conservatoire est un centre d'enseignement depuis 1806 et de recherche, très actif, qui possède une riche bibliothèque. Sur la rue du Vertbois subsistent quelques restes d'une tour médiévale. Mais c'est rues Vaucanson et de Réaumur, dans un environnement de verdure tout à fait approprié, que l'on peut admirer le chevet de l'église et la tour romane. En face, au n° 39, l'architecte Salard a conçu, en 1901, un immeuble dont le décor de cariatides grotesques est en harmonie avec cette architecture médiévale, tandis qu'au n° 42 un immense génie ailé surveille le carrefour de la rue de Turbigo.

L'église Saint-Nicolas-des-Champs
(254, rue Saint-Martin)

La chapelle primitive fut érigée en paroisse en 1184 et l'église, alors reconstruite ; la façade et le clocher (sauf la partie supérieure construite en 1668) datent du XVe siècle ainsi que les sept premières travées de la nef ; les quatre suivantes et les bas-côtés datent de 1576 à 1586 ; le reste (fin de la nef et des bas-côtés, chœur) date de 1615. Au XVIIIe siècle, les colonnes du chœur et de la nef ont été « modernisées » et cannelées. L'ouverture de la rue de Turbigo a dégagé l'église au sud et à l'est. Dans le chœur, l'autel de marbre (XVIIe siècle) est orné de deux peintures de Vouet (L'Assomption et Les Apôtres au tombeau de la Vierge) et encadré par un Saint Nicolas et un Saint Jean-Baptiste de Robin (1775). Cette église est particulièrement riche en tableaux : première chapelle à droite du chœur (Baptême du Christ, par Ferrari, XVIe siècle ; Vierge de la famille de Vic, par François Pourbus, vers 1620) ; deuxième chapelle (Circoncision par Finsonius, XVIIe siècle) ; cinquième chapelle (Ascension par Vignon, vers 1650) ; dixième chapelle (Saint Nicolas dans la tempête, grisaille par Pierre, 1747).

Rue Réaumur

La partie située entre les rues Saint-Denis et Notre-Dame-des-Victoires fut ouverte en 1896. Elle fut occupée par les grands établissements du textile et de la presse qui élevèrent de grands immeubles à peu près contemporains. Il en résulte une réelle unité architecturale de ces édifices qui allient le style décoratif et la traditionnelle prestance des façades de pierre aux structures métalliques et aux vastes baies vitrées, mieux adaptées aux fonctions industrielles et commerciales de ces maisons. A ce titre, la rue Réaumur constitue à elle seule un musée de l'architecture industrielle des années 1900.

Au n° 51, l'immeuble Félix Potin (1910) domine le carrefour du boulevard de Sébastopol et présente, outre un décor polychrome, des abeilles et des gerbes de blé sculptées, symboles de l'abondance et de l'activité commerciale. Aux n° 61-63, le très peu profond immeuble est dû à Sirgery et Jouannin dans un style romano-byzantin avec des allégories des saisons sculptées par Jacquier et, à l'intérieur, un très bel escalier de bois. Au n° 69, Ernest Pergod conçut en 1898 un atelier typographique éclairé à sa partie supérieure par une grande verrière, exemple même d'architecture fonctionnelle, tandis qu'en face (n° 82-98), Constant Bernard réalisait, la même année, le magasin Réaumur. Au n° 99, Bonenfant et Destors, toujours en 1898, allièrent l'art traditionnel de la pierre avec de grosses têtes de lion aux consoles des balcons et un large emploi de la fonte. Au n° 101, Walwein fut primé pour sa façade (1898) qui présente les mêmes caractéristiques et fait une très large part à la sculpture (figures féminines) et aux baies vitrées. De même, au n° 105 (1899), Charles Ruzé resta fidèle à l'art traditionnel en structurant très fortement sa façade de colonnes ioniques et corinthiennes, tout en apportant un soin particulier à la ferronnerie des balcons. Au n° 118, Guiral de Montarnal, l'un des architectes les plus doués de son époque, réalisa en 1900 un immeuble particulièrement réussi pour son décor art nouveau, et sa façade fut primée. L'immeuble du n° 124 se signale par son absence totale d'éléments de pierre et de sculpture, comme étant destiné à une imprimerie ; sa structure métallique a été conçue pour laisser pénétrer le plus possible de lumière. Dans le même esprit, au n° 126, une part essentielle est donnée à la fonte et aux baies vitrées, mais l'encadrement de la façade est de pierre. Au n° 130, un autre édifice de Montarnal (1898), pour un établissement de textile, est à remarquer pour son décor de volutes et d'éléments floraux et pour son intérieur demeuré intact avec son escalier à rampe ornée de feuilles de platanes et pour ses verres colorés. Le n° 132, dû à Jacques Hermant (1901), est représentatif de l'art officiel des grands établissements financiers, de même qu'un peu plus loin, au n° 16 de la rue du 4-Septembre, le Crédit lyonnais achevé en 1882 (grands cartouches roses surmontant les fenêtres). Enfin, le n° 121, par Charles Ruzé, montre le goût marqué de l'architecte pour le maintien des formes et des matières « nobles » traditionnelles, même si, par nécessité, il lui fallut recourir aux techniques et matériaux nouveaux.

18. La rue de Rivoli

De l'Hôtel de Ville à Saint-Germain-l'Auxerrois

La partie de la rue de Rivoli qui va de l'Hôtel de Ville au Louvre a été ouverte sous Napoléon III pour les besoins de la beauté de la ville et les nécessités de la circulation. Un grand nombre de petites rues ont alors disparu ; à l'exception de quelques-unes en bordure de la Seine, ce secteur a plus de cent trente ans : l'Hôtel de Ville, laissé intact par Haussmann, a dû être reconstruit après l'incendie de la Commune. Dès le percement de la rue, la fonction commerçante du quartier s'est affirmée avec l'ouverture de deux grands magasins, et n'a jamais cessé depuis lors, qu'il s'agisse de ces deux grandes surfaces ou des innombrables boutiques d'habillement. De même, le caractère populaire subsiste en dépit des modes, et la rue reste grouillante et animée à tout moment. Dans toutes les périodes de crise, l'Hôtel de Ville a toujours joué un rôle important : d'où la méfiance du pouvoir politique qui a attendu 1977 pour accorder à la première ville de France un maire.

L'Hôtel de Ville

Depuis l'Antiquité, la rive de la Seine à cet endroit se présentait comme une grève marécageuse où les matelots parisiens installèrent un port. Avec le développement de la rive droite (abbayes, banques) saint Louis créa une assemblée municipale élue avec, à sa tête, le prévôt des marchands.

L'Hôtel de Ville.

Son siège était près du Châtelet, au Parloir aux bourgeois. En 1357, le prévôt Etienne Marcel installa l'assemblée dans la maison aux Piliers. Dès lors, la place connut une activité intense et joua un rôle important sur le plan judiciaire, comme lieu d'exécution (Ravaillac, la Brinvilliers et la Voisin empoisonneuses, Damiens, entre autres ; première installation de la guillotine en 1792), et comme lieu festif (la Saint-Jean, les grands événements de la vie du roi, etc.).

En 1553 commence la reconstruction de la maison aux Piliers sur les plans du Boccador selon les principes de la Renaissance. Après l'incendie de 1871, Ballu et Deperthes reconstruisent un édifice plus grand mais de même style : la façade y est ornée de têtes d'hommes illustres et de figures allégoriques de villes de toutes les provinces françaises ; au fronton, les deux fleuves de Paris (la Seine et la Marne) sont encadrés par les deux piliers de la morale républicaine, l'Instruction et le Travail (par Miolle).

Les décors intérieurs sont somptueux, conçus, selon le programme idéologique de la IIIe République qui glorifiait la culture, les hommes de lettres, les faits marquants de l'histoire et certaines vertus : plafond de l'escalier d'honneur par Puvis de Chavannes (*Victor Hugo offrant sa lyre à la ville*), salons des lettres, arts et sciences, galerie Galland illustrant les métiers manuels, salon Lobau avec l'histoire de la ville, salle des fêtes avec cariatides, plafonds peints à foison...

Derrière l'Hôtel de Ville, deux annexes (rue Lobau), construites sous Napoléon III dans un style sobre, forment, par l'espace qui les sépare, un parvis à l'église Saint-Gervais. De l'autre côté de la rue de Rivoli (n° 52-64), le Bazar de l'Hôtel de Ville, créé sous Napoléon III est l'un des cinq grands magasins de Paris : il couvre tous les secteurs de la vie, spécialisé en outre dans le bricolage. La place de l'Hôtel-de-Ville, rénovée en 1982, devenue piétonnière, limitée par deux fontaines de verdure traitées en globes terrestres par Lalanne, est le lieu de manifestations comme la grande crèche de Noël. L'avenue Victoria, ouverte à partir de 1854 dans l'axe de l'Hôtel de

La Samaritaine.

Ville, relie la municipalité au centre économique qu'est le Châtelet. Elle longe un square dans lequel on trouve la tour Saint-Jacques, vestige de l'église Saint-Jacques-de-la-Boucherie, église de la corporation des bouchers et des pèlerins de Compostelle. Elevée au début du XVIe siècle, elle témoigne de la permanence des formes gothiques à Paris ; à la plate-forme supérieure, outre la statue de saint Jacques le Majeur ont été figurés les symboles des évangélistes.

La **place du Châtelet** est, au cœur de Paris, l'un des carrefours les plus importants pour la communication entre les deux rives. Elle doit son nom à la tour élevée en 1130 par Louis VI pour protéger l'île de la Cité. La construction de l'enceinte de Philippe Auguste, vers 1190, rendit inutile cette tour désormais affectée à la prévôté de Paris, jusqu'en 1790 ; la forteresse fut démolie lors de l'aménagement de la place à partir de 1802. Bralle y installa alors la fontaine du Palmier (1806) avec la mention des principales victoires de Napoléon et un décor sculpté de Boizot ; c'est seulement en 1856 que Jacquemart en décora le socle d'un sphinx. Sous Napoléon III, Davioud construisit les deux salles de spectacle adjacentes (1862) : le théâtre du Châtelet destiné à remplacer le Théâtre impérial du boulevard du Temple connut de grands succès et accueillit les concerts Colonne à partir de 1874 ; c'est aujourd'hui le Théâtre musical de Paris. En face, le Théâtre lyrique, jadis boulevard du Temple, devenu en 1968 le Théâtre de la Ville, a connu un grand nombre des succès de Sarah Bernhardt qui en assura la direction à partir de 1899 et y créa *L'Aiglon*. De la place du Châtelet et du

Rue de la Vieille-Lanterne, où l'on découvrit Nerval pendu...

« De toutes les rues et ruelles de ce vieux quartier des anciennes Boucheries, elle était la plus fidèle à son passé. On la voyait telle qu'au temps où son ruisseau recueillait le sang des abattoirs pour le verser dans un égout fameux par sa puanteur.

« Pour qui venait de la Place aux Veaux, la rue basse, son ruisseau fangeux, ses maisons noires, lépreuses, humides, qui ne voyaient jamais le soleil, l'escalier et ses abords avaient un aspect vraiment romantique comme on disait alors, et n'eût été la vue lointaine de la colonne du Châtelet, on se serait cru au bon temps de Caboche et de ses Ecorcheurs.

« A droite de l'escalier, au niveau de la rue haute, un palier de bois, surplombant la rue basse, donnait accès à une maison borgne dont la destination n'était pas douteuse. Une lanterne sur la porte d'entrée, portait cette inscription : ''On loge à la nuit.'' [...]

« Tout près de là, dans la muraille en retour, un couloir, à ciel ouvert, puis voûté, étroit, sombre, infect [...] [qui] débouchait sous les grandes voûtes qui portaient le quai de Gesvres, dans la pénombre de ces hautes arcades, la vue de la Seine, du pont au Change, du quai aux Fleurs, de la tour de l'Horloge et des poivrières du Palais de Justice était un des plus jolis décors du vieux Paris.

« Une population nomade campait là, tout le jour, pêcheurs à la ligne, cordiers tressant leurs fils, mariniers radoubant leurs bateaux et leurs ménagères faisant bouillir la marmite — bonnes gens avec qui j'avais plaisir à causer. Mais, la nuit, Dieu sait quels malandrins trouvaient, sous ces voûtes désertes, un meilleur abri que sous les ponts ! »

(Récit de Victorien Sardou, témoin oculaire en 1852.)

La place du Châtelet et le Théâtre musical de Paris.

quai de la Mégisserie qui en part, on a une vue privilégiée sur la Conciergerie. Les rues des Lavandières-Sainte-Opportune, Jean-Lantier, des Orfèvres et Saint-Germain-l'Auxerrois sont très pittoresques avec leurs vieilles maisons des XVIIe et XVIIIe siècles. Jusqu'au Louvre, le **quai de la Mégisserie** est occupé par des plantes et

des animaux domestiques, sauf au niveau du **magasin de la Samaritaine**. Le bâtiment Pont-Neuf de cet établissement (magasin n° 3) est dû à Jourdain et Sauvage (1928), de même que le magasin n° 4, à l'angle de la rue Boucher. La Samaritaine, modeste magasin fondé en 1869 par Ernest Cognacq et Louise Jay, son épouse, connut un tel succès qu'il fallut l'agrandir considérablement (en 1900, au magasin n° 2, Jourdain employa des charpentes métalliques et des mosaïques aux couleurs vives) et construire, boulevard des Capucines, la Samaritaine de luxe avec, en annexe, le musée Cognacq-Jay légué à la ville. Ce magasin où « l'on trouve tout » a gardé un charme un peu vieillot et, au magasin n° 2, ses peintures décoratives et sa verrière.

Saint-Germain-l'Auxerrois
(2, place du Louvre)

Le long de la rue des Prêtres-Saint-Germain se dresse la façade sud de l'église (XVe siècle) richement décorée (portail, gargouilles). Reconstruite pour la quatrième fois à la fin du XVe siècle, cette église conserve quelques éléments antérieurs : base du clocher (XIIe siècle), chœur et portail central

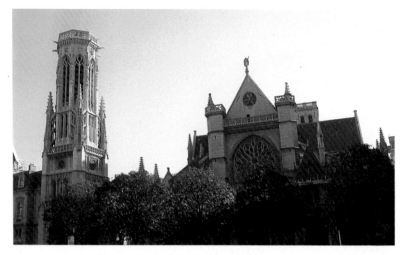

L'église Saint-Germain-l'Auxerrois.

(XIIIe siècle). L'élément le plus remarquable de sa façade est le porche aux cinq baies en ogive richement décoré de pinacles et dû à Jean Gaussel (1435). Si le tympan du Jugement dernier et le trumeau du portail central ont disparu au XVIIIe siècle pour permettre le passage du dais de procession, ses voussures sont intactes avec les apôtres, les vierges folles et les vierges sages, les élus et les damnés. De gauche à droite, les clefs de voûte sont ornées d'une *Adoration des Mages*, des évangélistes et de la Cène. Paroisse royale d'où serait parti le signal du massacre de la Saint-Barthélemy (1572) et devenue la paroisse des artistes quand le roi les installa au Louvre, elle fut le lieu de sépulture de nombre de ceux-ci.

L'intérieur a un mobilier fort riche : buffet d'orgue provenant de la Sainte-Chapelle (par Rousset, 1726), banc d'œuvre qui figure un grand baldaquin (d'après Le Brun, 1684), grilles du chœur (par Dumiez, 1767), vitraux des croisillons (*Père éternel*, au sud ; *Saint Esprit*, au nord, datant du XVIe siècle) ; à droite : statues de sainte Marie l'Egyptienne (autrefois au porche), de la Vierge à l'oiseau (polychrome), du chancelier d'Aligre et de son fils (par L. Mugnier, au XVIIe siècle, quatrième chapelle), de saint Germain et saint Vincent (entrée du chœur) ; à gauche : peintures (*Saint Pierre de Nolasque recevant l'habit de Notre-Dame de la Merci*, par S. Bourdon) et retable de la vie de la Vierge (école flamande, XVIe siècle).

Endommagée sous la Révolution, plusieurs fois menacée de destruction, l'église, sauvée par Louis-Philippe et Chateaubriand, a été restaurée par Baltard et Lassus (1838-1855).

La **place du Louvre** a été dessinée pour mettre en valeur la colonnade du Louvre. A cette fin, Ballu (1856) a, dans une transition savante, construit le beffroi néogothique flamboyant orné des statues de saint Germain, saint Landry et saint Denis, et pourvu d'un carillon fameux (1864). Plus loin, Hittorff (1859) a réalisé la mairie d'arrondissement dans un style néo-Renaissance : de cette façon, vu du Louvre, ce vaste ensemble présente une harmonieuse unité.

19. Le Louvre et les Tuileries

Le bâtiment

Lorsqu'il part pour la croisade à la fin du XIe siècle, Philippe Auguste veut protéger Paris contre une éventuelle attaque du duc de Normandie qui n'est autre que le roi d'Angleterre : il construit un énorme donjon à l'endroit dit « Lupara » qui donnera le nom de Louvre à la forteresse, et qui correspond au sud-ouest de la cour Carrée. C'est à la fois la prison et le lieu du trésor. Charles V transforme en résidence royale le donjon (1364-1380) surhaussé, percé de fenêtres, orné de sculptures, rempli d'œuvres d'art et contenant la bibliothèque royale (noyau de l'actuelle Bibliothèque nationale). Le roi peut ainsi recevoir dignement, en 1378, l'empereur Charles IV : la miniature des *Très Riches Heures* du duc de Berry par Pol de Limbourg permet d'imaginer l'éclat de cette époque bientôt interrompu par la guerre de Cent Ans. La Cour voyage, s'installant en particulier dans le val de Loire.

En 1527, François Ier décide de raser le donjon et, à la veille de sa mort, confie à Pierre Lescot, la construction d'un édifice que décorera Jean Goujon. Au moment de la Saint-Barthélemy (1572), le quart sud-ouest de l'actuelle cour Carrée est construit. Par ailleurs, la reine Catherine de Médicis demande en 1564 à Philibert de L'Orme, puis à Jean Bullant, de lui construire, plus à l'ouest, un château à l'emplacement d'anciennes tuileries qui lui donnent rapidement leur nom : il s'agit d'un grand pavillon flanqué au nord et au sud, vers la Seine, de deux grandes ailes. Bien vite et tout naturellement l'idée vient de relier au Louvre ce nouveau château, et la reine en amorce les travaux en commandant, pour le Louvre, une petite galerie (1556) greffée sur le bâtiment de Lescot et allant vers le sud. Henri IV demande ensuite à Clément Métezeau et Jacques II Androuet du Cerceau d'accrocher, orthogonale à cette petite galerie, vers l'ouest, une « galerie du bord de l'eau » qui est l'actuelle Grande Galerie : longue de près de cinq cents mètres, elle réunit enfin les deux bâtiments (1598-1608). Assassiné par Ravaillac, Henri IV meurt dans ce qui est devenu le palais des rois de France.

Louis XIII fait reprendre les grands travaux en 1624. Jacques Lemercier dote l'aile ouest de la cour Carrée du pavillon de l'Horloge, et construit en symétrique la partie nord de l'aile. Après la paix des Pyrénées de 1659, Mazarin demande à Le Vau de bâtir l'aile nord de la cour, et de poursuivre vers l'est l'aile méridionale ; l'architecte doit, en outre, reconstruire en partie la Petite Galerie endommagée par un incendie (1661), et il termine le raccord Petite Galerie (devenue, au premier étage, la galerie d'Apollon)-Grande Galerie, en aménageant le bâtiment du salon Carré. Le Vau termine, en 1663, la grande façade monumentale sur la Seine, qui fait face au collège des Quatre-Nations contemporain (actuel Institut de France).

Reste alors à fermer la cour à l'est. Pour tâcher d'en éloigner Le Vau qu'il trouve omniprésent, Colbert l'occupe en lui confiant le « rajeunissement » des Tuileries, qui se révèle être une véritable reconstruction. Mais, pour l'extrémité orientale de l'ensemble, Louis XIV et Colbert obtiennent du pape que Le Bernin vienne proposer une solution (1665). Si la première pierre en est posée, le projet baroque de celui-ci n'est, finalement, pas retenu, et ce sont Le Vau, d'Orbay, Claude Perrault et Le Brun qui décident, après bien des hésitations, de la colonnade que nous connaissons aujourd'hui, face à Saint-Germainl'Auxerrois (1667-1668).

Versailles et les autres maisons royales éclipsent alors les Tuileries, habitées quelque temps par le jeune Louis XV

La pyramide du Louvre.

(1719), et le Louvre qui conserve aujourd'hui, avec le jardin de l'Infante, devant la Petite Galerie, le souvenir du voyage de la jeune Marie-Anne d'Espagne qui fut fiancée un temps à Louis XV.

Napoléon Ier, tout en perçant la rue de Rivoli, demande à Percier et à Fontaine d'entreprendre, au nord, la jonction Louvre-Tuileries. Ceux-ci installent, en 1806, au Carrousel, un arc de triomphe qui est un pastiche de celui

de Septime Sévère à Rome : il commémore les victoires de Napoléon en 1805, étant alors surmonté des chevaux de Saint-Marc, rendus à Venise en 1915 et remplacés par un quadrige de Bosio ; les bas-reliefs en marbre figurent la bataille d'Austerlitz par Espercieux, la capitulation d'Ulm par Cartellier, l'entrevue de Tilsitt par Ramey, l'entrée à Munich par Clodion, l'entrée à Vienne par Deseine et la paix de Presbourg par Lesueur.

Mais c'est Napoléon III qui, de 1852 à 1857, confie à Visconti et Lefuel, le soin d'achever le « grand Louvre », d'aménager des cours intérieures pour l'administration ; ils modifient la partie occidentale de la Grande Galerie (1863-1868), ouvrent les guichets et construisent le pavillon de la salle des Etats. En 1871, la Commune brûle une partie des bâtiments donnant sur la rue de Rivoli, et les Tuileries que la République décidera de raser quelques années plus tard. Cette démolition du château des Tuileries laisse ouvert à l'ouest le palais du Louvre, un peu inachevé.

Le décor extérieur

Sylvie Béguin, conservateur en chef honoraire au Louvre et reconnue mondialement comme la spécialiste de l'Ecole de Fontainebleau, a toujours ressenti comme une récompense et un grand bonheur de traverser quotidiennement la cour Carrée pour se rendre à son bureau : qui ne serait saisi par la grâce des sculptures de Jean Goujon et de son atelier, à la partie méridionale de l'aile ouest de cette cour ? La façade y est un modèle d'équilibre que l'on appellera plus tard classicisme : rez-de-chaussée corinthien, étage noble composite, attique surmonté d'un haut toit. Quant aux figures allégoriques, elles résument par leur souplesse, leur allongement, la douceur de leur modelé, tout l'idéal d'élégance de la Renaissance française (vers 1550). Les trois frontons, eux aussi de superbe sculpture, sont consacrés à la guerre, à la paix et à la devise de Henri II : *Donec totum impleat orbem*. Le décor sculpté des trois autres ailes fait plus particulièrement appel au langage ornemental traditionnel. Le long de la Seine, la fenêtre est une reconstitution par Duban (1849) d'après une gravure ancienne. Ensuite, jusqu'au guichet, la façade de la Grande Galerie (1594-1608) de Métezeau se remarque par son rez-de-chaussée à bossage vermiculé et son étage noble rythmé par l'ample alternance des fenêtres et des niches surmontées de frontons ; plus à l'ouest, la continuité de style a été obtenue par

Lefuel (1863). Deux sculptures de Barye ont donné son nom à la porte des Lions. La décoration des façades du XIXᵉ siècle (le « nouveau Louvre ») apparaît moins prestigieuse. Inspirée de celle du XVIIᵉ siècle (colonnes, frontons, statues, etc.), elle comprend, entre autres, de beaux morceaux de Barye aux pavillons Denon et Richelieu. Les curieux s'amuseront de savoir que la façade de l'aile nord donnant sur le Carrousel reproduit l'ordre colossal de la façade sur Seine de Du Cerceau détruite en 1863 par Lefuel.

Le décor intérieur

Le Louvre a été tant habité, tant reconstruit, tant remanié qu'il ne reste, dans son décor intérieur, que quelques témoignages de son histoire. Au rez-de-chaussée, la salle des Cariatides (Pierre Lescot, 1549), qui introduisait à l'appartement de Catherine de Médicis, comporte une tribune soutenue par des cariatides de Jean Goujon (1550) ; en face, le bas-relief est une copie de *La Nymphe de Fontainebleau* de Cellini. Tout le reste du décor est dû à Percier et Fontaine. Tout proche, l'appartement d'été d'Anne d'Autriche date de 1654. Les plafonds sont du grand décorateur italien Romanelli ; c'est Michel Anguier qui a décoré la rotonde de Mars avec des figures de stuc.

L'escalier Daru permet d'accéder, au premier étage, à la galerie d'Apollon, reconstruite après l'incendie de 1661 sous la direction de Le Brun : au centre de la voûte, *Apollon vainqueur du serpent Python* est dû à Delacroix qui fut chargé, en 1850, de compléter le décor de Le Brun (*Diane, Morphée*). Pour trouver quelques éléments de l'ancien appartement du roi, il faut se rendre dans les salles de la Colonnade.

Le musée

(tél. 40.20.50.50.)

L'idée de faire du Louvre un musée remonte au XVIIIᵉ siècle, mais c'est la Convention qui, en 1793, ouvre au public un « Muséum central des arts » qui comprend des antiques, peintures et sculptures provenant des anciennes

Le Louvre.

collections royales et religieuses. Sous l'Empire, le musée Napoléon s'enrichit de prises de guerre, et devient pour une décennie le musée le plus beau qui ait jamais existé. Le XIXᵉ siècle est celui des grandes donations faites aux sept départements qui le composent aujourd'hui. Le Louvre est actuellement en complète réorganisation : si le contenu de ses collections ne change pas, leur disposition va être profondément modifiée durant les travaux d'organisation du « Grand Louvre ».

Antiquités orientales

Ce département a été créé en 1881 et est essentiellement installé au rez-de-chaussée de la moitié nord de la cour Carrée. La prestigieuse civilisation mésopotamienne de Sumer est illustrée par la stèle des *Vautours* (vers 2450 av. J.-C.) ; plus récent, le *Gudéa au vase « aux flots jaillissants »* (vers 2000 av. J.-C.) ; puis des documents et tablettes écrites du IIIᵉ millénaire, provenant de Larsa et Mari ; enfin, le *Code de lois* du roi d'Eshunna Hammurabi (XVIIIᵉ siècle av. J.-C.). Les périodes plus récentes sont représentées par des bronzes animaliers de Luristan, des œuvres antiques iranien-

nes et proche-orientales ou musulmanes (baptistère de saint Louis, Egypte, XIVᵉ siècle). L'art des bâtisseurs de Khorsabad étonnera par sa monumentalité.

Antiquités égyptiennes

Y a-t-il plus prestigieux ensemble archéologique que le département égyptien du Louvre, créé en 1826, mais qui doit tant aux recherches de Champollion, qui découvrit le mystère des hiéroglyphes ? Dans l'angle sud-est de la cour Carrée, au rez-de-chaussée, le *mastaba* (chapelle funéraire) d'Akti-hétep (Vᵉ dynastie) ou le *Scribe accroupi* (Ancien Empire) nous renseignent sur la vie égyptienne avec beaucoup de réalisme ; l'art gracieux du Nouvel Empire est évoqué par le groupe du *Dieu Amon et du roi Toutankhamon*, tandis qu'au premier étage des éléments du serapeum de Memphis introduisent au « musée Charles X », décoré entre 1827 et 1833 dans un style « archéologique » et riche de huit salles, où l'on admirera le superbe *Aménophis IV* (1370-1352 av. J.-C.) offert par l'Egypte en 1972 en remerciement à la France de sa collaboration au sauvetage des monuments de Nubie. De très nombreux objets religieux ou domestiques y permettent de se familiariser avec tous les aspects de la vie et de la religion de l'Egypte antique.

Antiquités grecques et romaines

En 1800, le Louvre abrite un « musée des Antiques », riche des anciennes collections royales. Les sculptures y couvrent les périodes archaïques (*tête Rampin, Héra de Samos*), classique (*Ergastines* de la frise des Panathénées, au Parthénon, *Diadumène, Vénus d'Arles*), ou plus récente (*Victoire de Samothrace, Vénus de Milo* ou *Gladiateur Borghèse*). De même, de très nombreux bronzes (*Apollon de Piombino*, vers 500 av. J.-C.) évoquent les civilisations grecque, étrusque ou romaine jusqu'à l'ensemble d'argenterie découvert à Boscoreale (à côté de Pompéi).

Sculptures

Créé sous la Révolution, le musée des Monuments français est le noyau du département des Sculptures, qui est constitué sous la Restauration. Il est installé aujourd'hui au rez-de-chaussée du corps de bâtiment qui va des guichets au pavillon de Flore. Pièces monumentales du Moyen Age (*Salomon, Reine de Saba* originaire de l'église Notre-Dame de Corbeil, XIIᵉ siècle), provenant de nombreux monuments religieux, en particulier bourguignons (*tombeau de Philippe Pot*, XVᵉ siècle, autrefois à Cîteaux). La Renaissance est magnifiquement représentée tant par deux *Captifs* de Michel-Ange exécutés pour le tombeau de Jules II, vers 1513, que par la *Nymphe* de Benvenuto Cellini ou les bas-reliefs détachés de la *Fontaine des Innocents*, de Jean Goujon. Des XVIIᵉ et XVIIIᵉ siècles, on retiendra le puissant *Milon de Crotone* de Puget (1682), le *Mercure attachant ses talonnières* de Pigalle (1744) et de nombreux bustes.

Objets d'art

Louis XIV avait un cabinet de curiosités. En 1893, on sépara des sculptures les objets qui sont installés dans la galerie d'Apollon et au premier étage nord et est de la cour Carrée. Le « trésor » en est constitué par ce que nous avons conservé d'objets du sacre (couronnes de Louis XV ou de Napoléon Iᵉʳ), des joyaux de la couronne (le diamant *Régent*, le rubis *côte de Bretagne*), des objets du trésor de Saint-Denis (*vase à l'aigle de Suger*, XIIᵉ siècle, *Vierge de Jeanne d'Evreux*, 1339), d'objets médiévaux ou de la Renaissance (*statuette dite de Charlemagne*, IXᵉ siècle ; *Vierge de la Sainte-Chapelle*, XIIIᵉ siècle) et ornements du sacre des rois qui sont autant de témoins de l'histoire de France. Les tapisseries dites « chasses de Maximilien », faïences, céramiques ou émaux (des ateliers de Léonard Limosin ou Bernard Palissy) complètent magnifiquement cette série d'objets anciens. L'époque moderne est particulièrement bien représentée par une série chronologique d'objets et surtout de mobilier provenant des anciennes demeures royales, et qui a été enrichie par de grandes donations (Rothschild, Schlichting, Camondo, etc.).

Peintures

A la suite de François Iᵉʳ, qui avait constitué un « cabinet de tableaux », les rois de France n'ont cessé de commander ou d'acquérir des tableaux. Les œuvres proviennent en particulier des acquisitions de Louis XIV et de l'époque révolutionnaire où furent confisqués les biens de l'Eglise et des émigrés. Portrait de *Jean le Bon, Pietà* de Villeneuve-lès-Avignon, portraits du XVIᵉ siècle, Le Nain, La Tour, Poussin, Claude Lorrain ; Watteau, Chardin, Boucher, Fragonard, David, Gros, Géricault, Delacroix ou Ingres : l'ensemble est si fourni, varié qu'on peut y voir tous les aspects et les chefs-d'œuvre de la peinture française.

L'école italienne y est représentée de façon magnifique avec, en particulier, ses primitifs et l'ensemble d'œuvres de Léonard de Vinci (*La Joconde*), Raphaël (*La Belle Jardinière*), Titien, Véronèse ou Caravage (*La Diseuse de bonne aventure*). L'école espagnole est particulièrement bien, mais peu, représentée avec les œuvres des maî-

Le jardin des Tuileries.

tres du XVIIe siècle (Zurbaran, Murillo, Ribera), mais aussi Goya.

Enfin, les écoles nordiques sont fort riches et belles avec les flamands

Rubens (série de l'*Histoire de Marie de Médicis*, exécutée pour le Luxembourg, la *Reine Mère*, *Hélène Fourment*), Van Dick (*Portrait de Charles Ier*) ou Jordaens, et les Hollandais, peintres du réel et de paysages, parmi lesquels on retiendra évidemment Rembrandt (*Bethsabée*, *Le Bœuf écorché*, *Les Disciples d'Emmaüs*). L'*Autoportrait* de Dürer, les œuvres de Cranach ou Friedrich pour l'école allemande, celles de Turner pour l'anglaise montrent l'infinie variété de ce département, auquel il convient de joindre les pastels du cabinet des Dessins (département autonome) qui présente une exceptionnelle collection des œuvres de La Tour (*Madame de Pompadour*), Perroneau, etc.

Les Tuileries

Le palais des Tuileries fut habité de façon diverse, en partie par Gaston d'Orléans et sa fille, la Grande Mademoiselle, par Louis XIV, Louis XV enfant, Louis XVI à partir du 6 octobre 1789. Les assemblées révolutionnaires y siégèrent. De Napoléon Ier à Napoléon III, les souverains du XIXe siècle y résidèrent tous, rendant ainsi à Paris un brio et une animation oubliés depuis la jeunesse de Louis XIV.

S'il ne reste quasi rien du palais (quelques éléments près du Jeu de paume, d'autres transportés à l'Ecole des beaux-arts et dans les jardins du palais de Chaillot), c'est dû moins à l'incendie de la Commune qui laissa les murs intacts qu'au vote du Parlement qui décida la démolition du monument.

Le **jardin des Tuileries** occupe vingt-cinq hectares, entre le Carrousel et la place de la Concorde, la rue de Rivoli et le quai. Il fut commandé par Catherine de Médicis, constituant « dans la ville, une promenade publique mondaine suivant les données italiennes » (M. Poëte), avec la grotte de Bernard Palissy. Mais c'est à Le Nôtre que l'on doit le tracé actuel de ce jardin à la française (1664). Les deux terrasses qui le bordent au nord et au sud s'épanouissent en d'amples rampes sinueuses devant la place de la Concorde. On s'arrêtera particulièrement à celle du nord (côté du Jeu de paume), qui domine la terrasse des Feuillants (du nom d'un voisin couvent de Bénédictins qui abrita les députés modérés de la Révolution) ; c'est là aussi que se dressait la salle du Manège qui accueillit l'Assemblée nationale dès l'automne 1789, puis les autres assemblées révolutionnaires.

La décoration sculptée du jardin est variée. A la grille occidentale, *Mercure* et *La Renommée* de Coyzevox provenant de Marly (1719) ; autour du bassin octogonal, on trouve huit groupes de Van Cleve et Coustou qui évoquent les grands fleuves et les saisons. Plus à l'est, vers le Louvre, la grande allée et les quinconces sont peuplés de sculptures parmi lesquelles on retiendra *Hippomène* de Coustou, *Atalante* de Le Paultre, *Apollon et Daphné* des frères Coustou.

On s'attardera sur la perspective unique qui va du Carrousel à la Concorde, centrée sur l'obélisque et sur les Champs-Elysées et se poursuivant jusqu'à l'arc de triomphe de l'Etoile.

Le musée
de l'Orangerie
(tél. 42.65.99.48.)

L'orangerie des Tuileries située en bordure de Seine présente dans deux salles du rez-de-chaussée les deux grands panneaux des *Nymphéas* de Claude Monet, réalisés pendant la guerre de 1914 et qui comptent parmi les œuvres les plus importantes de l'artiste.

Après avoir longtemps servi de galeries d'exposition, le bâtiment est consacré à la prestigieuse collection Walter-Guillaume, donnée à l'Etat en 1977 par l'épouse des deux amateurs : Domenica. Constituée par le marchand, Paul Guillaume, et complétée après sa mort par sa veuve et son second mari, l'architecte Jean Walter, cet ensemble compte cent quarante-quatre chefs-d'œuvre de l'école de Paris : Soutine (natures mortes, *Le Petit Pâtissier*, 1922, *Le Poulet plumé*, 1925), Cézanne (*Fruits, serviette et boîte à lait*, 1880, *Madame Cézanne*, 1885, *Dans le parc du château noir*, 1900), Renoir (*Les Fillettes au piano*, 1890, portrait de *Claude Renoir en clown*, 1909), Picasso (*L'Etreinte*, 1903, *Baigneuses*, 1921 et 1923), Derain (*Portrait de Paul Guillaume*, 1919, *Arlequin et Pierrot*, 1924), le Douanier Rousseau (*La Noce*, 1908, *La Carriole du père Junier*, 1910), Utrillo (*La Maison de Berlioz*, 1914), Matisse (*Odalisques*, 1924-1925), Modigliani (*Le Jeune Apprenti*, 1917).

20. Le Palais-Royal

Le quartier du Palais-Royal, situé entre l'Oratoire, le marché Saint-Honoré, la place Gaillon et la Bourse, a son originalité propre : il fait partie du vieux Paris, à l'intérieur de l'enceinte de Louis XIII et, à ce titre, possède quantité de maisons de l'époque classique. Par ailleurs, c'est le premier endroit en venant de l'est à avoir une animation et une activité économique diversifiées, semblables à ce que l'on rencontre dans les quartiers d'affaires comme l'Opéra, et à être ouvert sur ses voisins et non replié sur lui (le Sentier) ou marginal (les Halles). Et l'on y rencontre toutes sortes de gens, hommes d'affaires, intellectuels, artistes, touristes, etc., cependant que l'habitat, la présence ou le voisinage d'établissements culturels importants (Louvre, Bibliothèque nationale, Opéra), tempèrent cet aspect économique. Cette dualité et la position centrale dans la ville confèrent beaucoup de charme à ce secteur.

Le palais Royal

Richelieu premier ministre décidant de s'établir dans une demeure conforme à son rang et proche du Louvre, acquit le vieil hôtel de Rambouillet et, l'ayant fait démolir, chargea Jacques Lemercier de lui construire un palais (1629). A sa mort (1642), il passa au roi et fut habité par la régente Anne d'Autriche qui choisit Simon Vouet pour de nouveaux décors. Après la Fronde, la reine s'installa au Louvre et le palais accueillit Henriette d'Angleterre, veuve de Charles Ier, qui s'était réfugiée en France, et Philippe d'Orléans, frère de Louis XIV, qui épousa sa fille. Le roi s'étant définitivement installé à Versailles, il donna le palais à son frère en 1692. A partir de 1701, ce fut la demeure du futur Régent, qui, par sa

---

Au Palais-Royal

« M. Corcellet peut se flatter d'avoir la plus belle boutique de comestibles qui soit au Palais-Royal. Elle termine la galerie des Bons-Enfants, dont la colonnade sert en quelque sorte de péristyle à ce temple de Comus. Toutes les faces en sont à jour, et c'est à travers de superbes carreaux de verre de Bohême qu'on aperçoit, rangé avec autant de goût que de symétrie, tout ce qui peut émouvoir les désirs de l'homme le plus blasé sur la bonne chère.

« Chaque morceau, élégamment étiqueté, vous apprend son origine. [...]

« Les restaurants sont aussi multipliés au Palais-Royal que les limonadiers, et peut-être davantage. M. Robert, l'un des plus anciens, et ci-devant cuisinier de Mgr l'archevêque d'Aix, passe encore pour le meilleur et le plus savant. On nomme après lui M. Véry, M. Nauder et les frères Provenceaux, si renommés pour les ragoûts à l'ail et leurs excellentes brandades de merluches.

« Dirons-nous un mot du célèbre fabricant de gaufres à la flamande, M. Van Roosmalen, dit La Rose, qui, depuis vingt ans, ne cesse de les faire excellentes, et qui, malgré la hausse successive de tous leurs principes constituants, a eu la délicatesse de ne point les augmenter de prix ni diminuer de volume ? Mais nous nous ferions un véritable scrupule de quitter le Palais-Royal, sans entrer dans le magasin de M. Berthellemot. C'est la plus belle boutique de confiseur qu'il y ait à Paris, à beaucoup d'égards la meilleure, et très certainement la plus chère. »

(Grimod de la Reynière, Almanach des gourmands, 1803-1810.)

liberté de pensée et de mœurs, rendit l'endroit célèbre et particulièrement brillant. En 1752, son petit-fils, le futur Philippe Egalité, hérita des lieux et y fit faire de grands travaux par Contant d'Ivry. Mais l'incendie de l'opéra du palais, en 1763, détruisit l'aile droite et força à la reconstruire, ainsi qu'une bonne partie du logis principal (côté jardin), achevé seulement au XIXᵉ siècle par Louis et Fontaine, tandis que Moreau-Desproux élevait la façade sur rue. Couvert de dettes, le duc chargea Victor Louis, architecte du théâtre de Bordeaux, d'élever tout autour du jardin soixante pavillons uniformes, destinés à la location, dont le rez-de-chaussée devait abriter des boutiques (1781-1784). Le succès de cette opération fut rapide et le site jouissant de franchises fut revivifié par l'arrivée de commerces, de cafés, de tripots, de magasins de frivolités, de salons de jeux et de restaurants, qui firent de l'endroit le lieu des rencontres, des discussions et des plaisirs par excellence, favorable aux débats d'idées : c'est ici que démarra la Révolution.

Quand, en 1785, la nouvelle salle de spectacle brûla, Victor Louis fut chargé de bâtir la salle du Théâtre-Français et le théâtre du Palais-Royal. Lieu actif et à la mode sous la Révolution, il le resta sous l'Empire et de nombreux officiers des Armées alliées (1814) perdirent de fortes sommes dans les maisons de jeux. Trait particulièrement significatif du caractère privilégié et de la richesse de la clientèle, le Palais-Royal fut jusqu'à la fin du XIXᵉ siècle le quartier général des joailliers. Louis-Philippe ayant récupéré son bien, Fontaine reçut la mission de le remettre en état : il suréleva le corps principal, acheva l'aile Montpensier, surtout, éleva la galerie d'Orléans, vaste portique entre le jardin et la cour d'honneur, qui relie les ailes entre elles (reconstruites par Fontaine). Toutefois, à la demande de la reine, il chassa toutes les activités douteuses, ce qui amorça le déclin de l'endroit.

En 1848, le palais fut incendié. Remis en état par Jérôme Bonaparte, il connut des heures brillantes sous le second Empire et, à nouveau, le feu

en 1871. Restauré, il abrita la Cour des comptes (1871-1910) et le Conseil d'Etat (depuis 1875), dont les locaux du quai d'Orsay avaient entièrement brûlé. Actuellement, outre cette juridiction qui occupe le bâtiment central, figurent le Conseil constitutionnel, dans l'aile Montpensier, et le ministère de la Culture, dans l'aile Valois. Depuis 1985-1986, la cour d'honneur a été réaménagée et on y a installé les *Colonnes* de Buren (objet de vives polémiques), associées à une animation hydraulique. Les seuls vestiges visibles du palais de Lemercier se trouvent dans la cour d'honneur, où l'aile Valois présente, en sa partie inférieure, des motifs marins (ancres et proues), allusion aux fonctions de ministre de la Marine exercées par Richelieu.

Le **Théâtre-Français**, à l'angle de la place André-Malraux et de la place Colette, bâti par Victor Louis (1786), a été reconstruit plusieurs fois, notamment après l'incendie de 1900. C'est ici que siège, depuis 1799, la troupe de la Comédie-Française, fondée en 1680 et réorganisée par le décret de Moscou (1812). Les locaux sont riches de statues des auteurs et artistes, comme le *Voltaire assis* par Houdon, *Piron* par Caffieri, *Victor Hugo* par Dalou ou *Dumas fils* par Carpeaux.

La **place André-Malraux** est le point de départ de la large et monumentale avenue de l'Opéra, unique artère « mo-

---

Musée des Arts de la mode

Ouvert en 1986, ce musée réunit les collections de costumes des arts décoratifs et celles de l'Union française des arts du costume, soit plus de dix mille costumes et trente mille vêtements, de la Renaissance à nos jours, parmi lesquels figurent de nombreuses créations de Poiret, Madeleine Vionnet, Schiaparelli, Lanvin, Cardin, etc.

Musée des Arts de la mode
109, rue de Rivoli
Tél. 42.60.32.14.

Sculptures de Pol Bury, devant la colonnade du Palais-Royal.

derne » à traverser ce quartier et à être une grande voie commerçante.

La **rue Saint-Honoré**, reliant le Palais-Royal à la porte Saint-Honoré, n'a rien de luxueux et on y trouve des commerces d'alimentation et des boutiques variées.

L'**église Saint-Roch** (n° 296) a succédé, à partir de 1653, à une chapelle du XVIe siècle. Lemercier en donna les plans, mais, faute d'argent, les travaux furent interrompus jusqu'en 1705. La générosité du nouveau converti, John Law (1719), permit d'achever la nef et les voûtes. En 1735 seulement, Robert de Cotte entreprit la façade, sobre mais élégante, avec sa superposition de colonnes doriques et corinthiennes. La particularité de cet édifice est d'avoir, dans une atmosphère théâtrale, trois chapelles au-delà du chœur, dont les deux premières, cir-

Musée des Arts décoratifs

Bracelet et bague
de Jean Fouquet, 1937.

En 1863, l'Union centrale des beaux-arts appliqués à l'industrie fut créée avec le concours des industriels pour « entretenir en France la culture des arts qui poursuivent la réalisation du beau dans l'utile ». Peu après apparut le musée des Arts décoratifs qui se proposait de présenter, à titre de modèle, les chefs-d'œuvre du passé, depuis le Moyen Age. Les deux organismes, qui avaient fusionné en 1882, formèrent, en 1905, l'Union centrale des arts décoratifs, association privée, largement financée par l'Etat, qui regroupe, de nos jours, les musées Camondo, de la Publicité et de la Mode, ainsi que les écoles des arts décoratifs et de Camondo.

L'essentiel des collections provient de donations toujours plus nombreuses, et la présentation chronologique des œuvres permet de retracer l'évolution du cadre de vie depuis plusieurs siècles.

Le deuxième étage est consacré au Moyen Age et à la Renaissance et se signale en particulier par des tapisseries d'Arras (XVe siècle) figurant la vie courtoise, ou des bûcherons dans une forêt, et l'amour sacré, l'amour profane (France,

début XVIe siècle). Outre de nombreux coffres abondamment sculptés, on remarquera le panneau de la Vierge à l'Enfant de Van Eyck, provenant de la chartreuse de Champmol, ainsi que le retable de saint Jean-Baptiste du Catalan Louis Borassa.

Le troisième étage présente un panorama très riche des XVIIe et XVIIIe siècles : faïences (Rouen, Moustier, etc.), mobilier de Jean Macié, Boulle, Crescent, cependant que la période Louis XV offre une vaste collection de bronzes, de porcelaines (Meissen), de faïences et surtout de meubles, sans oublier la peinture décorative.

Au quatrième étage, sur le jardin, se poursuit la présentation de cette époque avec l'orfèvrerie (Guérin, Germain, etc.) et la porcelaine française (Rouen, Saint-Cloud, Chantilly, Mennecy, Vincennes, Sèvres, etc.). Plusieurs salles offrent ensuite des reconstitutions d'intérieurs parisiens de la fin du XVIIIe siècle avec mobilier (tableaux, pendules, sculptures, bronze) et aussi un important ensemble de terres cuites et d'objets variés (tabatières, bijoux, etc.).

Au même étage, du côté de la rue de Rivoli, on a regroupé, dans le même esprit, les œuvres du XIXe siècle et l'on y trouve aussi bien le néo-classique que le style Empire et ses motifs égyptiens, ou les pastiches Renaissance et gothiques de l'époque Louis-Philippe, tandis que l'orfèvrerie est représentée par des réalisations éblouissantes de Froment-Meurice, Biennais ou Odiot. Ces nouvelles tendances trouvèrent leur épanouissement sous le second Empire avec les meilleurs artistes (Carpeaux, Christofle, Dalou, etc.).

Le premier étage, enfin, est consacré au XXe siècle : l'Art nouveau, évoqué par des œuvres et des mobiliers dus à Guimard, Gallé, Majorelle, Charpentier, ainsi que des objets de verre et de métal ; l'Art déco, avec,

●●●

culaires, sont emboîtées l'une dans l'autre. Paroisse de personnages importants, l'église est riche en épitaphes et monuments funéraires (Corneille et Bossuet) : à droite, buste de François de Créqui par Coyzevox (vers 1695), monuments du cardinal Dubois par Coustou, de Maupertuis par d'Huez (1766), de Charles de Créqui par Mazeline et Hurtrelle.

Dans le transept, *Le Miracle des Ardents* par Doyen est à son emplacement d'origine. La chapelle de la Vierge, de forme elliptique par Jules Hardouin-Mansart, est ornée à la coupole d'une *Assomption* par J.-B. Pierre (1756), tandis qu'à l'autel, le groupe de *La Nativité* par Michel Anguier provient du Val-de-Grâce. Dans le transept gauche, il ne reste du monument de Le Nôtre que son buste par Coyzevox et une épitaphe ; de même, pour le tombeau de Mignard par J.-B. II Lemoyne (1744), dans la troisième chapelle à gauche ; autour des fonts baptismaux enfin (1845), les peintures de Chassériau représentent saint Philippe et saint François-Xavier en train de baptiser. A la coupole du transept, *Le Triomphe du Christ* est de Roger (1860). La chaire, enfin, est un beau morceau de sculpture baroque avec *Le Génie de la Vérité qui soulève le voile de l'Erreur*. Le buffet d'orgue (1751) et l'orgue furent, dès le XVIIIᵉ siècle, considérés comme particulièrement beaux ; restauré et entretenu, il donne lieu à de nombreux concerts.

---

notamment, les appartements privés de Jeanne Lanvin par Armand Rateau (1920-1922) et des objets et des bijoux de même style (Puiforçat, Marinot, Lalique, Cartier, Fouquet, etc.).
La donation Dubuffet, entrée en 1977, réunit des œuvres de toutes sortes qui constituent une belle vue d'ensemble sur les recherches de l'artiste de 1942 à 1967.

Musée des Arts décoratifs
107, rue de Rivoli
Tél. 42.60.32.14.

L'hôtel Saint-James-d'Albany (n° 211) occupe l'ancien hôtel construit en 1687 pour Henri Pussort et passé aux Noailles au début du XVIIIᵉ siècle : c'est ici que La Fayette épousa une Noailles et vécut jusqu'en 1784. Les constructions anciennes subsistent au fond de la cour, et l'on peut voir la façade sur le jardin du bar de l'hôtel (6, rue du 29-Juillet).

La **place du Marché-Saint-Honoré**, ouverte en 1807, remplace le couvent des Jacobins, devenu si célèbre à la Révolution. Cette place constitue un monde à part dans le quartier avec son marché construit récemment, ses très bons produits, ses fromages odoriférants, ses nombreux restaurants fréquentés par les hommes d'affaires.

Par la **rue Danièle-Casanova**, à droite, où l'on trouve de nombreuses demeures du XVIIIᵉ siècle (au n° 22 mourut Stendhal, n° 15, hôtel de Coigny, n° 3 édifié par Chalgrin) et après avoir traversé l'avenue de l'Opéra, on atteint la **rue Gaillon** et le grand hôtel de Flavigny (n° 3-5) et celui du financier Boutin (n° 10), fondateur de la folie Boutin, parc d'attractions qui comportait plusieurs pavillons, rue Saint-Lazare. Au n° 12, Jacques Hermant réalisa, en 1913, un très intéressant immeuble aux structures de fonte où seul le portail et son décor d'écusson et de guirlande est en pierre.

La **place Gaillon** est célèbre par les actualités littéraires et l'attribution du prix Goncourt au restaurant Drouant, chaque année au mois de novembre. A l'écart de l'agitation des Grands Boulevards, elle constitue un cadre idéal pour les restaurants et sa fontaine, par Visconti, ornée d'un dauphin chevauchant un triton, y contribue largement (1828).

Rue Saint-Augustin, le passage Choiseul situé au n° 23, fut ouvert en 1825. Son entrée est l'ancien portail de l'hôtel de Boisfranc, trésorier du duc d'Orléans (fin XVIIᵉ siècle), par Lepautre (1655). Le jeune éditeur Alphonse Lemerre, qui habitait au n° 23 (librairie Percepied), y lança les Parnassiens (Leconte de Lisle, Coppée, Sully Prudhomme, Verlaine). Céline y passa son enfance et décrit l'endroit dans *Mort à crédit*.

La **rue des Moulins**, ouverte en 1624, conserve de beaux hôtels du XVIIIe siècle (n° 3, 4, 5, 8) et le baron d'Holbach habita au n° 9 de 1755 à 1788.

La **rue Sainte-Anne** est également très riche en belles constructions : l'hôtel de Sérincourt (n° 34) présente une façade du XVIIIe siècle très bien équilibrée ; c'est ici que Jeanne Bécu y épousa Guillaume du Barry en 1768. L'hôtel de Lulli (n° 47, et 45, rue des Petits-Champs) fut construit en 1671 par Gittard et offre une belle ordonnance de pilastres composites, un décor d'instruments de musique et des masques de satyres. Enfin, au n° 46 mourut Bossuet en 1704.

La **rue Chabanais**, ouverte en 1775, ne comporte guère que des maisons du XVIIIe siècle. Parmi les personnages qui y vécurent, on note Chamfort, qui habita au n° 10 et tenta de s'y suicider (1793), et le général Pichegru qui fut arrêté au n° 11, lors du complot de Cadoudal (1804). Le n° 12 fut une très célèbre maison de rendez-vous jusqu'à sa fermeture en 1947.

La **rue Louvois** fut créée en 1784, à l'emplacement de l'hôtel du marquis de Louvois. Brongniart y éleva le théâtre Louvois (n° 6) que ferma Napoléon en 1808, et qui fut démoli en 1899.

Le **square Louvois** occupe l'emplacement du théâtre de l'Opéra, créé en 1792 par Mlle de Montansier. L'État en fit l'acquisition en 1795 et il devint alors l'Opéra. C'est ici que l'anarchiste Louvel assassina le duc de Berry en 1820. Au milieu du square, la fontaine dessinée par Visconti (1844) présente les symboles des fleuves (Seine, Loire, Garonne, Saône), réalisés par Klagmann.

La Bibliothèque nationale
(58, rue de Richelieu
tél. 47.03.81.26.)

De 1635 à 1641, Jean Thiriot, qui travailla, par ailleurs, pour Richelieu, éleva pour le président aux Comptes, Duret de Chevry, un hôtel brique et pierre dont Mazarin fit l'acquisition en 1649. L'édifice étant trop petit pour contenir ses collections, il fit construire par François Mansart (1644-1645), une aile dans le jardin occupée par deux belles galeries superposées : au rez-

---

Cabinet des Médailles et Antiques

C'est la collection personnelle de monnaies, bijoux, antiques des rois de France. Philippe Auguste commença à réunir des pièces et François Ier organisa de manière systématique la collection, mettant, en particulier, l'accent sur les objets de l'Antiquité. Louis XIV y porta le goût que l'on sait, acquit un grand nombre de pièces, à commencer par la collection de son oncle, Gaston d'Orléans, et installa son cabinet d'Antiques à Versailles, où il resta jusqu'en 1741. La Révolution en fit un bien national et l'augmenta des trésors de certains établissements religieux, comme la Sainte-Chapelle et Saint-Denis, auxquels sont venus s'ajouter, depuis, des dons et legs d'importances variées.

Parmi les objets les plus célèbres, on retiendra l'amphore du peintre Amasis, figurant Dionysos et Athéna (540 av. J.-C.), la coupe en sardonix des Ptolémée de l'époque hellénistique, le camée de la Sainte-Chapelle, également en sardonix, orné de deux scènes avec l'empereur Tibère et son fils, Germanicus (Ier siècle), la coupe en cristal de roche du roi de Chosroes, décorée de son triomphe (époque sassanide), le trésor de Childéric, père de Clovis, découvert au XVIIe siècle, le trône de Dagobert, modifié au Moyen Age, l'épée du roi Maure Boabdil, le camée du grand Moghol Shah Djahan (XVIIe siècle), sans compter les monnaies et médailles de toutes les époques et les meubles servant à les renfermer.

Cabinet des Médailles et Antiques 58, rue de Richelieu Tél. 47.03.81.26.

de-chaussée, la galerie Mansart décorée de camaïeux, de grisailles et de stucs par Grimaldi contenait les collections du cardinal. Elle a souffert de l'aménagement du cabinet des Estampes au XIXe siècle. A l'étage, la somptueuse galerie Mazarine, où se trouvait sa bibliothèque, a conservé son décor : plafond par Romanelli, sur des thèmes mythologiques, et embrasures de fenêtres et niches peintes de paysages par Grimaldi.

Mazarin compléta son installation par la construction de l'hôtel dit de Nevers (n° 58 bis, rue de Richelieu) car son neveu, le duc de Nevers, en hérita. Ce dernier en vendit la partie nord-est à Colbert qui ouvrit, en 1683, la rue Colbert. Cette partie de l'hôtel fut occupée par la marquise de Lambert de 1710 à 1733, qui y tint un salon fort brillant.

Après la mort de Mazarin, Colbert fit transporter dans ses hôtels de la rue de Vivienne la bibliothèque du roi (1666), qui s'enrichit considérablement avec celles de Gaston d'Orléans, de Fouquet, du duc de Marolles, ainsi que des neuf cents manuscrits des frères Dupuis. La partie de l'hôtel de Nevers en bordure de la rue de Richelieu, occupée par Law, fut acquise par le Régent pour y installer la bibliothèque royale en 1724. Robert de Cotte créa deux galeries dans le prolongement de celles de Mansart, puis son fils éleva l'aile nord de la cour d'honneur, où l'on installa le cabinet des Médailles et des Antiques.

A la suite des considérables apports révolutionnaires (environ trois cent mille volumes) provenant de séquestres, ces collections se trouvèrent très à l'étroit et il fallut attendre la grande campagne de travaux menée par Labrouste (1857-1873) pour permettre à cette institution de fonctionner harmonieusement pendant près d'un siècle : il refit les bâtiments en bordure de la rue de Richelieu, les magasins, et surtout aménagea la grande salle de lecture (1863), célèbre par ses coupoles de céramique, ses structures métalliques, qui furent parmi les premières après celles de la bibliothèque

Sainte-Geneviève. Après 1881, on éleva les bâtiments situés à l'angle des rues Colbert et Vivienne, si bien que les seules parties anciennes, visibles extérieurement, sont la façade au fond de la cour d'honneur et les constructions brique et pierre des rues Vivienne et des Petits-Champs.

Les collections de la Bibliothèque nationale ont pour origine la « librairie » formée par Charles V dans la tour du Louvre, qui comprenait déjà près de mille volumes en 1373. Vendue au duc de Bedford après la disparition de Charles VI, elle fut dispersée en Angleterre, mais Louis XII et François Ier, amateurs éclairés, la reconstituèrent à Blois, puis à Fontainebleau. Elle s'enrichit aussi considérablement grâce à l'acquisition de manuscrits orientaux, grecs et latins et surtout au dépôt légal, institué en 1537. Avec Charles IX, la bibliothèque retrouva définitivement Paris, où elle continua de s'accroître, notamment par l'entrée des huit cents manuscrits de Catherine de Médicis.

La bibliothèque est divisée en départements. Outre celui des imprimés, riche en incunables et qui s'accroît annuellement des quarante mille ouvrages du dépôt légal, le département des manuscrits ne conserve pas seulement les ouvrages antérieurs à l'imprimerie, mais aussi les papiers et correspondances d'hommes politiques (Colbert), d'écrivains (Roger Martin du Gard, Proust, etc.). Le cabinet des Estampes, fondé en 1667, comprend, outre les gravures, les affiches, photographies, cartes postales et images diverses, également soumises au dépôt légal. Le département des cartes et plans est le plus riche du monde en cartes anciennes. Le département des médailles, des monnaies et des antiques, ancienne collection personnelle du roi, s'est considérablement développé à la Révolution, par les séquestres religieux ; il s'accroît aussi par le dépôt légal. Plus récemment ont été créés des départements destinés aux nouveaux supports culturels : audiovisuel, photographie, arts du spectacle, phonothèque.

La vitrine d'un magasin de mode sur la place des Victoires.

La **rue Vivienne** longe les parties les plus anciennes de la Bibliothèque nationale, en particulier l'aile Mansart, construite en brique et pierre, bien que tardivement, pour être en harmonie avec les bâtiments préexistants. Le côté des numéros pairs conserve plusieurs hôtels du XVIIIᵉ siècle, en cours de restauration : au n° 20, l'hôtel Payen reconstruit vers 1715 par Boffrand ; au n° 18, l'hôtel du financier Castelan, dû à Jacques Bruant (vers 1660), frère de l'architecte de la Salpêtrière et des Invalides ; il appartint ultérieurement au contrôleur des finances Desmarets, neveu de Colbert, de 1675 à 1710. Le n° 6 abrita la bibliothèque du roi de 1666 à 1724 et fut le

siège de l'Académie des sciences, de 1666 à 1699, date où elle s'installa au Louvre.

La galerie Colbert (n° 6) fut ouverte en 1826 et connut un très réel succès pour sa rotonde et ses jolies boutiques. Elle vient d'être restaurée à l'identique et son décor pompéien a retrouvé tout son éclat. Galerie à l'usage de la Bibliothèque nationale, on y trouve non seulement une boutique et le Grand Café Colbert, très « 1900 », mais aussi un auditorium, une bibliothèque pour enfants, le musée des Arts du spectacle et le musée Charles-Cros qui présentent des maquettes et des costumes, ainsi que des appareils de musique qui font partie des collections de la Phonothèque nationale.

Rue des Petits-Champs, la galerie Vivienne (n° 4) date de 1823 et conserve une belle animation avec des commerces de prêt-à-porter et un salon de thé. Son décor de nymphes et de déesses en fait l'un des passages les plus agréables de Paris. Vidocq, le fameux bagnard devenu policier qui publia ses *Mémoires* en 1828, habitait vers 1840 au n° 13.

L'**église Notre-Dame-des-Victoires**, place des Petits-Pères, ouvre sur une place vieillotte et provinciale, dont les anciennes devantures ne manquent pas d'intérêt. C'est l'ancienne église du couvent des Augustins déchaussés qui fut démoli en 1859. Le sanctuaire fut fondé par Louis XIII, à la suite d'un vœu qu'il aurait fait au cours du siège victorieux de La Rochelle, d'où son nom. Les architectes se succédèrent sur le chantier pendant plus d'un siècle (1629-1740) : Le Muet, à qui l'on doit le chœur (1629-1632), Bruant pour le transept et le début de la nef (1642-1666), enfin, Cartault (1737-1740). Cette église est le siège de l'archiconfrérie à la Vierge qui regroupe vingt et un mille confréries dans le monde.

Depuis 1836, elle est un lieu de pèlerinage et les ex-voto qui tapissent les murs (plus de trente mille) le prouvent amplement. Outre le buffet d'orgue qui est l'un des plus beaux de Paris, on note le tombeau de Lulli par Collignon et, dans le chœur, sept tableaux commandés à Carle Van Loo, toujours en

---

La fontaine Molière

Une souscription nationale permit, en 1844, d'installer à l'emplacement d'une statue de Richelieu détruite en 1830, ce monument à la gloire du comédien. Il mourut effectivement tout près, au n° 40, au sortir de la quatrième représentation du Malade imaginaire. Visconti conçut une fontaine traditionnelle, adossée à un mur et à un angle de rue, comme, par exemple, Boucherat l'avait fait pour la fontaine de la rue de Turenne, ou comme Davioud le fit par la suite, place Saint-Michel (1860).

Molière, par Seurre, est représenté assis, entouré des allégories de la comédie sérieuse et de la comédie légère, par Pradier.

La place des Victoires.

place : *Le Baptême de saint Augustin* (1755), *Le Sacre de saint Augustin* (1754), *La Mort de saint Augustin* (1748), *Le Vœu de Louis XIII au siège de La Rochelle* (1746), *La Translation des reliques de saint Augustin* (1748), *La Dispute de saint Augustin contre les donatistes* (1753), *La Prédication de saint Augustin* (1755).

La **place des Victoires** doit son origine au caractère courtisan du maréchal de la Feuillade qui, après le traité de Nimègue (1678), voulut manifester au roi son admiration et son attachement en construisant, à ses frais, une place décorée de la royale effigie. Jules Hardouin-Mansart réalisa, à partir de 1685, une place en arc de cercle appuyé sur une base rectiligne qui comportait trois ouvertures, de manière à ce qu'elles se trouvent en face d'un corps de bâtiment. L'élévation consistait en un soubassement décoré d'arcades à refends et des pilastres colossaux. Desjardins fit la statue : le roi, vêtu du manteau du sacre et couronné par la Victoire, reposait sur un piédestal supporté par quatre prisonniers enchaînés. De plus, des fanaux devaient brûler jour et nuit, comme dans un lieu de culte. A la Révolution, la statue disparut, mais le soubassement fut sauvegardé et est installé dans le parc de Sceaux. En 1822, Bosio réalisa la statue actuellement en place. Lors de l'ouverture de la rue Etienne-Marcel (1883), on défigura complètement la place : elle cessa d'être un lieu clos et fut traversée de part en part, ce qui constitue un reniement des conceptions et des critères esthétiques de Mansart.

La place des Victoires et les rues avoisinantes sont devenues, depuis quelques années, un endroit qui compte dans la mode parisienne : ici, ce sont surtout des petites maisons qui misent sur la créativité, l'imagination et l'habillement des jeunes.

La **rue des Petits-Champs**, très animée et bruyante, est un axe qui relie le Marais à l'Opéra. Elle est de plus en plus envahie par les boutiques de mode et de prêt-à-porter qui débordent

---

Cafés du Palais-Royal sous l'Empire

« Dans l'enceinte de ce Palais, on remarque tout d'abord le café de Foy, renommé pour ses bonnes glaces et ses sorbets. Là se réunit ordinairement la bonne société, au sortir du Théâtre-Français et de celui de la Montansier, mais on n'y voit que très rarement des dames. Les autres cafés sont celui de Chartres, celui de la Rotonde, avec un pavillon dans le jardin, où, en été, on va prendre le frais du soir ; celui du Corraza, où l'on peut lire les journaux étrangers ; enfin le café des Mille Colonnes orné d'une quantité de glaces et de jolies colonnes.

« Dans les caves des galeries du Palais, il faut citer avant tout le café du Caveau, dit du Sauvage, sous le café de la Rotonde ; il comprend deux grandes salles, qui, dès le matin jusque vers les sept heures du soir, sont occupées par un restaurateur. [...] Le restaurateur disparu, un limonadier prend sa place ; une musique aiguë et discordante, accompagnée d'un tambour de basque, s'y établit, de même qu'un homme, auquel le maître du café paye six livres par séance pour jouer le sauvage, qui se place dans une sorte de grotte fermée par des décorations en bois, et entourée de trois ou quatre timbales, qu'il frappe d'une telle force faisant des grimaces, des sauts et des bonds pour amuser les habitués. [...]

« Le café des Aveugles, non loin de celui du Sauvage, est installé de même sous terre. Son nom lui vient de l'orchestre complet, composé exclusivement d'aveugles formés aux Quinze-Vingts, qui y sont tous les soirs. [...]

« C'est aussi dans ce café que résident Mmes Angot, nom célèbre dans toutes les pièces facétieuses qu'on donne à Paris pour amuser la population. Ce sont deux grosses marchandes de bouquets, qui vont présenter des fleurs aux godiches pour leurs belles et qu'elles font payer plus ou moins cher. [...]

« Le café ou caveau des Variétés, sous la galerie vitrée, n'est pas moins remarquable. [...]

« La société qui fréquente ce café est fort mêlée ; elle n'est composée ordinairement que de petits bourgeois, d'ouvriers, de soldats, de domestiques et de femmes à grands bonnets ronds et à gros jupons de laine. On n'y joue que des vaudevilles en un acte, de manière à pouvoir renouveler le public. »

(Lettres de Paris de 1806 à 1807.)

de la place des Victoires. Cette nouvelle orientation se fait au détriment des commerces traditionnels. Au n° 4, à l'angle de la rue Vivienne, se dresse la monumentale façade de l'hôtel Duret de Chevry, par Thiriot (1639) qui est occupé par la Bibliothèque nationale.

Avec la **rue de Beaujolais**, on entre dans la mouvance et l'atmosphère bien particulière du Palais-Royal, avec sa population de comédiens, d'hommes de lettres, d'artistes, ses restaurants et ses galeries.

et que l'on vit sur scène des comédiennes comme Hortense Schneider ou Déjazet.

Le **jardin** et les **galeries du Palais-Royal** furent, à n'en pas douter, l'opération immobilière la plus réussie de la fin du XVIIIe siècle. Elle se doubla d'un succès durable du point de vue économique (près de quarante-cinq cafés et restaurants, vingt salles de jeux, vingt-cinq bijoutiers, des horlogers, des libraires, etc.) et culturel (mode, confrontation d'idées, rôle politique, etc.). Depuis le XIXe siècle,

La rue de Rivoli.

Le **théâtre du Palais-Royal**, 38, rue de Montpensier, fit partie de la vaste opération immobilière du duc d'Orléans, sur les jardins de son palais. Construit par Louis, il fut inauguré en 1784 et, après avoir été un spectacle de marionnettes, il devint un véritable théâtre, lorsque Mlle de Montansier y arriva en 1790. Son sens politique et son habileté lui permirent de traverser la Révolution sans trop de dommages. Le succès des spectacles portant ombrage à la Comédie-Française, les activités théâtrales cessèrent et, au début de la Restauration, on y installa un café-concert. La salle, reconstruite en 1831, connut à nouveau un très grand succès lorsqu'on y joua Labiche

l'endroit est très recherché des écrivains pour son charme et son calme (Colette vécut près de vingt ans au n° 9 de la rue de Beaujolais) et les galeries sont un peu ensommeillées, avec des boutiques d'antiquités : décorations militaires et autres, livres, objets d'art, cependant que quelques galeries contemporaines proposent des lithographies. Si les cafés et restaurants sont beaucoup moins nombreux que jadis, certains établissements ont une réputation bien établie, tandis que d'autres s'installent. Ce vaste jardin, enfin, qui hébergea des kiosques et des attractions, comme ce fameux « camp des Tartares », à l'emplacement de la galerie d'Orléans,

La galerie Vero-Dodat.

n'est plus livré qu'aux promeneurs, aux enfants et aux rêveries des flâneurs.

La **galerie de Beaujolais** abrite le Grand Véfour, seul restaurant qui date de la création des galeries (1784). Il a conservé ses décors Directoire pleins de charme. Ce fut d'abord un café royaliste, qui devint vite un célèbre restaurant, attirant le Tout-Paris : Murat, le duc d'Orléans, le duc de Berry, Lamartine, Sainte-Beuve, Thiers, etc. Après une passe médiocre, il est depuis la Libération l'une des meilleures tables de Paris. Non loin de là, au Véry, Fragonard, qui habitait rue de Beaujolais, fut frappé d'apoplexie en mangeant un sorbet en 1806.

La **galerie Montpensier**, à l'ouest, la plus animée, comprenait quantité de cafés et de restaurants sous la Révolution, en particulier le café Foy, cher

à Camille Desmoulins qui haranguait la foule (n° 7-12), ou le Corazza, point de ralliement des Girondins. On y trouvait aussi des spectacles comme celui des Fantoches par les Fantocci, ou celui des sultanes turques de Zeller. Cette galerie est occupée par des magasins de curiosités diverses (philatélie, masques, décorations, boîtes, etc.) et par deux restaurants qui, aux beaux jours, empiètent délicieusement sur le jardin.

La **galerie de Valois**, qui comptait aussi un grand nombre de cafés et le fameux restaurant Beauvilliers, est peu animée et en partie occupée par le ministère de la Culture. Elle compte un graveur héraldiste, Guillaumont, installé en 1761 place du Palais-Royal, puis galerie Montpensier en 1784, ici, enfin, depuis quelques années.

Rue de Valois, l'ancien hôtel d'Armagnac (n° 6-8) présente un très beau balcon supporté par des têtes de lion (fin du XVIIe siècle) ; c'est ici que siégea l'Académie française jusqu'en 1643.

La **place de Valois**, ancienne cour des communs du palais, forme un ensemble harmonieux qui conserve les offices élevés par Cartaud en 1750.

Place du Palais-Royal, les deux immeubles de l'hôtel du Louvre et du Louvre des Antiquaires, servent de transition entre l'architecture impériale, froide et stricte de la rue de Rivoli et la façade harmonieuse du palais Royal par Moreau-Desproux.

Le **Louvre des Antiquaires** (n° 2) occupe les grands magasins du Louvre, fondés par Chauchard, dont les décors n'ont pu être sauvés. L'immeuble est occupé sur trois niveaux par des galeries qui regroupent près de deux cents magasins d'antiquités aux spécialités variées.

Le **temple de l'Oratoire** (143, rue Saint-Honoré) est l'ancienne chapelle des Oratoriens, commencée par Métezeau et achevée par Lemercier. Ce fut un grand centre de prédication où s'illustrèrent Bossuet, Massillon, Bourdaloue... Depuis 1811, l'édifice est affecté au culte réformé. La façade n'est que du XVIIIe siècle, mais l'intérieur conserve un plafond peint par Vouet.

La galerie Vero-Dodat

Elle fut ouverte en 1826 par les charcutiers Vero et Dodat et connut un vif succès pour son décor raffiné : plafond peint, devantures de bois agrémentées de bronze, carrelage soigné et éclairage au gaz. Toujours en place, elle aurait sérieusement besoin d'un bon nettoyage, mais c'est la plus jolie de cette époque.

Galerie Vero-Dodat
19, rue Jean-Jacques-Rousseau
et 2, rue du Bouloi.

21. L'Opéra

Le quartier de l'Opéra se définit moins par sa géographie que comme étant, de longue date, celui des affaires et, autrefois, celui du commerce de luxe. Situé essentiellement à l'extérieur du rempart de Louis XIII, il est d'une création relativement récente (trois cents ans) et a donc pu se faire avec plus de liberté et de cohérence que s'il avait dû subir les contraintes d'espaces limités et de voies préexistantes. Certes l'édification du secteur compris à l'intérieur du rempart (boulevards de la Madeleine-des Italiens), bien engagée dès le XVIIe siècle, était parachevée au début du siècle suivant. L'aménagement d'une promenade à la place du rempart et la décision, en 1720, de créer, à la Chaussée-d'Antin, un nouveau quartier sont à l'origine de la situation actuelle. Découvrant de vastes terrains, l'aristocratie et le monde des affaires se font construire, surtout après 1760, de luxueuses folies par quelques architectes particulièrement à la mode : Bélanger, Ledoux, Brongniart, Cellérier ou Aubert... La plupart de ces demeures ont disparu. Ces nouveaux propriétaires représentent le Tout-Paris d'alors : banquiers (Necker au 7, rue de la Chaussée-d'Antin ; Mme Thélusson au 30, rue de Provence), aristocrates (le duc d'Orléans au 47-57, rue de Provence), Mme de Montesson au 40, rue de la Chaussée-d'Antin), parlementaires (Hocquart de Montfermeil, 66, rue de la Chaussée-d'Antin), danseuses (Mlle Dervieux, 44, rue de la Victoire) ou femmes entretenues par de riches protecteurs. Cette brillante société voit la naissance de salons dont certains sont très renommés (Mme Thélusson, Mlle Guimard, Talma) : autant dire que, sous la Révolution, les sentiments royalistes se maintiennent dans le quartier ! et dès 1794, le très royaliste Club de Clichy fonctionne ouvertement, jusqu'au coup d'Etat manqué de Pichegru (1797).

Le XIXe siècle apporte de profonds changements au quartier : peu à peu, les folies disparaissent, remplacées par des immeubles de rapport. Sous Louis-Philippe, le boulevard s'humanise, se peuplant de cafés et de boutiques avec, déjà, une différence marquée entre l'ouest et l'est, plus populaire : le café joue alors un rôle social important et devient le lieu de rencontre privilégié des écrivains, artistes, hommes politiques... Le boulevard des Italiens en compte alors un grand nombre : le café Riche fondé à la fin du XVIIIe siècle, transformé en restaurant gastronomique en 1865, puis refait par Ballu en 1894 (n° 16, à l'angle de la rue Le Peletier) ; le café Hardy (1814-1839), remplacé par la Maison dorée, qui doit son nom au décor de ses balcons (n° 20) ; le glacier Velloni (1798) à qui succède son commis Tortoni (1804) qui fait de cet établissement l'endroit le plus élégant du boulevard réunissant lions et dandys jusque dans les années 1890 (n° 22) ; le café Dangest (n° 1), fondé en 1798 et appelé café Cardinal depuis 1830, en souvenir du cardinal de Richelieu ; la maison du Grand Balcon (n° 11) où le Salon des Italiens, cercle fondé en 1770, céda la place au café Chrétien

La coupole du Printemps.

295

sous la Révolution, au restaurant Nicolle, puis au Cadran d'Or sous l'Empire et la Restauration, enfin, au café du Grand Balcon (1836) ; de même, le n° 13 vit s'installer en 1794 le limonadier Lepetit auquel succéda en 1817 le fameux café Anglais de Paul Chevreuil, fréquenté par toutes les célébrités parisiennes et étrangères. C'est également sur ce boulevard que naît, en 1834, à l'angle de la rue du Helder, le Jockey-Club, destiné à l'amélioration de la race chevaline (il émigre un temps à l'angle de la rue Drouot, avant de revenir à l'angle du boulevard des Capucines et de la rue Scribe).

Ce quartier fut celui de toutes les innovations ; on y installa des gymnases à caractère médical : Bains chinois (1792-1853) comprenant également un restaurant et un café, Néothermes (56, rue de la Victoire), salle de la rue de Provence (n° 78), salle du Docteur-Vernier (33, rue Joubert) où apparut le mot kinésithérapie vers 1870. Il en fut de même pour les grands magasins : la Maison du blanc par Meunier (1864, 6, boulevard des Capucines), le Printemps par Jaluzot (1865, 64, boulevard Haussmann) puis les Galeries Lafayette (1895, 40, boulevard Haussmann). Mais ce qui caractérise surtout cet endroit fut l'installation massive de grands établissements financiers (banques, assurances) qui parsemèrent le quartier d'immeubles majestueux, voire somptueux, souvent sévères, afin d'affirmer leur lustre sérieux (Crédit lyonnais, 1867-1878, 6, boulevard des Capucines ; Crédit industriel et commercial, 66, rue de la Victoire). Enfin, on ne peut qu'être frappé par la dimension festive et artistique de toute cette zone ; ainsi, le commerce d'art se tenait presque exclusivement rue Laffitte (on y comptait vingt galeries en 1913), et dès avant 1850. On y relève en particulier les noms célèbres de Brame (n° 2), Bernheim (n° 9), Durand-Ruel chez qui se fit en 1876 la deuxième exposition impressionniste (Pissarro, Monet, Renoir, etc., n° 16), le père Martin qui, avant même 1870, achetait les œuvres de Pissarro (n° 52) ou Ambroise Vollard qui exposa Corot, Courbet, Boudin, Degas,

recherca les œuvres de Cézanne et fit, en 1901, la première exposition Picasso (n° 6).

Mais le spectacle n'a-t-il pas été encore plus important pour ce quartier où l'on s'amusa tant depuis le second Empire jusqu'en 1914 ? Abandonné en 1820 à la suite de l'assassinat du duc de Berry, l'Opéra de la rue de Richelieu fut remplacé par une salle provisoire, due à Debret, rue Le Peletier (n° 12), qui devait disparaître dans les flammes (1873) ; l'Opéra Garnier destiné à le remplacer et mis en chantier en 1860 fut inauguré en 1875 en présence de la reine d'Espagne et de son fils. A côté de ces salles officielles pullulèrent des salles plus modestes : de 1869 à 1925, le Vaudeville (par Magne, boulevard des Capucines) où Bizet créa L'Arlésienne (1872) et Réjane, Madame Sans-Gêne (1893) ; depuis 1877, le théâtre des Nouveautés (n° 28, boulevard des Italiens), successeur du théâtre des Fantaisies parisiennes (1865-1869) et des Fantaisies Oller (1874-1877) qui fut démoli lors de l'ouverture de la rue des Italiens (1911) et s'installa définitivement, en 1924, au 24, boulevard Poissonnière ; de 1876 à 1895, l'Eden-Théâtre (7, rue Boudreau), où débuta Cécile Sorel, repris en 1888 par le prestidigitateur Georges Méliès qui, en 1897, y projeta ses premiers films ; depuis 1900, le théâtre des Mathurins (36, rue des Mathurins) qui connut avec la compagnie Pitoëff (1927-1939) d'immenses succès dans les pièces de Shaw, Tchekhov, Ibsen... et, tout voisin, depuis 1908, le théâtre Michel (n° 38).

La variété de ces facettes fait que le quartier présente bien des contrastes, et le promeneur sent toute la différence qu'il peut y avoir entre les majestueuses façades haussmanniennes des boulevards, des grandes artères (rues Tronchet, Lafayette, avenue de l'Opéra) ou des voies qui cernent l'Opéra d'une part et, de l'autre, l'habitat vieillot et louis-philippard ou les maisons de rapport des rues de Provence ou de la Victoire. De même, la présence de boutiques élégantes laisse pressentir la proximité du fau-

Le passage Jouffroy. ▶

bourg Saint-Honoré, tandis que leur absence se remarque à l'est de la rue de la Chaussée-d'Antin ou boulevard Haussmann, même si les grands magasins ont des espaces réservés au prêt-à-porter des maisons de haute couture.

Boulevard Montmartre

Riche en cinémas et restaurants, ce boulevard a connu un très grand succès au XIXᵉ siècle avec des cafés comme celui de Madrid (n° 6), si animé lorsqu'il était fréquenté par Gambetta ou Vallès, ou des théâtres comme celui des Variétés (n° 7) où l'on joua Offenbach sous le second Empire et, bien sûr, le célèbre passage des Panoramas (n° 11) : créé en 1800

L'hôtel Drouot.

par un Américain, celui-ci doit son nom aux vues panoramiques présentées à ses extrémités jusqu'en 1831, et son succès à ses boutiques, ses restaurants et la sortie des artistes du théâtre des Variétés ; il a conservé son décor original et, au n° 47, la boutique du graveur Stern (1840).

Ouvert en 1882, le **musée Grévin** (n° 10, tél. 47.70.85.05.) présente, à l'aide de personnages en cire, l'actualité (Reagan, Alain Prost, etc.) et l'histoire de France (baignoire de Marat). En 1900, on lui adjoint le théâtre (façade surmontée d'un bas-relief de Bourdelle : *Les Nuées* et, à l'intérieur, rideau de pierrots et danseuses de Chéret) puis, en 1906, le palais des Mirages (salle de glaces, hexagonale, qui permet au spectateur de voir une infinité de salles).

Le **passage Jouffroy** (n°12), ouvert en 1845, est une galerie marchande qui,

dans sa seconde partie, est spécialisée dans les livres, estampes, cartes postales et objets de collection, dont le commerce est également assuré dans le passage Verdeau, créé à la même époque, au-delà de la rue de la Grange-Batelière (n° 6).

Rue de la Grange-Batelière (n° 10), l'hôtel, dit à tort de Novilos, fut le cadre d'un très brillant cercle romantique (Hugo, Vigny, Musset, Arago, Sainte-Beuve) et sa façade décorée de guirlandes est un bel exemple de l'architecture Louis XVI.

La **rue Drouot** se signale, ainsi que les rues avoisinantes, par sa spécialisation philatélique. Aux n° 9-11, l'hôtel des Ventes, dit hôtel Drouot, installé depuis 1851, a été reconstruit par A. Biro et J. Fernier (1975-1980) : une fontaine à gros blocs rocheux biseautés en harmonie avec certains éléments de la façade, y joue le rôle de signal. L'immeuble inclut une crèche et le tribunal d'instance (n° 11). L'hôtel comprend seize salles de vente : touristes et habitués en ont fait l'un des lieux les plus fréquentés de la capitale, se promenant d'une salle à l'autre parmi les commissaires-priseurs, les experts, les curieux et les collectionneurs.

Au n° 6, l'hôtel du fermier général d'Augny dû au théoricien C.-E. Briseux (vers 1750) était une demeure somptueuse, avec des sculptures de Pinon, des peintures de Boucher, Pierre, Huilliot. Sous l'Empire, il fut occupé par une manufacture de tabac ;

La rue des Colonnes

On y accède par la rue de la Bourse, ouverte en 1833, dans l'axe du monument. Elle fut créée en 1798, à l'emplacement d'un passage né en 1791 pour faciliter l'accès au théâtre Feydeau. Même si elles ont subi quelques modifications, les façades dessinées par Poyet subsistent, pour l'essentiel, avec leurs colonnes doriques sans base, leurs arcades sculptées et terminées par des palmettes, constituant, ainsi, l'une des rares ordonnances de style Directoire à Paris.

La Bourse

Après la banqueroute de Law (1720) qui avait révélé les dangers de l'agiotage, on limita la négociation en public des titres de papier aux seuls agents de change, puis, en 1724, on organisa officiellement leur profession et l'on créa la Bourse. Elle siégea successivement rue Vivienne, au Louvre, au Palais-Royal, dans Notre-Dame-des-Victoires, avant de s'installer définitivement, en 1826, dans le palais Brongniart.

En 1806, Napoléon en fixa le programme : « Mon intention est de faire construire une Bourse qui réponde à la grandeur de la capitale et au nombre d'affaires qui doivent s'y faire un jour... Proposez-moi un local convenable. Il faut qu'il soit vaste, afin d'avoir des promenades autour. Je voudrais un emplacement isolé. »

Brongniart, à partir de 1808, éleva à l'emplacement du couvent des Filles Saint-Thomas, un édifice rectangulaire entouré d'un péristyle : le rez-de-chaussée devait accueillir la Bourse, l'étage éclairé par une verrière, le tribunal de commerce. D'où les figures du Commerce (Dumont, 1852), de la Justice (Duret, 1851), à la façade principale et, à l'autre, de l'Agriculture et de l'Industrie (Seurre et Pradier, 1851). En dépit du départ du tribunal de commerce à la fin du second Empire, l'édifice devint rapidement insuffisant et l'on lui adjoignit, vers 1905, les deux ailes nord et sud. Si, à l'intérieur, l'informatisation des opérations a entraîné la récente disparition de la « corbeille », au pourtour du plafond subsistent les décors peints de Meynier et Pujol (1826).

il passa ensuite au marquis espagnol Aguado, ancien aide de camp du maréchal Soult, banquier, mécène (il fut le protecteur de Rossini) et collectionneur de tableaux. La ville l'acquit en 1849 pour y installer la mairie d'arrondissement, tandis qu'on ouvrait le passage Jouffroy sur une partie de son jardin. **Rue de Richelieu**, aux n° 87-89, le groupe des Assurances générales de France a récemment réédifié son siège social ; l'immeuble présente trois façades de structure identique signalées par des œuvres d'art : rue de Richelieu, une fontaine où l'illusion d'une boule de verre est donnée par les jets d'eau ; rue Saint-Marc, une sculpture de J. de Jékel, *La Fontaine* (1974) et, rue Favart, un bronze de L. Drivier, *Eve*, émergeant d'un tapis de lierre ; en contrebas de la rue Favart, trois petits jardins éclairent une cantine installée en sous-sol.

L'**Opéra-Comique** (5, rue Favart et place Boieldieu), ou salle Favart, tire son nom du célèbre directeur de l'Opéra-Comique du XVIIIe siècle ; il est installé à l'emplacement de l'ancien hôtel de Choiseul. Il fut plusieurs fois victime de l'incendie (1838, 1887) et l'édifice actuel, par Bernier, fut inauguré en 1898. Sa façade abondamment sculptée par Peynot, Allar et Michel, présente les attributs de circonstance : *La Musique* par Puech et *La Poésie* par Guilbert. Les grilles sont de Christofle. Le décor du foyer correspond bien à la légèreté du genre : *La Foire Saint-Laurent* par Gervex, *Les Noces de Jeannette* par Maignan, etc.

Ouvertes en 1780, lors du lotissement de l'hôtel de Choiseul, les rues Grétry, Favart et Marivaux ont conservé leur belle unité architecturale avec leur élévation à arcatures et refends.

Rue du 4-Septembre (n° 16) se dresse le monumental siège social du Crédit lyonnais, édifié boulevard des Italiens (n° 17-23) à partir de 1878, par B. Van der Boijen, à l'emplacement de l'hôtel de Boufflers, puis agrandi rues du 4-Septembre et de Gramont par Narjoux et Laloux, jusqu'en 1913. C'est un véritable temple de l'argent avec une façade abondamment mais sobrement décorée et un grand escalier qui se poursuit dans le vestibule resté intact : plafond à caissons, colonnes corinthiennes, fenêtres latérales à colonnettes dorées, panneaux de marbre, initiales de l'institution dans des couronnes de feuilles de chêne... Une grande verrière éclaire le hall qui a conservé ses structures métalliques et l'escalier qui conduit au sous-sol, dont la ferronnerie est ornée de feuilles de chêne. Après avoir traversé l'établissement, on débouche dans les locaux de l'entrée principale, boulevard des Italiens (n° 19) tout aussi préservés : grand escalier central avec plafond à caissons et balustres de pierre, éclairé par une verrière, hall éclairé par deux grandes verrières, rotonde centrale et vestibule. A la façade sur le boulevard, les lions, insigne de l'établissement, soutiennent le grand balcon.

Boulevard des Italiens, les n° 14-20 sont le siège de la Banque nationale de Paris, fusion du Comptoir national d'escompte de Paris (14, rue Bergère) et de la Banque nationale pour le commerce et l'industrie. Le n° 14 fut édifié lors de l'achèvement du boulevard Haussmann par Julien et Duha en 1927 ; la banque occupa l'emplacement du café Riche (fermé en 1906), l'entrée se faisant par l'angle de la rue Le Peletier. En 1932-1933, Marrast et Letrosne élevèrent un nouveau bâtiment (n° 16-18) en harmonie avec le n° 14 : Subes réalisa les portes des deux immeubles. Au n° 20, l'intérieur de la Maison dorée a disparu, mais l'extérieur a été préservé, conservant les balcons originaux de V. Lemaire (1840). Le boulevard des Italiens et celui des Capucines n'ont pas perdu leur animation d'antan ; même si la clientèle n'y est plus aussi « chic », restaurants et cinémas restent tard ouverts toute l'année.

Rue de la Chaussée-d'Antin, à l'angle du boulevard des Capucines (n° 2), le cinéma Paramount, installé dans les locaux du théâtre du Vaudeville (1927) a conservé l'essentiel de la décoration d'origine. Cette rue qui fut un modèle d'élégance et de mode au XVIIIe siècle ne garde que peu de vestiges de cette époque, en raison des aménagements des abords de l'Opéra. Le n° 10 a conservé une belle façade de la Restauration. Les n° 18-22 sont trois hôtels construits par Lakanal (1795), modifiés depuis : en 1977, on y a trouvé vingt et une têtes sculptées qui ont été identifiées comme celles des rois de Juda provenant de la façade de Notre-Dame que le frère du chimiste, royaliste convaincu, avait récupérées, sous la Révolution, à la décharge ; elles sont exposées au musée de Cluny.

L'Opéra-Comique.

Boulevard Haussmann, aux n° 27-31, siège, depuis 1912, la Société générale, dans un complexe construit en 1871 par Hittorff et Rohault de Fleury lors de l'aménagement du quartier de l'Opéra. Hermant y effectua des travaux d'amélioration (1906-1912), modifiant la partie inférieure de la façade et son programme décoratif. A l'intérieur, son intervention fut considérable : il évida la totalité de l'édifice, le transformant en un immense hall trapézoïdal coiffé d'une coupole de verre à structure métallique avec, en angle, un monumental escalier. La base de la coupole est marquée par une frise très ouvragée, de style Art nouveau (par Roescher) qui fait la transition avec la partie inférieure de la salle, elle-même luxueusement décorée de marbre et de mosaïque polychrome (par Bourdet-Gentil) ; toute la partie centrale est occupée par un vaste guichet circulaire, contrairement à la coutume française qui place les guichets à la périphérie des salles.

L'Opéra

La construction de l'Opéra fut décidée à la suite de l'attentat manqué contre Napoléon III, à la sortie de la salle Le Peletier (1858). Charles Garnier remporta le concours organisé en 1861.

Les indispensables consolidations du sous-sol allongèrent considérablement la durée des travaux, et l'inauguration n'eut lieu qu'au début de 1875. C'est le bâtiment qui, par excellence, caractérise le style que Garnier qualifia de « Napoléon III », riche, luxueux, surchargé, composite tant à l'extérieur qu'à l'intérieur.

Extérieurement, la polychromie fait partie du décor, et la sculpture y tient une place importante : sur le perron, *La Danse* de Carpeaux, abîmée par la pollution, a été remplacée par une copie de Belmondo ; au sommet du dôme, l'*Apollon élevant sa lyre* est de Millet ; des bustes de musiciens chapeautent les sept baies. A l'intérieur, très fonctionnel, Garnier a réalisé une salle d'excellente acoustique, avec scène à l'italienne dotée d'une machinerie exceptionnelle pour le temps. Si la salle ne dispose que de 2 131 places, c'est à cause de l'importance de l'espace réservé aux annexes et au confort des spectateurs : escalier monumental et foyer pour parader et tenir salon. Dans l'escalier, la polychromie des marbres vert et rouge, ainsi que les peintures de Pils à la voûte, jouent un rôle essentiel, complétées par les torchères de Carrier-Belleuse. Salon du Tout-Paris, le foyer est décoré de peintures de Paul Baudry, fermé à ses extrémités de cheminées à cariatides ; au milieu figure le buste de Garnier par Carpeaux. Dans les salons secondaires, de plan octogonal, les décors peints sont de Barrias (à l'ouest) et de Delaunay (à l'est). La salle, enfin, a un décor exhubérant, avec polychromie, ors et sculptures à profusion. Le plafond d'origine (par Lenepveu) sur le thème des heures du jour et de la nuit, est caché par celui de Chagall (1964) organisé sur le thème de neuf opéras et ballets célèbres : *La Flûte enchantée* (Mozart), *Tristan et Isolde* (Wagner), *Roméo et Juliette* (Berlioz), *Daphnis et Chloé* (Ravel), *L'Oiseau de feu* (Stravinski), *Le Lac des cygnes* (Tchaïkovski), *Boris Godounov* (Moussorgski) et *Gisèle* (Adam). La scène peut accueillir quatre cent cinquante personnes et com-

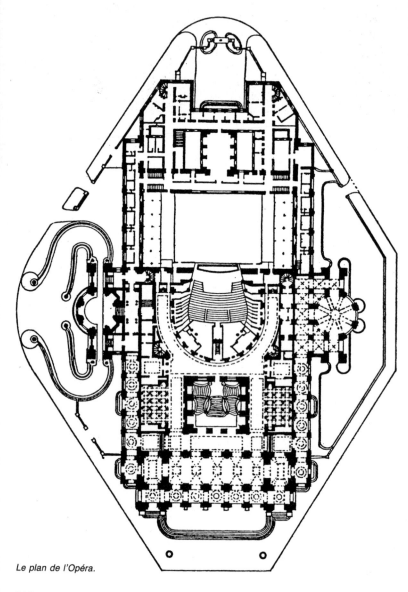

Le plan de l'Opéra.

Le grand escalier de l'Opéra.

munique avec le foyer de la danse décoré des peintures de Boulanger.

L'Opéra de Paris est la plus grande salle ancienne de spectacle au monde : 172 mètres sur 101 et 79 mètres de haut. C'est une véritable entreprise d'un millier de personnes qui, en 1974, créa 2 400 costumes, cependant que les ateliers réalisent en moyenne 38 500 mètres carrés de décor, avec treize tonnes de peinture et autant de plâtre. Il a abrité, jusqu'à ces temps derniers, l'Ecole nationale de danse (celle des « petits rats » si magnifiquement célébrée par Degas), aujourd'hui installée à Nanterre.

A côté de l'Opéra, la bibliothèque-musée (tél. 47.42.07.02.) possède un fonds très riche sur l'histoire du théâtre lyrique ainsi que des dessins et maquettes de décors de spectacles et de costumes. Ils doivent prochainement être installés dans les locaux de l'Opéra de la Bastille.

Rue Scribe, au n° 9, le musée de la parfumerie Fragonard présente, dans un hôtel du second Empire de style Louis XVI, des collections relatives à l'histoire de la fabrication du parfum (Antiquité, XVIIe et XVIIIe siècles). On notera, en particulier, le nécessaire de voyage offert par le duc de Berry à son épouse morganatique Anny Brown.

La **place de l'Opéra** fait partie du complexe contemporain de la salle destiné à la dégager pour la mettre en valeur et coupant en deux le boulevard des Capucines. C'est l'un des endroits les plus fréquentés de Paris, passage forcé dans bien des cas. C'est une étoile à six branches, dont les deux plus importantes sont le boulevard des Capucines, préexistant au théâtre, et l'avenue de l'Opéra, ouverte à cette occasion pour donner une vue perspective au théâtre et assurer une liaison rapide entre ce dernier et les Tuileries, devenues résidence impériale.

Le **Grand Hôtel** (n° 5 ou 12, boulevard des Capucines) fut conçu par Armand en 1861, avec sept cents chambres et soixante-dix salons destinés aux visiteurs de l'Exposition universelle de 1867. Si la façade était en harmonie avec les constructions entourant l'Opéra, l'intérieur fut décoré par Cavelier, Ferrand et Millet pour la sculpture, Oury et Rousseau pour la peinture, Hardouin et Benier pour les ornements, tandis que Garnier réalisait le grand salon : le tout dans un style éclectique, riche à souhait, où abonde l'or.

Entourée d'une colonnade corinthienne, la cour est couverte par une verrière tout comme la salle à manger. En 1862, l'hôtel Scribe, dont le rez-de-chaussée abritait le Grand Café, fusionna avec le Grand Hôtel. L'année suivante, le café de la Paix fut inauguré et allait devenir rapidement le rendez-vous des écrivains et des artistes : Wilde, Caruso, Valéry, Gide, Renard, Lucien Guitry, etc.

L'**avenue de l'Opéra** est, sans doute, l'une des artères les plus célèbres de Paris, occupée, pour une large part, par des agences de voyages, des boutiques de mode et d'accessoires, des parfumeries, des boutiques d'objets détaxés. Elle aboutit à la place du Théâtre-Français. Sa principale originalité est d'avoir été tracée au mépris du tissu urbain préexistant, sans s'y intégrer, ni modifier, de part et d'autre, les rues affluentes qui conservent, intact, leur aspect ancien.

Le **boulevard des Capucines**, à l'ouest, est une voie très passante, bordée de boutiques élégantes, mais qui ne connaît pas sur ses trottoirs l'animation, voire la bousculade de l'autre partie du boulevard à l'est de la place, ou de l'avenue de l'Opéra.

Le **musée Cognacq-Jay** (n° 25), en travaux, présente les collections réunies par les fondateurs de la Samaritaine, Ernest Cognacq et Louise Jay, sa femme, léguées à la ville de Paris. Souhaitant éduquer et cultiver leur clientèle, ils achetèrent en 1923 cet immeuble mitoyen de la Samaritaine de luxe, ouvrirent une communication sur le magasin, et y installèrent leurs collections qui furent ainsi visibles de tous. C'est un ensemble de belles pièces du XVIIIe siècle qui comprend du mobilier (paire de commodes de Carlin, boiseries, bergères de Tilliard), des objets d'art (boîtes à mouches, néces-

saires de toilette), des porcelaines de Saxe (Meissen) et de nombreuses peintures : portraits de *La Présidente de Rieux* par Latour, de *Marie Leszczyńska* par Nattier ; *Perrette et le pot au lait*, par Fragonard ; *Diane au bain* par Boucher ; natures mortes de Chardin ; *Balaam et son âne*, œuvre de jeunesse de Rembrandt, etc.). Prochainement, ce musée doit être réinstallé dans l'hôtel de Donon, dans le Marais (n° 8, rue Elzévir).

Ouverte en 1911, la **rue Edouard-VII** se signale par une grande unité avec ses arcades, ses bas-reliefs sur le thème des arts libéraux. Les sombres boiseries des devantures confèrent un ton anglais au square qui porte le même nom, et dont le centre est occupé par une statue d'Edouard VII par Falguière qui fait face au théâtre Edouard-VII, devenu Edouard-VII-Sacha-Guitry en 1985, lors du centenaire de la naissance de l'homme de lettres. Un peu plus loin, le **square de l'Opéra-Louis-Jouvet** fut aménagé en 1896, en remplacement de l'Eden-Théâtre. Le théâtre de l'Athénée a accolé son nom à celui de Louis Jouvet, son directeur à partir de 1934, dès la disparition de l'acteur au sortir de la scène en 1951.

La **rue Caumartin**, ouverte vers 1770, comprend beaucoup de maisons anciennes (n° 6, 10, 11). Au n° 25, la comédie Caumartin est consacrée au théâtre de boulevard. Au n° 8, Stendhal écrivit, en 1839, *La Chartreuse de Parme*, en un temps très court. Le n° 2 bis fut reconstruit en 1865 par Grapillard pour l'éditeur de musique Chaudens, qui fit poser à la façade trois bas-reliefs à thème musical.

Boulevard des Capucines, au n° 28, l'Olympia fut aménagé en 1893 par Oller, en remplacement des « Montagnes russes ». La salle était « une Olympe vue à travers la lorgnette d'H. Crémieux, H. Meilhac et L. Halévy : quatre cents mètres carrés d'Offenbach à l'aquarelle ». Ce nouveau « music-hall » (le terme naquit alors) eut pour vedettes Liane de Pougy, Loïe Fuller, Emilienne d'Alençon, la Belle Otero.

Théâtres les plus anciens

Durant tout le XIXe siècle, l'Opéra, centre des affaires, n'en fut pas moins celui des distractions et des salles de spectacle. L'est de la porte Saint-Martin et le boulevard du Temple avaient vu s'établir quantité de salles plus ou moins éphémères à la fin de l'Ancien Régime (théâtre Nicolet, 1759, Opéra de la porte Saint-Martin, 1781) ou plus tard (1842, le théâtre qui prit le nom de Déjazet en 1859), au pont de faire surnommer l'endroit : « boulevard du Crime ». Mais le quartier de l'Opéra attira un grand nombre de salles qui, pour la plupart, changèrent de nom selon les troupes qu'elles hébergeaient.

— L'Opéra-Comique, rues Saint-Marc et de Grétry, construit en 1781, eut un temps Favart pour directeur ; il connut deux incendies (1838 et 1887 qui fit quatre cents victimes), et compta parmi ses nombreuses créations : Carmen de Bizet (1875), Louise de Charpentier (1900), Pelléas et Mélisande de Debussy (1902).

— Le théâtre Feydeau, construit en rotonde en 1789, disparut lors de l'ouverture de la rue de la Bourse en 1829.

— Le Vaudeville qui, de 1792 à 1840, avait siégé rue Saint-Thomas-du-Louvre, près de l'actuel Carrousel, s'installa place de la Bourse, à l'emplacement de la rue du 4-Septembre, dans les locaux du théâtre des Nouveautés jusqu'en 1868 ; à cette date il s'établit définitivement boulevard des Capucins.

— Le premier Opéra fut élevé rue de Richelieu en 1792 par Louis, l'architecte des salles du Palais-Royal, à la demande de Mlle Montansier ; il connut une belle carrière (Gossec, Méhul, etc.) jusqu'à l'assassinat du duc de Berry, en 1820, lors d'une représentation. En représailles, l'édifice fut démoli, remplacé par le square Louvois et l'on édifia pour l'Opéra une nouvelle salle, rue Le Pelletier, qui, elle aussi, connut le succès (Rossini, Meyerbeer, Donizetti, etc.) puis le sort des flammes (1873).

— Le théâtre des Variétés fut créé en 1807, boulevard Montmartre par Mlle Montansier qui avait été dépossédée, sous la Révolution, de son théâtre de la rue de Richelieu. Cette salle eut constamment la faveur du public et présenta aussi bien Kean d'Alexandre Dumas avec Frédérick Lemaître, que La Vie de bohème de Murger, les opéras d'Offenbach (La Belle Hélène, Barbe Bleue, La Grande Duchesse de Gerolstein avec Hortense Schneider), les œuvres de Robert de Flers et des artistes tels que Jeanne Granier, Réjane, Galipaux ou Fugère.

— Les Bouffes-Parisiens, rue Monsigny, furent créés en 1826 et rénovés en 1855 par les soins d'Offenbach qui en fit le complément de ses Bouffes-Parisiens du carré Marigny. Alors cette salle connut son heure de gloire et plus tard, entre les deux guerres, une renaissance avec Phi-Phi de Willemetz et Christiné et bien d'autres opérettes où s'illustrèrent Maurice Chevalier, Jean Gabin, Arletty, Yvonne Printemps, Pierre Fresnay.

— La salle Ventadour, rue Marsolier, fut construite également en 1826 pour l'Opéra-Comique et, après des fortunes diverses, connut le succès avec l'arrivée de la troupe des Italiens (1841) qui joua Bellini, Verdi, Rossini. La guerre interrompit cette période faste et le théâtre inoccupé accueillit la troupe de l'Opéra Le Pelletier après l'incendie, de 1873 à 1878, époque où il fut concédé au Comptoir d'escompte puis à la Banque de France.

Rue de Sèze, au n° 2, l'hôtel Marin-Deshayes, est dû à Aubert (1781), qui éleva également rue Caumartin les n° 2, 4 et 6. Sa particularité tient au traitement, original pour l'époque, de l'angle en rotonde qui était décoré, jusqu'en 1908, de statues de femmes. De plus, à l'origine, le toit se terminait en terrasse par un jardin à l'anglaise, avec des fabriques chinoises, pyramides, fausses ruines et une rivière enjambée de ponts et alimentant la salle de bains. Ce luxueux jardin a malheureusement été détruit pour surélever l'immeuble.

Ouverte en 1824, la **rue Tronchet** conserve aux n° 2 et 5 de beaux spécimens contemporains de la création de l'élégant quartier de la Madeleine. Au n° 7, Duban réalisa pour le comte de Pourtalès (1836) une étonnante façade inspirée de la Renaissance française, tandis que les fines colonnes des arcades de la cour intérieure évoquent davantage la Renaissance italienne. Le décor intérieur aux boiseries somptueuses, dans un style Louis XII, fut vendu en 1865 et de nombreux éléments figurent aujourd'hui dans la collection Wallace ou au Victoria and Albert Museum (Londres).

Square Louis-XVI, la chapelle expiatoire, havre de paix quelque peu étranger au quartier, a été édifiée à la demande de Louis XVIII par Fontaine (1815-1826), à l'emplacement du cimetière de la Madeleine de La Ville-l'Evêque, dans lequel avaient été ensevelies trois mille victimes de la Révolution : outre les souverains, Charlotte Corday, Mme du Barry, Mme Elisabeth, Mme Roland, Desmoulins, Lavoisier, etc. En 1815, les restes de Louis XVI et de Marie-Antoinette ont été transférés à Saint-Denis. L'édifice se présente comme un temple antique précédé d'un péristyle. De part et d'autre, le jardin est bordé d'« un enchaînement de tombeaux », selon l'expression de Chateaubriand. Dans la chapelle, figurent deux groupes sculptés : à droite, *Louis XVI soutenu par un ange* ayant les traits de son dernier confesseur, l'abbé Edgeworth, avec son testament gravé sur le socle (par Bosio) ; à gauche, *Marie-Antoinette agenouillée aux pieds de la Religion* sous les traits de Mme Elisabeth, avec la lettre qu'elle lui adressa le jour de sa mort (16 octobre 1793), gravée sur le piédestal par Cortot.

La **gare Saint-Lazare** fut inaugurée en 1842, puis agrandie sur la rue de Rome en 1864. Devenue trop petite, elle dut être reconstruite, et J. Litsch réalisa une immense galerie ouverte sur deux cours bien distinctes (Rome pour le départ, Le Havre pour l'arrivée). En bordure de la rue Saint-Lazare, l'hôtel Terminus fut achevé pour l'Exposition universelle de 1889. L'architecture de pierre, avec son décor réduit au minimum, fait de cette gare la moins luxueuse de Paris. Depuis 1985, des sculptures d'Arman apportent un peu d'humour et de fantaisie à cette façade bien banale : cour de Rome, *Consigne à vie* qui est une accumulation de valises et, cour du Havre, *L'Heure de tous*, échafaudage d'horloges indiquant toutes les heures.

Rue Saint-Lazare, au n° 113, la brasserie Mollard a conservé intact son décor de panneaux de céramique achevé pour l'Exposition de 1900 avec, notamment, au fond, une Alsacienne et une Lorraine (1895) et, au milieu, deux vues de Trouville et de Ville-d'Avray.

Les **rues du Havre** et **de Rome** servent de prolongement aux rues Tronchet et Aubert, assurant la liaison entre la gare Saint-Lazare et la banlieue ouest d'une part et, de l'autre, les places de la Madeleine et de l'Opéra ; elles sont donc très fréquentées, étant, de surcroît, bordées de magasins qui ne peuvent rivaliser avec ceux de la rue Tronchet, mais qui figurent en bonne place.

Boulevard Haussmann, le Printemps (n° 64) fut fondé en 1865 par Jules Jaluzot. L'immeuble actuel construit en 1889 par P. Sédille a remplacé le magasin primitif détruit par un incendie en 1882. Carrier-Belleuse fut, en particulier, chargé des sculptures de la rotonde, dont les coupoles étaient ornées de mosaïques Art nouveau. Le nouveau magasin (1907-1912), dû à R. Binet, doubla la capacité de vente et fut conçu en harmonie avec le précédent. Détruit par un incendie, il fut reconstruit à l'identique par Wylo (1921-1924). Les décors intérieurs ont disparu ; il ne reste que les façades dont l'aspect sur le boulevard est fâcheusement altéré par une récente surélévation.

La **rue Caumartin** est une rue piétonnière, particulièrement vivante et animée, avec de petits magasins et des petits commerçants installés à même le trottoir. Au n° 69, le passage du Havre, ouvert en 1846, est une galerie couverte dont les innombrables boutiques de prêt-à-porter ou de modélisme sont très fréquentées ; il aboutit à la non moins commerçante rue du Havre.

L'**église Saint-Louis-d'Antin** (n° 65) occupe l'emplacement du couvent des Capucins élevé par Brongniart (1780-1782). Séquestré à la Révolution, le bâtiment fut transformé un temps en hospice puis, à la suite du Concordat (1802), il fut rendu au culte et le couvent affecté à l'un des quatre lycées parisiens (1804) qui prit le nom de Condorcet en 1870. Celui-ci compte parmi ses anciens élèves quantité de célébrités : les Goncourt, Ampère, Nadar, Verlaine, Mallarmé, Morny, Haussmann, Proust, entre autres. Tandis que le cloître (cour d'honneur du lycée) bien conservé se signale par l'utilisation du dorique sans base de Paestum, cher aux architectes néo-

La verrière des Galeries Lafayette.

classiques, le jardin en partie détruit par l'ouverture de la rue du Havre (1845) a été amputé par la construction, en bordure de celle-ci, d'un grand bâtiment (1882, par Lecœur). La façade sur rue n'a pas subi de modification et est l'un des plus beaux exemples d'architecture conventuelle néoclassique, par sa simplicité et la pureté de ses lignes : le bâtiment central orné de refends et d'une porte flanquée de colonnes doriques est encadré de deux pavillons coiffés de frontons : celui de gauche est occupé par l'église dont le décor date du XIXe siècle.

Dans l'axe de l'église Saint-Louis-d'Antin, la **rue Joubert** contraste totalement avec les rues avoisinantes par son calme, le petit nombre de ses commerces, uniquement locaux, ses vieilles maisons de la fin du XVIIIe siècle : c'est un endroit plein de charme. Au n° 20, remanié sous la Restauration et orné de colonnes et de statues, subsiste un hôtel que se construisit Bélanger en 1788. Le grand mur qui occupe l'angle de la rue Mogador est orné d'une composition peinte par A. Ménard figurant un décor d'arcades (1984).

Les immeubles construits sous Louis-Philippe

« Si vous habitez la province, le Marais ou le vieux faubourg Saint-Germain, il vous est arrivé plus d'une fois, sans doute, d'arrêter un regard d'admiration et de jeter un œil d'envie sur une des maisons qui étalent entre la Bourse et Notre-Dame-de-Lorette leur somptueuse façade, leur savante et confortable distribution. Merveilleuse habitation, où tout le monde est chez soi, où chacun est chez tout le monde : dédale étiqueté, numéroté, sans ténèbres, sans désordre, où l'air circule le jour, le gaz la nuit, la population nuit et jour... »

(L. Roux, Paris moderne, les nouvelles maisons, 1838.)

La **rue de la Chaussée-d'Antin**, qui fut très à la mode au XVIIIe siècle, continua longtemps de tenir son rôle dans les plaisirs parisiens. Le théâtre de Mogador (n ° 25), affecté plus particulièrement à l'opérette avec Maurice Chevalier pour vedette entre les deux guerres, n'était pas très éloigné du célèbre « One Two Two » qui, dans les années vingt, fut l'une des maisons de rendez-vous les plus appréciées... Alphonse Kahn ouvrit les Galeries Lafayette en 1895, les installant d'abord à l'angle de la rue Lafayette ; en 1906, elles furent transférées en bordure du boulevard Haussmann. Georges Chedanne édifia un premier bâtiment (1906-1908), agrandi par Charnut (1910-1912) qui conçut un vaste hall éclairé par une verrière supportée elle-même par dix piliers métalliques ; l'exemplaire escalier monumental a été détruit (1974). Ne subsistent plus aujourd'hui de cet ensemble que verrière et balustrades en ferronnerie de Majorelle. Dans la rue, on peut apprécier quelques restes de la façade primitive, en face du n° 44. Rappelons enfin qu'en 1919 Jules Védrines atterrit en avion sur le toit du magasin.

Rue de Provence, parmi les nombreuses maisons anciennes, on peut relever (n° 59) un bel immeuble Empire comportant statues et péristyle.

La **rue Taitbout** comprend aussi de jolies maisons, en particulier le n° 44 paré de bas-reliefs de l'époque Empire et qui fut offert par le banquier Aguado à une danseuse ; les n° 43-45 sont abondamment ornés de pilastres, corniches et surtout de têtes sculptées de profil dans des médaillons.

L'extrémité de la **rue de la Victoire** est presque totalement occupée par le Crédit industriel et commercial (n° 60-78, notamment) qui est installé dans plusieurs immeubles du dernier tiers du XIXe siècle. Le petit hôtel du n° 47 est à remarquer, de même que celui du n° 45 (1840) orné d'une niche meublée d'un buste de femme et d'une cage d'escalier parée de bas-reliefs inspirés de la frise du Parthénon. Au n° 46, un beau jardin ; au n° 44 se dresse une grande synagogue de style romano-byzantin, couronnée de bas-reliefs représentant les Tables de la Loi. Aldrophe (1865-1874) y fut aidé pour les plans par Ballu et pour la verrière par Eiffel. Les vitraux évoquant les tribus d'Israël sont de Lusson, Lefèvre et Oudinot.

Rue Saint-Georges, les n° 13-15 bis, trois hôtels édifiés par Bélanger en 1788, ont été somptueusement remaniés et adaptés pour L'Illustration.

Rue de Châteaudun, au n° 21, l'immeuble des Assurances du groupe de Paris est un bel exemple de l'architecture fonctionnelle des années trente.

L'**église Notre-Dame-de-Lorette** (n° 18 bis) est due à Hippolyte Lebas (1823-1826). Son plan évoque celui des basiliques romaines ; son décor intérieur est très riche ; la peinture y occupe une place prédominante avec une Vie de la Vierge dans la nef et au cul-de-four du chœur. Comme dans la basilique antique, la nef est couverte par un plafond qui, ici, est orné de caissons richement sculptés. Cette abondance du décor donne une impression de chapelle privée, plutôt que d'église paroissiale.

La **rue Laffitte**, charmante, est occupée en partie par la philatélie et la numismatique. On y remarquera des façades belles (n° 54, le Monde Assurance, 1864) ou charmantes (n° 44-45). Au carrefour de la rue Lafayette (n° 33), le groupe des Assurances générales de France occupe un immeuble de F. Balleyguier (1932). Aux n° 17-25, l'Européenne de banque a récemment construit un splendide immeuble de verre entouré de terrasses verdoyantes, cependant que les traditionnels treillis de bois, figurant des perspectives architecturales dans les jardins, ont été remplacés par une succession de lames métalliques posées de champ.

La **rue Pillet-Will** fut ouverte en 1905 pour la compagnie d'assurances La Nationale, devenue depuis le G.A.N. qui y a installé son siège social (n° 2). Le hall a conservé son décor original avec, en particulier, une Femme assise, par Houdon (1782).

22. Le quartier des Champs-Elysées et du faubourg Saint-Honoré

Ce quartier que l'on peut faire aller de la place Vendôme à l'Etoile pourrait aussi s'appeler le quartier du luxe. Car c'est bien ce qui le définit et ce que l'on y trouve partout. Ainsi sont regroupés, outre les grandes maisons de couture, les joailliers, les grands hôtels et les grands restaurants, de grandes salles de spectacle, de grands antiquaires, dans ce secteur qui possède la plus belle avenue du monde et où sont installés les premiers organes de l'Etat (présidence de la République, chancellerie, ministère de l'Intérieur, Cour des comptes) et de nombreuses ambassades dont les plus importantes (Etats-Unis, Grande-Bretagne). C'est aussi un quartier d'affaires très actif où le prix des bureaux est le plus cher de Paris et où sont établis quantité de banques et de sièges sociaux. De plus, cet endroit récemment urbanisé l'a été de manière rationnelle et harmonieuse, avec des rues larges et bien construites, suffisamment espacées pour que de vastes jardins et espaces de verdure soient aménagés derrière les façades. Toutefois, cette colonisation du faubourg ne s'est pas faite d'une manière autoritaire qui aurait imposé un plan géométrique ou en quadrillage ; elle a su conserver le souvenir et le tracé des chemins de campagne, plus ou moins sinueux, et tolérer une urbanisation progressive non dépourvue de spontanéité. De plus, ce quartier a été créé par et pour de riches privilégiés qui n'ont jamais cessé de l'habiter, de le développer et de le mettre en valeur. Autant dire que le maître mot ici est celui d'« argent ». Aussi ne faut-il pas s'étonner, à quelques exceptions près, de ne pas y trouver de grandes réalisations architecturales, ni de petites maisons charmantes : ici, il n'y a pas place pour des « villages », ni de coins isolés, retirés, abandonnés ou secrets. Les façades sont solennelles et la vie, publique et officielle, tandis que l'absence de marché et le petit nombre de boutiques d'alimentation sont, à cet égard, tout à fait significatifs. En dépit de ces caractères généraux, une certaine spécialisation géographique s'est effectuée. L'avenue des Champs-Elysées, très fréquentée de jour comme de nuit, est avant tout un lieu de distractions aussi apprécié des Parisiens que des touristes, avec restaurants, cinémas, cabarets et bars qui débordent sur les rues adjacentes. C'est aussi un centre commercial très actif, compte tenu des boutiques de prêt-à-porter et d'accessoires de mode, des stands d'exposition des grandes marques d'automobiles et du grand nombre de sociétés qui y sont domiciliées. L'avenue Montaigne et les rues avoisinantes sont spécialisées dans la haute couture, de même que le faubourg Saint-Honoré, où l'on trouve également des galeries et des antiquaires. La place Vendôme, enfin, est le grand centre de la joaillerie. En définitive, seuls les Champs-Elysées se sont « démocratisés » ; envahis de banlieusards, ils ont perdu l'élégance qui fit leur célébrité.

Jusqu'au milieu du XVIIIe siècle, le quartier des Champs-Elysées fut une terre agricole, occupée en partie par la pépinière du roi (vers Saint-Philippe-du-Roule), cependant que deux villages s'étaient peu à peu formés : la Ville-l'Evêque avec son église Sainte-Madeleine (emplacement du n° 8, boulevard Malesherbes) et le Roule avec Saint-Jacques-Saint-Philippe. Deux voies étaient particulièrement importantes : la route de Rouen (rue du Faubourg-Saint-Honoré) et le Cours-la-Reine, créé par Marie de Médicis en bordure de la Seine, en direction des châteaux de Saint-Cloud et de Saint-Germain, promenade élégante qui lança le quartier de manière irréversible, surtout lorsque Louis XIV, après avoir fait raser les remparts, décida d'ouvrir la ville à l'ouest et de la relier à Saint-Germain-en-Laye par une grande avenue qui, commencée par Le Nôtre, jusqu'au rond-point des Champs-Elysées, atteignit l'Etoile en 1724. Pendant tout le XVIIIe siècle, le chemin du Roule attira l'aristocratie princière ou financière qui y éleva de luxueux hôtels, tandis qu'au nord ou en bordure des Champs-Elysées des cafés et des restaurants vivaient d'une clientèle ouvrière ou domestique à l'origine. L'un de ces établissements a laissé son nom à une rue : le Colisée. Construit par Le Camus de Mézières, à droite du rond-point, il ouvrit ses portes en 1771 et donna au quartier son caractère festif. Capable d'accueillir quatre mille personnes, il regroupait cafés, cirques, boutiques, naumachies, salle de spectacle et un grand bassin où l'on donnait des fêtes nautiques. Ce premier parc d'attractions

Aux Champs-Elysées

« Un coup-d'œil très-agréable encore est celui qu'offre le jardin des Tuileries, ou plutôt les Champs-Elisées, dans un beau jour de printemps. Les deux rangs de jolies femmes qui bordent la grande allée, serrées les unes contre les autres sur une longue file de chaises, regardant avec autant de liberté qu'on les regarde, ressemblent à un parterre animé de plusieurs couleurs. La diversité des physionomies & des atours, la joie qu'elles ont d'être vues & de voir, l'espece d'assaut qu'elles font lorsque sur leurs visages brille l'envie de s'éclipser ; tout ajoute à ce tableau diversifié qui attache les regards, & fait naître mille idées sur ce que les modes enlevent ou ajoutent à la beauté, sur l'art & la coquetterie des femmes, sur ce désir inné de plaire, qui fait leur bonheur & le nôtre. »

(Louis-Sébastien Mercier, Le Tableau de Paris, *1782-1788.*)

de la capitale suscita l'émerveillement et connut un vif succès auprès de la foule aussi bien que des princes. Mais son éloignement de Paris causa sa perte et entraîna sa faillite en 1780. L'édifice fut démoli sauf une guinguette en bordure du rond-point qui subsista jusqu'en 1820 sous le nom de Salon de Flore.

A peu près à la même époque, on remodelait les abords du jardin des Tuileries en y aménageant la place Louis-XV (Concorde), reliée par une belle rue à la nouvelle église paroissiale de La Madeleine, puis par le pont Louis-XVI, au Palais-Bourbon.

En fait, c'est à la Révolution que les Champs-Elysées devinrent un lieu de promenade populaire, peut-être en raison de la proximité de la place de la Concorde où se dressait la guillotine... Ici, muscadins, incroyables et merveilleuses affichèrent des tenues extravagantes et lancèrent les modes. A cette époque, le café des Ambassadeurs devint un rendez-vous très en vogue et, en 1800, le traiteur Dupe ouvrit un restaurant renommé qui a pris depuis le nom de Ledoyen. La fortune des Champs-Elysées était définitivement établie et le XIXe siècle y multiplia les créations de spectacles et d'attractions.

L'urbanisation réelle du quartier s'est faite lentement, surtout sous le second Empire. Ainsi, le quartier François-Ier doit son nom à une maison édifiée à l'angle de la rue Bayard, par Constantin, pour le colonel Brack, amant de Mlle Mars. L'édifice reçut pour façade celle d'une maison de Moret, abondamment ornée de salamandres et remontée ici. Le colonel, Constantin et Mlle Mars constituèrent la Société des Champs-Elysées dont le but était de construire les terrains en bordure du Cours-la-Reine. Mais le quartier trop excentrique ne fut loti que sous Napoléon III : rues de Marignan et François-Ier (1861), Christophe-Colomb, Magellan, de Bassano (1864), La Trémoille, Chambiges, de Boccador, de Cérisoles, après 1880. De même, c'est au n° 18 de l'avenue Montaigne que figura durant quelques dizaines d'années la villa pompéienne du prince Napoléon, due à l'architecte Normand ; dès 1866, elle fut transformée en musée d'Antiques par Arsène Houssaye et Ferdinand de Lesseps. Quant au domaine Beaujon, il fut dépecé à la mort du financier (1817) : la partie située au sud de l'avenue de Friedland devint quelque temps un parc d'attractions, « Les Montagnes françaises », rivales des « Montagnes russes » du boulevard des Italiens, mais il fut loti dès 1824 ; l'autre partie jusqu'à l'avenue de Wagram subit le

même sort après 1837. Les Champs-Elysées servirent de cadre aux diverses expositions qui se déroulèrent à Paris. Le Crystal Palace, modèle d'architecture de « fer et de verre », avait été l'un des ornements de l'Exposition universelle de Londres en 1851. Pour celle de Paris de 1855, on décida d'élever un palais des expositions permanent : le palais de l'Industrie, que réalisèrent Barrault et Cendrier. C'était un grand hall couvert d'une verrière voûtée qui avait pour entrée un gigantesque arc de triomphe. Il fut démoli pour permettre les aménagements de l'Exposition de 1900 qui réquisitionna les deux rives de la Seine et laissa le Grand et le Petit Palais.

Le quartier des Champs-Elysées n'a jamais cessé d'attirer les théâtres : théâtre de la Madeleine (1924) qui fut la scène préférée de Sacha Guitry avant la guerre, théâtre Femina (sur les Champs-Elysées) qui, le jeudi, se transformait en théâtre du Petit-Monde pour les enfants, théâtre des Champs-Elysées (1913), théâtre Marigny, Espace Pierre-Cardin. On ne peut passer sous silence le rôle très important joué dans les Années folles par le Bœuf sur le toit (n° 28, rue Boissy-d'Anglas), café qui fut le point de rencontre des écrivains et des artistes. Dans l'insouciance et la liberté, ils se livrèrent aux créations les plus originales, voire extravagantes, qui débouchèrent sur le surréalisme. Parmi les fidèles figuraient Picasso, Man Ray, Radiguet, Auric, Poulenc, Picabia, Tzara, Max Jacob, Derain, Ravel, Satie, Proust, Gide. Ainsi fut créé sous la direction de Cocteau (1923) un ballet dont la musique était de Darius Milhaud, les décors et les costumes de Raoul Dufy, l'interprétation des Fratellini et, à la même époque, il y eut un bal Louis XIV baroque (1923) et une fête sur le thème des entrées d'opéras (1925). Ces fêtes aussi somptueuses qu'irréelles sont très représentatives des défoulements consécutifs à la Grande Guerre.

L'élégance et le raffinement se sont imposés ici depuis plus d'un siècle. D'abord autour de la place Vendôme avec la haute couture et Charles Worth, couturier de la princesse de

Le secteur Beaujon

Le financier Beaujon, qui possédait l'Elysée depuis 1773, acquit un grand terrain situé en bordure des Champs-Elysées, délimité par les rues de Washington, du Faubourg-Saint-Honoré et l'avenue de Wagram, et s'y fit construire, en 1781, une folie, au carrefour des actuelles rues Balzac et Beaujon, par Girardin, ainsi que le pavillon de la Chartreuse, la ménagerie, la chapelle Saint-Nicolas, puis en 1784, l'hospice Beaujon destiné à accueillir vingt-quatre enfants pauvres du quartier et cent malades, le tout du meilleur style néoclassique. Sous la Restauration, le parc d'attractions créé à la fin de l'Empire sur ce vaste domaine fut loti et le quartier Beaujon devint très à la mode, attirant quantité d'écrivains et d'artistes (Théophile Gautier, Arsène Houssaye, Lola Montès, Rosa Bonheur, le comte d'Orsay, etc.).

Balzac s'installa rue Fortunée, en 1846, à côté de la chapelle Saint-Nicolas et y mourut en 1850. On donna cette année-là son nom à la rue Fortunée. En 1882, la baronne Salomon de Rothschild acheta l'immeuble et le fit remplacer par un vaste hôtel, 11, rue Berryer. Ce bâtiment ayant été légué à l'Etat, une « Maison des artistes » s'y établit et c'est là, au cours d'une vente de charité de cet organisme que le président Doumer fut assassiné (1932). L'immeuble est occupé depuis 1976 par le Centre national des arts plastiques et son grand jardin est ouvert au public.

Metternich puis de l'impératrice Eugénie, qui le premier présenta ses modèles sur des mannequins vivants. Derrière lui on vit Doucet, Paquin, Rouff. Puis Paul Poiret, élève de Worth et de Doucet, s'installa avenue Franklin-Roosevelt et révolutionna la mode en supprimant les corsets et en créant des formes souples ; ses ambassadrices, telles qu'Isadora Duncan, en firent le roi de la mode. En 1912, il étendit ses activités à la décoration, puis créa un parfum « Nuits de Chine », cependant qu'il donnait des fêtes fastueuses : la fête persane de 1911 et, surtout, celle qu'il organisa à l'occasion de l'exposition des Arts décoratifs, où il arma trois péniches : *Amours*, *Délices* et *Orgues* (1925). Mais après la guerre de 1914, Coco Chanel, établie rue Saint-Florentin, le détrôna peu à peu. Elle lança des collections aux lignes simples, mettant l'accent sur les accessoires, qui faisaient des femmes « des petits télégraphistes », selon Poiret, jaloux. D'autres couturiers suivirent Poiret entre l'Alma et le faubourg Saint-Honoré : Jeanne Lanvin, Madeleine Vionnet, Patou, Molyneux. Jeanne Lanvin avait débuté comme modiste et s'installa 22, rue du Faubourg-Saint-Honoré en 1890. Les jolies robes qu'elle faisait pour sa fille lui valurent de passer des chapeaux aux vêtements. Son succès fut total et, en 1925, elle créa un parfum « My Sin », en 1927 « Arpège », cependant que, dès 1926, elle ouvrait Lanvin Tailleur pour les hommes. Jean Patou s'installa après la guerre, 7, rue de Saint-Florentin et connut un tel succès international immédiat qu'il ouvrit un bureau à New York. Il créa des parfums « Amour, amour », puis « Que sais-je », « Sagesse », « Joy » et dépassa la couture conventionnelle pour créer des collections de vêtements de sport (pour Suzanne Lenglen notamment). Madeleine Vionnet s'établit vers 1920, 50, avenue Montaigne, et connut un succès incroyable entre les deux guerres pour son imagination et sa créativité, dans ses fameuses robes à l'Egyptienne, dont les drapés survivent dans les créations de son élève, Mme Grès. Et toute la haute couture actuellement est installée dans ce secteur : Rochas, Balenciaga,

---

Le Bœuf sur le toit

« Le ''Bœuf'' de la rue Boissy-d'Anglas était constitué par deux boutiques, un restaurant et un dancing, sortes de vases communicants entre lesquels, par la cour obscure, on faisait la navette en s'embrassant ou en se tapant, au sens le plus financier du terme. Le Tout-Paris qui ne peut tenir en place, qui s'ennuie, qui change dix fois de crèmerie dans la soirée pour fuir quelque chose qu'il ne fuira jamais, faisait régulièrement irruption au ''Bœuf'' et n'en bougeait plus. On voyait là le Bottin Mondain, le Sport, l'Annuaire des Artistes, la Banque, le Chantage qui se faisaient risette. Une belle salle de répétition générale à chaque coup. Marcel Proust s'y risquait souvent, amusé et gentil.

« Le jazz du ''Bœuf'', qui fut un des tout premiers de Paris, attirait rue Boissy-d'Anglas les clients les plus divers. Eugène Merle y fit la connaissance de futurs surréalistes, Henry Torrès celle de Cocteau, Beucler y apprit qu'on lui avait décerné à Hollywood un premier prix de scénarios, Joseph Kessel y réglait des additions formidables. Quand j'y pénétrais à mon tour, j'eus le sentiment d'entrer dans une chambrée fantastique, ballet de plastrons, d'épaules, de décorations, de monocles, de futurs académiciens, ministres, escrocs, et de belles poules que dirigeait un délicieux nègre, nommé Vance, mécène et compositeur à ses moments perdus. A côté de Vance se tenait, autre magicien, le chanteur Barrams. »

(Léon-Paul Fargue,
Le Piéton de Paris, 1939.)

Nina Ricci, Cardin, Balmain, Saint-Laurent, Dior, Givenchy, Laroche, Courrèges, Valentino, Jacques Estérel, etc.

Les Champs-Elysées

Le jardin des Champs-Elysées, du rond-point à la Concorde, a été aménagé dans sa forme actuelle par Hittorff, à partir de 1834, dans une vaste opération d'ensemble qui englobait la place de la Concorde. Ce nouveau jardin à l'anglaise, agrémenté de massifs et de fontaines dédiées aux divinités

---

Les spectacles avenue Montaigne

A la fin du premier Empire, un maître à danser du nom de Mabille créa le Jardin Mabille, bal à caractère très nettement populaire, situé aux n° 49-53 de l'avenue Montaigne. Vers 1840, il en refit la décoration afin de rehausser le niveau et l'on vit des bosquets, des palmiers de zinc, un kiosque à musique chinois... dont Balzac déclara que c'était une « féerie ». Cette rénovation des lieux accompagnée d'une publicité bien faite par des grandes affiches relança le bal qui, sans devenir très élégant, s'assura une importante clientèle d'étrangers et de provinciaux. Sous le second Empire, « Mabille » connut une troisième jeunesse avec l'orchestre Olivier Métra et, sur la scène, des spectacles de qualité menés par les belles Pomaré et Mogador. La guerre de 1870 lui fut fatale et on le démolit en 1882.

Le théâtre des Champs-Elysées fut créé par Gabriel Astruc qui voulait en cet endroit un établissement consacré à la musique et à la danse. Il chargea du projet Auguste Perret qui, assisté de l'architecte Bouvard, du ferronnier Baguès, du sculpteur Bourdelle, puis de Maurice Denis et de Vuillard, réalisa, en 1913, deux salles de 2 100 places pour les spectacles lyriques, et de 750 places pour les spectacles dramatiques. En 1923, on y ajouta le Studio (250 places) qui était un théâtre d'essai. L'originalité tint ici à l'emploi « officiel » du béton dans un édifice de prestige. Les bas-reliefs de la façade par Bourdelle (Apollon et les Muses), le plafond du grand théâtre par Maurice Denis et les peintures de Vuillard dans la Comédie témoignent du soin apporté à la décoration.

---

et aux saisons, était éclairé le soir par de nombreux réverbères en fonte. Le programme de Hittorff comprit, dès 1835, une grande salle de spectacle, regroupant cirque, théâtre, restaurants, dont la décoration fut confiée à Jean-Charles Langlois. Ce fut le Panorama (1839), dont le succès fut immédiat, tant pour son décor que pour ses spectacles. Transformé en salle d'exposition en 1855, il fut démoli et remplacé par un autre Panomara dû à Davioud, mais décoré par le même artiste (1860), à l'angle de l'avenue Franklin-Roosevelt. Il devint, en 1894, une patinoire, le palais des Glaces, qui fut transformé en 1980 en théâtre du Rond-Point pour la compagnie Renaud-Barrault. Le cirque d'Eté, construit en 1841 et décoré par Bosio et Pradier, fit une belle carrière sous le second Empire, comme cirque de l'Impératrice, puis comme cirque national. Il disparut vers 1900. A ces deux grandes salles fut ajouté, en 1859, le théâtre Marigny par Garr, que dirigea un temps Offenbach, alors qu'on l'appelait Bouffes parisiens. Il fut reconstruit vers 1880 par Garnier. C'est l'actuel théâtre Marigny qui hébergea la compagnie Renaud-Barrault de 1946 à 1956.

En 1832, Musard établit à l'entrée de la rue Boissy-d'Anglas la salle non couverte du concert des Champs-Elysées. En 1860, elle se déplaça à l'angle de l'avenue Franklin-Roosevelt et du Cours-la-Reine, puis fut transformée, en 1881, en parc d'attractions dit le Jardin de Paris. Aux salles de spectacle, Hittorff ajouta des restaurants qui existent toujours : les pavillons Elysée et Gabriel, Ledoyen et Laurent, qu'il conçut dans un style classique mais agréable, avec frontons et colonnes polychromes.

De nos jours, la partie animée des Champs-Elysées se situe en bordure de l'Elysée et de l'avenue Matignon, avec jardin fleuri, kiosque, marionnettes et autres distractions pour enfants, sans oublier, les jeudi, samedi et dimanche, le marché aux timbres qui s'étend aux avenues Matignon et Gabriel. Si le théâtre Marigny n'a pas changé de destination, il n'en est pas de même du café des Ambassadeurs, transformé en espace culturel par Pierre Cardin.

La partie en bordure de Seine est tributaire de l'Exposition de 1900 : à cette occasion, on éleva les Grand et Petit Palais destinés à servir aussi bien de salon des Beaux-Arts, que de salle de spectacle ou d'exposition d'automobiles. Les architectes eurent recours aux structures métalliques et à de grandes verrières mais, pour des raisons esthétiques, ils habillèrent les façades de pierre et d'éléments décoratifs traditionnels (colonnes, groupes sculptés).

Le **Grand Palais** est occupé par une annexe de la faculté des lettres (Paris IV), le palais de la Découverte et des galeries d'exposition. Les façades dues à Deglane, Louvet et Thomas sont d'un style très officiel, mais l'intérêt de ce bâtiment réside dans sa grande coupole par Daydé et Pillé, qui coiffe une vaste halle qui sert de cadre à des salons.

Le **palais de la Découverte**, avenue Franklin-Roosevelt, fut créé à l'occasion de l'Exposition internationale des Arts et Techniques de 1937, afin de présenter à tous les publics les fondements de la science à travers des expériences qui concernent aussi bien l'électricité que la biologie, la chimie ou la physique nucléaire. Le planétarium, présentation panoramique du ciel sous toutes les latitudes, est sans doute ce qui contribue le plus à sa célébrité.

Le **Petit Palais** est dû à Charles Girault. Il était destiné à présenter, à l'Exposition de 1900, une rétrospective de l'art français. Il se signale par la richesse de ses ferronneries et de son décor sculpté qui a pour thèmes : les saisons, la Seine, la peinture et la sculpture, les arts et les industries...

L'édifice est conçu autour d'un vaste jardin intérieur. De part et d'autre du grand hall d'entrée décoré par Besnard, s'étirent à droite, la galerie Sud, décorée par Roll (1906-1914) sur le thème de la musique et de la poésie. A son extrémité, la coupole du pavillon d'angle est de Maurice Denis (1919-1925). A gauche, la galerie Nord par Cormon, présente les Temps modernes, la Révolution française, des épisodes de l'histoire de Paris ; la voûte du pavillon d'angle, due à Hubert (1909-1913), est à la gloire de Paris, capitale intellectuelle. Ces deux galeries sont, en outre, scandées de bustes et de sculptures.

Le bâtiment devint, dès 1902, un musée de la Ville de Paris, afin d'accueillir les collections léguées par les frères Dutuit (1902), puis par des donations : Tuck (1929), Ocampo (1931), etc. Elles comprennent de belles séries d'objets antiques (vases grecs) ou médiévaux et surtout de la Renaissance française ou italienne (émaux limousins de J. Court, P. Reymond, L. Limousin, etc.), céramique de l'école de Palissy, majoliques de tous les grands centres, verres de Venise, etc.). Parmi les tableaux, on note un portrait de Rembrandt et une importante série flamande et hollandaise. Le XVIIIe siècle est particulièrement bien représenté par des porcelaines (dont une belle vitrine de Meissen), des sculptures (tels les bustes de Voltaire et Franklin par Houdon), des tapisseries et des meubles.

Mais c'est en art français du XIXe siècle que le musée est particulièrement riche grâce à des legs (Henner, Ziem), dons et achats : ateliers Carriès (1904), Dalou (1905), etc. Parmi les œuvres exposées, on retiendra une belle rétrospective de l'histoire du paysage au XIXᵉ siècle avec, entre autres, Isabey, Corot, Rousseau, Harpignies et les impressionnistes (Monet, Picasso, Sisley) ; une belle série de portraits réalistes (Scheffer, Millet, Baudry, Bonnat, Roll), deux tableaux de Cézanne (*Les Trois Baigneuses*, *Portrait d'Ambroise Vollard*), d'importants Courbet et Odilon Redon, de nombreuses sculptures (Carpeaux, Dalou) et ce qui concerne l'art 1900 (salle à manger de Guimard, vitrine de Carabin, vases de Gallé, bijoux de Lalique, etc.). Depuis les années quatre-vingt, ce musée s'est orienté fort intelligemment vers une politique d'expositions temporaires relatives au XIXᵉ siècle que l'on appelle volontiers « pompier ». Il complète ainsi sa voca-

tion de grand musée d'un XIXᵉ siècle « autre » que celui des impressionnistes (tél. 42.65.12.73).

La place de la Concorde

Louis XIV ayant deux places à sa gloire (Victoires et Vendôme), la ville souhaita offrir à Louis XV, après la paix d'Aix-la-Chapelle, alors qu'on le surnommait « Bien-aimé », une place en son honneur qui, comme les autres, comporterait une statue du roi. Après divers projets et concours, le roi, par mesure d'économie, arrêta son choix sur les terrains situés entre les Champs-Elysées et le jardin des Tuileries, qui lui appartenaient. Le projet de Gabriel fut définitivement arrêté en 1775. Il comprenait deux grands bâtiments séparés par la rue Royale dont l'élévation rappelait la colonnade du Louvre de Perrault. La place, vaste esplanade carrée entourée de fossés et décorée à chaque angle de deux guérites surmontées de groupes sculptés, avait en son centre la statue équestre du roi. Celle-ci, commencée par Pigalle et achevée par Bouchardon, fut inaugurée en 1763, le roi étant déjà bien impopulaire. En 1792, la guillotine remplaça la statue royale et, en 1795, la place prit le nom de place de la Concorde, tandis qu'on installait les *Chevaux de Marly*, par Coustou, à l'entrée des Champs-Elysées.

Louis-Philippe, en 1835, décida d'y ériger l'obélisque de Louqsor offert par Méhémet-Ali et indifférent aux régimes politiques... En même temps, il chargea Hittorff de réaménager la place. Ce dernier plaça deux fontaines et des lampadaires, ajouta aux huit guérites les groupes sculptés des villes de France : *Lyon* et *Marseille* par Petitot, *Bordeaux* et *Nantes* par Caillouette, *Rouen* et *Brest* par Cortot, *Lille* et *Strasbourg* par Pradier. Enfin, en 1854, on combla les fossés pour faciliter la circulation.

Au nord de la place, si l'ambassade des Etats-Unis est un pastiche de l'hôtel de La Reynière, réalisé par Delano et Laloux, en 1933, les deux hôtels qui encadrent la rue Royale sont de Gabriel (1757-1770). L'hôtel Crillon (n° 10) est installé depuis 1907 dans l'hôtel du duc d'Aumont, tandis que

---

Le pont Alexandre-III

Il doit son nom au tsar qui en posa la première pierre lors de son voyage officiel en France (1896) à la suite de l'alliance franco-russe. Il fut inauguré en 1900 lors de l'Exposition universelle. Resal et d'Aldy, afin de faciliter la circulation fluviale, ne réalisèrent qu'une seule arche surbaissée d'une seule portée. Le décor très soigné comprend non seulement des motifs floraux et marins, des lampadaires de bronze entourés d'amours et de monstres marins, mais aussi un programme sculpté très important : les quatre piliers ont pour thèmes, à leur partie supérieure, la renommée des Lettres et des Arts (rive droite, Frémiet), de l'Industrie et du Commerce (rive gauche, Steiner et Granet). Leur base figure les différentes époques de la France : contemporaine et de Charlemagne (rive droite par G. Michel et A. Lenoir), de Louis XIV et de la Renaissance (rive gauche par L. Marqueste et Steiner). Les lions de pierre, enfin, sont de Gardet (rive droite) et de Dalou (rive gauche). Ces groupes sculptés ont une double fonction décorative et de contrepoids en raison de la très forte poussée exercée par l'arche si basse.

La place de la Concorde.

l'Automobile-Club de France (n° 6-8) occupe les hôtels de Fougères et Pastoret. L'hôtel de Coislin (n° 4) fut habité par Chateaubriand de 1805 à 1807. Le ministère de la Marine (n° 2) a succédé à l'ancien Garde-Meuble.

A l'angle de la rue Saint-Florentin, le consulat de l'ambassade des Etats-Unis siège dans un hôtel construit par Chalgrin sur les plans de Gabriel.

La **rue Royale** symbolise le raffinement de la vie parisienne à la Belle Epoque, alors que Maxim's (n° 3) venait d'ouvrir (1890) et avait été consacré par l'Exposition universelle, dont l'entrée principale se situait place de la Concorde. A cette époque, c'était le rendez-vous élégant des couche-tard (Liane de Pougy, la belle Otéro, Cécile Sorel, André de Fouquières, le prince de Galles), ce qu'il est resté. D'illustres maisons méritent d'être signalées : au n° 10, le fleuriste Lachaume est le fournisseur de la meilleure société depuis 1845 ; au n° 12, l'orfèvrerie Christofle fondée rue Montmartre en 1832, fournisseur attitré de Napoléon III, arriva ici en 1913 ; au n° 11, la maison Lalique créée vers 1893, rue de la Paix, se spécialisa avant 1900 dans la verrerie, réalisa la fontaine lumineuse qui décorait l'entrée de l'exposition des Arts décoratifs (1925) et vint ici en 1936. Enfin, au n° 16, la pâtisserie Ladurée, au beau décor néo-Louis XVI, ouvrit ses portes en 1871. Au n° 21, la brasserie Weber, disparue en 1961, fut un lieu de rencontre des intellectuels et

Le pont de la Concorde

Il fut construit à partir de 1788 par le directeur de l'Ecole des ponts et chaussées, Perronet, à qui l'on doit aussi le pont de Neuilly. Ce pont fit partie du programme de mise en valeur de la place de la Concorde. Napoléon le décora de huit statues de généraux remplacées sous la Restauration par douze statues de marbre blanc des grands serviteurs de la France : ministres (Suger, Sully, Richelieu, Colbert), militaires (du Guesclin, Bayard, Condé, Turenne), marins (Tourville, Duquesne, Duguay-Trouin, Suffren). Jugées trop lourdes pour le pont, elles furent retirées sous Louis-Philippe, mais l'on n'élargit le pont qu'en 1931. Le banc est un point de vue sur le Palais-Bourbon, la place de la Concorde, la Madeleine et, bien entendu, les quais et le fleuve.

des artistes de 1899 à la guerre de 1914 : Proust, Daudet, Forain, Caran d'Ache y venaient régulièrement.

Place de la Madeleine

Ce fut, au début de la IIIe République, l'un des endroits qui compta le plus de cafés et de restaurants élégants. Le café Durand, au n° 2, recevait une clientèle très aristocratique et l'on y voyait souvent Mac-Mahon et Canrobert ou, plus tard, le général Boulanger ; au n° 15, le restaurant Larue, premier cité dans le guide Joanne de 1887, ne disparut qu'en 1955 ; au n° 9 ouvrit, en 1880, Lucas qui, en 1898, devint Lucas-Breton, du nom du nouveau patron : ce restaurant de luxe reçut un décor de Majorelle toujours en place. A deux pas, rue Duphot,

Les Chevaux de Marly.

Alfred Prunier ouvrit en 1872 un petit restaurant d'une rare qualité, dont les produits de la mer eurent un tel succès qu'il dut s'installer plus au large (n° 7-15). La place de la Madeleine a une autre spécialité : l'épicerie fine

L'hôtel Meurice

« *Lorsque Paris se fut apaisé après vingt années de remous et troubles, les Anglais se précipitèrent chez nous pour voir ce que la Capitale de la France était devenue. Les plus riches descendirent au Meurice, dont la réputation, à l'époque de la Restauration, était excellente. L'hôtel venait d'ouvrir quatre nouveaux appartements en face du jardin des Tuileries, dans l'un desquels, stipule un prospectus du temps, "on pouvait, si cela était nécessaire, installer jusqu'à trente lits".*

« *Des appartements plus petits, à un seul lit, dont le prix était de trois francs la nuit, avaient été également mis à la disposition de la clientèle. La maison se flattait qu'aucun hôtel en Europe ne fût mieux réglé ni mieux organisé pour offrir le plus grand confort aux Anglais, dont elle avait le souci constant de respecter les habitudes et les traditions. [...]*

« *Le prix consenti aux pensionnaires comprenait tout, à commencer par le vin, excepté pourtant le bois, que les clients avaient la liberté d'acheter. Enfin, de même que l'on retient aujourd'hui rue de Rivoli des cou-*chettes *de wagon-lit, ou des places à l'Opéra de Berlin, on pouvait, du temps de Louis XVIII, retenir des voitures pour Calais, Boulogne et n'importe quel endroit du Continent.*

« *Lorsque la rue de Rivoli fut achevée en 1835, l'hôtel s'installa en façade dans des bâtiments neufs. Pendant la monarchie de Juillet et le second Empire, les clients "sans pension", les pensionnaires ou les visiteurs du Meurice, Anglais, dandies, nobles étrangers, gens de Cour, Parisiens brillants firent au Meurice la réputation d'être la maison la mieux fréquentée de Paris, réputation qui ricocha jusqu'au triomphe, puis jusqu'au stade de ce qu'on appelle "l'exclusif" en argot hôtelier.*

« *Acheté en 1905 par une nouvelle société, remanié de fond en comble, un nouveau Meurice naquit en 1907 sous la bénédiction des fées qui président aux événements parisiens. Rois et reines du monde entier n'attendaient que ce signal pour inscrire la rue de Rivoli au nombre de leurs résidences.* »

(Léon-Paul Fargue,
Le Piéton de Paris, *1939.*)

représentée essentiellement par les maisons Hédiard (n° 21), installée depuis plus de cent trente ans, et Fauchon (n° 26).

L'**église de la Madeleine** fit partie du programme d'aménagement de la place de la Concorde. Contant d'Ivry conçut un édifice en forme de croix latine, surmonté d'un dôme. Décédé en 1777, il fut remplacé par Couture qui modifia l'église (plan en croix grecque, façade précédée d'un majestueux péristyle, dôme plus vaste, etc.). Le bâtiment resté inachevé à la Révolution fut l'objet de projets : palais de la Convention, Bibliothèque nationale, Opéra ; sous l'Empire, le chantier fut affecté à la Banque de France, au tribunal de commerce et à la Bourse, puis à un temple à la gloire des armées françaises, pour lequel on retint le projet de temple périptère à l'antique de Barthélemy Vignon. On rasa les constructions de Couture. Mais le changement de régime, les modifications du programme, la mort de l'architecte remplacé par Huvé, firent que la consécration n'eut lieu qu'en 1845. La décoration de l'église réalisée sous la monarchie de Juillet est très homogène : les lunettes sont ornées de scènes de la vie de sainte Madeleine, tandis que le cul-de-four du chœur est occupé par une grande composition de Jules Ziegler : *L'Histoire et la glorification du christianisme de Constantin à Napoléon*.

La **place Vendôme** et la **rue de la Paix** (ouverte en 1806) sont célèbres dans le monde entier pour leurs joailliers. C'est Louvois qui décida de la construction de cette place (1686) : il s'agissait d'une place des Conquêtes. Jules Hardouin-Mansart en donna les dessins : il s'agissait d'une place rectangulaire ouverte sur la rue Saint-Honoré et terminée au nord par un arc de triomphe. Louvois mort (1691), les travaux furent abandonnés et ne reprirent qu'en 1699 avec le projet octogonal que nous connaissons, traversé par une rue allant vers les couvents des Capucines (au nord) et des Feuillants (au sud) : la place ainsi réalisée était une place fermée dans la tradition des autres places royales.

La **colonne Vendôme** a remplacé la statue équestre de Louis XIV par Girardon. Elle a été réalisée par la fonte des canons autrichiens saisis à Austerlitz, d'après les dessins de Gondoin et Lepère (1806). Les bas-reliefs de Berseret évoquent la campagne de 1805 ; au sommet, la statue de Napoléon Ier est une copie du second Em-

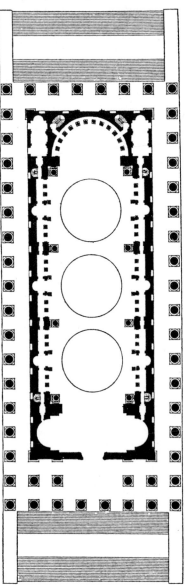

Plan de l'église de la Madeleine.

318

L'église de la Madeleine vue de la place de la Concorde.

pire de celle réalisée à l'origine par Chaudet.

La place est entourée de très beaux hôtels qui ont, pour beaucoup, conservé leurs décors intérieurs. Aux n° 11 et 13 siège le ministère de la Justice depuis 1717 ; au n° 15, l'hôtel Ritz, fondé en 1898 ; au n° 26, le joaillier Boucheron fut le premier transfuge

du Palais-Royal, à la fin du siècle dernier. La rue de Castiglione, ouverte en 1802, marque la limite orientale du luxe.

La **rue Saint-Honoré** compte de nombreuses boutiques de haute couture, de même que les rues avoisinantes.

L'**église de l'Assomption** (n° 263 bis) est l'ancienne chapelle du couvent de l'Assomption, construite par Errard (vers 1675) qui la coiffa d'un dôme disproportionné avec le reste de l'édifice que l'on qualifia, alors, de « sot dôme ». De plan centré, elle est éclairée par sa coupole que Charles Delafosse orna d'une *Assomption*. Au maître-autel figure une *Annonciation* de Vien (1763) et aux autels latéraux, l'*Adoration des Mages* par Carle Van Loo (vers 1740) et la *Naissance de la Vierge* par Suvée (1779).

Au n° 374, Mme Geoffrin tint un salon très renommé (1750-1777) que fréquentèrent aussi bien Helvétius et d'Alembert que Boucher, Soufflot, Vernet ou Bouchardon. Les n° 366 et 368 sont deux hôtels très remaniés de Bullet (1715).

La **rue du Faubourg-Saint-Honoré**, visitée surtout pour ses luxueuses boutiques ou galeries, compta, dès le XVIIIe siècle, de beaux hôtels et en

Une loge de concierge, rue de la Paix.

conserve un certain nombre : au n° 5 où s'installa la maison Henry en 1809, aux n° 14 mairie d'arrondissement de 1811 à 1835, n° 21-23 hôtel du fermier général Le Roy de Sennevile, n° 22 hôtel de Molleville, sous l'Empire, n° 24 où s'établit la maison Hermès en 1837, n° 29 hôtel défiguré de Rohan-Montbazon par Lassurance (1719), n° 33-35 siège du Cercle interallié dans les hôtels Levieux par Grandhomme, qui furent très remaniés par la baronne de Rothschild en 1864. Au n° 39, l'hôtel de Béthune-Chatost est à peu près intact et comporte des décors dus à Patte à la fin du XVIIIe siècle, ainsi que les agrandissements et les ornementations effectués par Fontaine pour Pauline Borghèse. A la chute de l'Empire, le bâtiment devint l'ambassade de Grande-Bretagne et les travaux furent achevés (construction d'une seconde galerie sur le jardin à destination de salle de bal). Au n° 41, l'hôtel Pontalba est dû à Visconti (vers 1840).

Le **palais de l'Elysée** (n° 55-57), construit en 1718 par Armand-Claude Mollet pour le comte d'Evreux, fut le premier hôtel de cette zone. C'était un bâtiment classique, entre cour et jardin, ne comprenant qu'un étage et décoré fort simplement comme il sied à la campagne. Mme de Pompadour l'acquit en 1753, le mit au goût du jour et améliora le parc. Plus tard, le financier Beaujon en devint propriétaire (1771). Pendant la Révolution, on y installa un parc d'attractions (1794) puis, en 1798, des boutiques, cependant qu'on le partageait en appartements dont l'un eut pour occupant la

famille de Vigny et le jeune Alfred.

En 1805, Napoléon l'acheta pour sa sœur Caroline Murat qui y fit faire d'importants aménagements par Vignon et Thibault (salon Murat, grand escalier, premier étage). Quand elle devint reine de Naples (1808), Napoléon se réserva la maison comme lieu de repos, puis la donna à Joséphine comme cadeau de rupture (1809) ; mais celle-ci préféra La Malmaison. L'empereur voulut alors y installer le roi de Rome, mais la chute de l'Empire survint avant la fin des travaux d'aménagement. De 1816 à 1820, le duc de Berry habita ici et, après son assassinat, l'hôtel devint une sorte de résidence pour notabilités de passage. Finalement, en 1848, on décida d'en faire la résidence du Président, Louis-Napoléon. Ce dernier acquit les hôtels mitoyens et les agrandit pour y installer des bureaux (n° 57), tandis qu'on ouvrait la rue de l'Elysée et qu'on y construisait, du côté gauche, des petits hôtels à l'anglaise, presque uniques à Paris. A la proclamation de l'Empire, Napoléon III partit aux Tuileries et établit ici sa future épouse, Eugénie de Montijo, et sa mère. De 1857 à 1861, Lacroix modernisa l'édifice et en refit

Un hôtel sur l'avenue des Champs-Elysées.

Le pavillon Elysée.

la décoration : alors on construisit la chapelle et l'on aménagea le parc qui fut le cadre de fêtes somptueuses. Avec le retour de la République, le bâtiment redevint, en 1873, la résidence des présidents. Les plus gran-

des modifications apportées alors furent la construction d'une salle des fêtes par Chancel à l'occasion de l'Exposition de 1889, et l'installation d'une immense marquise, supprimée en 1947. Quant aux décors d'Agam mis en place sous Georges Pompidou, ils étaient amovibles et ont été déposés au musée d'Art moderne.

La **place Beauvau** fut aménagée en 1836 et dut son nom à l'hôtel construit par Le Camus de Mézières pour le prince de Beauvau (vers 1770). Il est occupé depuis 1860 par le ministère de l'Intérieur.

L'**église Saint-Philippe-du-Roule** (154, rue du Faubourg-Saint-Honoré) fut élevée par Chalgrin de 1774 à 1784 ; sa façade néoclassique est ornée d'un péristyle surmonté d'un fronton décoré d'une *Religion* par Duret. L'intérieur est distribué en trois nefs voûtées, bien délimitées par des colonnes cannelées caractéristiques de cette époque. L'édifice fut agrandi par deux fois : création d'un déambulatoire et de la chapelle de la Vierge (Godde, 1845), puis construction de celle des Cathéchismes, à gauche du chœur (Baltard, 1853).

L'avenue des Champs-Elysées

On peut se faire une idée de ce qu'elle fut sous le second Empire, sa grande époque, en regardant la partie inférieure, à gauche, ainsi que, sur le rondpoint, l'immeuble où siégea, durant tant d'années, le magazine *Jour de France*, ancien hôtel Lehon et, au n° 25, l'hôtel de la Païva, construit par Manguin, dans le style néo-Renaissance et décoré par les meilleurs artistes du temps (Baudry, Carrier-Belleuse, Dalou, Barbedienne) ; il servit de cadre à de grandes fêtes et son salon réunit fort souvent les Goncourt, Théophile Gautier, Emile de Girardin ou Sainte-Beuve. Aux n° 58-60, l'hôtel de Massa fut construit en 1784 par Leboursier ; en 1926, la société qui l'avait acquis pour le remplacer par un grand immeuble en fit don à l'Etat qui le déplaça au 38, rue du Faubourg-Saint-Jacques où s'est installé la Société des gens de lettres en 1930.

Ce qui contribua pour une large partie au renom de l'avenue, ce fut ses cafés dont les vastes terrasses envahissaient les trottoirs, comme le Colisée ; le dernier établissement de luxe à survivre est le Fouquet's, créé en 1901, qui fut aussitôt le lieu de rencontre des propriétaires de chevaux de course, puis des gens du cinéma (Raimu), ce qu'il est resté. Et les hôtels aujourd'hui disparus contribuèrent également avec leur élégante clientèle

---

Le musée Jacquemart-André

Ce musée est installé dans le bel hôtel construit par Henri Parent (1860-1875) pour Edouard André, époux de la portraitiste Nélie Jacquemart. Les collections qu'ils rassemblèrent furent léguées à l'Institut en 1912. L'intérieur a reçu des décors allogènes : boiseries et dessus-de-porte Louis XV et Louis XVI, peintures de Tiépolo provenant de la villa Contarini à Venise, décors Renaissance à l'étage.

En ce qui concerne l'école française, à côté des sculptures et du mobilier, le musée réunit plusieurs Fragonard *(Les Débuts du modèle, Portrait d'un vieillard),* Boucher *(Vénus se parant),* Chardin *(natures mortes) et de très nombreux portraits par Nattier, Largillière, Drouais, Vigée-Lebrun.*

De l'école nordique figurent des Rembrandt *de jeunesse (Pèlerins d'Emmaüs, vers 1630, le* Portrait d'Amalia von Solms, *1632), des portraits de Van Dyck et Franz Hals, Quentin Metsys (XVIe siècle).*

L'Italie est très bien représentée avec, notamment, une Madone aux outrages *de Mantegna,* L'Ambassade de la reine des Amazones *de Carpaccio,* Saint-Georges tuant le dragon *d'Uccello (XVe siècle), le* Portrait du duc de Gonzague *d'Alberti.*

Quant à l'école anglaise, elle est représentée par des portraits du XVIIIe siècle par Reynolds, Gainsborough, etc.

Musée Jacquemart-André
158, boulevard Haussmann
Tél. 42.27.39.94.

Les palaces des Champs-Elysées

L'Elysée-Palace (n° 103), dû à Georges Chédanne, ouvrit ses portes en 1894 et connut tout de suite un grand succès en raison de son raffinement et de l'agrément de ses salons. L'hôtel ferma en 1925 et fut remplacé par le Crédit commercial de France.

L'Astoria (n° 133) fut élevé en 1904 et eut si bonne réputation que Guillaume II, en 1914, y réserva une suite pour assister au défilé de ses troupes victorieuses sur les Champs-Elysées... Ce fut peut-être là l'origine de rumeurs qui prétendirent que l'établissement était un repaire d'agents à la solde de l'Allemagne... En 1957, il fut transformé en drugstore Publicis, puis disparut dans un incendie en 1972.

Le Claridge (n° 74-76) par Lefèvre (1913) ne cessa d'être un palace qu'en 1975 où une galerie marchande s'y installa. Ayant été occupé pendant la guerre de 1914 par le ministère de l'Armement, il n'accueillit qu'en 1919 une clientèle élégante qui dînait en tenue de soirée et appréciait beaucoup ses thés dansants.

L'hôtel George-V (31, avenue George-V) dû à l'Américain Hillmann en 1928, est resté un hôtel de grande classe avec son mobilier d'époque. Depuis toujours, c'est un endroit chéri des Américains et, en 1929, Roosevelt y signa le plan Young réduisant la dette de la république de Weimar. Pendant la guerre, l'armée allemande l'occupa, puis le S.H.A.P.E. ; en 1950, enfin, il put reprendre ses activités normales... dans le luxe.

Le Plaza Athénée (25, avenue Montaigne) date de 1911. Agrandi en 1919 par Jules Lefèvre, il se modernisa en 1936 en ouvrant un grill, le relais Plaza, très apprécié de ceux qui visitent les couturiers environnants.

La parfumerie Guerlain.

à faire la réputation de l'avenue : Claridge (n° 74-76), Astoria (n° 133), Elysée Palace (n° 103).

De promenade mondaine, les Champs-Elysées sont devenus un lieu de promenade ordinaire et un grand quartier d'affaires où de grandes firmes automobiles, des compagnies aériennes, des maisons de tourisme côtoient cinémas, cafés, fast-foods et le luxueux Fouquet's. Certains immeubles présentent une architecture intéressante d'avant-guerre : le n° 68, dû à Charles Menès qui donna une place importante aux bow-windows, le n° 113 bis, immeuble du Crédit commercial de France, abondamment décoré par Georges Chédanne, tandis qu'en face, au n° 124, l'immeuble Hutchinson est un charmant petit hôtel néo-Louis XVI.

La place de l'Etoile

Napoléon décida en 1806 de décorer l'entrée orientale de Paris par un arc de triomphe et celle de l'ouest par une fontaine gigantesque en forme d'éléphant. Après consultations et délibérations, le programme fut inversé, et tandis qu'un éléphant devait surveiller la place de la Bastille, on entreprit à la barrière de l'Etoile la construction

Le bar du Fouquet's.

d'un majestueux arc de triomphe, destiné à fermer la perspective des Tuileries. Chalgrin fut chargé de l'opération et, le 2 avril 1810, proposa une maquette grandeur nature. Les travaux étant inachevés à la chute de l'Empire, on songea, en 1823, à en faire un château qui alimenterait des fontaines échelonnées le long des Champs-Elysées. Le programme de Chalgrin fut toutefois poursuivi et achevé par Blouet sous Louis-Philippe. Les sculptures furent exécutées par Rude (*La Marseillaise*), Cortot (*Le Triomphe*) du côté de la ville, Etex (*La Résistance, La Paix*) du côté de Neuilly, tandis que Pradier réalisait les Renommées. On inscrivit aussi les grands faits du règne de Napoléon (faces internes) et le nom de ses six cent cinquante généraux (arcades latérales). Le couronnement de l'édifice n'ayant pas été réalisé, Falguière proposa, en 1881, un quadrige tirant le char de la République, modèle de plâtre exposé lors des funérailles de Victor Hugo en 1885.

L'**Arc de triomphe**, qui servit de cadre au défilé de la Victoire en 1919, ne reçut qu'en 1921 la tombe du Soldat inconnu et la flamme du Souvenir, que l'on ranime chaque soir.

Le Fouquet's

« *Fouquet est un de ces endroits qui ne peuvent passer de mode qu'à la suite, il faut bien le dire, d'un bombardement. Et encore ! D'autre cafés, d'autres restaurants périclitent, perdent leur clientèle, ferment leurs portes et font faillite. Le Fouquet persiste, comme un organe indispensable au bon fonctionnement de la santé parisienne. C'est un endroit à potins d'hommes, car les hommes sont aussi concierges que les femmes. C'est là qu'en des temps de rentrées les hommes vont se conter leurs bonnes fortunes de l'été.*

« *A qui souvient-il encore de l'époque où, sur le plan des cafés, les Champs-Elysées ne brillaient que par le Fouquet ? Ils étaient nobles et nus. Soudain, des cafés ont surgi comme une équipe de coureurs ! Le Berry, devenu le Triomphe, le Colisée, le Marignan, le Longchamp, le Normandy, le Florian, flanqués des escadrilles de ''George V'', de ''Champs-Elysées'', de ''Marly''. Une vraie flotte. Il semble qu'il y ait eu dans le passé une nuit pendant laquelle les Parisiens auraient pris d'assaut ces établissements nouveaux, étincelants, immenses ou minuscules, qui surgirent l'un après l'autre du vieux trottoir...*

« *Et l'on sent très bien, le Fouquet mis à part, que tous ces établissements où personne ne se connaît, où l'on manque parfois ses rendez-vous, où l'on se tasse comme pour une cérémonie, sont placés ''sous le signe'' éphémère des plages. Il suffirait que la clientèle se portât en masse vers un autre endroit de Paris pour qu'ils se volatilisent. Le Fouquet, seul, émergerait vivant du brouillard, et, plus bas, le Francis d'une part, le Rond-Point, de l'autre.* »

(Léon-Paul Fargue,
Le Piéton de Paris, *1939*.)

L'Arc de triomphe sous sa bâche tricolore.

La place de l'Etoile n'a été aménagée que sous le second Empire (1854). A cette occasion, sept avenues nouvelles furent créées, permettant de satisfaire aux nouveaux problèmes de circulation. Les façades des hôtels des Maréchaux bordant la place furent dessinées par Hittorff et Rohault de Fleury qui conçurent volontairement une architecture raffinée, peu monu-

L'avenue Foch

Elle fait partie du plan d'achèvement de la place de l'Etoile par Haussmann (1854). Alors que Hittorff proposait de donner à cette avenue de l'Impératrice quarante mètres de large, Haussmann, en visionnaire, en exigea cent quarante, comprenant deux larges contre-allées. Il aurait même souhaité imposer dix mètres supplémentaires à l'intérieur des propriétés, mais le Conseil d'Etat jugea la servitude excessive, comme portant atteinte au droit de propriété. Le succès fut immédiat et de luxueux hôtels apparurent, cependant que l'endroit devenait une promenade huppée où il fallait être vu et où l'on rencontrait de splendides équipages. A la chute de l'Empire, on l'appela l'avenue du Bois (1875-1929). La plupart des hôtels particuliers ont disparu ; toutefois, au n° 19, subsiste l'hôtel de Rothschild, édifié sous le second Empire, dont le grand jardin est intact ; le n° 30 est un superbe hôtel néo-Renaissance ; au n° 50, jusqu'en 1969, se trouvait le somptueux palais Rose, construit par Sanson pour Boni de Castellane (1896) : c'était un pastiche du Grand Trianon, comportant, en outre, une reconstitution de l'escalier des Ambassadeurs de Versailles, le tout dans une profusion de bronzes et de marbres divers.

Le musée d'Ennery (n° 59, tél. 45.53.57.96) est installé dans l'hôtel d'Adolphe d'Ennery, auteur d'opérettes, collectionneur passionné d'objets d'Extrême-Orient : l'essentiel de la collection est constitué d'objets de la vie quotidienne du XVIIe au XIXe siècle. Le musée fut donné à l'Etat en 1906.

Le Musée arménien occupe deux pièces au rez-de-chaussée et comprend une belle argenterie cultuelle, la couronne du roi Léon VI, réfugié en France au XIVe siècle, des manuscrits, etc. Le musée, fondé en 1943, dépend de l'association Nourahan-Fringhian.

mentale et conventionnelle pour qu'elle ne porte pas ombrage à l'Arc. Comme aucune entrée, pour la même raison, ne devait se trouver sur la place, on les établit sur l'anneau circulaire des rues de Tilsitt et de Presbourg.

La porte Maillot

Luna Park fut, pendant près d'un demi-siècle, la seule chose qui comptât en ce vaste carrefour reliant Vincennes à Saint-Germain, Boulogne à Saint-Denis, qui est un point clé de la circulation parisienne. Ce parc d'attractions créé en 1909 dut son nom au mot anglais lunatic, *qui signifie « aliéné », car « il faut être quelque peu fou pour goûter ce genre de jeux ». Parmi les attractions, le Scenic Railway avait le plus de succès : c'était une montagne russe de près de deux kilomètres, parcourue à une vitesse folle ; sa fabrication avait réclamé le concours de 270 ouvriers pendant deux mois et l'utilisation de 270 kilomètres de câbles. Fermé à la dernière guerre, le parc d'attractions disparut en 1948.*

Le Centre international de Paris et le palais des Congrès par Guillaume Gillet ont été construits à son emplacement. Sa tour ellipsoïdale aux belles proportions est occupée par l'hôtel Concorde-Lafayette (mille chambres) et domine le palais des Congrès, de forme trapézoïdale. L'ensemble, admirablement situé sur le métro et en bordure du périphérique qui conduit aux aéroports, comprend trois halls d'exposition, dix-neuf salles de conférences, un grand auditorium (quatre mille places) et un galerie marchande sur deux niveaux. Plus récemment, l'hôtel Méridien est venu compléter les capacités d'accueil de l'endroit.

23. Le quartier du Trocadéro

Ce fut jusqu'à une période récente le village de Chaillot. Il devait son existence à l'abbaye Saint-Martin-des-Champs qui cultiva et mit en valeur l'endroit dès le XIe siècle et, peut-être, avant. La proximité de Paris, des coteaux favorables à la vigne, un grand territoire agricole, de vastes forêts capables de fournir le bois nécessaire à la cuisson du plâtre, ainsi que la présence d'eaux thermales (rue des Eaux) contribuèrent à la prospérité du lieu. Comme c'était un lieu de passage très fréquenté, quantité de taxes y étaient perçues. D'autres congrégations religieuses s'établirent progressivement, rue Beethoven, notamment, à la fin du Moyen Age : les Minimes, bientôt surnommés « Les Bonshommes » de Chaillot ; leur couvent fut démoli sous le second Empire. Le chroniqueur Philippe de Commynes reçut de Louis XI un château situé vers Saint-Pierre, dont les fourches patibulaires se dressaient place Rochambeau. La propriété fut réunie sous Louis XIII au pavillon élevé sur la colline de Chaillot au XVIe siècle, par le cardinal d'Este, et acquise par Henriette d'Angleterre, fille de Henri IV, qui était la veuve de Charles Ier ; elle y installa les Filles de la Visitation. Ce couvent destiné aux filles des grandes familles eut pour première supérieure une La Fayette, qui avait repoussé les avances de Louis XIII ; c'est ici que se réfugia une première fois la duchesse de la Vallière, puis définitivement le mercredi des Cendres 1671, en cet endroit qu'elle ne quitta que pour entrer au Carmel. Le couvent était situé à l'emplacement du palais de Chaillot et ses jardins descendaient en terrasses jusqu'à la Seine, comme ceux d'aujourd'hui. Un autre établissement favorisa la prospérité du quartier : la manufacture de tapisseries du Louvre, installée en 1627 dans les locaux d'une ancienne savonnerie, située à l'emplacement du palais de

Tokyo ; réformée par Colbert, cette institution fournit tous les grands tapis des demeures royales jusqu'à la fin de l'Ancien Régime.

Sous Louis XVI, lorsque pour des raisons fiscales on éleva le mur des Fermiers généraux, Chaillot se trouva en grande partie à l'intérieur de l'enceinte et Ledoux réalisa trois barrières : celle des « Bonshommes », dite aussi de Passy ou de la Conférence à l'extrémité de la rue Beethoven (à ne pas confondre avec la porte de la Conférence, place de la Concorde), celle de Sainte-Marie (square de Yorktown), celle de Longchamp (carrefour Kléber-Longchamp) et celle de la Pompe (rue de Belloy) d'où le mur rejoignait l'Etoile. Sous la Révolution, le couvent des Visitandines, sérieusement atteint par l'explosion de la poudrière de Grenelle en 1794, fut démoli ; et dans celui des Minimes, dévasté et pillé (quelques œuvres seulement échappèrent au désastre), fut établie une fabrique de coton.

Sous l'Empire, Napoléon s'intéressa particulièrement à ce piédestal admirablement situé en face de l'Ecole militaire et il songea à y élever le palais du roi de Rome, regroupant autour de lui l'activité intellectuelle du pays, dans les palais des Arts, des Sciences, de l'Université et des Archives. Le projet grandiose de Percier et Fontaine reliait les deux rives par le pont d'Iéna. La chute de l'Empire arrêta les choses. Quand, en 1823, le duc d'Angoulême, parti en Espagne soutenir Ferdinand VII, enleva la redoute du Trocadéro, on pensa élever un monument commémoratif de l'événement sur la colline ; le projet tourna court et, en 1827, on se contenta d'y simuler la prise d'un fort, le jour d'anniversaire de la victoire, fête qui donna le nom de Trocadéro à l'endroit. Sous Louis-Philippe, on envisagea d'y installer les cendres de l'Empereur, puis une statue de lui, mais la Révolution de 1848,

Les ponts

L'ancien viaduc de Passy prit le nom de pont de Bir-Hakeim en 1949, pour commémorer la résistance des Français libres aux troupes de Rommel en Lybie (1942). Ce viaduc fut aménagé par Biette et Formigé au début du siècle pour assurer la liaison métropolitaine, automobile et piétonnière entre Grenelle et Passy. Les parties métalliques sont décorées de mufles de lions et de groupes de fonte par G. Michel, et les piles de maçonneries, de bas-reliefs : La Seine *et* Le Travail *en amont, par J. Coutan ;* L'Electricité *et* Le Commerce *en aval, par Injalbert. Le pont domine l'île des Cygnes, ainsi appelée à cause des cygnes que Louis XIV y installa en 1676. Près de ce pont se dresse la statue de* La France renaissante *par Wederkinch (1930), offerte par les Danois de Paris et, à l'autre extrémité, une réduction de* La Statue de la liberté *par Bartholdi, offerte en 1885 par les Américains de France et mise en place pour l'Exposition de 1889.*

Le pont d'Iéna fut réalisé de 1809 à 1813 pour relier la colline de Chaillot au Champ-de-Mars. Sauvé de la destruction grâce à l'intervention de Louis XVIII, son décor d'aigles impériales fut alors remplacé par le monogramme royal jusqu'en 1852 où Barye sculpta de nouvelles aigles. A la même époque, on l'enjoliva en installant à ses extrémités des statues équestres : Arabe, Grec, Gaulois, Romain. En 1937, il fut élargi à l'occasion de l'exposition.

La passerelle Debilly porte le nom du général napoléonien tué à Iéna. Elle fut construite par Résal pour permettre aux visiteurs de l'Exposition universelle de 1900 de traverser la Seine sans quitter l'exposition.

Le pont de l'Alma reconstruit en 1974 ne conserve plus du pont primitif réalisé en 1854 que le zouave dû à G. Diébolt, qui sert de point de repère aux Parisiens pour mesurer la hauteur des eaux de la Seine. Ce pont créé au moment de la guerre de Crimée avait pour thème décoratif un soldat des corps qui y participèrent : artilleur, chasseur, grenadier et zouave.

changeant les esprits, on rêva d'un palais du peuple capable d'accueillir cent mille personnes. Napoléon III, à l'imagination toujours fertile, fit reprendre les travaux de nivellement et fit étudier successivement un monument à l'armée d'Italie, l'établissement de l'Ecole polytechnique ou celui de six ministères autour d'une place dominée par un groupe sculpté : La France intelligente.

La colline participa à l'Exposition universelle de 1867 et, à la fin de l'Empire, il s'y trouvait encore des pavillons. L'Exposition universelle de 1878 mit encore le lieu à contribution et Davioud y éleva un palais hispano-mauresque d'acoustique très médiocre qui déplut. Cédé à la ville par l'Etat, il fut affecté à des musées : le musée d'Ethnographie que l'on créait, le Musée indochinois fondé en 1874 au château de Compiègne et le musée de Sculpture comparée, « musée imaginaire » de Viollet-le-Duc, destiné à l'étude de l'art médiéval. Il devait faire place en 1937 au palais de Chaillot.

Le quartier du Trocadéro, à l'heure actuelle, est bien conventionnel, résidentiel et aussi un quartier d'affaires, et les musées qui y sont installés n'ont aucune influence sur la vie du secteur, à la différence de ce qui s'est récemment passé dans le Marais. Au sud-ouest, le quartier se souvient de son passé villageois, et si l'on trouve encore de vieilles maisons rues de la Tour ou de Passy, cette dernière est toujours une grand-rue avec son animation, ses boutiques variées, très représentatives d'une population socialement diversifiée, comme dans tout arrondissement.

La **rue de Passy** est une artère très vivante, bon enfant, où les boutiques chic côtoient le prêt-à-porter le plus commun. Au n° 9, le beau décor de céramique polychrome à base de chardons est dû à Emile Muller (1903).

La **rue de la Tour** doit son nom à un ancien manoir, transformé en moulin avant de disparaître et a un caractère un brin provincial.

L'esplanade du Trocadéro vue de la tour Eiffel. Au loin, les tours de la Défense. ▶

La statue de Victor Hugo par Rodin.

Le **square de l'Alboni** est lié à l'histoire de la famille Delessert. En 1800, les Delessert firent l'acquisition de la manufacture de coton installée dans le couvent des Bonshommes et des terrains avoisinants, compris entre les rues Raynouard, Le Nôtre et d'Ankara. Pour se rendre à la manufacture depuis leur hôtel situé rue Raynouard, ils construisirent un pont suspendu, le premier de France qu'Arago, professeur à Polytechnique, faisait régulièrement étudier à ses élèves. Ces banquiers typiques du début de l'ère industrielle, qui participèrent à la fondation de la Banque de France, se lancèrent dans l'industrie et fondèrent à Passy une fabrique de sucre de betteraves. Leurs héritiers, vers 1900, les banquiers Hottinguer, entreprirent à l'occasion de l'Exposition universelle la construction d'hôtels destinés à recevoir les visiteurs. Le métro aérien ayant coupé le square en deux, la partie méridionale fut lotie et Albert Vesque, en 1910-1912, éleva des immeubles identiques rues Frémiet, Dickens et des Eaux. Le musée du Vin (5, square Charles-Dickens) est installé dans l'ancien cellier des Minimes (tél. 45.25.63.26.).

La **rue Franklin** fut ouverte sur le parc des Minimes. Au n° 8, le musée Clemenceau est installé dans la maison qu'habita l'homme d'Etat de 1895 à sa mort, en 1929. Le rez-de-chaussée présente l'appartement tel qu'il était de son vivant ; à l'étage sont exposés les écrits, ouvrages, correspondance de l'homme aux talents et centres d'inté-

rêt si multiples (tél. 45.20.53.41.). Au n° 17, Marcel Hennequet a réalisé un édifice Art déco très caractérisé. L'immeuble en béton armé du n° 25 a une façade ornée de carreaux de grès flammé et d'un décor végétal ; il est dû aux frères Perret (1903).

Le **cimetière de Passy** (2, avenue Paul-Doumer) est riche en personna-

Le village de Passy

Ce fut à l'origine une dépendance d'Auteuil qui n'acquit une véritable personnalité qu'au XIII⁰ siècle. Ce village comprenait la grande rue (rue de Passy) et la rue basse (rue Raynouard) qui conduisait au château situé à l'angle des rues des Vignes, Raynouard et des Marronniers. En 1720, la propriété fut acquise par le richissime et très célèbre banquier Samuel Bernard. A sa mort, le fermier général La Pouplinière le loua et y mena grand train (1747-1762), y recevant écrivains et artistes, parmi lesquels Jean-Jacques Rousseau qui se soignait aux eaux thermales. Un autre domaine important, l'hôtel de Lamballe, situé à l'ouest de la rue Berton, derrière la Maison de la Radio, appartint à l'amie de la reine Marie-Antoinette et est occupé, de nos jours, par l'ambassade de Turquie. Le château de La Muette était aussi dans le village de Passy, construit par Philibert de l'Orme ; il appartint un temps à la reine Margot, première femme de Henri IV, mais fut surtout célèbre pour la vie tapageuse que la duchesse de Berry, fille du Régent, y mena sous la Régence. Louis XV fit reconstruire le bâtiment par Gabriel et, sous la Restauration, le facteur de pianos Erard en devint propriétaire (1822). Un début de lotissement du parc fut entrepris en 1904, au nord de la rue de Franqueville, qui fut poursuivi, au sud, après la démolition du château : Henri de Rothschild, dit en littérature André Pascal, acquit le fond du parc et s'y fit bâtir le château néo-Gabriel qui est le siège de l'O.C.D.E.

Sur l'esplanade du Trocadéro.

ges illustres, parmi lesquels on dénombre : la famille de Talleyrand-Périgord dont le mausolée est une rotonde entourée de colonnes ; l'aviateur Farman, Jean Giraudoux, Las Cases, Manet et Berthe Morisot, les Cognacq-Jay, dont la chapelle borde l'avenue Georges-Mandel, Fernandel, Debussy, Fauré et Messager, Barrias et Frémiet, Réjane et Tristan Bernard... et Marie Bashkirtseff, célèbre pour son *Journal* posthume, inhumée près de l'entrée dans une monumentale chapelle orthodoxe. Sur la place du Trocadéro, le mur de soutènement comporte une puissante composition sculptée (1956) de Paul Landowski : *A la gloire de l'armée française de 1914 à 1918*, qui est très monumentale.

La **place du Trocadéro** est le point de convergence de cinq avenues qui la relient au nord et à l'ouest de Paris. Son principal intérêt est la très belle vue que l'on en a sur la rive gauche et le Champ-de-Mars, par l'ouverture qui sépare les deux ailes du palais de Chaillot.

Le **palais de Chaillot** fut reconstruit pour l'Exposition universelle de 1937, par les architectes Carlu, Boileau et Azéma dans un style moderniste et classique, à partir de deux ailes du palais de 1878 qui furent « habillées » au goût du jour. Entre les deux pavillons, le parvis est décoré de sculptures qui comprennent, au centre, les groupes d'*Apollon* et *Hercule* par Bouchard et Pommier et, sur les côtés, près des bassins, des statues de bronze doré.

Au pied de la terrasse, le bassin aux jeux d'eau si célèbres est entouré de sculptures de bronze doré : *L'Homme* et *La Femme* par Traberse et Bacque, *Le Taureau* et *Les Chevaux* par Jouve et Guyot. Les jardins qui descendent jusqu'à l'avenue de New-York ont été redessinés par Lardat après l'Exposition de 1937. On y a installé en 1883, du côté ouest, un élément de la façade orientale des Tuileries et, plus récemment, le monument de l'amiral de Grasse, par Landowski.

Place d'Iéna, la rotonde du Conseil économique et social.

Les deux ailes du palais s'ouvrent en arc de cercle à partir des deux pavillons dont l'attique comporte des citations de Valéry. Ils sont décorés de sculptures de bronze (*Les Connaissances humaines*, à gauche, par Delamarre, et *Les Eléments*, à droite, par Sarrabezoles). Le bâtiment abrite des musées et, au sous-sol, la salle du Théâtre national populaire (T.N.P.), fondé par Gémier en 1920, dont le directeur fut Jean Vilar (1952-1963) qui, à lui seul, incarne le théâtre après la guerre.

Le musée des Monuments français (aile orientale, tél. 47.27.35.74.) fut créé sur l'initiative de Viollet-le-Duc sous le nom de « Sculpture comparée » (1882). Il comprend, en une trentaine de vastes salles, essentiellement des moulages et des copies de fresques permettant un large survol de la sculpture et de la peinture décorative de l'époque préromane au XIXe siècle. Autant dire que l'on y trouve la reproduction de la plupart des grandes œuvres dispersées dans le pays : sarcophages de Jouarre, tympan de la cathédrale d'Autun, façade des églises de Saint-Gilles-du-Gard et de Saint-Trophime d'Arles, *Ange au sourire* de Reims, pilier des Anges de Strasbourg, Puits de Moïse de la chartreuse de Champmol à Dijon, tombeau de François II de Bretagne à la cathédrale de Nantes, transi de Ligier Richer, gisants de Henri II et de Catherine de Médicis, fontaine de Neptune de la place Stanislas à Nancy, etc. La section picturale contient les relevés effectués dans toute la France sur l'initiative de Prosper Mérimée. Ainsi trouvet-on certains décors qui, depuis, ont été endommagés ou sont même disparus. Parmi ces copies, on ne manquera pas de s'arrêter devant les fresques de Saint-Savin-sur-Gartempe (fin du XIe siècle) très largement reproduites et celles de Saint-Martin-de-Vic (XIIe siècle).

Le musée du Cinéma (aile orientale, tél. 45.53.74.39.), ouvert en 1972, a hérité de la collection réunie par le Cercle du cinéma, puis la cinémathèque (depuis 1936). Il est consacré aux origines du cinéma depuis les anamorphoses du XVIe siècle jusqu'à sa création en 1894, ainsi qu'aux grandes heures et aux révolutions techniques du 7e art et à des souvenirs d'artistes. Une salle de projection présente des films rares (angle des avenues Albert-de-Mun et du Président-Wilson).

Le musée de l'Homme (aile occidentale, tél. 45.53.70.60.) fut créé en 1938 pour faire fusionner la galerie d'anthropologie du Muséum avec le musée d'Ethnographie du Trocadéro. La présentation de l'évolution de la race humaine est faite selon les aires géographiques, l'Afrique étant représentée par des pièces de qualité exceptionnelle. Le salon de musique offre à travers près de cinq cents instruments, un panorama de l'expression musicale sous tous les cieux.

Le musée de la Marine (aile occidentale, tél. 45.53.31.70.), qui fut fondé en 1827, s'est formé autour de la collection de maquettes rassemblée en 1748 par Duhamel du Monceau, inspecteur général de la Marine. Outre de très nombreuses maquettes, on y trouve des tableaux et des sculptures relatifs à la marine militaire ou commerciale, et une belle collection d'instruments de navigation.

Avenue d'Iéna, au n° 10, l'ancien hôtel du prince Roland Bonaparte construit par Janty (1895) fut modifié en 1929 pour l'installation du Centre français du commerce extérieur.

Place d'Iéna, le Conseil économique et social siège dans un édifice d'Auguste Perret (1937-1938) qui présente des colonnes cannelées insolites dans l'œuvre de l'architecte. La rotonde en avancée sur la place épouse la forme de l'amphithéâtre. Ce fut à l'origine le musée des Travaux publics (1938-1954) qui présentait des maquettes d'ouvrages d'art. En 1958, on y installa le Conseil économique et social et l'on chargea Vimon, disciple de Perret, d'agrandir les locaux en élevant une aile de même style le long de l'avenue du Président-Wilson (1962).

Le musée Guimet
(6, place d'Iéna
tél. 47.23.61.65.)

Il fut fondé à Lyon en 1879 par le fils de l'inventeur de l'outremer artificiel, sous le nom de « Musée Guimet d'histoire des religions et des civilisations de l'Orient » et concédé à l'Etat en 1885. Ce dernier chargea l'architecte Terrier d'élever un vaste bâtiment place d'Iéna. Il ouvrit ses portes en 1888 et accueillit non seulement les chefs-d'œuvre, mais aussi la bibliothèque, organe de la recherche. En 1937, il s'enrichit des collections indochinoi-

Une gouache tibétaine du XIXᵉ siècle (musée Guimet).

ses du musée du Trocadéro. Enfin, en 1945, il fusionna avec la section correspondante du musée du Louvre dont il devint le département des arts asiatiques. En liaison avec les missions archéologiques, il poursuit sa double fonction de conservation et de recherche.

Le rez-de-chaussée est consacré aux arts lamaïques et de l'Asie du Sud-Est. On y trouve tous les styles de l'art d'Angkor (VIᵉ-XIIIᵉ siècle) parmi lesquels on remarquera la grande statue en grès poli du dieu Hari-Hara, du milieu du VIᵉ siècle, un torse de Vishnou provenant de Phnom Koulèn, où fut fondée la dynastie angkorienne (802), le fronton du temple Banteay Srei (consacré en 967), le portrait du roi Jayavarman VII (1181-1218) et la statue de sa première épouse, dans le style du Bayon. Parmi les pièces du Champa (Viêt-nam central, VIᵉ-XVᵉ siècle), on citera un grand Çiva assis à dix bras (XIIᵉ siècle). Dans la collection d'arts lamaïques, qui est de réputation mondiale, figurent cinq tanka représentant les Grands Magiciens, une Dâkini dansant.

Le premier étage concerne l'Inde, le Pakistan, l'Afghanistan, la Chine ancienne parmi lesquels plusieurs pièces se signalent : pour l'Inde, le Roi serpent de l'école Mathourâ (milieu du

IIe siècle), les reliefs de l'école d'Amarâvatî (Ier-IIIe siècle) ; pour le Pakistan, le Bodhisattva de Shabaz-Garhi (IIe siècle) et le trésor de Begrâm (Ier-IIe siècle) et pour la Chine, outre des jades, os et ivoires sculptés de l'époque des Han (206 av. J.-C.-220 ap. J.-C.), une grande chimère (Ve-VIe siècle) et le fameux bronze doré de la *Conversation mystique* (518).

Au second étage est présentée la collection des céramiques chinoises, riche des donations Calmann, Grandidier et récemment Rousset. On y trouve, outre de très beaux céladons (le bœuf à bosse T'ang, VIIe-Xe siècle), des peintures sur soie ou toile provenant d'une grotte de Touen-houang (Kansou), murée en 1035. Pour l'Asie centrale, des morceaux de peinture murale (Douldour Aqour, VIIe siècle). L'art coréen est dominé par une couronne funéraire du royaume de Silla (IVe-VIe siècle) et l'art japonais, par des masques de danse et le fameux paravent des Portugais (XVIe siècle) qui représente saint François Xavier accueillant une caravelle portugaise.

Le musée
de la Mode et du Costume
(10, avenue Pierre-Ier-de-Serbie
Tél. 47.20.85.23.)

La duchesse de Galliera, ayant légué à la ville ses collections, chargea Léon Ginain de construire (1878-1894) un édifice inspiré de la Renaissance italienne, susceptible de les accueillir. Il conçut un pavillon central à arcades, orné des figures de la peinture (Chapu), de l'architecture (Thomas), de la sculpture (Cavelier) d'où partent deux ailes à colonnades.

Les collections d'art italien étant finalement données à la ville de Gênes, la ville de Paris y a installé en 1977 le musée de la Mode qui est la section des costumes du musée Carnavalet. Ce fonds de plus de dix mille costumes a pour origine quantité de dons et, en particulier, celui de la Société d'histoire du costume (1920) ; il en résulte que certains domaines sont très riches tels que la haute couture, les uniformes civils, les poupées costumées, les éventails, etc. Les costumes sont présentés par roulement

dans le cadre d'expositions temporaires thématiques sur la carrière de grands couturiers.

Le palais de Tokyo
(11-13, avenue du Président-Wilson
tél. 47.23.36.53.)

Il fut construit pour l'Exposition de 1937, comprenant deux musées, l'un pour la ville, l'autre pour l'Etat. La conception de l'édifice est voisine de celle du palais de Chaillot avec deux ailes bien distinctes, reliées par deux portiques et par un parvis qui descend vers le fleuve. Les architectes en furent Dondel, Aubert, Viard et Dastugue qui adoptèrent un style classique et solennel. Sous le parvis, la cour des musées est décorée par un grand bassin et des sculptures de Bourdelle (*La France*, *La Force* et *La Victoire*).

L'aile occidentale qui abritait le musée national d'Art moderne est en cours d'aménagement pour accueillir la cinémathèque et ses annexes (musée du Cinéma, bibliothèque, Institut des hautes études cinématographiques, etc.). La fondation européenne des métiers de l'image et du son y est établie. C'est un organisme de formation aux métiers du cinéma et de l'audiovisuel.

Le **musée d'Art moderne de la ville de Paris** (tél. 47.23.61.27, aile orientale), bien que conçu comme musée dès 1937 pour recevoir les collections d'art moderne qui étaient à l'étroit au Petit Palais, n'ouvrit ses portes qu'en 1962, quand les œuvres furent suffisamment nombreuses pour occuper l'immense espace qui leur était destiné. A côté des achats, des dons et des legs très nombreux constituent les collections, notamment ceux du docteur Girardin (plus de cinq cents pièces, 1961), de Mme Reisz (quarante-sept œuvres de Dufy), de Mme Henry ou du Pr Thomas (de nombreux fauves). Le musée mène une politique active d'acquisitions, de diversification (la photographie) et d'actualisation depuis 1967 avec l'A.R.C. (Animation recherche confrontation) qui présente les dernières tendances et l'avant-garde dans des expositions temporaires.

*Le musée d'Art moderne
de la ville de Paris.* ▶

L'édifice possède quelques décors peints très célèbres : la vaste composition de Dufy (60 × 10 mètres), *La Fée électricité*, réalisée pour le hall du pavillon de la lumière à l'Exposition de 1937. Cette épopée technique retrace l'histoire de cette technique depuis l'Antiquité et présente en haut ses bienfaits, en bas les portraits d'une centaine de savants et penseurs qui ont travaillé sur ce sujet ; *La Danse* de Matisse (1932), présentée plus bas, est la première version du chef-d'œuvre de la fondation Barnes (Meryon, Pennsylvanie) ; à côté figurent quatre toiles de Robert et Sonia Delaunay dites *Rythmes* (1938). La présentation des riches collections est chronologi-

que et l'on remarque, pour le début du siècle, *La Pastorale* de Matisse (1905), *L'Evocation* de Picasso (1901) ; pour la période cubiste, *Le Pigeon aux petits pois* (Picasso, 1911), *L'Oiseau bleu* (Metzinger, 1913), *L'Escale* (André Lhote, 1913), *La Ville de Paris* (R. Delaunay, 1912) ; pour l'école de Paris, *La Femme à l'éventail* (Modigliani, 1919), *Nu couché à la toile de Jouy* (Foujita, 1922), *Le Rêve* (Chagall, 1927). Mais c'est pour l'art postérieur aux années vingt que le musée est particulièrement riche et que tous les mouvements sont représentés : surréalisme, expressionnisme, abstraction lyrique, nouveaux réalistes, figuration narrative, etc.

24. Du Ranelagh à Auteuil

Ce quartier très résidentiel était jadis bordé au nord par le château de La Muette qui disparut en 1926 avec son parc. Au sud, le village d'Auteuil, qui remonte bien avant l'an mil, dépendait jusqu'à la Révolution de l'abbaye Sainte-Geneviève. La fertilité du sol, les eaux thermales tonifiantes, rues La Fontaine, de la Cure et de la Source notamment, en firent la richesse et en même temps un lieu de villégiature où, dès le XVIe siècle, il était de bon ton d'avoir une maison de campagne ou, du moins, d'y passer l'été. Et parmi les illustres visiteurs on peut repérer Boileau, Racine, Molière, Hubert Robert, Franklin, Chateaubriand, Gros, Carpeaux, Gérard, etc. Au fil des siècles, les Génovéfains aliénèrent de vastes espaces, ce qui permit la construction de grands domaines : ainsi, à l'extrémité de la Grande-Rue, le château du Coq, rendez-vous de chasse de Louis XV, jouissait d'un grand parc qui disparut lors de l'ouverture de la rue Erlanger en 1862 ; de même, le châ-

teau de Boufflers, au nord de la rue Poussin, était considérable ; mais c'est surtout au cœur du village que la propriété Galpin (actuel lycée Jean-Baptiste-Say) occupait un vaste espace

Le vieil Auteuil

A la fin de l'Ancien Régime, le domaine agricole de l'abbaye Sainte-Geneviève correspondait à un secteur délimité par la Seine, les rues Wilhem, Boileau et le boulevard Excelmans. Si l'église et les bâtiments conventuels, à l'emplacement de la maison de retraite Chardon-Lagache, ont disparu, il subsiste, outre une atmosphère paisible et villageoise, de vieilles maisons, l'hôtel construit en 1777 pour Louis Véron (n° 16, rue d'Auteuil) et surtout, au n° 11 bis (lycée Jean-Baptiste-Say), l'édifice construit au début du XVIIIe siècle et remanié par l'industriel Ternaux sous l'Empire.

La Maison de la Radio.

La Maison de Radio France

L'architecte Henri Bernard a conçu une rotonde de cinquante mètres de diamètre dominée par une tour de soixante-huit mètres. Elle comprend trois anneaux concentriques : celui de l'extérieur chargé de l'isolation phonique des autres comprend le hall d'entrée décoré d'une sculpture par Stahly (La Forêt) et quatre foyers pour les artistes ornés de mosaïques (Bazaine, Singier) et de tapisseries (Manessier, Soulages) ; le second anneau abrite les studios et quatre salles publiques : le studio 104 (mille places, décoré par Louis Leygues), le studio 103 (cinquante places, tapisserie de Bezombes), le studio 105 (deux cent cinquante places, fresque de Mathieu), le studio 12 (théâtre de huit cents places) ; le troisième anneau est consacré à la documentation sonore, livresque ; la tour renferme les archives.

*La Maison de Radio France
116, avenue du Président-Kennedy
Tél. 42.24.99.99.*

dépassant très largement les rues d'Auteuil et Molitor. Et le hameau Boileau avec la maison de l'écrivain relève d'une semblable origine. Ce qui illustre le mieux le caractère privilégié de l'endroit est le salon de Mme Helvétius, 59, rue d'Auteuil où défila toute l'Europe des Lumières.

En dépit de l'annexion à Paris en 1860 qui entraîna une urbanisation fulgurante, Auteuil resta par certains aspects un vrai village qui, jusqu'à la dernière guerre produisait du lait. Ces temps sont révolus, mais l'urbanisation tardive et destinée à une population aisée a eu pour conséquence la permanence de vastes jardins et espaces verts ainsi qu'en témoignent tous ces passages, villas, hameaux... Aujourd'hui, si certaines constructions qui en sont à la troisième génération présentent de hautes façades sur la rue, leurs jardins sont en fait de véritables parcs privés.

Rue du Ranelagh, le lycée Molière (n° 41) est une construction de Vaudremer (1888).

Rue La Fontaine, au n° 14, se dresse le très célèbre Castel Béranger (1897) qui valut à Hector Guimard d'être primé au premier concours de façades

Entrée de métro, porte Dauphine.

de la ville de Paris. L'exubérance du décor, la variété des matériaux y compris dans le vestibule d'entrée, l'« échauguette » d'angle ou les ferronneries des balcons choquèrent. L'immeuble entièrement réalisé par Guimard, qui dessina jusqu'aux papiers peints, devait être à loyer modéré et il suffit de regarder la cour réunissant les trois bâtiments dans l'impasse Béranger pour apprécier l'art avec lequel l'architecte rentabilisa au mieux le terrain. De même, sur les façades secondaires, il imposa des limites très

---

Guimard à Auteuil

Au sud de la rue Molitor subsistent plusieurs édifices du début de la carrière de l'artiste. Rue Boileau, l'hôtel Roszé (n° 34, 1891), premier hôtel particulier situé à l'emplacement de la maison de Hubert Robert ; rue Chardon-Lagache, l'hôtel Jassedé (n° 41, 1893) est sa seconde commande et affiche un éclectisme prometteur. Villa Molitor, l'hôtel Delfau (n° 1 ter, 1894) est de style indécis. Boulevard Excelmans, au n° 39, Guimard suréleva la façade très classique de l'atelier de Carpeaux. De la même année date le n° 142, avenue de Versailles (et n° 1, rue Lancret) dont l'escalier est très intéressant ; enfin, au n° 7 de l'avenue de La Frillière, on lui doit l'ancienne école du Sacré-Cœur (1895) aux colonnes de fonte inclinées et au décor vraiment Art nouveau.

---

strictes à la décoration, en recourant davantage aux formes et aux structures linéaires. Cet édifice lança véritablement l'artiste ; les n° 17, 19, 21, plus tardifs (1911), sont aussi de Guimard, mais dans un style beaucoup plus géométrique et assagi.

Rue Gros, le n° 43 est le même immeuble que le n° 17 de la rue La Fontaine.

Rue Agar, à la même époque (1911), Guimard réalisa plusieurs maisons essentiellement en brique et pourvues d'un décor limité, mais très varié. En outre, il dessina non seulement la plaque de la rue, mais l'inscription « A la tragédienne Agar qui habita Auteuil et Passy de 1870 à 1880 ».

Rue Millet, au n° 11, Guimard éleva en 1910 l'immeuble Trémois, dans un style assez sévère.

Rue La Fontaine, au n° 40, l'œuvre des Orphelins d'Auteuil, fondée en 1866 par l'abbé Roussel, dispose d'un vaste jardin ouvert au public. Les bâtiments en brique rouge de style néogothique renferment à proximité de l'entrée un très charmant petit cloître fleuri d'excellentes proportions. La chapelle, par Chailleux, date de 1927. Au n° 60, Guimard bâtit en 1911 un joli atelier pourvu d'une tourelle, d'une loggia et d'un décor abondant, pour son ami Paul Mezzara, peintre et industriel du textile. Au carrefour de l'avenue Boudon, la maison basse, toute simple, rappelle le passé campagnard de l'endroit. Aux n° 65 à 65 ter se dresse le Studio Building, grande bâtisse aux lignes géométriques due à Henri Sauvage (1926) qui est totalement recouverte de panneaux de céramique blanche ou marron, brillante sur les bow-windows.

Rue du Général-Largeau, le côté des numéros pairs est occupé par la façade latérale de l'immeuble de Sauvage.

La **rue d'Auteuil**, qui était autrefois la grand-rue du village, a bien changé, mais conserve un côté campagnard avec de nombreuses maisons basses sans décor, qui contrastent avec les

La statue de la Liberté sur le pont de Grenelle. ▶

grands immeubles des artères avoisinantes.

Rue La Fontaine, au n° 85, le bâtiment élevé par Ernest Herscher (1907) est intéressant pour l'abondance de son décor végétal qui n'est pas sans rappeler, dans un style beaucoup moins fluide, l'art de Guimard.

Rue Poussin, au n° 12 s'ouvre la villa de Montmorency, installée sur le domaine de la comtesse de Boufflers, maîtresse du prince de Conti, qui y aménagea un splendide parc sous Louis XVI. La propriété possédée par les Montmorency de 1822 à 1852 fut acquise par les Pereire en 1853. Pour les besoins des travaux du chemin de fer de ceinture, ils la morcelèrent à partir de 1854. Cet endroit très calme attira tout particulièrement les intellectuels : les Goncourt (1858-1896), Gide, Bergson, etc.

Avenue Mozart, au n° 122, Guimard se construisit en 1910 un hôtel de quatre étages avec loggia qu'il signa de ses initiales au-dessus de la porte ; Villa Flore, le n° 120 également de lui, est d'un style beaucoup plus sévère et proche des réalisations de la rue Agar. Cette avenue agréable pour ses arbres et animée grâce à ses boutiques a conservé çà et là quelques hôtels particuliers de deux travées et de deux ou trois étages (n° 51, 43 par Chabert, 1879).

Rue Raffet, les n° 18 et 20 sont deux maisons typiques des années vingt. **Square du Docteur-Blanche**, aux n° 8 et 10, dans une atmosphère de verdure, se trouve la villa double La Roche-Jeanneret, construite sur pilotis par Le Corbusier en 1923 ; elle témoigne de conceptions nouvelles sur l'espace, les volumes, l'absence de décor, les plans inclinés. La fondation Le Corbusier, installée dans les lieux, conserve, outre les collections personnelles de l'artiste, toutes ses archives et organise périodiquement des expositions (tél. 42.88.41.53.).

La **rue Heine** est très typique de l'urbanisation telle qu'elle se fit à partir de 1886, selon une conception bien anglaise qui ménage un sas de verdure devant chaque maison. Au n° 18, Guimard éleva en 1926 un édifice très dépouillé, à peine orné d'un motif végétal au-dessus de la porte. **Rue Jasmin**, au n° 6, J. Boussard a réalisé une façade composite, voire hétéroclite, où les formules traditionnelles d'un programme décoratif très chargé et réaliste (sphinges, guirlandes, coquilles, bas-reliefs de style Louis XVI : *L'Eté, L'Automne*) s'allient à un vocabulaire architectural nouveau ; de même, au n° 4 (et 1, rue de l'Yvette), il recourt aux mêmes procédés et aux mêmes éléments décoratifs placés de façon insolite (pots à feu au premier étage, etc.).

Rue Ribéra, J. Boussard est l'architecte de plusieurs maisons : n° 42 et 5, (et 41, 43-45 rue Dangeau) qui datent de 1894. Certaines façades sont recouvertes de panneaux de céramique et, au n° 45, la porte est surmontée d'un curieux bas-relief sculpté figurant *L'Abondance sur son char tiré par un cheval*.

Le musée Marmottan

Ce musée a été créé en 1932 par le legs de l'historien de l'Empire et collectionneur, Paul Marmottan. Sa collection comprend des œuvres de cette époque et quelques primitifs acquis par son père, qui ont été complétées par les miniatures médiévales de la donation Wildenstein (XIIIe, XVIe siècles). La donation Donop de Monchy et le legs de Michel Monet, fils de l'artiste (1966) ont fait de ce musée l'un des centres importants de l'impressionnisme (Le Pont de l'Europe à la gare Saint-Lazare, 1877, La Cathédrale de Rouen, 1894, Le Parlement de Londres, 1905, des Nymphéas, des vues de Giverny). Aux œuvres de l'artiste s'ajoutent sa collection personnelle où figurent Pissarro, Jongkind, Boudin, Berthe Morisot et Renoir qui, en 1872, fit le portrait du peintre et de son épouse (Claude Monet lisant, Madame Claude Monet).

Musée Marmottan
2, rue Louis-Boilly
Tél. 42.24.07.02.

La villa La Roche-Jeanneret, qui abrite la fondation Le Corbusier.

Avenue Mozart, n° 76-78 (et 2, rue de l'Yvette), J. Boussard a élevé un peu plus tard (1896) une façade de céramique vernissée verte, très sobre, au décor « académique » de colonnes, médaillons à têtes de guerriers, tandis que les ferronneries ont des motifs floraux et des mufles de lions.

Rue de l'Yvette, à l'angle de la rue de la Cure (n° 20), le petit hôtel pastiche de style Louis XVI présente un grand bas-relief dans lequel un lion sort ses griffes ; l'immeuble du n° 9 est de Mallet-Stevens (1927). Au n° 23, le sculpteur Henri Bouchard se fit construire en 1924 la maison qu'il habita jusqu'à sa mort, en 1960. Le musée qui y est installé présente ses œuvres (tél. 46.47.63.46.).

Rue du Docteur-Blanche, au n° 9 s'ouvre la rue Mallet-Stevens où l'artiste éleva plusieurs maisons en 1927, différentes mais témoignant toutes de son goût pour les volumes simples, l'absence de décor, les terrasses superposées (n° 4, 6, 7, 10, 12).

La **rue du Ranelagh** possède une série de villas de la « première génération » pourvues de grands jardins (n° 125-103, 96-90). On remarquera en particulier les deux immeubles néo-Renaissance de l'architecte Chièvres (n° 123, 1879 ; n° 109, 1881) et, au n° 94, le castel Louis XII en brique, avec tour et encadrement de porte sculpté.

Boulevard Beauséjour, au n° 7, la villa du même nom a remplacé en 1860 un grand parc très fréquenté à l'époque romantique. Quelques isbas russes rappellent l'Exposition universelle de 1867.

Le **jardin du Ranelagh** est très apprécié des enfants qui y trouvent toutes sortes de distractions. Ce fut, à l'origine, un bal payant en plein air, inauguré en 1774, en pleine anglomanie, pour donner à Paris une réplique de ce que faisait lord Ranelagh à Londres. Il était bordé au nord par le château de La Muette, reconstruit par Gabriel, qui appartint à partir de 1820 pour un siècle à la famille du facteur de pianos Erard. Dès 1904, une partie du parc fut lotie et, en 1920, le bâtiment disparut. Henri de Rothschild, au pseudonyme d'André Pascal, acquit le sud du parc et s'y fit construire un château néo-Louis XV.

25. Le bois de Boulogne

C'est le plus populaire et le plus vaste des espaces verts de Paris (845 hectares). Dès le Moyen Age, ce fut un lieu de chasse favori des rois en raison de l'étendue de la forêt de Rouvres dont il ne représente plus qu'un maigre vestige. C'était un endroit retiré, favorable à la retraite monastique, et Isabelle, sœur de saint Louis, y fonda en 1256 le couvent des Sœurs mineures de l'Humilité Notre-Dame, fermé et démoli à la Révolution. Louis XI fut le premier à s'intéresser à l'économie de l'endroit et François Ier, au retour de sa captivité espagnole consécutive au désastre de Pavie, fit élever par Delorme le château de Madrid (1531), actuel carrefour de la porte de Madrid. Henri IV, passionné d'agriculture et d'industrie, y fit planter des mûriers dont la soie devait être traitée dans la manufacture de la place des Vosges. Si Colbert domestiqua ce terrain de chasse en y traçant allées et étoiles, c'est en fait au XVIIIe siècle que cet endroit devint un lieu de plaisance et de galanterie avec châteaux et folies : La Muette, Neuilly, Saint-James, Bagatelle où le comte d'Artois put se livrer à toutes ses excentricités et lancer des modes. On doit en effet à son anglomanie la publicité faite autour des courses de chevaux qui furent l'objet d'énormes enjeux dans la plaine des Sablons, notamment sur son brillant cheval Black King.

Bien que célébré par les écrivains, il fallut attendre Napoléon III qui avait apprécié, lors de son exil anglais, parcs et espaces verts, pour que cet immense terrain soit donné à la ville de Paris, à condition de l'aménager en promenade publique. Alphand, comme ailleurs, créa (à partir de 1852) un parc à l'anglaise aux allées sinueuses avec lacs, cascades, rochers, espaces verts, kiosques, fabriques et hippodrome de Longchamp, et il ne conserva que deux voies rectilignes (allées de Longchamp et de la Reine-

Le kiosque de l'Empereur, dans le bois de Boulogne. ▶

Au bois

« Malgré tous mes efforts pour rendre aisément accessibles à toutes les classes de la Population de Paris ces deux splendides Promenades extérieures si hautement appréciées par elle : le Bois de Boulogne et le Bois de Vincennes, je ne pus réussir à l'en faire profiter généralement, sinon les Dimanches et les Jours de Fêtes, à cause de la distance, du temps à dépenser pour la franchir, à l'aller et au retour, et des frais de transports qui, fussent-ils plus économiques, finissent par être onéreux quand ils se répètent souvent.

« Conçues et réalisées en vue des satisfactions qu'elles devaient procurer à l'ensemble des habitants de notre Capitale, agrandie, transformée, embellie, ces deux grandes créations devinrent, durant la semaine, par la force des choses — le Bois de Boulogne surtout —, l'apanage à peu près exclusif des personnes fortunées ; particulièrement de celles qui, se croyant trop nobles pour rien faire, consacrent la plus large part de leur oisiveté voulue à l'exhibition quotidienne de leur luxe de chevaux, d'équipages, et des élégances de toilettes des Dames de leurs familles. [...]

« Mais c'est plaisir de voir, chaque jour de repos, les masses populaires envahir les deux bois, s'y répandre de toutes parts, et s'y divertir avec le sentiment qu'elles sont bien là chez elles. »

(Baron Haussmann, Mémoires, 1890-1893.)

Marguerite) ; ici, toutefois, la proximité des quartiers résidentiels et bourgeois rend les réalisations plus luxueuses. Pour faciliter et rentabiliser l'exploitation des lieux, on concéda divers emplacements tels le Jardin d'Acclimatation et le Pré-Catelan, et l'on vendit des parcelles aux municipalités de Boulogne et de Neuilly.

L'étendue du bois a permis le développement harmonieux et espacé des diverses activités : hippodrome, lacs, mares, étangs, clubs sportifs (Racing-Club, jeu de boules de Passy, socié-

lement dans le goût suisse, qui était réservé à l'usage exclusif du couple impérial ; son décor intérieur est très soigné, fait de marqueterie de chêne, noyer et érable aux chiffres de l'empereur et de l'impératrice. A proximité du lac, le Racing-Club de France (plus de vingt mille adhérents) est avec le Real de Madrid la plus grande association sportive du monde.

Le **jardin Fleuriste municipal**, en bordure de Boulogne, sert de pépinière à la ville de Paris pour les jardins et réceptions, et offre une grande variété

Le parc de Bagatelle.

tés hippiques variées, Boule du lac Saint-James, etc.), restaurants de luxe (Pré-Catelan, Grande Cascade, Pavillon d'Armenonville), jardins spécialisés des Poètes, jardin de Bagatelle, Jardin d'Acclimatation, jardin Shakespeare, Fleuriste municipal). Et si, la nuit, c'est un haut lieu de la prostitution, le matin, il est parcouru par les sportifs et devient, les jours fériés, une promenade familiale calme et particulièrement appréciée des Parisiens.

Le **lac inférieur** est assurément l'un des endroits les plus agréables du bois avec ses deux îles : l'une d'elle possède un chalet suisse provenant de la région de Berne, qui sert de restaurant, et le kiosque de l'Empereur, éga-

d'espèces. Non loin, le jardin des Poètes (1954) évoque, à l'aide de statues, citations et pierres gravées, l'art poétique à travers les époques.

Le **Pré-Catelan**, du nom du gouverneur des châteaux de Madrid et de La Muette sous Louis XIV, est une étape gastronomique du jardin Shakespeare : installé en 1953 dans l'ancien théâtre de verdure, il évoque la végétation citée par l'écrivain dans son œuvre. Le carrefour de Longchamp est la seconde curiosité conçue par Alphand avec la **Grande Cascade** ; grâce aux quatre mille mètres cubes de rochers en provenance de Fontainebleau, il réussit à recréer une atmosphère sauvage et « suisse ».

Le château de Bagatelle.

Bagatelle, château de plaisance, bâti sous la Régence par le maréchal d'Estrées, fut longtemps un lieu de rendez-vous galant. Acquis par le comte d'Artois, il fut rebâti en soixante-quatre jours par Bélanger qui réalisa une folie à la mode, de style néoclassique et inspirée de la villa Rotonda de Palladio à Vicence. D'un goût exquis, décoré par les meilleurs artistes (Dugourc, Gouthière), entourée d'un jardin dessiné par l'Anglais Thomas Blaikie, elle fut le cadre de fêtes somptueuses et servit davantage de pied-à-terre que de résidence au jeune comte qui, par ailleurs, disposait d'appartements à Versailles et à Paris, au Temple.

L'édifice acquis par le duc d'Hertford (1835) fut surélevé et complété par la construction d'une orangerie et de communs. Sir Richard Wallace, qui en hérita, ajouta le Trianon et les pavillons de garde. En 1905, la ville de Paris acheta la propriété et fit réaménager le jardin anglais par Forestier. Ami de Monet, celui-ci s'efforça de créer un jardin impressionniste et planta une roseraie (plus de sept cents variétés), devenue le cadre d'un concours annuel international de la rose. Le parc est intéressant à visiter toute l'année en raison de la grande variété d'espèces qu'il contient et de ses pièces d'eau agréablement réparties.

Le **Jardin d'Acclimatation**, créé à l'origine comme jardin zoologique, est, en fait, un lieu d'attractions très réussi, réservé aux enfants. Il comprend, outre une rivière, un lac, des aires de jeux, un petit zoo, un guignol, une maison de poupées qui présente des jouets anciens, etc.

Le musée des Arts et Traditions populaires
(6, route du Mahatma-Gandhi tél. 47.47.69.80.)

Ce musée est installé depuis 1969 dans un bâtiment fonctionnel dû à l'architecte Jean Dubuisson qui a conçu deux parallélépipèdes : l'un horizontal de trois niveaux et l'autre vertical de huit étages, traité en mur-rideau, verre et aluminium. Le musée contient les collections françaises de l'ancien musée d'Ethnographie du Trocadéro qui ont été considérablement enrichies par les enquêtes et explorations menées sous la direction de Georges-Henri Rivière, à travers tout le territoire, pour sauver le patrimoine culturel multiséculaire de la France, en voie de disparition du fait de la généralisation de la civilisation industrielle et urbaine.

Selon un axe double, on a présenté les rapports de l'homme avec l'univers et son rôle d'organisateur de la société, en suivant les principes établis par le sociologue Claude Lévi-Strauss, pour qui « toute civilisation humaine, aussi humble soit-elle, se présente sous deux aspects majeurs : d'une part, elle est dans l'univers, d'autre part, elle est elle-même un univers ».

Dans ces conditions, les objets présentent, hors d'un cadre chronologique, la manière dont l'homme a maîtrisé les techniques indispensables à sa survie, qu'il s'agisse de la cueillette et de la chasse, de la pêche, de l'élevage, de l'arbre et du bois, de la forge, de la poterie, de la construction... ou des transports. Ces techniques et conditions d'existence de l'homme se sont développées dans un contexte « idéologique » qui s'est peu à peu mis en place et auquel l'homme a eu soin d'adhérer : croyances, mythologies, religions, fêtes, etc.

La seconde partie du musée aborde les problèmes de société et de l'homme « agissant » soit dans des pratiques « parareligieuses » (sorts, divinations, guérison), soit dans les institutions qui organisent et rythment la vie quotidienne (foires, marchés, villages, famille, compagnonnage). Enfin, l'on a traité du « superflu » et de l'avènement de l'expression artistique en évoquant le jeu, le spectacle, la littérature, la danse, la musique, le costume, les arts visuels. La présentation des objets relatifs à ces thèmes est faite dans une perspective analytique et pédagogique, éclairée de nombreux commentaires et très largement complétée par des diaporamas.

Le musée propose, en outre, un grand nombre d'activités culturelles pour jeunes et adultes, et possède une bibliothèque fort riche.

26. La Défense

L'histoire de la Défense est intimement liée à celle de l'axe triomphal de Paris reliant les résidences royales (Vincennes, Louvre, Saint-Germain). Si le roi Louis XIV, par l'ouverture des Champs-Elysées et de l'avenue du Trône, y apporta sa contribution, celle de Louis XV ne fut pas négligeable, puisque la construction par Perronet (1772) du solide pont en pierre de Neuilly permit de poursuivre ce vieux rêve : l'édification par Napoléon Ier de l'arc de triomphe de l'Etoile avec, en annexe, l'avancée vers l'ouest, grâce à l'avenue de la Grande-Armée ; l'aménagement de la porte Maillot avec un premier concours en 1929 et, en corollaire, une étude de la liaison Etoile-Défense (concours de 1931, auquel participa Le Corbusier) et ce programme fit partie du plan d'aménagement de la région parisienne à partir de 1932.

Pendant longtemps, on songea à installer à la Défense des organismes publics (Cité de la Radio ou du Gouvernement) et l'idée d'un quartier d'affaires ne vit le jour que dans les années cinquante. Tandis que l'on étudiait le devenir de la Défense, on entreprit la construction d'un Centre national des industries et des techniques (C.N.I.T.), destiné à accueillir salons et manifestations diverses. Sa couverture, constituée d'un voile de béton mince d'une portée de 283 mètres supporté par trois points seulement, constitua une prouesse technique, et l'édifice connut, dès son ouverture (1958), la faveur du public.

Une tour à la Défense. ▶

Les projets se succédèrent et, pour sauvegarder la perspective axiale, Auzelle, Herbé, Camelot, de Mailly et Zehrfuss proposèrent, dès 1960, de créer un plateau artificiel peuplé d'immeubles et de jardins, entièrement réservé aux piétons, la circulation se faisant à la périphérie. Bien avant l'adoption de ce projet en 1964, la première tour se dressa (Esso en 1962), suivie de Nobel en 1965, Aquitaine en 1966, Aurore en 1969. La Défense joua un rôle de vitrine technologique en matière de construction et la tour Esso fut la première à utiliser le mur-rideau : les façades ne portent rien, l'immeuble est construit autour du noyau de béton central qui contient ascenseurs et canalisations diverses. De même, le recours aux coffrages permit d'édifier la tour Nobel en un temps record. Parallèlement, l'on mit en place un réseau performant d'infrastructures (R.E.R., train, chauffage, central téléphonique de cent mille lignes, galeries techniques sur sept kilomètres). Le succès fut tel que l'on dut bientôt doubler la surface constructible en bureaux (tours U.A.P., G.A.N., Fiat).

Par la suite, à partir de 1978, grâce à un jeune promoteur, C. Pellerrin, on commença à prendre en compte, à grande échelle, l'évolution des mentalités devenues, à l'usage, hostiles à la climatisation totale, aux grands bureaux paysagers, aux horaires fixes. Cela se concrétisa par la réalisation d'immeubles à échelle plus humaine, dont les fenêtres s'ouvrent et qui comportent des bureaux individuels (tour Elf). Bref, la réussite de ce complexe est telle que la surface de bureaux prévue initialement a presque triplé (2,2 millions pour 860 000 mètres carrés). L'achèvement du programme à l'ouest fut à l'étude dès les années soixante-dix, où Pompidou retint le projet d'E. Aillaud ; puis, le président Giscard d'Estaing choisit pour la Tête Défense le projet de Claude Willerval qui, par un gigantesque V, laissait ouverte la perspective des Champs-Elysées vers Saint-Germain. Le changement politique de 1981 remit tout en cause et, à la suite d'un concours remporté par l'architecte danois Otto von Sprekelsen, on retint une immense arche, forme moderne de l'arc de triomphe, dont les parois offrant 87 000 mètres carrés de bureaux seront occupées, au sud, par le ministère de l'Equipement. L'inauguration de la Grande Arche, qui se veut être la tour Eiffel du bicentenaire de la Révolution, est prévue pour le début des fêtes commémoratives.

Tandis que se mettait en place ce quartier d'affaires, par un effort considérable on s'efforçait de l'humaniser : ainsi apparurent immeubles d'habitation au sud, jardins, bassins, magasins, boutiques et centre commercial des Quatre-Temps, soit deux cent mille mètres carrés pour les commerces. De même, grâce à l'aménagement du parvis, de l'esplanade et des places successives, un véritable musée de l'art contemporain s'est progressivement mis en place : fontaine aux soixante-six jets d'eau commandés électroniquement, par Agam, *Le Pendule*, horloge de Moretti (aux Quatre-Temps), la *Fontaine des Corolles* par Leygue (1973), deux *Personnage fantastique* de Miró, *Icare* par César (1965), *La Porte de la Ville* par Kowalski, la mosaïque-fontaine de Deverne pour les immeubles « Les Miroirs », la fresque en émaux du *Sculpteur de nuage* par Atila (1972), *Doubles lignes indéterminées* de Venet (1988), *L'Oiseau mécanique* de Philolaos (1972), *La Terre* de Debré, etc.

Mais la visite de la Défense permet aussi et surtout de découvrir une expérience pilote réussie en Europe : un immense quartier d'affaires né de la collaboration harmonieuse des urbanistes, des architectes et des ingénieurs, et les plus grandes sociétés sont venues s'installer ici : Esso, I.B.M., Elf, Saint-Gobain, le Crédit lyonnais, Total, E.D.F., Roussel-Uclaf, Rank Xérox, etc. Le concours d'architectes renommés et un plan directeur cohérent ont permis de réaliser un quartier « humain » qui ignore la démesure et la monotonie, et l'on peut apprécier, par-delà les verres fumés ou réfléchissants, l'inox, l'aluminium et les matériaux divers, le talent varié des architectes. On retiendra, en particulier, la tour Assur en étoile à trois branches, par Dufau (U.A.P.), celle du G.A.N. en forme de croix, par Bisseuil et les Américains Harrisson et Abramowitz, de réputation mondiale ; la tour Manhattan (1975), par Herbert et Proux, la première à avoir adopté des lignes courbes ; l'immeuble Esso (1962), le premier de la Défense, par les Greber et Douglas ; les tours Fiat (1969, plus de cent mille mètres carrés de bureaux, 178 mètres de haut) et Elf (1980) par Saubot, Julien et les Américains Skidmore, Owings et Merill, mais selon des conceptions différentes ; les tours Atlantique et du Crédit lyonnais (1972) par Dubuisson et Jausserand, pour leur « verticalité », ou la tour Eve par Hourlier et Gury, dont la section ovale rappelle singulièrement celle du palais des Congrès à la porte Maillot, par Guillaume Gillet (1972) ; sans oublier le C.N.I.T. par Zehrfuss, Camelot et de Mailly qui va être aménagé en hôtel, le parc des Expositions de la porte de Versailles prenant le relais pour les manifestations diverses.

27. La plaine Monceau

Le village de Monceau ou Mousseaux fut, depuis le Moyen Age, l'un des villages nourriciers de Paris qui dépendit jusqu'en 1830, comme celui des Batignolles, de Clichy, où les rois mérovingiens avaient une résidence d'été. Au XIVe siècle fut créée la seigneurie de Monceau et Jeanne d'Arc y campa avant de tenter de délivrer Paris (1429). La passion des rois et des aristocrates pour la chasse entraîna la constitution de plusieurs remises à gibier sur le territoire du village. Parmi les notables qui habitèrent ici, figurent le fermier général Grimod de La Reynière, possesseur du château avant 1752, et le très célèbre duc de Chartres, mieux connu sous le nom de Philippe Egalité, qui s'opposa à la construction de la barrière de l'octroi, dite « mur des Fermiers généraux », pour la raison qu'elle le privait de la vue sur la campagne au nord. Aussi obtint-il, moyennant finance, qu'à l'étage supérieur de la barrière de Courcelles, un salon lui fût réservé (actuelle rotonde de Chartres, au nord du parc). Il s'était fait aménager un jardin à l'anglaise dessiné par Carmontelle, aux multiples talents d'architecte, de peintre, de dramaturge et de dessinateur de jardins, et le paysagiste anglais Thomas Blaikie, qui avait réalisé le parc de Bagatelle pour le comte d'Arbois, en fut le créateur.

C'est sous la Restauration que le quartier se réveilla et les terres agricoles commencèrent à changer de mains, mouvement qui s'accéléra après 1830, en raison de la présence du chemin de fer de Paris à Saint-Germain ; sa construction, concédée aux frères Pereire (1835), modifia sensiblement la physionomie de l'endroit ; en dépit des admonestations d'Arago annonçant « fluxions de poitrine et pleurésies », il passa sous la colline de Monceau, développa l'activité des villages des Batignolles et de Monceau. Plus tard, la création du chemin de fer de ceinture et, en particulier, la ligne d'Auteuil, inaugurée en 1853, eut pour résultat de créer au nord une zone industrielle, alors que le sud restait champêtre. Lorsqu'en 1860 ces agglomérations furent annexées à Paris, la spéculation et l'urbanisation se déchaînèrent. Certes, vers 1850 la surpopulation de Paris était évidente et la politique volontariste d'implantation du chemin de fer laissait prévoir un développement considérable des activités économiques. Des gens avisés achetèrent de grands terrains à bas prix : les notaires de Monceau, Defuingant, Riant et Ancelle, les Chazelles, héritiers de Lavoisier, les peintres Jadin et Decamps et, bien entendu, à grande échelle, les Pereire. Dès que l'annexion fut faite et que les règlements d'urbanisme eurent cours, les terrains furent revendus. Et les Pereire, fort intelligemment, dans le secteur de la place qui porta longtemps leur nom (devenue place du Maréchal-Juin), souhaitant une urbanisation de qualité, exigèrent de l'acquéreur l'obligation « d'élever dans les six mois de l'achat, une maison d'habitation bourgeoise ». Toute nouvelle spéculation sur les terrains devenue impossible, les constructions furent d'une grande homogénéité : rues Ampère (1878-1884), Barye (1881), Thann ou Phalsbourg (1878) et bien d'autres. Et ce phénomène a été admirablement décrit dans l'épopée de la famille Boussardel de Philippe Hériat. A cette occasion, on réalisa une opération immobilière en élevant des immeubles très élégants sur les bords mêmes du parc (est, sud, ouest), dont la superficie fut ainsi réduite de près de la moitié.

Le quartier ainsi créé, en tenant compte des axes préexistants, respecta les règles haussmanniennes : les rues furent droites et larges (pour permettre une sortie rapide de la ville), plantées d'arbres, les places nombreuses et ouvertes, de même que les squares et les jardins ; ainsi, en quelques dizaines d'années, naquit l'un des quartiers résidentiels les plus agréables de Paris, calme, moderne, mais proche du centre des affaires, et quantité d'artistes et d'écrivains s'y établirent.

Du point de vue esthétique, on peut discerner plusieurs types d'architecture : l'art officiel fidèle à la grammaire haussmannienne et au vocabulaire académique classique qui figure dans de grands immeubles ou dans de petites maisons et un art plus imaginatif qui eut recours soit au pastiche (gothique, Renaissance), soit au modernisme et au modern style, voire à l'architecture industrielle. En tout cas, la plaine Monceau est l'un des endroits de Paris qui a le plus conservé d'édifices et de petites maisons d'un ou

Monceau vers 1870

« Pendant que mon père donnait des leçons, je travaillais d'après nature, en plein air... Vous ne sauriez avoir aucune idée de ce qu'était alors ce quartier si élégant, si luxueux aujourd'hui, le boulevard de Courcelles, l'avenue de Villiers, la place Malesherbes, l'avenue de Messine ; c'était la campagne, la vraie campagne ! On y voyait des cultures maraîchères, des laiteries, des fermes, des étables de nourrisseurs, des guinguettes où les jours de fortune on allait manger une omelette sous les acacias en fleur ; les vaches, les chèvres, les moutons y paissaient dans les champs ; mon père et moi y faisions des études de mousses, de fougères, de troncs d'arbres... Il existe un tableau de Cabat qu'on croirait peint dans le Morvan... c'est le boulevard Haussmann en 1835, derrière l'hôpital Beaujon ! Monceau, abandonné, n'était plus qu'une ruine grandiose, envahie par les herbes, les lianes, les bardanes, les fleurs sauvages ; les arbres échevelés s'y emmêlaient comme en une forêt vierge, le petit lac était un marais et les colonnes de la Naumachie gisaient pour la plupart dans l'herbe. [...]

« J'y peignais des animaux, et les modèles ne manquaient pas... j'y passais toutes mes journées de beau temps ; quand il faisait mauvais, je travaillais aux abattoirs du Roule. [...]

« Il fallait vraiment adorer son art pour vivre au milieu de pareilles horreurs et dans un tel milieu ; je m'installais dans les bouveries, à côté des tueries, le sol était rouge de sang, l'on en respirait l'odeur fade. Tout ce monde forcément grossier des abatteurs, des dépeceurs, des buandiers n'avaient pas vu sans surprise cette fillette de dix-huit ans dessiner ainsi au milieu d'eux, et bientôt on me fit la vie dure... J'en ai entendu de drôles, je vous assure. Enfin la Providence m'accorda un protecteur, un brave et digne homme, bon comme le pain, doux comme un mouton, fort comme deux Hercules. »

(Rosa Bonheur dans Georges Cain, Nouvelles Promenades parisiennes.)

La rotonde de Ledoux, au parc Monceau.

deux étages, qui remontent à l'époque de l'urbanisation. L'itinéraire proposé ici est destiné à montrer cette grande variété de constructions, sans oublier l'atmosphère de ce quartier résidentiel, calme en dehors des grands axes (avenue de Villiers, boulevards Malesherbes et de Courcelles, rues Legendre, Cardinet, de Courcelles, de Tocqueville), avec certaines rues animées, telle la rue Lévis avec son marché piétonnier.

Boulevard de Courcelles, au n° 53, et en retour sur la rue de Courcelles, le petit immeuble brique et pierre de Tronchois (1877), dans un style néo-Renaissance est orné de niches et de balcons ; il contraste avec son voisin (n° 49) par G. Walwein (1915), tout en pierre, abondamment décoré par Marcel Rouillère. Ensuite, au n° 47, C. Thion a réalisé en 1900 un édifice dont l'ornementation est située essentiellement dans les balcons.

Rue Alfred-de-Vigny, au n° 10 est installée la fondation Del Duca dans un très bel hôtel du second Empire somptueusement décoré. Au n° 8, le Conservatoire international de musi-

que est un chef-d'œuvre du néogothique tardif, réalisé en 1880 par Parent, pour le fils aîné d'Emile Menier, roi du chocolat : au-delà du porche à la voûte nervurée se déploie une cour gothique, dont les deux côtés sont à pans de bois de même qu'une échauguette, cependant qu'au corps de logis les lucarnes et les meneaux sont abondamment sculptés.

Avenue Van-Dyck, au n° 5, Parent éleva sous le second Empire, pour le chocolatier Emile Menier, un très luxueux hôtel dont la décoration fut assurée par Dalou. C'est ici que Philippe Hériat domicilia la famille Boussardel.

Rue de Courcelles, au carrefour de la rue Rembrandt, se dresse une pagode bâtie en 1926 par Fernand Bloch d'après les plans du Chinois C.T. Loo, installé à Paris à la fin du XIXᵉ siècle. Celui-ci avait fondé en 1902 une galerie qui joua un rôle essentiel dans la formation du goût des amateurs d'orientalisme. On notera surtout, au premier étage consacré à l'art contemporain, une pièce ornée de panneaux indiens provenant de chariots de processions funéraires.

La **rue Rembrandt** est très caractéristique de ces rues qui entourent le parc Monceau : verdure abondante, vigne vierge, grandes demeures à l'anglaise avec services et courettes en dessous du niveau de la rue. Plusieurs maisons sont particulièrement dignes d'intérêt : le n° 1 de style néo-Renaissance, le n° 6 avec son pignon et surtout le n° 7 avec ses bow-windows et sa rotonde d'angle, très modern style.

La **rue Murillo** et les **avenues Ruysdaël** et **Velasquez** forment un ensemble de grande qualité architecturale avec quelques vestiges réemployés des ruines des incendies de la Commune (9, rue Murillo, sculptures des Tuileries) et aussi avec des pastiches dus aux artistes les plus célèbres (Garnier, Dalou, etc.), cependant que ces deux avenues sont fermées par les superbes grilles de Ducros d'après les dessins de Davioud. Ces hôtels sont si spacieux et représentatifs d'un certain art de vivre que deux d'entre eux sont devenus des musées.

Le **musée Cernuschi**, 7, avenue Velasquez (tél. 45.63.50.75.) est né du legs de l'amateur Henri Cernuschi. En 1896, il légua son hôtel avec la collection qu'il avait constituée au cours d'un voyage en Extrême-Orient (1871-1873). On y trouve surtout des œuvres de la Chine classique (jusqu'au XIIIe siècle). Quelques pièces sont exceptionnelles comme le *Bodhisattva assis* de Yunkang (fin Ve siècle) et le rouleau peint des *Chevaux et palefreniers*, attribué à l'artiste de cour HanKan (VIIIe siècle).

Des acquisitions ont complété les collections du musée et, en 1953, le Dr Kuo Yushou a fait don de sa collection de peintures chinoises contemporaines exposées au premier étage.

Le **musée Camondo**, 63, rue de Monceau (tél. 45.63.26.32.), fut reconstruit (1911-1914) avec un jardin inspiré de Trianon par l'architecte Sergent pour servir de cadre aux collections du banquier Moïse de Camondo (art du XVIIIe siècle : Riesener, Pigalle, Jacob, Mme Vigée-Lebrun, Huet, etc.). Il légua l'ensemble à la ville de Paris sous condition que ce musée prenne le nom de son fils Nissim, tué en 1917, ce qui fut fait en 1938, à la mort du banquier.

Le parc Monceau

En 1778, le duc de Chartres acquit un vaste terrain et chargea Carmontelle d'y dessiner un jardin ; celui-ci fut remanié à l'anglaise par le jardinier du comte d'Artois, Thomas Blaikie (1783) ; ce lieu rempli de grottes, de rochers, de cascades et de ruines fut le théâtre de belles fêtes sous Louis XVI. Pendant la Révolution, on vint se divertir en cet endroit et, en 1797, le premier parachutiste, Garnerin, atterrit ici, parti d'une altitude de mille pieds. La folie fut démolie, le parc tomba en ruine et Napoléon donna l'endroit à Cambacérès qui le lui rendit, en raison des frais à engager pour le remettre en état. A la Restauration, les Orléans retrouvèrent leur bien et le remirent vaguement en état. A partir de 1852, le terrain acquis moitié par les Pereire, moitié par la ville de Paris, fut réaménagé en jardin anglais, comme les autres grands parcs parisiens, par Alphand et son équipe. Et l'on revit alors ruines, pièces d'eau, grottes, statues, pendant que les Pereire amputaient le parc pour aménager ses abords immédiats en zone résidentielle : Pereire lui-même se fit bâtir au carrefour Courcelles-Malesherbes une grande demeure à colonnade, aujourd'hui disparue, dont le jardin communiquait directement avec le parc.

Ce parc est l'un des plus agréables de Paris par ses dimensions limitées qui en font un vaste jardin, ses monuments aux écrivains et artistes (Chopin, Gounod, Maupassant, Ambroise Thomas), ses tombeaux, sa pyramide, seule fabrique datant de l'époque de Carmontelle et, surtout, au nord-ouest, l'arcade qui provient des ruines de l'Hôtel de Ville. La naumachie est bordée d'une colonnade qui faisait peut-être partie, à l'origine, du mausolée inachevé de Henri II à Saint-Denis.

Au nord du parc jusqu'au boulevard Pereire, s'étend un quartier occupé dès sa création par les hommes d'affaires, les industriels, les intellectuels et les artistes, et qui s'est bâti grâce à une série d'opérations immobilières du second Empire à la guerre de 1914.

La **place de la République-Dominicaine** offre, en patte d'oie, un beau prototype de cette promotion immobilière : en 1878, un certain Herzog, alsacien, fit ouvrir sur son terrain trois rues auxquelles il donna les noms de Logelbach, Phalsbourg et Thann, en souvenir de son Alsace natale. Celle de Phalsbourg au milieu, dans l'axe du parc, est plus soignée et a été conçue dans son ensemble avec une répartition rythmique des frontons et des balcons, si bien que les maisons y sont alternativement toutes semblables. La rue de Thann, construite à la même époque, présente dans une grande unité de style beaucoup plus de diversité.

Rue Georges-Berger, on remarque, au n° 8, l'hôtel de Georges Berger, commissaire de l'Exposition de 1900, l'usage du grès flammé et, au n° 10, la place accordée à la sculpture par Jacques Hermant (1905) à la base des balcons.

Place du Général-Catroux (n° 1) et en retour sur les rues Georges-Berger et de Thann, s'élève le très bel hôtel que se fit construire le banquier Emile Gaillard, en 1878, par l'architecte Victor-Jules Février, dans le style gothique tardif ; cet édifice valut à son auteur pour sa qualité, le grand prix de la Société des architectes et la médaille d'or de l'Exposition de 1889. La Banque de France y a installé une de ses annexes. Au n° 2 et en retour sur le boulevard Malesherbes, A. Fiquet réalisa en 1899 un bel immeuble brique et pierre de style Louis XII, dont la sculpture abondante avec têtes humaines en médaillons, grotesques, coquillages, oriel orné d'une salamandre, est de Margotin.

Le square, en marge de la turbulence des avenues, possède des sculptures évocatrices de la vie littéraire : Dumas père par Doré, Dumas fils par Saint-Marceaux, Sarah Bernhardt dans le rôle de Phèdre, par Sicard.

Rue Jacques-Bingen, au n° 1 vécut Gounod, de 1878 à 1893. Le majestueux n° 3 est tout à fait représentatif de l'art académique officiel avec son utilisation systématique des colonnes, tandis que le n° 10 par Charles Le More (1880) et le n° 13 (1880), avec gargouille et culs-de-lampe grotesques, sont de petits hôtels brique et pierre de goût historique.

La **rue Lévis**, piétonnière et commerçante, est occupée par un marché. Elle est intéressante car on y trouve encore des petites maisons basses à caractère champêtre (n° 21-25, 55, 48).

Rue Legendre, au n° 19, à l'angle de la rue Léon-Cosnard, la sculpture (bas-reliefs, cul-de-lampe, cheminée) tient une place importante dans ce bel immeuble brique et pierre de style néo-Renaissance.

Rue de Tocqueville, le n° 32 est aussi de style Renaissance et au n° 34 vécut l'auteur comédien Maxime Fabert, de 1937 à 1977. Au n° 45, la maison de Dorel, fondée en 1900 et spécialisée dans l'impression photomécanique, est un excellent spécimen d'architecture industrielle. Au carrefour de la rue Cardinet, quelques vieilles maisons basses rustiques et populaires rappellent ce que fut jadis le quartier (n° 55 « Chez Paul », n° 53 et 72).

Rue Cardinet, on retiendra : le n° 80, immeuble en brique de style Renaissance, avec meneaux, balcons et lucarnes ouvragées ; le n° 78, la salle Cortot, construite par Perret en 1928, qui évoque l'enseignement du maître de l'Ecole normale de musique (n° 76), installée dans l'hôtel de la famille Rozard. Cet édifice élevé au carrefour du boulevard Malesherbes (n° 114 bis) par L. Cochet en 1881 est intéressant non seulement pour son style Renaissance, mais aussi pour l'importance du décor sculpté de ses balcons avec une salamandre à l'angle de deux façades.

Boulevard Malesherbes, aux n° 141-143, le lycée Carnot succéda en 1894 à l'école Monge, élevée par Eiffel et Degeorge en 1869 ; elle comprenait un gymnase traité en hall de gare, ce qui était une innovation considérable en matière d'architecture scolaire.

Rue Jouffroy, au n° 60, J. Morizé bâtit en 1880 un très joli petit hôtel brique et pierre au balcon arrondi et au fronton décoré d'un blason armorié.

Signalons aussi les petits hôtels d'un ou deux étages, souvent en brique et pierre : n° 62, par A. Bolland, n° 59 et 59 bis, 63 bis et 67-69 par W. Lebreton (1870), qui sont des maisons jumelles différenciées, mais qui présentent une grande unité de décor : bas-reliefs, motifs gothiques, corniches.

La **rue Alphonse-de-Neuville**, en son début, présente une succession d'intéressants petits hôtels au décor varié, dans une alternance de brique et de pierre : au n° 3, fenêtres géminées, n° 5, 7, 11 et le luxueux n° 13 de style Louis XVI ; en face, les n° 14, 12 par A. Vincent (1881), 10 et 8.

La **rue Ampère**, ainsi que les rues Brémontier et de Neuville, fut ouverte en 1862 lorsque les Pereire décidèrent de revendre les terrains qu'ils avaient réunis pour créer un quartier bourgeois. En fait, les constructions se firent essentiellement entre 1878 et 1884, d'où cette homogénéité de style. On remarquera à partir de l'avenue de Wagram les n° 34 et 36 dont la sculpture est de Margotin ; le n° 51 par J. Brisson (1881) de style mi-Renaissance mi-Napoléon III ; le n° 53 en brique et pierre, néogothique et Renaissance, le curieux n° 57 en pierre par Sevestre, le n° 61 aussi par lui (1881), avec des animaux fantastiques aux culs-de-lampe de la porte ; le n° 63 en brique également par lui (1890), le n° 65, néo-Louis XII, en brique polychrome avec un décor de coquilles et de feuilles par E. Decaen (1888) ; le n° 68 néogothique aux lucarnes en pignon ; le n° 85, immeuble industriel tout en verre, dont les structures en colonnes de fonte ont des chapiteaux corinthiens, enfin, au n° 91, l'extraordinaire façade de brique conçue encore par Sevestre (1890) avec décor de mosaïque bleu, blanc et or aux fenêtres du premier étage. Au débouché de la rue Ampère, la gare du chemin de fer de

Une sculpture, au n° 61, rue Ampère.

ceinture (1853) est un élégant pavillon éclairé par de grandes arcades et terminé par un toit en terrasse.

La **place du Maréchal-Juin** (ex-Pereire) fut, comme celle de Wagram, créée par les Pereire. Parfaitement circulaire, bordée d'immeubles de même structure, elle est pourvue d'un large square et plantée d'arbres, ce qui rend fort agréables ses terrasses de cafés à la belle saison.

La **rue de Courcelles**, entre les boulevards Berthier et de Courcelles, fut ouverte en 1863. Toutefois, ce n'est que progressivement qu'elle s'est bâtie et, en la descendant, on remonte dans le temps. Mais ici ce n'est pas le domaine des hôtels ou des petites maisons, c'est celui des grands immeubles de rapport édifiés par quelques architectes, dont les noms se répètent, même si les façades diffèrent. Et il est intéressant de voir les différentes formes proposées par les artistes et l'évolution de leur style en quelques années : ainsi on peut suivre l'art de P. Miroude de 1895 (n° 140) à 1902 (n° 119). Au n° 165, l'immeuble de J. Fourot (1889) présente une curieuse sculpture de Paul Lebègue figurant une femme et un démon. Le carrefour de la rue Demours est marqué par deux immeubles massifs mais solennels dont l'un par G. Rousseau (n° 143, 1893). Du n° 119 au n° 111 se succèdent une série d'édifices dus à Miroude entre 1897 et 1902, dans une alternance de sobriété (n° 113, 1898) ou d'abondance de sculpture et de ferronnerie très ouvragées (n° 119-115, 1900-1902 ; n° 111, 1897) ; au n° 107, l'immeuble de Paul Wiallon (1897) se distingue par ses ferronneries. Du côté des numéros pairs, le n° 146 par A. Sélonier (1902) est très riche, à la différence des n° 142 par A. Sibien (1900) ou 140 (Miroude, 1895), qui ont un minimum de décor.

Au carrefour de l'avenue de Wagram, E. Mignard a réalisé les n° 105 (1895) et 138 (1898) dans un style solennel et officiel qui fait une large place aux colonnes et au décor sculpté.

Aux n° 132-134 et en retour sur la rue de Jouffroy (n° 103-105), Théo Petit, en 1907, a réalisé plusieurs maisons en un immeuble peu banal, terminé par des coupoles en béton moulé entre lesquelles se déploient des baies à armature de fer et des auvents supportés par des poutres de bois. La sculpture des consoles est due à Henri Bouchard. Sur la rue de Courcelles, au n° 134 figurent des têtes masculines, au n° 132, des têtes féminines par L. Binet, cependant que les balcons exposent leurs motifs Art nouveau et que, tout en haut, des motifs de céramique mettent un peu de couleur.

Avenue de Wagram, presque en face, au n° 119, les frères Perret ont élevé un immeuble décoré de pampres fort élégants, tandis que les balcons sont ornés de trèfles à quatre feuilles.

Rue de Courcelles, au n° 124, Théo Petit a construit en 1911 un édifice très modern style. Aux n° 89-97, par E. Renard (1912), et 85, par Léon Chesilly (1908), la sculpture tient une place importante de style géométrique ; quant aux n° 83-83 bis, où vécut Saint-Saëns de 1910 à 1921, P. Folleville a donné un programme qui dissocie les deux maisons : tournesols d'un côté, mufles de lions et motifs géométriques de l'autre.

Rue Médéric, au n° 20, le lycée technique hôtelier a succédé à l'école Jean-Drouant, créée en 1931 par l'illustre restaurateur de la place Gaillon. L'immeuble de Gravereaux possède des ferronneries de Subes et une fresque d'Yves Brayer.

La **rue Barye**, ouverte vers 1881, est un joli spécimen de promotion immobilière « moyenne ». Elle comprend douze maisons, toutes construites la même année (1881), par le même architecte, C. Monière ; le style est très sobre, la sculpture absente et seules les ferronneries, les tables ou les refends les individualisent.

Rue Cardinet, on peut noter au n° 34, à l'angle de la rue de Prony, le bow-window de G. Cacheux et de E. Papas

N° 117, avenue de Wagram.

(1892). Au n° 48, Alphonse Lapouge, en 1890, réalisa un immeuble néo-Renaissance bien sec. Les n° 46 (Blum, 1911), 53, 55 (E. Bequey, 1888) ne manquent pas d'intérêt ; au n° 58 (Roulet et Fleurentin, 1888) logeait Debussy lorsque fut créé *Pelléas et Mélisande* à l'Opéra-Comique (1902).

Avenue de Villiers, au n° 43, le musée Henner occupe l'hôtel construit pour le peintre Dubufe par Félix Escalier. Il a conservé ses décors. Les neveux de l'artiste le donnèrent à la ville en 1920, pour qu'elle y installe un musée consacré à l'œuvre de leur oncle (tél. 47.63.42.73.).

La **rue Fortuny**, comme sa parallèle, la rue Henri-Rochefort, est bordée de petits hôtels d'un ou deux étages, de trois ou quatre travées qui ont permis aux architectes de donner libre cours à leur imagination. On y trouve un véritable musée de la maison individuelle dans la seconde moitié du XIXe siècle. L'endroit fut très apprécié des intellectuels et des artistes. A. Boland a bâti le n° 42 pour le maître verrier Ponsin qui réalisa le pavillon de Saint-Gobain en verre soufflé à l'Exposition de 1900. A sa partie supérieure, la tête peinte est censée représenter le propriétaire.

Au n° 27, Adolphe Viel, en 1879, intégra des motifs de céramique colorée ; le n° 19 par J. Brisson, de style néo-Renaissance, est décoré de têtes grotesques et de coquillages, de même que le n° 17 dont la porte est ornée d'un faune ; quant au n° 13, il eut pour hôte Pagnol de 1933 à 1950. Surtout, au n° 9, Gouny sut allier en 1892 les matériaux les plus divers : fer, fonte, brique, céramique par Loebnitz, pierre. Le n° 8 est un charmant hôtel Louis XII, avec masques, hermines, faux colombages, culs-de-lampe et écussons armoriés. Enfin, au n° 2, Edmond Rostand écrivit *Cyrano de Bergerac*.

La **rue de Prony**, qui possède encore beaucoup d'édifices d'origine, surprend par sa largeur en proportion de la hauteur de ses constructions qui ne comprennent souvent qu'un ou deux étages. Une partie d'entre elles est due à l'architecte E. Flamant (n° 23-39, 1870). Il fut l'auteur de nombreux autres hôtels sur les terrains de Jadin (n° 9-19 de la rue Henri-Rochefort, n° 46 de la rue Fortuny) et sut parfaitement utiliser les éléments industriels préfabriqués : lucarnes, balustres, encadrements de fenêtres. On remarquera en outre, au n° 30, l'immeuble de Barberis et de Saint-Maur (1906), orné d'une frise végétale, et les façades des hôtels particuliers n° 14, 12, 8 (Tronquois, 1879), 6 (Flamant, 1875), dont la porte est surmontée d'un écusson aux initiales du premier propriétaire Doudeauville-Maillefeu.

28. De la Trinité à Clichy et Pigalle

Ces noms parisiens sont sans doute ceux qui sont les plus connus de par le monde. Il s'agit d'un quartier dont la réputation est ancienne. En effet, si, au Moyen Age, deux grands fiefs occupèrent une large partie de ce secteur : celui des Dames de Montmartre, de la butte à la Trinité et à la rue Richer, et celui de la grande famille des Le Cocq entre les rues de Provence, du Havre, Saint-Lazare et Cadet, c'est lorsque Louis XIV démolit le rempart et y créa une promenade plantée d'arbres que le peuplement de ce secteur commença. Les anciens chemins vers Montmartre ou Paris furent élargis et des voies nouvelles ouvertes (rue des Mathurins), tandis que le village des Porcherons, devenu plus peuplé, se dotait d'une église, Notre-Dame-des-Porcherons, dite aussi des Cabaretiers (n° 62-64, rue Lamartine), ancêtre de Notre-Dame-de-Lorette.

Le jeune Louis XV étant installé à Paris, toute l'aristocratie et l'administration vivant à Versailles le suivirent et durent se loger dans la capitale. L'on décida en 1720 de créer le quartier de la Chaussée-d'Antin au sud de la rue Saint-Lazare. Il s'ensuivit la construction de quantité de folies, ici et au-delà, rue de Clichy (n° 88, les fermiers généraux La Popelinière puis La Bouëxière) ou rue Saint-Georges (n° 38, l'Américain, Jean-Baptiste Hosten). Guinguettes et cabarets suivirent : rue Saint-Lazare, celui du sieur Magny, qui remontait aux années 1700, fut rénové vers 1760 par le célèbre Ramponneau qui fit de la Grande Pinte un établissement très apprécié. La plupart de ces cabarets se situaient d'ailleurs vers la rue Saint-Georges et, en 1787, la rue des Martyrs comptait autant d'auberges que de maisons. Dès cette époque les jeunes femmes de mœurs légères s'y trouvaient des protecteurs qui, suivant leur rang, les établissaient dans des hôtels ou des petites maisons, rues Saint-Lazare, Blanche, Pigalle ou de Clichy. Au XIXe siècle, on les appela les lorettes, du

Les néons du Moulin-Rouge.

nom de l'église du quartier. La tradition de distraction, de vie facile et de demi-monde se poursuivit pendant la Révolution avec, notamment, le premier Tivoli installé rue de Clichy, dans la folie du financier Boutin, puis le second créé en face par Ruggieri à la fin de l'Empire.

L'urbanisation se poursuivit en 1820, à la Nouvelle Athènes (au nord de la rue Saint-Lazare) et autour de la place Saint-Georges. Ces nouveaux secteurs furent aussitôt élus des écrivains, des artistes et des petits-bourgeois : ainsi, Victor Hugo passa sa petite enfance rue de Clichy et vécut longtemps dans le secteur (rues Blanche, de la Tour-d'Auvergne, de Caumartin, Navarin, de La Rochefoucauld, avenue Frochot). De même Berlioz hanta les rues de Londres, Blanche, Boursault, La Bruyère, de Calais. Quant à Gavarni, installé rue Fontaine, il croqua sur le vif le peuple des lorettes.

Les salles de spectacle s'installèrent progressivement : le théâtre de la Bodinière, 18, rue Saint-Lazare, « le coin le plus parisien de Paris », vers 1900, présentait des revues légères ; la salle Chaptal, vers 1843, était fréquentée des gens du monde et, peu à peu, la ceinture du spectacle recula jusqu'à Clichy : une patinoire s'établit

15, rue Blanche et le cirque Fernando, à l'angle des rues des Martyrs et du boulevard (1873) devint bientôt le cirque Médrano, repris plus tard par les Bouglione et démoli en 1973. De même, les boulevards se peuplèrent de cafés qui devinrent rapidement le rendez-vous des intellectuels et des artistes, comme « La Nouvelle Athènes » (9, place Pigalle, 1870), le café Jean Goujon (rue Fontaine), la « Grande Pinte » rebaptisée « L'Ane Rouge » en 1890 par Gabriel Salis (28, avenue Trudaine, 1878), établissements qui virent aussi bien Lautrec que Forain, Zola, Monselet, Gill. Ces cafés étaient souvent en même temps des cabarets-salles de concert et d'exposition où l'on pouvait admirer la production de Steinlen, Henri Rivière, Grun ou Caran d'Ache. Le plus célèbre de tous fut « Le Chat Noir », créé 84, boulevard de Rochechouart en 1881 par Rodolphe Salis, qui s'installa en 1885, 12, rue Victor-Massé ; Pill, Willette et Steinlen le décorèrent et sa principale attraction était son théâtre d'ombres, animé par le graveur Henri Rivière. « Le Chat Noir » dont le succès fut immédiat disparut peu après son fondateur (1898). A la même époque, la place Pigalle comptait deux cabarets renommés : « Le Rat Mort »

L'avenue Frochot.

et « L'Abbaye de Thélème ». Autre personnalité non négligeable fut le boulimique Maxime Lisbonne qui, en 1893, fonda, 78, rue Pigalle « Le Casino des Concierges » et, en 1896, au 58 de la rue Notre-Dame-de-Lorette, « Le Jockey-Club de Montmartre », puis, en 1898, au 37 de la rue de La Rochefoucauld, le « Cabaret des Contributions indirectes », sans compter « Les Brioches politiques » (1890, 17, rue du Faubourg-Montmartre), « La Taverne du Bagne » et « Les Frites révolutionnaires ».

Ainsi, dès 1880 fut réalisée la jonction entre le Paris du plaisir, parti de la ville, et le mouvement artistique, installé à Montmartre, faisant du boulevard et de ses places, jusqu'à la Première Guerre mondiale, le lieu par excellence de l'art et de la fête. Quand dans les années vingt Montparnasse succéda à Montmartre dans le domaine intellectuel, il ne resta plus guère sur la butte que des artistes de second ordre et le boulevard, dès lors, se consacra uniquement aux plaisirs et aux touristes, même s'il fit semblant de maintenir l'atmosphère et la qualité des spectacles de la Belle Epoque.

Autant dire qu'il ne faut pas attendre d'une promenade dans le quartier des révélations architecturales extraordi-

naires : il vaut par son unité de construction ; étant l'un des mieux préservés de Paris, l'on peut y apprécier ses enfilades de rues homogènes parce que construites en très peu de temps, dans lesquelles aucun bâtiment ne se distingue, ou presque. Et le principal intérêt de l'endroit est son atmosphère...

Le **boulevard de Clichy**, qui s'étire de la rue des Martyrs à la place de Clichy, réunit non seulement quantité de cabarets, sex-shops, vidéo-clubs, etc., mais conserve encore du côté nord des ateliers qui rappellent le séjour de Degas (n° 6), Picasso (n° 111, 130) et la présence de nombreux autres qui y avaient leur atelier (Van Gogh, Toulouse-Lautrec, Bonnard, etc.). La place Pigalle a abrité par ailleurs les ateliers de Puvis de Chavannes, Henner, Boldini, etc. C'est la raison pour laquelle un Italien créa un marché aux modèles où les peintres venaient chercher les inspirations de leurs tableaux. De même, au n° 10, le théâtre des Deux-Anes qui a succédé au cabaret des Truands et, au n° 36, le théâtre de Dix-Heures remplaçant celui de la Lune-Rousse (n° 9) rappellent la grande époque.

Place Pigalle, le café de la Nouvelle-Athènes (n° 9) était le point de rallie-

Le musée Renan-Scheffer.

ment des intellectuels à l'époque des impressionnistes (Zola, Verlaine, Maupassant, Monet, Degas). A la suite d'une querelle avec le patron, les clients du café se rendirent en face au café de Pigalle et dirent en entrant : « Ça sent le rat mort ici ! », créant ainsi le succès du très illustre café du Rat Mort. Aujourd'hui, la place est le haut lieu du strip-tease.

Plusieurs cités verdoyantes contrastent par leur tranquillité à quelques pas du **boulevard de Clichy**, de son agitation et de ses néons : au n° 48, la cité du Midi, dans laquelle au n° 12 subsiste la façade en faïence des Bains-Douches de Pigalle. Au n° 58, la villa des Platanes est un pastiche dû à E. Delœuvre (1895) dont le porche néogothique est amplement décoré de nervures et clefs pendantes, tandis qu'au fond de la cour deux pavillons brique et pierre disposent d'escaliers en fer à cheval inspirés de Fontainebleau. Au n° 82, démarre la rue Lepic, vieillotte avec ses petites maisons rustiques et son marché, qui s'oppose à l'agitation et à la vie bien artificielle de Pigalle.

La **place Blanche** doit son nom à la poudre blanche laissée sur la chaussée par les convois de farine et de plâtre qui allaient à Paris. C'est le Moulin-Rouge (n° 82) qui l'a immortalisée. Il a remplacé en 1889 le bal de la Reine Blanche et Toulouse-Lautrec, par ses affiches, et Renoir, par *Le Moulin de la Galette*, l'ont fait passer à la postérité. L'endroit dut son succès à la variété de ses distractions : voyantes, jeux, le quadrille naturaliste... tous animés par la Goulue, Nini Pattes-en-l'air, la Glu, Miss Rigolette, etc. Devenu music-hall en 1900, il continue d'offrir au touriste son french cancan.

Boulevard de Clichy, au n° 94, la cité Véron bordée de maisons avec des jardinets est un havre de paix et renferme des ateliers ; Prévert et Boris Vian ont habité ici et le théâtre du Jardin-d'Hiver maintient la tradition intellectuelle de l'endroit ; au fond de la cité, une charmante maison néogothique semble bien anachronique et d'un autre monde...

La **place Clichy** marque la transition avec le quartier des Batignolles et a un caractère beaucoup plus « neutre » et populaire avec ses écaillers, ses cinémas et quelques touristes seulement.

Rue Ballu, au carrefour de la rue de Vintimille, une plaque commémore le séjour de Lili et Nadia Boulanger de 1904 à 1979. Cette rue est l'une des rares du quartier à avoir possédé un habitat varié de qualité et un nombre important d'hôtels néogothiques et Renaissance, pourvus de grands jardins au charme provincial. Le n° 28 présente une façade originale en brique surmontée d'un pignon qui évoque une église ; c'est le siège du Studio des Variétés, établissement destiné aux futures vedettes de la chanson. De même, les n° 24, 22, 20 qui ne possèdent qu'un ou deux étages sont de bons témoins d'une architecture résidentielle, et de l'atmosphère rustique du siècle dernier. Le n° 11, occupé par la Société des auteurs dramatiques et compositeurs, fondée par Beaumarchais, ne manque pas non plus d'intérêt, ni les n° 5 et 7, dus à Drevet (1868) et ornés de têtes à l'antique (n° 5). Malheureusement, cette rue qui le méritait le moins dans le secteur est « attaquée » par la rénovation et, aux n° 14-18, se dresse un immeuble ultra-moderne qui détonne avec le voisinage et rompt son harmonie.

Rue Blanche, au n° 78, mourut en 1885 T. Ballu dans l'hôtel de style Renaissance qu'il s'était fait construire ; en haut de la façade, un écusson renferme les attributs de l'architecte (compas, etc.).

La **rue Chaptal** fut ouverte en 1825 sur des terrains appartenant à la famille du chimiste. Au n° 20 bis, le Grand Guignol spécialisé dans l'humour et l'horreur a cédé, en 1962, la place au théâtre 347, aujourd'hui fermé. En face, aux n° 23-25, l'immeuble d'Europ Assistance, récemment bâti, présente une façade de verre et lames métalliques de qualité. Au n° 16, le musée Renan-Scheffer est installé dans la maison toute campagnarde du peintre Ary Scheffer qui aimait à y recevoir Liszt, Chopin, Lamennais, Flaubert, etc. (tél. 48.74.95.38.).

La **rue Frochot**, qui part de la place Pigalle, est l'une des plus « chaudes » du quartier avec la rue Victor-Massé. Au carrefour, l'avenue Frochot (1830), barricadée derrière sa grille et habitée en grande partie par des artistes et gens du monde du spectacle, est bien charmante avec ses villas noyées dans la verdure ; y remarquer en particulier au n° 1, cachée en partie par les arbres, une jolie maison néogothi-

Montmartre, le soir

« Le soir, Montmartre ne vit que par ses cafés qui entretiennent dans le quartier toute la lumière de la vie. Rangés le long du fleuve-boulevard comme des embarcations, ils sont à peu près tous spécialisés dans une clientèle déterminée. Café des joueurs de saxophones sans emploi, café des tailleurs arméniens, café des coiffeurs espagnols, café pour femmes nues, danseuses, maîtres d'hôtel, bookmakers, titis, le moindre établissement semble avoir été conçu pour servir à boire à des métiers précis ou à des vagabondages qui ne font pas de doute.

« Pour ceux qui se couchent à minuit, dédaigneux du cabaret qu'on abandonne aux « vicieux » ou aux étrangers, le chef-d'œuvre de cette illumination, c'est le Wepler qui, pendant des années, est resté surmonté d'un mur de planches couvert d'affiches et semblait vivre sous un tunnel. J'aime cette grande boîte à musique, importante comme un paquebot. Le Wepler de la place Clichy est rempli de merveilles, comme le Concours Lépine. Il y a d'abord à boire et à manger. Et des salles partout, ouvertes, fermées, dissimulées. [...]

« Au milieu, composé de prix du Conservatoire, l'orchestre joue son répertoire sentimental, ses sélections sur Samson et Dalila, La Veuve joyeuse, ou La Fornarina, avec de grands solos qui font oublier aux dames du quartier leur ménage et leurs chaussettes.

« Cette musique, entrecoupée de courants d'air et de chutes de fourchettes, se déverse en torrents bienfaisants sur la clientèle spéciale qui rêvasse dans les salles : rentiers cossus, vieux garçons sur lesquels la grue tente son prestige, boursiers du second rayon, fonctionnaires coloniaux, groupes d'habitués qui se réunissent pour ne rien dire, solitaires, voyageurs de commerce de bonne maison, quelques journalistes et quelques peintres, qui ont à dîner ou qui ont dîné dans le quartier. »

(Léon-Paul Fargue,
Le Piéton de Paris, *1939.*)

La place Saint-Georges.

que, et au n° 15, le dernier atelier de Toulouse-Lautrec.

Rue Victor-Massé, les n° 27-25-23 (par Daurange et Durup, 1847) sont d'intéressants pastiches Renaissance. Au n° 18, Bonnard eut un atelier fréquenté, vers 1890, par Maurice Denis et Vuillard. Au n° 12, où Albert Stevens avait un atelier, Rodolphe Salis installa son fameux cabaret du Chat-Noir en 1885.

La **cité Malesherbes**, ouverte en 1854 sur un ancien hôtel de la famille, eut un habitant illustre en la personne du polémiste Henri Rochefort au n° 5 bis. On y trouve de très intéressantes petites maisons à l'anglaise (trois travées), témoins du caractère résidentiel de ce secteur jusqu'au second Empire (cf. la toute voisine avenue Frochot). Les pastiches de la Renaissance et de l'époque Louis XIII sont nombreux (n° 8 à 16) et il arrive que deux maisons ne diffèrent que par des détails (n° 10, 12). Mais l'édifice le plus intéressant est le n° 11 par l'architecte A. Jal, où le peintre J. Jolivet a réalisé un décor polychrome d'émaux et de céramiques d'après Michel et Bernard Palissy, sur le thème du paradis.

Rue Condorcet, au n° 68, subsiste l'une des rares maisons édifiées par Viollet-le-Duc et dans laquelle il acheva sa vie (1862-1879). En haut à gauche, une console du balcon est ornée d'un grand duc, « armes » parlantes de l'architecte.

Rue des Martyrs, l'atmosphère change totalement : c'est une rue commerçante, vivante avec des magasins d'alimentation et une population exclusivement du quartier. Au n° 49, au fond du jardin, subsiste le pavillon dans lequel Géricault installa son atelier en 1813. Passionné de cheval, il menait tous les matins sa monture à Montmartre, mais un jour il fit une très mauvaise chute et mourut des suites de cet accident (1824).

La **rue Navarin**, ouverte en 1830, possède au n° 9 un édifice néogothique d'une belle qualité, seul de son espèce en ce lieu ; au n° 11, la Maison de la francophonie occupe un ancien atelier du peintre Hébert.

La **rue Clauzel**, ouverte aussi en 1830, attire par le charme de ses maisons campagnardes de l'époque Louis-Philippe (n° 4, 6).

Le théâtre de l'Elysée-Montmartre.

La **rue Notre-Dame-de-Lorette**, dans sa partie supérieure, appartient déjà à Pigalle et, au n° 58, Delacroix y installa son atelier de 1844 à 1857.

Le **square Biscarre**, ouvert derrière la place Saint-Georges, sur le jardin de l'hôtel Thiers, permet d'en admirer la façade.

La **place Saint-Georges** est le cœur du quartier de la Nouvelle-Athènes, formé à l'apogée du retour à l'antique (1824). Ce lieu joua un rôle essentiel dans le Paris intellectuel de Louis-Philippe car quantité d'écrivains et d'artistes y trouvèrent refuge. Au centre de la place, une fontaine servait d'abreuvoir aux chevaux. Elle cessa de fonctionner lors de l'installation du métro souterrain et on la remplaça par un monument au caricaturiste Gavarni, par Puech et Guillaume, illustré des principaux personnages de l'artiste (1904). Au n° 28, pastiche gothico-Renaissance de Renaud (1840), la sculpture abonde (Garraud et Desbœufs : l'hôtel fut un temps occupé par la Païva (1851-1853). En face, au n° 27, le très austère et classique hôtel Thiers fut reconstruit en 1873 par Aldrolphe. Il abrite la bibliothèque de Thiers et le musée Napoléon légué par l'historien Frédéric Masson (tél. 48. 78.14.33.).

Rue Saint-Georges, au n° 51, le théâtre du même nom fut à l'origine (1907) une salle de conférence transformée en théâtre en 1928 par Siclis.

La **rue d'Aumale** présente une belle unité architecturale ; on y remarquera toutefois, aux n° 8 et 10, deux immeubles frères des années 1840, dont l'attique est orné de bustes sculptés.

Rue Saint-Georges, au n° 43 vécurent les frères Goncourt de 1849 à 1863 et, au n° 35, Renoir.

La **rue Saint-Lazare**, ancienne rue des Porcherons, est très pittoresque

---

Rue Saint-Lazare sous la Restauration

« *Rastignac arriva rue Saint-Lazare, dans une de ces maisons légères, à colonnes minces, à portiques mesquins, qui constituent le "joli" à Paris, une véritable maison de banquier, pleine de recherches coûteuses, des stucs, des paliers d'escalier en mosaïque de marbre. Il trouva Mme de Nucingen dans un petit salon de peintures italiennes, dont le décor ressemblait à celui des cafés.* »

(*Balzac,*
Le Père Goriot, *1834.*)

L'église de la Trinité.

et animée avec commerces, nombreuses maisons anciennes, basses et toutes simples (n° 30, 32, 34). Le n° 27 regroupe dans sa cour plusieurs édifices néo-Renaissance (vers 1860) ; le n° 31 présente une belle façade d'époque Louis-Philippe. Au carrefour de la rue Saint-Georges subsistent des réclames de biscottes et gressins Jolivet du début de ce siècle.

Le **square d'Orléans**, n° 80 de la rue Taitbout, après avoir appartenu en 1822 à Mlle Mars, fut reconstruit par l'architecte anglais Crésy en 1829, dans un style qui n'est pas sans rappeler les constructions de Nash à Regent's Park. Ce fut une véritable cité d'intellectuels et d'artistes, surtout

des musiciens : Chopin (n° 5) et George Sand (n° 9) de 1842 à 1847, la danseuse Taglioni, le sculpteur Dantan, Alexandre Dumas (1832-1833)... Zimmermann et son salon de musique où se produisirent Berlioz, Rossini, Chopin.

Rue de La Rochefoucauld, au n° 14, le musée Gustave-Moreau (tél. 48.74. 38.50.), installé dans la demeure de l'artiste rassemble la plus grande partie de son œuvre (près de mille peintures et sept mille dessins...).

La **rue de la Tour-des-Dames** doit son nom à un ancien moulin des Dames de Montmartre (n° 4), aujourd'hui disparu. C'est l'une des plus attachantes du quartier : le n° 1 construit en 1746 fut modifié en 1822 par Constantin pour Mlle Mars ; il a subi récemment une restauration un peu excessive. Les n° 2 (par Baillot) et 4 (par Clouet) datent aussi de 1822 et sont de fort belles constructions au fond de leurs jardins. Le n° 3, élevé aussi en 1822 par Constantin, acquis par Mlle Duchesnois, doit son originalité à sa façade cintrée et à son perron. Enfin, le n° 9 est une grande bâtisse dans laquelle mourut Talma (1826).

Rue Saint-Lazare, le peintre Paul Delaroche vécut au n° 28 (1829) ; sa façade polychrome, récemment restaurée, est l'une des plus raffinées de la rue.

L'**église de la Trinité**, 3, rue de la Trinité, fut construite de 1861 à 1867 par Ballu dans un style éclectique gothico-Renaissance. L'intérieur est solidement rythmé par une alternance de piliers et de colonnes, et accorde une part imposante aux décors peints, notamment autour de la tribune d'orgue (*L'Annonciation*, *L'Agneau pascal*, *Saint Pierre*, *Saint Paul*, *Saint Michel*, par Jobé-Duval) et, à l'arc du chœur, *La Trinité* par Barrias.

Rue Blanche figurent plusieurs édifices qui retiennent l'attention : au-delà du Théâtre de Paris (n° 15), l'hôtel de la Société des ingénieurs civils (n° 19) se signale par l'usage de la fonte dans sa large baie centrale (1896). Au n° 21, Girault, l'architecte du Petit Palais, réalisa en 1901 pour le compositeur de musique Choudens une maison dont le décor tient largement aux accessoires : marquise, balcon, ferronneries ; l'Ecole nationale d'art dramatique y est actuellement installée. Au n° 25, l'église évangélique allemande (1901) possède des vitraux figurant Worms et le château de Wartburg où se réfugia Luther.

La **rue Moncey**, ouverte en 1843, présente une architecture très homogène.

La **rue de Clichy**, très ancienne, s'est construite à partir du XVIIIe siècle, et toute la partie gauche inférieure fut occupée sous Louis XVI et l'Empire par la folie Boutin et ses splendides jardins ; puis à partir du Directoire, par le premier Tivoli, parc d'attractions

dont le succès fut incroyable (1795-1810).

Lorsqu'il ferma, Ruggieri ouvrit en face (n° 16-38) un deuxième Tivoli (1811-1826) à l'emplacement duquel est situé le Casino de Paris (n° 16), ouvert vers 1890 et reconstruit en 1922 dans le style Art déco. Lors du lotissement de la folie Boutin (1826), on ouvrit les rues de Londres et d'Athènes, et l'on trouve encore dans cette dernière, du côté des numéros pairs, un grand nombre de maisons de cette époque.

La **rue de Londres**, au n° 30, possède l'intéressante façade en céramique de structure néoclassique des Eaux minérales de Vals par M. Baranton, ornée de couronnes et de « bulles », symboles de l'entreprise. Au n° 16, l'un des immeubles de la Compagnie des chemins de fer d'Orléans (1882) a reçu un décor de qualité (loggias) destiné à affirmer son prestige : à l'intérieur, le vestibule a conservé ses ornements d'origine. Dans le même esprit, le monumental n° 8 de 1863 est l'ancien siège social du Paris-Orléans, tandis que rue **Saint-Lazare**, au n° 88, la direction générale de la S.N.C.F. occupe l'ancien siège social du P.L.M. (1868), dont la galerie centrale récemment rénovée n'est pas sans rappeler le péristyle du Grand Trianon, si cher aux architectes du second Empire.

29. Le faubourg Poissonnière

Ce secteur au relief mouvementé du fait de la dépression de l'ancien bras de la Seine (rues des Petites-Ecuries, Richer) a connu un peuplement ancien, en particulier l'installation avant 1122 de la léproserie de Saint-Lazare, au nord de la rue de Paradis, en bordure de la rue Saint-Denis. Au sud de la rue de Paradis fut fondé en 1226 le couvent des Filles-Dieu, destiné à l'accueil des pécheresses repenties.

Si le couvent fut abandonné en 1360 en raison des troubles de la guerre, l'ordre conserva ses terrains. Comme à la Chaussée-d'Antin, la disparition des remparts et l'aménagement d'une vaste promenade publique prépara la progression de la ville. Vers le nord, cela se fit de deux manières : des lotissements comme celui opéré vers 1720, rue du Faubourg-Saint-Denis, où les n° 99-105 sont des maisons de

Les Folies-bergère à la Belle Epoque.

rapport édifiées par les Lazaristes, ou cinquante ans plus tard, la construction de la caserne de la Nouvelle-France et le lotissement par Goupy entrepris rue du Faubourg-Poissonnière et rue de Paradis ; de même, les Filles-Dieu firent ouvrir à leurs frais en 1772 les rues d'Hauteville et de l'Echiquier où le même Goupy se livra à une spéculation effrénée. Simultanément furent élevés quantité d'hôtels luxueux ou non, l'aristocratie et les élites découvrant l'agrément de la vie campagnarde à proximité de Paris, ce qui fit la fortune de certains architectes, particulièrement heureux dans ce type de construction mixte : Goupy, Bélanger, Lenoir, Ledoux, Delafosse, pour n'en citer que quelques-uns.

Le boulevard étant devenu un lieu de distraction, quantité de cafés et de théâtres s'y établirent : au n° 52, rue René-Boulanger, le théâtre dit « A Quatre-Sous » puis des Variétés-Amusantes (1777), reconstruit en 1789 comme Théâtre français comique et lyrique ; l'Opéra de la porte Saint-Martin par Lenoir (1781) destiné à remplacer l'Opéra du Palais-Royal détruit par un incendie : édifié en moins de trois mois, il était capable d'accueillir mille huit cents personnes et, pour la première fois, il était possible de s'asseoir au parterre. A côté des théâtres se développèrent, « importés » d'Angleterre, les Vauxhalls, lieux d'amusement avec boutiques, cafés, spectacles, salles de danse. Le premier (1766), à l'angle des rues René-Boulanger et de Bondy, fut le Vauxhall d'été, par opposition à celui d'hiver de la foire Saint-Martin ; là se déroulèrent de brillantes fêtes, des expositions... mais il disparut en 1777, lors de l'ouverture de la rue Lancry.

En même temps l'industrie fit son apparition : manufactures de porcelaine, rue du Faubourg-Saint-Denis (1769) et rue René-Boulanger, fabrique de soie, rue du Château-d'Eau.

A partir de la Révolution, l'endroit s'affirma définitivement comme lieu de spectacle et de plaisir et, si Napoléon ferma quantité de salles en 1807 parce qu'il les trouvait trop nombreuses (Théâtre comique et lyrique, par exemple), à partir de la Restauration, de nouvelles créations ou installations virent le jour : le Gymnase (38, boulevard Bonne-Nouvelle), spécialisé dans le bon vaudeville (1820), l'Ambigu (transfuge du boulevard du Temple), le théâtre de la Renaissance en 1872 (20, boulevard Saint-Martin), le théâtre des Nouveautés (24, boulevard Poissonnière), sans oublier, boulevard de Strasbourg, le théâtre des Menus-Plaisirs en 1866 (n° 14), devenu Théâtre-Antoine.

1848 marqua le début de la prolifération des cafés-concerts, lointains descendants du café du Cheval Blanc (rue du Faubourg-Saint-Denis) où, à la fin du XVIIIe siècle, se produisaient des chanteurs sans cachet ; parmi ceux-ci,

---

Sur le boulevard

« Voici la Porte Saint-Martin, la Porte Saint-Denis.

« Je retrouve le fameux nègre aux culottes d'or avec le cadran dans le ventre. Mais je ne retrouve plus ceux que Paul de Kock croquait, du haut de sa fenêtre, M. Baisemon et M. Beauminet, les beaux cocus, les fausses pucelles, tout ce monde de naïfs et de grotesques qui allait faire le repas de noces chez Deffieux, ou prenait avec Bidault, chargé de veiller sur le panier, l'omnibus qui menait à Romainville. Là, les filles montraient sans le vouloir leur capital, et des soleils de feu d'artifice éclairaient des lunes d'aïeules, bousculées dans l'obscurité par des erreurs de célibataires en goguette...

« Il y a eu bien des ruines, sinon en plein boulevard où l'on était riche, tout au moins dans les rues qui y aboutissent, et dont on a senti la misère ! Aussi, la gaieté s'est endormie et l'on n'ose plus s'amuser dans ce coin où le romancier bourgeois barbouillait de farine et de mélasse, de blagues et de farces la bourgeoisie, qui, alors, n'avait qu'à se laisser vivre, et qui, maintenant, n'a plus qu'à se laisser mourir ! »

(Jules Vallès, Le Tableau de Paris.)

citons l'Alcazar d'hiver (18, rue du Faubourg-Poissonnière) qui dut son nom à son décor et fut transformé en théâtre en 1890, avant d'être démoli en 1902 ; de même, l'Eldorado (4, boulevard de Strasbourg) également dans le goût mauresque par Charles Duval (1864), le Concert Parisien (37, rue du Faubourg-Saint-Denis, puis rue de l'Echiquier) qui devint le Concert Mayol et dut sa célébrité essentiellement à Yvette Guilbert qui inspira si bien Toulouse-Lautrec. Le music-hall est représenté par les Folies-Bergère, théâtre créé en 1869. Les cabarets ne furent pas absents de ce secteur et, vers 1890, Maxime Lisbonne ouvrit au 17 de la rue du Faubourg-Montmartre « Les Brioches politiques » puis, en 1898 au 37 de la rue de La Rochefoucauld, le très célèbre « Cabaret des Contributions indirectes ».

Enfin, les restaurants situés à proximité des théâtres contribuèrent largement à l'agrément de l'endroit. Sous le premier Empire, le café des Grands Hommes, boulevard Poissonnière, à l'angle de la rue du Faubourg-Montmartre, fut repris par Brébant en 1863. Il devint alors l'un des centres les plus importants de la vie littéraire et l'on y vit régulièrement les Goncourt, Zola, Flaubert, etc. Maire (14, boulevard Saint-Denis), ouvert sous le second Empire, et Marquery au décor néogothique, à côté du Gymnase, furent aussi des lieux réputés.

La vie économique se transforma lentement autour du XIXe siècle et l'on vit apparaître la petite métallurgie, l'orfèvrerie (Christofle, 54, rue René-Boulanger), la verrerie, la chaussure (Pinet, 44, rue de Paradis) et surtout la fourrure (rue d'Hauteville), cependant que le commerce devenait particulièrement florissant. Ainsi s'implantèrent des magasins de mode fréquentés par les femmes de qualité : « Le Petit Saint-Antoine » (35, rue du Faubourg-Poissonnière, en 1833), ou « La Belle Française » (18, rue du Faubourg-Montmartre), sous le second Empire. L'illustration la plus frappante en fut la construction par Grisart et Froelischer, du « Bazar de Bonne-Nouvelle » (1837), centre commercial sur trois niveaux, comportant également salle de spectacle et d'exposition (où Ingres accrocha ses toiles en 1846), salles de bal et Grand Café de France avec neuf billards. En 1900, on le remplaça par le « Bazar de la Ménagère », dont la dénomination traduit assez l'évolution sociale de l'endroit due, largement, à la proximité et à l'industrialisation des abords du canal Saint-Martin et des gares. Un autre aspect non négligeable de l'activité faubourienne fut la presse : *Le Petit Journal* (19-21, rue Cadet), *Le Matin* (2-6, boulevard Poissonnière).

« Chez Chartier »,
rue du Faubourg-Montmartre.

Cette lente évolution se traduisit par la fuite des élites, comme le prouve la médiocrité des immeubles d'habitation édifiés au XIXe siècle. L'installation d'ateliers et d'entrepôts dans les hôtels du XVIIIe siècle et la construction d'éléments parasites détériorèrent sérieusement le patrimoine architectural. De nos jours, une forte proportion de la population est d'origine immigrée : juive d'abord (cinq synagogues entre les rues Richer et Lamartine) et très implantée dans le domaine de la fourrure, africaine, turque et hindoue, autour de la rue du Faubourg-Saint-Denis. Ce secteur est l'un des moins

FOLIES·BERGÈRE

La Loïe Fuller

Un spectacle célèbre en 1900.

touchés par les rénovations urbaines et il est possible d'y découvrir sans beaucoup de peine un habitat vétuste, voire insalubre. Si un caractère festif subsiste du boulevard à la rue Richer, il a une connotation nettement populaire. Et l'on peut opposer aux rues d'Hauteville ou de Paradis, aux activités très spécialisées dans la fourrure et la cristallerie, le paisible et traditionnel secteur artisanal de la rue de Rochechouart et de la très vivante rue du Faubourg-Saint-Denis avec son marché très coloré, même si, au fond des cours, la confection constitue la principale activité.

La **rue du Faubourg-Montmartre**, ancien chemin menant à l'abbaye, est une rue aussi vivante que commerçante avec restaurants, vie nocturne, boutiques diverses. Au n° 2, le café Brébant n'a plus rien du littéraire lieu de rendez-vous du siècle passé ; au n° 7, le « Bouillon Chartier », restaurant populaire, a conservé son décor et son mobilier Art nouveau (cuivres, comptoirs, glaces gravées, etc.) et fait face au Palace (n° 8), l'une des boîtes les plus fréquentées de Paris qui occupe l'ancien Alcazar. Au n° 6, dans la cité Bergère, ouverte en 1825, ont séjourné Heine (n° 3) et Chopin (n° 4) à son arrivée à Paris. L'ensemble présente une belle unité architecturale du

côté des numéros pairs, rythmé de fenêtres cintrées, et est entièrement occupé par des hôtels.

Rue Bergère, on remarque surtout au n° 14 l'immeuble que le Comptoir national d'escompte se fit construire en 1881 par Corroyer, dans un style majestueux et emphatique, en remplacement de celui de Pagnerre (1852). Il présente une allégorie du commerce tenant un caducée et le coq gaulois, tandis qu'à l'arrière-plan, la vue partielle d'un bateau symbolise la ville de

---

Les Folies-Bergère

« *Ce qui est vraiment admirable, vraiment unique, c'est le cachet boulevardier de ce théâtre.*

« *C'est laid et c'est superbe, c'est d'un goût outrageant et exquis ; c'est incomplet comme une chose qui serait vraiment belle. Le jardin avec ses galeries du haut, ses arcades découpées en de grossières guipures de bois, avec ses losanges pleins, ses trèfles évidés, teints d'ocre rouge et d'or, son plafond d'étoffe à pompons et à glands, rayé de grenat et de bis, ses fausses fontaines Louvois, avec trois femmes adossées entre deux énormes soucoupes de simili-bronze plantées au milieu de touffes vertes, ses allées tapissées de tables, de divans de jonc, de chaises et de comptoirs tenus par des femmes amplement grimées, ressemble tout à la fois au bouillon de la rue Montesquieu et à un bazar algérien ou turc.*

« *Alhambra-Poret, Duval-Moresque, avec une vague senteur en plus de ces estaminets-salons ouverts dans l'ancienne banlieue et ornés d'orientales colonnades et de glaces, ce théâtre, avec sa salle de spectacle dont le rouge flétri et l'or crassé jurent auprès du luxe tout battant neuf du faux jardin, est le seul endroit à Paris qui pue aussi délicieusement le maquillage des tendresses payées et les abois des corruptions qui se lassent.* »

(J.-K. Huysmans,
Croquis parisiens, *1886.)*

Le décor « Art déco » des Folies-Bergère.

Paris et que des médaillons de mosaïques figurent les cinq continents. A l'intérieur, le décor floral de la verrière et les anciens comptoirs en bronze et bois subsistent intacts.

L'**église Saint-Eugène-Sainte-Cécile**, 4 bis, rue Sainte-Cécile, fut construite par Boileau en 1855, dans un style entièrement gothique. L'emploi du fer dans les structures (colonnes, arcs, ogives) est ici le premier dans un édifice religieux, d'où l'intérêt très grand de cette église.

Rue du Conservatoire, au n° 2, fut installé de la Révolution à 1914, le Conservatoire. Le vestibule, l'escalier et surtout la salle pompéienne due à Delannoy subsistent dans leur état d'origine. Le Conservatoire national supérieur d'art dramatique y siège actuellement.

La **rue de Trévise**, ouverte sous la monarchie de Juillet, présente une belle unité architecturale. Vivante et animée surtout le soir, elle possède de nombreux restaurants du fait de la proximité des Folies-Bergère. Au n° 32, l'hôtel Bony, construit vers 1830 dans le style néoclassique, a conservé en grande partie sa décoration intérieure : vestibule, salon orné de peintures.

Rue Richer, au n° 32, le music-hall des Folies-Bergère attire toujours autant les touristes. Installé en 1869 à l'emplacement d'un magasin de literie dit « Les colonnes d'Hercule », il fut d'abord surnommé « La salle des sommiers élastiques ». Si Manet immortalisa le grand miroir du bar (*Bar aux Folies-Bergère*, 1881), le succès dû à la qualité des spectacles et à leur variété (ballets, cirques, féeries) néces-

---

Publicité pour la cité Trévise

« Déjà la cité d'Antin et la cité d'Orléans ont démontré les avantages offerts par ces élégantes retraites qui, en assurant le calme nécessaire au travail, n'éloignent cependant pas les hommes d'étude du centre où s'agitent leurs intérêts. C'est donc avec satisfaction que nous signalons au public l'ouverture d'un de ces nouveaux squares qui, sous le nom de cité Trévise, vient de s'élever rue Richer, sur les jardins de l'ancien hôtel du maréchal Maison. »

(L'Illustration, n° 81, 1844.)

La cité Bergère.

sita une modernisation du décor en 1929 par Pico.

Rue du Faubourg-Montmartre, au n° 28, la poissonnerie a un décor mural de carreaux de céramique à thème marin (poissons, coquillages, bateaux) ; au n° 35, à l'angle de la rue de Provence, la confiserie « A la Mère de famille », maison fondée en 1761, conserve non seulement ses inscriptions en façade, mais un mobilier de bois du XVIIIe siècle et un pavement portant le nom du magasin.

La **rue Cadet** est piétonnière et d'une atmosphère très différente ; sans tou-

« A la Mère de Famille ».

risme ni spectacle, elle a un côté bon enfant avec ses artisans, ses petits commerces, son important marché. Un édifice en fait la célébrité : le Grand Orient de France qui, en 1853, inaugura au n° 16 son nouveau Temple ; l'édifice fut complété en 1858 par une grande salle des fêtes ornée des statues des quatre grandes époques de l'histoire ; à l'intérieur, des panneaux représentent la Tolérance, la Fraternité, la Navigation, l'Agriculture, l'Astronomie, etc. La façade a été refaite vers 1970. Le musée de la Franc-Maçonnerie (tél. 45.23.20.92.) retrace l'histoire de l'Ordre, ainsi que celle des personnalités lui ayant appartenu.

La **rue de Rochechouart** est très pittoresque en raison de sa pente, de ses commerces, de sa population et de son tracé ancien qui laisse deviner le vieux chemin de la Croix-Cadet à Clignancourt. On y rencontre de nombreuses maisons populaires du XVIIIe siècle à un ou deux étages, en torchis. On notera, au n° 9, la très étroite impasse Briare qui fait moins d'un mètre de large. Au n° 58, la cité Rochechouart est une cité ouvrière inaugurée en 1851 pour cinq cents personnes, avec lavoirs et salles de bains. Elevée dans un quartier peu construit, elle jouit d'une cour spacieuse et aérée. A l'entrée, deux grands escaliers très simples et sans décors desservent les étages.

Les **rues Thimonnier** et **Lentonnet** furent ouvertes vers 1895 par M. Luquet, sur les terrains de l'usine Godillot. Elles constituent un bel exemple de promotion immobilière rapidement réalisé. Plusieurs architectes édifièrent ces maisons dans un style très voisin, de 1895 à 1897 : Lobrot, Farcy ; mais on doit retenir les contributions originales, rue Lentonnet, de L. Maechle qui, au n° 14, recourut à des oriels à pans coupés et installa une marquise, de J. Lombart qui, au n° 6, dans l'axe de la rue Thimonnier, conçut une façade asymétrique, et d'A. Wolfrom assisté de Rousseau pour la sculpture, à qui l'on doit le n° 9 et surtout les n° 1 et 2 à l'angle de la rue Condorcet, signalés par deux rotondes ornées de mufles de lions.

Rue Condorcet, au n° 6, on peut voir l'hôtel de la Compagnie du gaz, érigé en 1864, non loin de la première usine à gaz parisienne, établie en 1819, au n° 129 de la rue du Faubourg-Poissonnière. La **rue d'Abbeville** se signale par deux immeubles de grande qualité des années 1900 : au n° 16, l'édifice de Georges Massa est décoré de grandes figures féminines qui encadrent les bow-windows et sont dues à Alexandre Chapuy. A côté, au n° 14, par Edouard Autant (1901), l'abondant décor végétal et les loggias sont tout à fait représentatifs de l'Art nouveau.

L'église Saint-Vincent-de-Paul

(Place Franz-Liszt)

Elle domine le quartier et ses deux rampes en fer à cheval rappellent singulièrement la Trinité des Monts à Rome. Commencée en 1824 par Lepère, elle fut achevée en 1844 par Hittorff, son gendre. C'est avec Notre-Dame-de-Lorette, l'une des deux constructions religieuses les plus importantes du deuxième quart du XIXe siècle à Paris. L'édifice se présente comme une adaptation du temple grec avec son péristyle et son fronton à la gloire de saint Vincent de Paul. Il fut le patron de l'église en raison de la récente démolition du tout voisin couvent des Lazaristes, rue du Faubourg-Saint-Denis. Au fronton, le saint est entouré de la Charité, de la Foi et de ceux dont il s'occupa : galériens, infidèles, filles de la Charité. Les Evangélistes (balustrade entre les tours) et les apôtres (portes de bronze) complètent le programme iconographique de la façade.

Le décor intérieur est très riche : plafond à compartiments peint au-dessus de la frise d'Hippolyte Flandrin dans laquelle, sur un fond doré, les grands saints et saintes de l'Eglise se détachent. Dans la chapelle de la Vierge, Bouguereau réalisa huit toiles sur la vie de la Vierge (1885-1889). Tout le mobilier est dû à François Calla.

Le n° 16, rue d'Abbeville.

La **rue du Faubourg-Poissonnière** est moins animée et moins pittoresque que la rue Rochechouart. Elle conserve un nombre très important de constructions du XVIIIe siècle, à commencer par le lycée Lamartine (n° 121) qui est installé dans la maison du notaire, homme de lettres et collectionneur Duclos-Dufresnoy, guillotiné en 1794. La longue façade rustique ne laisse pas deviner les riches décors qui subsistent à l'intérieur. Au-delà de la rue La Fayette, la rue s'anime et vit. La caserne du n° 80 a été reconstruite en 1930 par l'architecte Boegner, à l'emplacement de celle de la Nouvelle-France. Du côté des numéros pairs se dressent plusieurs beaux hôtels du XVIIIe siècle, dans un état très inégal de conservation : n° 60, hôtel de Goix ; n° 58, hôtel Titon, malheureusement surélevé sous le second Empire, mais richement orné de statues, bustes et médaillons ; tous deux, dus à J.-C. Delafosse, furent modifiés au XIXe siècle ; le n° 52, par Goupy pour le peintre Deleuze (1774), a été augmenté en 1830 par l'adjonction d'ailes.

La **rue des Petites-Ecuries** fut ouverte vers 1789 et possède plusieurs édifices

Le musée du Cristal et du Baccarat.

de cette période : au n° 48, derrière la façade du début de ce siècle, parée des figures de bronze d'Apollon et de Diane, se cache un petit hôtel néoclassique, de même qu'au n° 46, où mourut Méhul en 1817. Le n° 44, hôtel édifié par Pérard de Montreuil en 1782, est un bel exemple de l'architecture Louis XVI, très sobre avec ses deux colonnes doriques, son rez-de-chaussée surmonté d'un seul étage et d'un attique avec un minimum de sculpture. Si à l'intérieur subsistent quelques vestiges de l'époque Louis XVI, la salle à manger a conservé un splendide décor peint de l'époque du Directoire, dans le goût pompéien.

La **rue de Paradis** est la rue « artistique » du quartier avec deux musées et tous les magasins et boutiques de faïences et objets de table, établis depuis plus d'un siècle.

Le **musée de l'Affiche et de la Publicité** (n° 18, tél. 42.26.13.09.) est installé dans un ancien magasin de faïence de Choisy-le-Roi (maison Hippolyte Boulenger), construit vers 1900 par Jacottin et entièrement décoré de céramiques de couleur par Guidetti et Arnoux avec, pour emblème au-dessus de la porte, un gros vase de faïence. A l'intérieur, le vestibule, la cour et la salle sont également d'une exceptionnelle qualité. Le musée conserve cinquante mille affiches, organise des expositions et possède un service de consultation documentaire.

Le **musée du Cristal et du Baccarat** (n° 30, tél. 47.70.64.30.) se trouve à côté de la salle de vente de la célèbre maison. Cette dernière occupe une partie du seul ensemble d'architecture résolument contemporain de ce secteur, d'une belle qualité, et dans la cour, on a fait une très large place à l'usage des verres réfléchissants.

La **rue d'Hauteville** est très animée et entièrement livrée aux activités de la fourrure (fabrication, commerce), et la plupart des grandes maisons de Paris y ont leur atelier. Ouverte en 1783, elle possède quantité de vieilles maisons de caractère populaire, en général fort mal entretenues, voire un brin lépreuses et encombrées d'adjonctions parasites (n° 34, 40). Au n° 58, caché par un immeuble de 1828, le très bel hôtel de Bourrienne, élevé vers 1788 et décoré sous le Consulat, possède encore toute son ornementation intérieure. Au n° 29, le passage Gabriel-Laumain, ouvert de 1820 à 1824, présente une grande unité architecturale avec ses fenêtres cintrées et sa petite place circulaire. Au n° 46, la boulangerie a conservé deux panneaux peints du début du siècle, signés B. J.,

---

La gare de l'Est

« Qui n'a pas admiré cette voûte brillante
Digne de figurer au palais d'une infante ?
Arceaux vastes, profonds, sans paraître massifs !
Des cintres arrondis — d'élégants pendentifs
Lui donnent de la grâce et l'air d'un beau diptère.
Quel splendide fronton pour un embarcadère ! »
(Léon Bernis, Contes parisiens, 1854.)

Un hôtel particulier au 58, rue du Faubourg-Poissonnière.

qui figurent un moulin à vent et un moulin à eau.

Rue du Faubourg-Poissonnière, les n° 34 et 32 (vers 1775) sont éclipsés par l'hôtel du n° 30, dû à Lenoir, qui appartint, en 1780, à Marie-Louise O'Murphy, ancien modèle de Boucher et maîtresse de Louis XV. Si la façade sur rue a été sensiblement modifiée, le portail surmonté d'un casque, d'une épée et d'un rameau fait allusion aux fonctions militaires du premier propriétaire, Benoît de Sainte-Paulle ; dans la cour, on devine ce que fut cette belle construction avant qu'elle subisse de fâcheuses modifications. Au n° 19, la maison sur rue a été décorée par Bélanger et, dans la cour, Hittorff a édifié un petit hôtel. Enfin, l'immeuble du n° 10, du début de ce siècle, a été construit par Auguste Perret.

La **rue d'Enghien** et la rue de l'Echiquier, construites vers 1790, offrent de bons exemples d'architecture bourgeoise.

Au n° 20, le **passage des Petites-Ecuries** est d'autant plus intéressant qu'il donne accès à la cour du même nom où se sont installés divers restaurants et notamment, au n° 63, la brasserie Flo, ouverte en 1897. Ce lieu dédié à la gloire de la bière allemande a intégralement conservé son décor réalisé en 1910.

La **rue du Faubourg-Saint-Denis** est très haute en couleur par sa population même, ses cafés exotiques, ses boutiques, ses commerces, ses ateliers de confection. Au n° 46, le passage Brady (1828) est largement occupé par les Hindous qui y tiennent des épiceries et des restaurants ; au n° 42, le passage de l'Industrie (1827) est consacré aux matériel et accessoires de coiffure.

La **porte Saint-Denis** fut édifiée en 1672 par François Blondel et sculptée par Michel Anguier. Ornement sur la voie royale menant de Saint-Denis au Louvre, elle a pour thème les victoires de Louis XIV sur la Hollande : du côté de la ville sont représentés le *Passage du Rhin* et, au bas des deux pyramides, *La Hollande accablée* assise sur un lion mort tenant sept flèches représentant les sept Provinces-Unies, et le Rhin frappé de stupeur. Du côté du faubourg est figuré le siège de Maestricht (1673).

La **porte Saint-Martin**, érigée peu après par Pierre Bullet (1674), glorifie d'une manière beaucoup plus sobre la conquête de la Franche-Comté. Du côté de la ville apparaissent *La Prise de Besançon* et *La Rupture de la Triple Alliance* par Desjardins et Marsy, tandis que Louis XIV en Hercule terrasse un aigle ; l'autre côté a pour thèmes la défaite des Allemands et la prise de Limbourg.

30. La butte Montmartre

Si Montmartre n'est pas la colline la plus haute de Paris, c'est de loin la plus ancienne et la plus chargée de souvenirs, puisque dès l'Antiquité gallo-romaine un sanctuaire à Mercure y était dédié. C'est au IXe siècle que le chroniqueur de l'abbaye Saint-Denis appela l'endroit mont des Martyres (d'où Montmartre), en souvenir d'une tradition qui situait ici la mort de saint Denis et de ses compagnons, Rustique et Eleuthère, lors des persécutions du milieu du IIIe siècle (9, rue Yvonne-Le Tac). Cette tradition et la situation écartée de l'endroit en firent, durant tout le Moyen Age, un lieu de prière et, en 1133, Louis VI et Adélaïde de Savoie fondèrent l'abbaye bénédictine des Dames de Montmartre, dont l'église subsiste au sommet de la butte. Lors du puissant mouvement de réforme des congrégations religieuses, à la suite du concile de Trente, dont l'un des cas les plus célèbres fut la réforme de l'abbaye cistercienne de Port-Royal, une succursale s'installa quelque temps à Montmartre. Pendant la Révolution, l'abbaye fut supprimée, la butte appelée Mont-Marat (1794) et, plus tard, Napoléon rêva d'établir en son sommet un temple de la Paix.

Le Sacré-Cœur. ▶

Jusqu'au XIXᵉ siècle, Montmartre fut un village dont les coteaux bien exposés favorisèrent la culture de la vigne, souvenir perpétué de nos jours par le petit vignoble qui, rue du Mont-Cenis, domine la rue Saint-Vincent. A côté des activités agricoles, l'exploitation du gypse destiné à la fabrication du plâtre pour la construction des maisons est fort ancienne et entraîna la formation de kilomètres de galeries souterraines ; il en résulta que l'on n'éleva sur la butte que de petites maisons, car l'on pensait que la colline ne supporterait pas de constructions plus importantes. L'édification de la basilique força à consolider et à obturer ces galeries et, par voie de conséquence, les gros immeubles firent leur appari-

tion. Comme ses voisins, le village fut annexé à Paris en 1860.

Durant tout le XIXᵉ siècle, la Butte attira intellectuels et artistes (Berlioz, Courteline, Van Gogh, Erik Satie, Emile Bernard, Léon Bloy, Dufy, etc.), servit de modèle à la vie de bohême décrite dans *Louise* de Charpentier et d'inspiration à Toulouse-Lautrec, Utrillo... De même, c'est ici que s'épanouirent les talents de chansonnier ou d'humoriste d'Aristide Bruant ou d'Alphonse Allais, faisant de l'endroit jusqu'à la guerre de 1914, grâce au Bateau-Lavoir et au Lapin Agile, le centre de la vie littéraire et artistique de la capitale. A cette époque, ses activités intellectuelles émigrèrent à Montparnasse et la Butte tendit à devenir une annexe des boulevards, tournée vers le spectacle et le plaisir, et l'un des lieux les plus visités de Paris.

Aujourd'hui, alors que la population du quartier est composée de « snobs », mais aussi de vieux autochtones inconditionnels de la Butte, si l'on s'écarte un tant soit peu de l'itinéraire fléché des touristes (rue de Steinkerque, basilique, place du Tertre), on est saisi par le charme de ce village escarpé, aux maisons basses, d'architecture médiocre, aux rues tortueuses, bordées çà et là de petites boutiques et de cafés, et aussi par l'omniprésence de la verdure qui s'échappe d'une manière un peu folle des jardins ou des cours. Et la promenade sur la Butte est moins une visite qu'un pèlerinage riche de souvenirs, dans un espace fort restreint. De la **rue de Steinkerque**, occupée par des magasins populaires, à gauche, par la rue d'Orsel, on atteint le théâtre de l'Atelier, où Charles Dulin, après avoir fait partie de la troupe de Jacques Copeau et ouvert l'Ecole nouvelle du comédien (1925), créa son théâtre, l'Atelier, en 1922. Par la rue des Trois-Frères et la rue Tardieu, on atteint le square Willette que domine la basilique du Sacré-Cœur. La succession de terrasses, les pelouses et les massifs de fleurs en font le lieu de rassemblement préféré des jeunes. Au sommet du square, auquel on peut parvenir aussi par le funiculaire ou par un escalier latéral,

Chez un artiste

« [Georges Delaw] s'était fixé à Montmartre dès sa vingtième année, en débarquant de Sedan sa ville natale, mais n'était jamais devenu Parisien. Il est vrai que la Butte de ce temps-là était encore villageoise. Trois moulins étendaient leurs ailes au-dessus du Maquis et l'on fauchait les foins devant le Sacré-Cœur inachevé. Le jeune Ardennais avait trouvé, en haut de la rue du Mont-Cenis, peu après la Maison de Mimi Pinson où deux bornes barraient la chaussée, une bicoque à sa convenance. On n'avait qu'à pousser la porte sans frapper et l'on entrait directement dans une pièce carrelée de rouge, aux murs recouverts d'images d'Epinal ; si l'on était pressé on passait par la fenêtre, en enjambant. Les bahuts bien cirés, le dressoir où s'alignaient des assiettes à ramages, vous donnaient l'illusion d'entrer dans une ferme. Le fermier vous attendait, vêtu de velours à côtes et, l'hiver, chaussé de sabots. Il n'offrait pas l'apéritif mais un bol de lait ; à la rigueur un verre de vin. Sa vie s'écoulait là, son chien à ses pieds, devant une vieille horloge qui battait la mesure. »

(Roland Dorgelès,
Au temps de la Butte, 1963.)

on jouit d'une vue incomparable sur Paris et ses toits.

La **basilique du Sacré-Cœur** fut, dès l'origine, une église de pèlerinage, élevée après la défaite de 1870 pour implorer la miséricorde divine. Une loi de 1873 reconnut sa construction comme d'utilité publique et une souscription fut lancée.

Montmartre fut choisi afin que la basilique pût être vue de partout. L'architecte d'Abadie conçut un édifice romano-byzantin, dont l'édification dura près d'un demi-siècle (1875-1919), car il fallut creuser les fondations à quarante mètres. Le dôme et le campanile qui s'élèvent à quatre-vingts mètres ne furent achevés qu'en 1898 et 1912. A l'extérieur figurent deux statues équestres des héros les plus incontestés de l'histoire nationale, saint Louis et Jeanne d'Arc, par H. Lefebvre. La façade comporte deux bas-

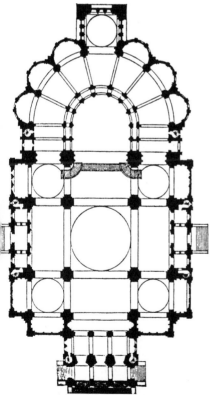

Le plan du Sacré-Cœur.

reliefs de *Jésus et la Samaritaine* (A. Houdain) et *Le Repas chez Simon* (Louis Noël), tandis que dans les tympans sont représentés *Le Christ en croix* (Barrias), *Le Frappement du rocher par Moïse* (Fagel) et *L'Incrédulité de saint Thomas*. Enfin, les portes de bronze ont reçu pour ornement des scènes de l'Evangile par H. Lefebvre.

L'intérieur est richement décoré, comme il se doit pour une église de pèlerinage de ce temps, avec profusion d'ors, de marbres et de mosaïques, et Luc-Olivier Merson a réalisé l'immense mosaïque illustrant la dévotion de la France au Sacré-Cœur. Du dôme, par temps clair, l'on voit jusqu'à

Le cabaret du Lapin Agile.

cinquante kilomètres à la ronde. On notera aussi, dans la première chapelle à gauche du cœur, le monument du grand publiciste Louis Veuillot, par Fagel, et, dans la chapelle suivante consacrée aux saints jésuites, des mosaïques de Mauméjean.

Dans la **rue du Chevalier-de-la-Barre**, à gauche, commence le secteur typique voué aux cafés et aux galeries, établis dans des petites maisons d'autrefois.

La **rue Saint-Rustique**, qui la prolonge, est l'une des plus étroites et des plus pittoresques du vieux Montmartre et le restaurant « A la Bonne Franquette » fut l'un des rendez-vous d'artistes. Van Gogh y peignit *La Guinguette*.

A Montmartre

« L'an mil-huit-cent-soixante et dix,
Mon papa qu'adorait l'trois six
          Et la verte,
Est mort à quarante et sept ans,
C'qui fait qu'i' r'pose d'puis longtemps,
          A Montmerte.

« Deux ou trois ans après je fis
C'qui peut s'app'ler, pour un bon fils,
          Eun'rud'perte :
Un soir, su' l' boul'vard Rochechouart,
Ma pauv'maman se laissait choir,
          A Montmerte.

« Je n'fus pas très heureux depuis,
J'ai ben souvent passé mes nuits
          Sans couverte,
Et ben souvent, quand j'avais faim,
J'ai pas toujours mangé du pain,
          A Montmerte. »

(Aristide Bruant,
Dans la rue, *1889-1895*.)

La **rue Norvins**, bordée de cafés et de boutiques pour touristes, mène à la **place du Tertre**, dont l'aspect change au fil des heures : le matin, c'est une place de village tranquille. Dans la matinée, s'installent à leur chevalet « peintres » et rapins à l'affût du client, prêts à lui vendre une vue du quartier, un « poulbot » ou à faire son portrait. Par la suite, jusque tard le soir, la musique s'en mêle. Quelque frelaté que soit le spectacle, par cars entiers les touristes déferlent et repartent souvent avec une « œuvre » ou, au moins, un bibelot.

La **rue du Mont-Cenis** est riche de souvenirs : n° 1-3, « La Bohème », où vint si souvent Suzanne Valadon, et à l'emplacement des immeubles modernes (n° 22) vécut Berlioz (1834-1837), qui se fit plus tard enterrer entre ses deux femmes au cimetière de Montmartre (1869).

L'**église Saint-Pierre-de-Montmartre**, à deux pas, 2, rue du Mont-Cenis, est tout ce qui reste de l'abbaye fondée par Adélaïde de Savoie et c'est avec Saint-Germain-des-Prés et Saint-Martin-des-Champs l'une des plus anciennes églises parisiennes. Elle fut édifiée à partir de 1134 en remplacement d'un sanctuaire du Xe siècle consacré à saint Denis, édifice qui avait lui-même succédé à un temple gallo-romain dédié à Mercure ; et les quatre colonnes de marbre situées à l'entrée du chœur et au revers en proviendraient. La façade est d'un intérêt médiocre (XVIIIe siècle) et ses portes en bronze sont de l'Italien Gismondi (1980). L'intérieur, par son calme et ses proportions, ne manque pas de séduction : les ogives du chœur figurent parmi les plus anciennes de Paris (1147) ; celles de la nef ont été refaites au XVe siècle ; par ailleurs, les pierres tombales (vers 1154) d'Adélaïde de Savoie, qui termina ses jours à l'abbaye (bas-côté gauche), et de Catherine de La Rochefoucauld (avant-dernière abbesse, 1760) témoignent de la longue vie de l'établisse-

Le vignoble, rue des Saules.

ment. Les vitraux de l'abside des bas-côtés sont de Max Ingrand (1953). Froidevaux a conçu les plaques émaillées qui recouvrent le maître-autel et décrivent la Butte (1977) ; enfin, c'est Gismondi qui a réalisé le chemin de croix.

Le cimetière du Calvaire, derrière l'église, remonte à l'époque mérovingienne. Il n'est ouvert qu'au moment de la Toussaint et ne renferme plus que quelques tombes dont celle de Bougainville.

La **rue du Calvaire** mène à la tranquille place du même nom, qui est la plus agréable de la Butte avec ses arbres et sa vue en contrebas sur la rue Gabrielle et ses maisons campagnardes. L'Historial de Montmartre (tél. 46.06.78.92.) est un musée de cire retraçant les principaux épisodes de l'histoire de la Butte : martyre de saint Denis ; Henri IV et Louis XIV, le XIXe siècle (artistes, Bateau-Lavoir, cabaret, etc.)

La **rue Poulbot** (anciennement Traînée) rappelle le rôle de Francisque Poulbot (1879-1946) qui sut croquer de son crayon et immortaliser le gavroche parisien avec cette belle tendresse qui lui fit fonder un dispensaire pour les enfants miséreux de la colline.

Rue Norvins, au n° 22, la folie Sandrin (1774) est l'une des rares qu'ait connue la Butte. De 1820 à 1847, l'illustre docteur Blanche y soigna des aliénés parmi lesquels Gérard de Nerval.

Rue des Saules et au-delà, le calme le plus total règne et permet d'apprécier le charme vieillot du site.

Rue Cortot, au n° 12, le musée du Vieux Montmartre (tél. 98.70.65.43.) est installé dans la plus vieille maison du quartier (XVIIe siècle). Au XIXe siècle, Renoir et Emile Bernard vécurent ici, puis Léon Bloy, Reverdy, Othon Friesz, Suzanne Valadon et Utrillo, son fils, ainsi que Dufy, Poulbot et Antoine, le fondateur du Théâtre-Libre. Au n° 6, Erik Satie vécut dans son « placard ».

La **rue des Saules**, au-delà de la rue Cortot, est bordée du vignoble de Montmartre recréé en 1933 par la ville de Paris, ce qui donne lieu, chaque année, à des vendanges folkloriques. Au n° 4, « Au Lapin Agile » est l'ancien « Cabaret aux Assassins », en raison d'un décor peint à l'intérieur qui relatait les assassinats de Troppmann. Le peintre A. Gill refit l'enseigne en 1880 : un lapin surgissant d'une casserole une bouteille de vin à la patte, d'où le jeu de mot « Lapin à Gill ». L'endroit

Les escaliers de la Butte.

fut l'un des plus fréquentés par l'intelligentsia souvent désargentée (Verlaine, Renoir, Allais, Forain). En 1903, Aristide Bruant l'acheta et en confia la gestion à Frédéric Gérard qui se révéla un animateur hors pair, très apprécié de Max Jacob, Apollinaire, Dorgelès, Carco, Dulin, etc., dans l'atmosphère qu'avait si bien rendue Henri Murger. Et cet endroit est l'un de ceux qui a été le plus célébré par les artistes, Bruant notamment.

La **rue de l'Abreuvoir**, ombragée, est immortalisée par la toile d'Utrillo qui le lança : *La Maison rose*, représentant le n° 2, où logea Picasso à son arrivée à Montmartre.

Allée des Brouillards, à droite de la rue Girardon, le château du même nom est la seconde Folie montmartroise, élevée en 1772 par Lefranc de Pompignan. Gérard de Nerval y habita (1846) et en parla avec émotion, tandis que Roland Dorgelès lui a donné le titre d'un de ses romans (1932).

Sur l'**avenue Junot** donnent deux hameaux de verdure : la villa Léandre (n° 25, 1926) et le hameau des Artistes (n° 11). Au n° 13 vécut Poulbot et

au n° 15 se trouve la seule réalisation parisienne d'A. Loos, qui édifia cette maison pour Tristan Tzara en 1926. En face du n° 10, on voit le Moulin de la Galette.

Rue Lepic, aux n° 87 et 77 survivent les deux derniers moulins : le moulin du Radet (angle de la rue Girardon) et celui de la Galette, construit en 1622 et transformé en bal populaire au XIXe siècle, qui inspira Renoir, Van Gogh et bien d'autres.

La **place Jean-Baptiste-Clément**, dont le centre était autrefois occupé par un cerisier, inspira au chansonnier sa très célèbre chanson, *Le Temps des cerises* (1866).

La jolie **place Emile-Goudeau** doit son nom à un poète montmartrois. Elle est bordée par la rue Ravignan, l'une des plus anciennes de la Butte, et Max Jacob vécut de 1907 à 1911 au n° 11. C'est au cours de ce séjour qu'ayant eu une apparition, il se convertit au catholicisme (1909) ; en 1921, il se retira à l'abbaye de Saint-Benoît-sur-Loire.

Le Bateau-Lavoir, au n° 13, était une maison en bois qui hébergea, vers

Moulin, rue Lepic.

1900, tous les futurs grands noms de l'art et de la poésie modernes. L'édifice brûlé en 1970 fut reconstruit en dur ; il abrite des ateliers d'artistes. Déjà Renoir, en 1865, peignit *La Danse à la ville* et *La Danse à la campagne*, puis vinrent les nabis (Maurice Denis), ensuite les cubistes : Picasso (*Les Demoiselles d'Avignon*, 1907), Braque, Van Dongen, Juan Gris ; sans oublier Dorgelès, Harry Baur, Mac Orlan, etc.

Et Dorgelès y définit la vie d'un confort très sommaire (il n'y avait qu'un seul robinet), comme un « charivari continuel ».

La **place des Abbesses**, rappelle l'existence des Bénédictines établies en 1686, non loin du Martyrium (n° 11, rue Yvonne-Le Tac), où saint Denis aurait été martyrisé et où, en 1535, saint Ignace de Loyola et saint François Xavier et leurs compagnons fondèrent la Compagnie de Jésus, reconnue par Paul III en 1540 et qui devint l'ordre des Jésuites. Sur la place ombragée, la station de métro par Guimard a gardé intacte, outre son décor, sa verrière. L'église Saint-Jean-l'Evangéliste (1904, de Baudot) est l'un des premiers édifices religieux en béton armé, ce que cache son parement extérieur. A l'intérieur, la minceur de ses supports est tout à fait surprenante.

La **rue des Abbesses** contraste par son animation, ses commerces et son marché.

La **rue Lepic** est tout aussi animée et riche en souvenirs ; au n° 64 (angle de la rue Durantin), le caricaturiste Forain vécut dans cette jolie maison ornée de niches et de quatre statues ; au n° 54, Van Gogh s'établit chez son frère Théo, lorsqu'il arriva à Paris ; au n° 42, « La Pomponnette » est un ancien restaurant de la bohême. Enfin, au n° 12, le Lux Bar a conservé son décor 1909 par Gilardoni fils, qui figure le Moulin-Rouge tel qu'il inspirait Toulouse-Lautrec.

31. Barbès et la Goutte-d'Or

Ce secteur est délimité par les boulevards de la Chapelle et de Rochechouart au sud, les rues Stephenson et de Steinkerque à l'est et à l'ouest, et il s'étend, au nord, le long du boulevard Barbès. Il correspond à cette zone frappée d'industrialisation et d'urbanisation au XIX° siècle, du fait de l'aménagement du bassin de La Vil-

lette, puis de l'installation, à proximité, des lignes de chemin de fer du nord. D'anarchique, l'urbanisation devint systématique et relativement organisée à partir de l'annexion de Paris en 1860. Et, à se promener dans le quartier, surtout à l'ouest du boulevard Barbès, on sent une urbanisation progressive menée à partir de la Restauration

La banlieue nord

« Ils arrivaient derrière Montmartre à ces espèces de grands fossés, à ces carrés en contre-bas où se croisent de petits sentiers foulés et gris. Un peu d'herbe était là, frisée, jaunie et veloutée par le soleil, qu'on apercevait tout en feu dans les entre-deux des maisons. Et Germinie aimait à y retrouver les cardeuses de matelas au travail, les chevaux d'équarrissage pâturant la terre pelée, les pantalons garance des soldats, jouant aux boules, les enfants enlevant un cerf-volant noir dans le ciel clair. Au bout de cela, l'on tournait pour aller traverser le pont du chemin de fer par ce mauvais campement de chiffonniers, le quartier des Limousins du bas de Clignancourt. Ils passaient vite contre ces maisons bâties de démolitions volées, et suant les horreurs. »

(E. et J. de Goncourt,
Germinie Lacerteux, 1865.)

de part et d'autre du vieux chemin de Clignancourt.

Le passage sur le boulevard révèle une activité fébrile, surtout dans le voisinage des magasins Tati, « les moins chers de Paris », où une foule bigarrée et cosmopolite se presse, très dense. L'atmosphère est beaucoup plus calme tant dans le secteur des rues d'Orsel et de Clignancourt que dans celui de la Goutte-d'Or, dont le nom évoque le passé vinicole de la colline. Aujourd'hui, l'endroit est très largement occupé par les immigrés d'Afrique, et l'activité principale est le commerce du tissu entre les mains de communautés diverses.

De bourgeois, le quartier est devenu une « zone » réprouvée, souvent délabrée, dont on entreprend progressivement le nettoyage et la réhabilitation, cependant qu'on y établit des infrastructures et des équipements culturels et scolaires destinés à permettre l'assimilation de ces populations déracinées (crèche et école de la rue Richomme, par exemple) et le recul de la délinquance (commissariat de police, rue de la Goutte-d'Or). Ainsi commencent à disparaître des immeubles vétustes et insalubres, tandis que le « béton » fait son apparition.

Si la rue de Steinkerque est très largement fréquentée par les touristes qui visitent Montmartre, elle est, avec les rues d'Orsel, Sevestre, le lieu privilégié du commerce des étoffes à Paris, avec le très célèbre marché Saint-Pierre, où, dans un vaste immeuble de plusieurs étages, se déploient toutes les catégories de tissus.

La confection est à peu près inexistante sauf dans les magasins Tati sur le boulevard. Dans ce secteur, le commerce est très largement aux mains des Juifs.

La **rue de Clignancourt**, occupée par tout un commerce lié « aux bonnes affaires », à la petite hi-fi, à l'habillement marque le début d'une population africaine massive. Aux n° 22-34, se dresse, monumental et majestueux, l'immeuble du palais de la Nouveauté ou grand magasin Dufayel construit en 1900 par l'architecte Rives et dont le fronton est de Dalou. Il s'étendait jusqu'au boulevard Barbès et remplaçait, en beaucoup plus grand, le magasin ouvert en 1880 par Rives (n° 11-15) sur le boulevard. Ce bâtiment, par lui-même, montre qu'au tournant du siècle le quartier avait vocation à deve-

Le musée d'Art naïf Max-Fourny

Il est installé dans une halle édifiée en 1868 avec des structures métalliques visiblement inspirées de celles que Baltard implanta aux Halles. La collection d'un demi-millier de peintures et d'une centaine de sculptures réunies par les créateurs de ce musée, M. et Mme Fourny, est présentée au public dans des expositions temporaires, organisées selon des thèmes particuliers qui permettent de révéler des aspects souvent peu connus de l'art contemporain.

Musée d'Art naïf Max-Fourny
2, rue Ronsard
Tél. 42.58.74.12.

nir un grand et beau quartier résidentiel, ainsi qu'en témoignent divers immeubles bourgeois de qualité, bâtis à la même époque.

Le **boulevard Barbès** (ainsi appelé depuis 1882) fut ouvert en 1867, sous le nom d'Ornano, au même titre que d'autres grandes artères haussmanniennes chargées d'assurer le dégagement de la capitale. Bordé d'édifices jadis bourgeois, il est le grand centre de la vente d'accessoires automobiles, d'électroménager, de télévisions et autres matériels audiovisuels, sans compter les disques, cassettes, etc. A ces commerces spécialisés, il faut ajouter quantité de solderies.

La **rue des Poissonniers** est l'ancien chemin par lequel le poisson de la mer du Nord arrivait à Paris ; rue très commerçante et animée, on y trouve de classiques magasins d'alimentation.

La **Goutte-d'Or** est entrée à part entière dans le paysage parisien. Les endroits les plus pittoresques sont situés entre la rue Myrrha et le boulevard, autour des rues Richomme, Polonceau, de Chartres, Caplat. La population ici est entièrement immigrée, avec un taux important de gens en transit, victimes souvent des marchands de sommeil qui les entassent dans des dortoirs surpeuplés et insalubres, cependant que la prostitution la plus misérable est, elle aussi, sordidement organisée et fait également partie du « décor ». Ces deux phéno-

Logement à la Goutte-d'Or

« Et ils eurent enfin une trouvaille, une grande chambre, avec un cabinet et une cuisine, rue Neuve de la Goutte-d'Or, presque en face de la blanchisseuse. C'était une petite maison à un seul étage, un escalier très raide, en haut duquel il y avait seulement deux logements, l'un à droite, l'autre à gauche ; le bas se trouvait habité par un loueur de voitures, dont le matériel occupait des hangars dans une vaste cour, le long de la rue... Le ménage vécut dans l'enchantement de sa nouvelle demeure. Le lit d'Etienne occupait le cabinet, où l'on pouvait encore installer une autre couchette d'enfant. La cuisine était grande comme la main et toute noire ; mais, en laissant la porte ouverte, on y voyait assez clair ; puis, Gervaise n'avait pas à faire des repas de trente personnes, il suffisait qu'elle trouvât la place de son pot-au-feu. Quant à la grande chambre, elle était leur orgueil. »

(Zola, L'Assommoir, 1876.)

mènes sont en recul depuis qu'une politique volontariste de rénovation du quartier a été mise en œuvre, et quantité d'hôtels louches et plus que sordides ont dû fermer leurs portes, fai-

Le dimanche à La Chapelle

« Par grappes, par pelotons, les familles de fleuristes, de crémiers, de cordonniers et de zingueurs défilent entre la station Jaurès et le pont du chemin de fer du Nord, large morceau de boulevard aéré qui tient lieu de promenade des Anglais, de plage et de parc de Saint-Cloud.

« Le mari, déjà juteux de vermouth, sifflote au derrière de ses fils. L'épouse fidèle et solide appuie sur le trottoir son pas de villageoise. La jeune fille à marier hume les fumets de l'Engadine-Express ou du Paris-Bucarest, qui emmènent son cœur loin des frontières géographiques et sentimentales. Les cafés retentissent de poules au gibier, de compétitions au billard russe. Tous ceux qui, pour une raison ou pour une autre, n'ont pas répondu aux appels de L'Humanité ou de quelque autre organisation donnent à La Chapelle une couleur bourgeoise, une atmosphère de considération que l'on ne trouve pas ailleurs... »

(Léon-Paul Fargue, Le Piéton de Paris, 1939.)

sant ainsi disparaître ces longues files d'attente masculines que l'on voyait les week-ends.

On se croirait en pays exotique avec le commerce odoriférant des épices, ou celui des tissus exclusivement orientaux, même si les boutiques s'appellent « La Parisienne » ou « Nouveautés de Paris ». A côté, l'on trouve les traditionnels cafés, bazars remplis de bagages, le tout dans des odeurs venues d'ailleurs, sur fond de musique orientale. Çà et là, en vitrine ou au fond des cours, on voit des tailleurs faire du sur mesure. Dans ce quartier sans verdure subsiste, entre les n° 41 de la rue Polonceau et 42 de la Goutte-d'Or, un passage fermé à double tour, au milieu duquel une jolie cité verte se barricade derrière ses grilles.

A l'est se dresse l'**église Saint-Bernard-de-la-Chapelle**, de style néo-gothique, édifiée au moment de l'annexion par l'architecte Magne. Sa décoration intérieure comprend des peintures de Bonnegrâce, Dauban, Robert-Fleury, Jacquand, des vitraux de Gsell, Laurent et Oudinot et, dans le transept, deux bas-reliefs de Geoffroy-Dechaume. Enfin, dans la rue de Tombouctou, deux grands hammams affirment l'identité du quartier.

32. Le canal Saint-Martin

Le canal Saint-Martin fait partie du vaste plan d'aménagement de l'est de Paris conçu par Napoléon. Celui-ci, souhaitant faire de Paris la plus belle ville du monde, voulut y installer, comme à Rome, des fontaines ; mais l'alimentation en eau de la capitale étant très limitée, il décida le creusement du canal de l'Ourcq (1802-1808) dont le prolongement par les canaux de Saint-Denis et de Saint-Martin fut décidé en 1813. Ce dernier devait rejoindre le bassin de l'Arsenal, lui-même décidé par décret en 1806. Ainsi, une grande voie d'eau devait traverser, irriguer et désenclaver cette partie de la ville, permettant aux bateaux de la Seine de pénétrer loin à l'intérieur des terres.

Le programme ayant pris du retard, le canal Saint-Martin fut le dernier réalisé (1822-1823) ; les quais Charles-X et Louis-XVIII prirent, en 1830, les noms de Jemmapes et Valmy. Ainsi, dès la Restauration, cet endroit fut un lieu de promenade où l'on venait voir les péniches passer les écluses. La partie sud du canal fut couverte à partir de 1861, dans un double but : créer, en surface, un lieu de promenade (les « Champs-Elysées de l'est ») et permettre aux troupes de la caserne du Prince-Eugène (place de la République) de manœuvrer rapidement ; en 1911, on créa le boulevard Jules-Ferry en couvrant le canal à cet endroit.

Du **square Frédérick-Lemaître**, on a une jolie vue sur le canal et les bateaux. Cette activité batelière a modifié le caractère du quartier qui, d'agricole, est devenu peu à peu industriel et commercial au siècle dernier.

Sa rénovation a fait disparaître des entreprises, et il ne reste plus, çà et là, que quelques façades industrielles, vestiges d'une prospérité passée (quai de Valmy, n° 51, 67, industrie du cuir ; quai de Jemmapes, n° 64, 72, industrie de la peau ; n° 76, Comptoir général des fontes ; n° 84, taillerie de cristaux, toujours en activité).

Vestige d'un Paris populaire et un peu sordide, l'hôtel du Nord (n° 102), connu par le roman d'Eugène Dabit et immortalisé par le film de Marcel Carné, a été sauvé de la démolition ; derrière sa façade restaurée, on construira des logements neufs ; de même, les cafés du Pont-Tournant et de l'Ancre-de-la-Marine évoquent bien cette vie active du canal. Enfin, au

Le canal Saint-Martin.

n° 80, un grand mur peint est décoré d'une architecture feinte.

Rue Bichat, au n° 50, subsiste un bel immeuble d'architecture industrielle, les Peausseries d'Ile-de-France. Mais c'est surtout l'hôpital Saint-Louis qu'il convient de regarder.

L'hôpital Saint-Louis, place du

Docteur-Alfred-Fournier, fut fondé en 1607 pour soigner les pestiférés ; faute d'épidémies de ce type, il resta souvent inutilisé, mais fut, à partir de la fin du XVIIIe siècle, spécialisé dans les maladies contagieuses et de la peau ; au XIXe siècle, il devint un hôpital général. Loin du centre de la ville,

L'hôpital Saint-Louis.

l'architecte Claude Vellefaux put y développer ses constructions autour d'une immense cour : celles-ci sont, aujourd'hui, à peu près intactes, et constituent l'un des plus beaux ensembles « conventuels » du début du XVIIe siècle conservés à Paris. Les agrandissements successifs opérés pour les besoins de l'hôpital se sont faits à l'extérieur du quadrilatère historique (derniers aménagements en bordure de la rue de Vellefaux, par Badani et Roux-Dorlut depuis 1984). **Place du Colonel-Fabien** se dresse

Le siège du Parti communiste, place du Colonel-Fabien.

l'immeuble austère du Parti communiste, dû à O. Niemeyer (1968-1971). La façade en mur-rideau est entièrement de verre et de forme ondulée ; la demi-sphère de béton émergeant de la pelouse qui tient lieu de jardin est occupée par la salle de réunion du comité central.

33. Le quartier de La Villette

Jusqu'à l'aube du XIXᵉ siècle, le village dit primitivement La Villette-Saint-Ladre — car le couvent de Saint-Lazare situé faubourg Poissonnière y possédait de nombreuses terres — fut, comme ses voisins, voué à la culture et à la vigne ; sa situation entre les collines de Montmartre et de Belleville en faisait un lieu de passage vers le nord. Tout changea lorsqu'en 1802 Napoléon, conscient de la faiblesse de Paris en matière d'alimentation en eau et désireux d'embellir la capitale par des fontaines aussi somptueuses que celles de Rome, décida le détournement de l'Ourcq. L'idée était ancienne, remontant à 1520, et les premiers travaux effectués pour rendre l'Ourcq navigable dataient du XVIIᵉ siècle : Colbert et l'ingénieur Riquet, auteur du canal du Midi, avaient sérieusement envisagé un canal (1676) ; projet sans lendemain en raison de leur décès. Sous la Révolution, un certain Brûlé avait repris à son compte l'affaire, mais s'y était ruiné. Le projet napoléonien était de relier l'Ourcq à la Seine par une succession de canaux : de l'Ourcq (108 kilomètres), Saint-Martin et de Saint-Denis, en direction d'un méandre aval de la Seine. Le canal de l'Ourcq fut inauguré en 1808 et la fontaine du Château-d'Eau (place de la République) alimentée en eau potable de l'Ourcq en 1811. Les canaux Saint-Martin et Saint-Denis, décidés dès 1813, furent, en raison des difficultés politiques et financières (expropriations), lentement réalisés : 1815-1822.

Cela entraîna une véritable révolution économique en cette zone extra-muros libre d'octroi : recul de l'agriculture, approvisionnement facilité en provenance du nord, construction d'entrepôts, implantation d'industries trouvant ici matières premières, moyens de communication, main-d'œuvre venue de Paris ou de la province. L'essor fut amplifié avec la mise

Le bassin de La Villette.

en place du chemin de fer et La Villette devint sous Charles X et la monarchie de Juillet, le grand centre industriel de la région parisienne avec ses entrepôts de bois, charbon, vins, céréales, ses sucreries (Lebaudy), ses savonneries, ses textiles, son travail des métaux, ses cartonneries, ses fabriques de pianos (Erard)... et la population passa de 2 628 habitants en 1829 à 12 180 en 1847. Cette prospérité sans précédent, libre de toute entrave réglementaire, fit que La Villette fut la seule à s'opposer avec détermination et virulence à l'annexion à Paris en 1860 : dès lors, en effet, tous les produits devaient être soumis aux lourdes taxations de l'octroi.

Cette mesure administrative n'altéra pas la vocation industrielle de La Villette ; bien plus, elle fut amplifiée par l'installation (1862-1867) sur une cin-

quantaine d'hectares, d'un énorme marché aux bestiaux et d'immenses abattoirs, destinés à remplacer ceux de Grenelle, Villejuif, du Roule, de Ménilmontant et de Montmartre. Les installations furent gigantesques : le marché aux bestiaux comprit quatre grandes halles conçues par Baltard et réalisées par Mérindol qui s'inspira d'Hector Moreau : elles furent susceptibles d'accueillir chaque jour mille trois cents bœufs, deux mille veaux, quatre mille moutons, trois mille porcs, et la cour d'entrée était ornée de la fontaine aux Lions provenant de la place de la République, réalisée par Simon Richard (1811). De l'autre côté de l'Ourcq, au nord, on accédait, grâce à une passerelle que franchissait le bétail, aux immenses abattoirs où les pavillons spécialisés s'égrenaient le long de cinq avenues et ne contenaient pas moins de 172 échaudoirs. Cet énorme marché de la viande entraîna l'installation d'industries (cuir, brosses, bougies, salaisons, etc.) et de restaurants renommés pour la qualité de leurs viandes. Ainsi, l'on vit défiler toute une bourgeoisie au « Cochon d'or », au « Dagorno », au « Bœuf couronné » ou à « L'Horloge ».

En 1955, le conseil municipal de Paris décida la reconstruction et la modernisation des installations ; les travaux estimés à 174 millions de francs nouveaux en 1957, s'élevaient en 1970 à 1 250 millions. On décida alors l'arrêt de ce gouffre financier. Diverses solutions ayant été envisagées, on choisit l'installation d'un musée national des Sciences.

La **rotonde de La Villette,** dans l'axe du bassin du même nom, est l'un des pavillons de l'octroi édifié par Ledoux en 1784 et constitué d'une rotonde entourée d'un péristyle reposant sur une base carrée. Restaurée en 1966, elle est occupée par la Commission du vieux Paris et le service des fouilles archéologiques de la ville. Le square ouvrant sur le bassin est en cours d'aménagement et constituera un point de vue privilégié sur les quais lorsqu'ils seront rénovés.

Cette opération est menée de pair avec la rénovation du quartier : bassin de La Villette et secteurs de la rue de

La Géode et la Cité des sciences et de l'industrie, au second plan.

Flandre et de l'avenue Jean-Jaurès. Nul doute que lorsque les chantiers seront terminés, les quais plantés d'arbres et bordés d'immeubles d'habitation de hauteur limitée (à vingt-six mètres désormais), l'endroit sera un lieu de promenade agréable et retrouvera sa vocation première de lieu de plaisance et d'aération... mais il faudra patienter une dizaine d'années. En attendant, il est préférable de faire la promenade en bateau.

A l'heure actuelle, les rues Curial, d'Aubervilliers, de Tanger sont en partie rénovées ; **rue de Flandre**, le côté des numéros pairs, d'une relative qualité, est conservé et l'on notera au n° 22 la jolie maison ancienne des Vieux-Fers-et-Métaux, au beau balcon de fer forgé et aux deux fenêtres arrondies ; au n° 28, l'immeuble industriel réaménagé pour la société André en respectant ses structures ; au n° 36, l'architecture bourgeoise de F. Amiges (1891) et surtout au n° 41, l'édifice d'Auguste Waser (1913), pour un établissement de robinetterie, pompes à bière, machines à rincer... qui se si-

gnale par ses riches frontons, ses balcons à consoles, son porche orné de panneaux de carreaux de céramiques décorés de guirlandes, la grille de fer forgé de la cour. Du côté des numéros impairs, à la Z.A.C. Flandre-Sud (n° 1-25) en cours d'aménagement, succèdent deux opérations originales d'architecture : les Orgues de Flandre (n° 67-107) de Martin Van Treeck (1976), entre les rues Riquet et Mathis, qui comportent plusieurs tours et constituent une véritable ville avec près de trois mille logements ; au n° 127, l'immeuble de Roger Anger et Pierre Puccinelli (1964) où la distribution des loggias donne un effet prismatique.

Au-delà, le secteur de la rue Archereau est entièrement repensé et seule cette partie ombragée de la rue de Crimée, avec ses restaurants et ses boutiques, interrompt l'architecture contemporaine et évoque le temps passé. Au n° 145, la résidence des Eiders marque, elle aussi, une tentative architecturale ; enfin, le chantier du Sari par Bourgeois et Edekins, signale la fin de la Z.A.C. Flandre-Nord.

Place de Bitche, en bordure du quai de l'Oise, l'église Saint-Jacques-Saint-Christophe, par Lequeux (1841-1844), est ornée de fresques de Brémont, élève d'Ingres, et de sculptures par Hardouin et Dantan aîné. Avec son square, elle a conservé son aspect tranquille d'autrefois, rendu plus perceptible par le voisinage des superstructures métalliques du pont tournant de la rue de Crimée, ainsi que par celui des entrepôts des Magasins généraux aux façades de meulière.

Le parc de La Villette

Ce vaste complexe scientifique et culturel doit occuper cinquante-cinq hectares. La Maison de La Villette est établie dans la Rotonde des vétérinaires (1867, janvier) et consacrée à l'histoire du quartier.

Autour du bassin de La Villette

« Ce royaume, un des plus riches de Paris en bains publics où l'on attend comme chez le dentiste, est dominé par la ligne aérienne du métro qui le couronne comme un frontail. Vers le Nord, la rue d'Aubervilliers part comme une longue kermesse, pleine de boutiques à en plier. Marchands de pieds de porc, de dentelles au poids, de casquettes, de fromages, de salades, d'arlequins, d'épinards cuits, de chambres à air d'occasion qui se chevauchent, s'entre-pénètrent, s'emboîtent, pareils aux éléments d'un Meccano de cauchemar. On y trouve l'œuf à six sous, le jarret de veau « à profiter », le morceau de brie laissé pour compte par une piqueuse appelée à Charonne un jour de mariage, et, parfois, quelque renard argenté qui n'est plus guère qu'un plumeau, et qui finit à seize francs par mois une existence commencée sur des épaules très "avenue du Bois".

« Le bruit de la ligne Dauphine-Nation, pareil à une plainte de zeppelin, accompagne le voyageur jusqu'à ces quartiers cernés de cheminées d'usines, lacs de zinc où la rue d'Aubervilliers se jette comme une rivière de vernis. Des vagissements de trains égarés servent de base au paysage. A toute heure du jour, des équipes d'ouvriers vont et viennent le long des cafés au front bas où l'on peut "apporter son manger", laisser ses gosses "pour une heure", et dormir parfois sans consommer. [...]

« Les restaurants, on les trouve à la Villette. Ils sont d'ailleurs indiqués par les bons ouvrages. Quant aux "curiosités touristiques", si le canal de l'Ourcq, qui s'étend et dort comme une piscine entre les quais de la Marne et de l'Oise ne rend pas le voyageur poétique, c'est qu'il est trop difficile pour s'accommoder d'un paysage mi-hollandais et mi-rhénan. Ce canal est pour moi le Versailles et le Marseille de cette orgueilleuse et forte contrée. L'art ne s'y risque guère, et pourtant tous les élèves de Marquet et d'Utrillo devraient y avoir élu domicile.

« Il y a là un mélange de petits hôtels trébuchants et sympathiques, d'étalages de sacs, des équipes de mariniers endormis, des démonstrations de maçonnerie ou de blanchisserie, une coopération de gaillards de Rotterdam, de Turin, de Toulouse, de Dijon, de Strasbourg, un palmarès de péniches aux noms ravissants dont le voisinage et les nuances et les contours devraient faire naître un poète par maison. Or, on ne me signale aucun "intellectuel" dans la région. Le moins éloigné en est Luc Durtain, qui est du boulevard Barbès, ce qui, pour un homme de la rue de Flandre, signifie à peu près Savoie ou Bulgarie.

« La pièce de résistance de ce quartier, tout fleuri de sémaphores, et dont les beautés naturelles sont nombreuses, la place du Maroc, la rue de Kabylie, les Pompes Funèbres serrées entre la rue d'Aubervilliers et la rue Curial, les entrepôts, les cliniques pour locomotives. »

(Léon-Paul Fargue,
Le Piéton de Paris, 1939.)

L'une des folies de Bernard Tschumi dans le parc de La Villette.

La **Cité des sciences et de l'industrie** (tél. 40.05.72.72.), d'une architecture résolument technique, est entourée, telle une citadelle du savoir, de douves remplies d'eau (1980, Fainsilber). Elle comprend, sur trois niveaux, le musée des Techniques, Explora, qui est organisé autour de quatre thèmes : « De la Terre à l'Univers » (le Nautile, la fusée Ariane et la station orbitale, expériences tourbillonnantes sur les forces centrifuges et centripètes, naissance et vie des galaxies, le Soleil et ses origines) ; « L'aventure de la vie » (ferme aquacole, pont vert, films sur la vie) ; « La matière et le travail de l'homme » (les matériaux, l'électricité, jardin des particules, zoo des robots, aventures industrielles) ; « Langages et communication » (mondes sonores, expressions et comportements, mutations informatiques).

A côté de ces expositions permanentes, des manifestations temporaires présentent les découvertes récentes des entreprises ; les deux médiathèques pour adultes et enfants sont des centres de documentation ; le pianétarium révèle sur un écran géant l'actualité de l'astronomie ; la maison de l'Industrie traite de toute l'activité économique du pays ; l'Inventorium, réservé aux enfants (3-11 ans), les initie à la science par les jeux.

La **Géode**, conçue par Fainsilber, a été réalisée par Chamayou, l'un des quatre ingénieurs au monde capables de construire une sphère parfaite. C'est une vaste sphère dont l'enveloppe est en métal poli inoxydable qui abrite une salle de projection hémisphérique. Entourée d'un plan d'eau, située dans l'axe du musée, elle assure de manière tout à fait esthétique la transition entre l'architecture technique et fonctionnelle de ce dernier et le parc.

Le parc est en cours d'aménagement. L'architecte Bernard Tschumi a imaginé des secteurs thématiques et une trentaine de folies de forme cubique dont certaines existent déjà : buvette, belvédère, Maison des enfants, etc. Le mobilier sera réalisé par Philippe Starke. C'est le parc qui assurera l'unité entre les deux berges du canal.

La **grande halle**, jadis occupée par le marché aux bœufs, a été transformée en espace polyvalent par P. Robert et B. Reichen, et peut accueillir salons, expositions, festivals, etc.

Le **Zénith** (1984, P. Chaix et J. Morel), vaste salle de 6 400 places, doit son nom à l'avion rouge de marque « Zénith » qui surmonte la colonne de béton qui seule subsiste des étables des nouveaux abattoirs.

La **Cité de la musique**, par Christian Portzamparc, s'élèvera de part et d'autre de la cour d'entrée, toujours décorée de la fontaine de la place de la République. Elle comprendra le Conservatoire national de musique et le musée de l'avenue de Madrid, un institut de pédagogie musicale, une salle d'orgue, une salle de concert de 1 200 places, ainsi que des espaces réservés aux commerces et aux artisanats liés à la musique.

Le **bâtiment de Janvier** (1867) sert de lieu d'accueil, à l'entrée de l'avenue Jean-Jaurès. Le Théâtre de Paris-La Villette et la salle de cinéma Arletty (art et essai) sont installés dans l'ancienne bourse aux cuirs (1867, Janvier).

34. Le quartier des Buttes-Chaumont

La colline de Belleville joignait à ses activités rurales et vinicoles l'extraction de la pierre à plâtre aux buttes Chaumont et Beauregard. A sa base, à la Courtille (haut du XIᵉ arrondissement), un grand nombre de cabarets et de guinguettes attiraient les Parisiens, rues du Faubourg-du-Temple (Desnoyer) et de l'Orillon (Ramponneau) dès le XVIIIᵉ siècle. Ces guinguettes s'implantèrent plus tard à la Haute Courtille, c'est-à-dire près des carrières, et furent à l'origine du nom de la place des Fêtes.

Au XIXᵉ siècle, l'endroit fut un bastion de l'opposition à la monarchie ; les petites industries (métaux, cuir, textile) se développèrent et, peu à peu, l'agriculture disparut au point que le moulin de la Galette, à l'angle des rues Fessart et de La Villette, se convertit en cabaret. L'apparition de ces ouvriers très qualifiés fut favorable à la propagation des idées révolutionnaires et la commune de Belleville eut un rôle particulièrement actif en 1848. C'est pourquoi, en 1860, lors de son annexion à Paris, l'agglomération fut partagée entre les XIXᵉ et XXᵉ arrondissements, ce qui n'empêcha pas le XIXᵉ arrondissement de voter à 70 % contre le plébiscite de 1870, et de tenir

La Courtille

« C'est à la Courtille que s'agite, le Dimanche, un peuple qui consacre ce jour-là à la boisson & au libertinage, que, dans un étage audessus, on appelle galanterie. Il est presque sans voile dans ces tavernes, où cette populace étourdit sa raison sur le profond sentiment de la misere. C'est la brutalité de la passion, qui, dans ce qu'on appelle le bas peuple, fait le grand nombre d'enfants ; & le Philosophe, après s'être promené à la Courtille avec ses yeux observateurs, ne pourra s'empêcher de dire : C'est là où la nature gagne ; car elle perd avec les classes supérieures ; & ce sont les inférieures qui la dédommagent des pertes qu'elle fait chez les grands & chez les bourgeois trop aisés. »
(Louis-Sébastien Mercier, Le Tableau de Paris, *1782-1788.*)

Le parc des Buttes-Chaumont.

une place très importante dans l'insurrection communarde. A la fin du siècle, une nouvelle activité apparut quand les studios Gaumont s'installèrent (1896, 55, rue de La Villette), et qu'ouvrit, en 1907, la première salle de cinéma, place des Fêtes, qui connut un tel succès qu'en 1930 on en dénombrait onze.

Napoléon III, pour favoriser l'assimilation du quartier à Paris, donna un large essor à l'urbanisation entreprise dès Louis-Philippe (réservoir de sept cent mille litres, usine à gaz, etc.), faisant construire des égouts, des marchés et surtout le grand parc des Buttes-Chaumont.

Dès le début de ce siècle, quantité d'étrangers vinrent s'établir surtout en bordure du boulevard de La Villette : aux Juifs et aux Méditerranéens s'ajoutèrent bientôt les Africains et, aujourd'hui, les Asiatiques. Cet accroissement régulier de la population entraîna une amélioration continue des infrastructures urbaines et l'édification d'H.L.M. et H.B.M., à l'emplacement des fortifications (1926-1935).

Comme dans le quartier du Père-Lachaise, on trouve le même contraste entre les belles rues résidentielles bordées d'arbres (Manin, Secrétan, Bolivar, Botzaris) et l'habitat populaire villageois ou sordide. De vastes opérations d'assainissement et de reconstruction ont été menées avec la mise en place d'espaces verts et de secteurs piétonniers (rue Rébeval, place des Fêtes, rue Fessart, rue Julien-Lacroix) qui donnent au quartier un certain caractère. Mais il subsiste aussi beaucoup du vieux Belleville, tel qu'il apparaît dans les films de l'entre-deux-guerres, avec des lessives qui sèchent aux fenêtres, des successions de petites cours plantées d'arbres, d'immeubles à un seul étage ou de petites maisons avec un jardin qui laissent une bien agréable impression de verdure et de campagne.

Le métro Belleville est au carrefour des très cosmopolites boulevard de La Villette et de Belleville, avec restaurants exotiques, fêtes foraines, maisons basses, et de la traditionnelle rue de Belleville, dont le secteur rénové de Rébeval et le luxueux immeuble de la C.F.D.T. marquent le départ. Les jours de marché, toute cette population se retrouve sur le boulevard entre les métros Belleville et Couronnes.

Rues Desnoyer et **Ramponneau** subsiste le vieux Belleville, pauvre, pittoresque, populaire avec ses ateliers et ses petits commerces souvent tenus par des Arabes. On est ici à la limite de la vaste rénovation menée rues Julien-Lacroix et des Couronnes avec pour point d'orgue, la création du parc de Belleville (quatre hectares et demi), étagé en terrasses depuis la rue Piat et d'où l'on a une vue privilégiée sur la ville. Au-delà de la rue Rébeval, la rue de Belleville est restée ce qu'elle était ; de même, la rue des Solitaires rappelle le village du siècle passé. Si la place des Fêtes a été entièrement rasée et reconstruite de tours, à quelques mètres de là survit, aux n° 11-13 de la **rue des Fêtes**, une cité-jardin complètement étrangère à la ville. De même, au nord, entre les rues Bellevue, Compans, d'Hautpoul, David-d'Angers et des Lilas, le secteur de **La Mouzaïa** est un vaste espace aux innombrables « cités » et « villas » construites à l'emplacement des carrières d'Amérique. Ces maisons à un ou deux étages, précédées de jardins fleuris et ombragés, surprennent, charment et l'on se croirait dans une paisible banlieue campagnarde de province où il fait bon humer les senteurs du soir.

**Le parc
des Buttes-Chaumont**

Il a été aménagé à l'emplacement des carrières de plâtre intensivement exploitées, de même que celles d'Amérique, jusqu'à l'annexion de Belleville à Paris, en 1860, afin de fournir le plâtre nécessaire aux très nombreux chantiers de la capitale durant le second tiers du XIXe siècle. Alphand, le « jardinier » de l'empereur, et le paysagiste Barrillet ont signé ici leur plus belle réussite (1866-1867). Ils furent largement aidés par le site escarpé et

---

Le dimanche
à Paris

« *Les Parisiens montrent aujourd'hui un goût immodéré pour la campagne... Le dimanche, la population, qui étouffe, en est réduite à faire plusieurs kilomètres à pied, pour aller voir la campagne, du haut des fortifications.*

« *Cette promenade aux fortifications est la promenade classique du peuple ouvrier et des petits bourgeois. Je la trouve attendrissante, car les Parisiens ne sauraient donner une preuve plus grande de leur passion malheureuse pour l'herbe et les vastes horizons.*

« *Ils ont suivi les rues encombrées, ils arrivent éreintés et suants, dans le flot de poussière que leurs pieds soulèvent ; et ils s'assoient en famille sur le gazon brûlé du talus, en plein soleil, parfois à l'ombre grêle d'un arbre souffreteux ; le chemin de fer de ceinture siffle furieusement, tandis que, dans les terrains vagues, des industries louches empoisonnent l'air. Devant eux s'étend la zone militaire, nue, déserte, blanche de gravats, à peine égayée de loin en loin par un cabaret en planches. Des usines dressent leurs hautes cheminées de brique, qui coupent le paysage et le salissent de longs panaches de fumée noire.* »

(Emile Zola,
Le Messager de l'Europe, *1878*.)

---

surent réaliser un parc romantique avec rochers, précipices, grotte ornée de stalactites, cascades, lac, montagne plantée de cèdres de l'Himmalaya, île ornée d'un temple antique imité de celui de la Sibylle à Tivoli... sans oublier les lieux de distraction : restaurants, guignols, etc. Le dépaysement est total et Aragon a pu qualifier ce lieu de « paradis légendaire » et d'« appartement de rêve ».

35. Le quartier du Père-Lachaise

Ce quartier, populaire s'il en est, s'est constitué de façon anarchique sur une partie des villages de Ménilmontant et de Charonne ; d'où ces rues tortueuses, ces successions de cours dites « impasses », « cités » ou passages ; il constitue pour l'essentiel le XXᵉ arrondissement.

Sous l'Ancien Régime, ces villages étaient résidentiels, habités par Le Peletier de Saint-Fargeau, le marquis de Lenoncourt, Carré de Beaudoin, dans de grandes propriétés qui furent démantelées à la Révolution, tandis que se poursuivaient les activités agricoles et surtout vinicoles. La proximité de Paris maintint à cet endroit son caractère de villégiature et, après 1840, la construction du mur de fortification prépara l'annexion à la ville (1860), ce que comprirent fort bien les spéculateurs qui lotirent à tout va leurs terrains, tels Gasnier-Guy (1855-1859) ou Elisa Borey qui, jouissant des franchises de la banlieue, ne subirent pas les contraintes de l'urbanisme parisien. Ainsi apparurent des rues sans trottoirs ni égouts, vouées au sordide, comme la rue de l'Ermitage, large de 0,94 mètre seulement à son entrée. Ainsi, peu à peu disparurent les maisons bourgeoises, remplacées par des bâtisses à grande densité d'habitation, dans lesquelles s'entassèrent, pour plus d'un siècle, les familles les plus défavorisées. Parallèlement, s'installèrent des ateliers où l'on travaillait essentiellement le métal : ils attirèrent une population ouvrière plus ou moins qualifiée, et c'est bien naturellement que vinrent se fixer, à partir de 1900, dans le bas Ménilmontant, les différentes vagues d'immigrés. Dans le même temps, l'urbanisme officiel intégra progressivement le quartier à la ville, en ouvrant les voies résidentielles de Gambetta, des Pyrénées et de Belgrand, en installant le métro et, après la démolition des fortifications, en mettant en chantier des logements sociaux (H.B.M.) : tout cela n'empêcha pas la tradition révolutionnaire de se maintenir qui remontait à la Commune (cf. le mur des Fédérés au Père-La-

Le pavillon de l'Ermitage, rue de Bagnolet.

Une pleureuse au Père-Lachaise.

(porche de 1737). C'est la seule église parisienne, avec le Calvaire de Montmartre, qui possède encore son cimetière. La **place Saint-Blaise** et la **rue Saint-Blaise** ont conservé leur aspect villageois, de même que la bien charmante **place des Grès** où l'Auberge du village assure un complet dépaysement.

Le cimetière du Père-Lachaise

Cimetière le plus célèbre de France, il a été créé sous l'Empire. En effet, jusqu'à la fin du XVIIIe siècle, on avait coutume d'enterrer les morts dans des cimetières proches des églises. La surabondance des corps, leur décomposition, l'humidité, les infiltrations malsaines et les mauvaises odeurs forçaient à des interventions périodiques pour nettoyer, voire fermer ces charniers : ainsi, en 1786, Louis XVI décida la suppression du cimetière des Innocents, aux Halles, et les ossements subsistants furent transférés dans les catacombes.

En 1626, la maison professe des Jésuites, rue Saint-Antoine, avait acquis une colline entre les villages de Belleville, de Ménilmontant et de Charonne, et y avait construit une maison de campagne, dite Mont-Louis. L'altitude et l'environnement champêtre en firent une villégiature idéale, loin des miasmes de la ville, et le père La Chaise, confesseur de Louis XIV, y fit de fréquents séjours (1669-1704), de façon que l'on donna son nom à cet endroit.

En 1803, le préfet de Paris acquit le domaine et chargea l'architecte Brongniart d'y aménager un cimetière. La

chaise) ; en 1940, dans le XXe arrondissement, résidait un quart des communistes parisiens.

Les années soixante-dix ont déclenché la rénovation du quartier, rasant des secteurs entiers (le losange traversé en diagonale par la rue des Amandiers, ou celui de la place de la Réunion). Si les grands axes résidentiels sont restés à peu près intacts, l'urbanisation sauvage du siècle passé ne subsiste plus guère que par quelques « buttes-témoins », comme la rue de Vignoles avec sa multitude de cités et d'impasses de la largeur d'un homme ou les quatre-vingt-neuf pavillons de la société coopérative, « La Campagne à Paris », élevés, non sans difficulté de 1911 à 1926, avec l'aide des pouvoirs publics. Un effort considérable est fait aujourd'hui pour le rééquilibrage culturel de Paris avec, dans ce quartier, l'ouverture du Théâtre national de la Colline, 15, rue Malte-Brun.

Rue de Bagnolet, au n° 148, le pavillon de l'Ermitage, construit en 1734, est tout ce qui reste du domaine du château de Bagnolet. Au n° 123, l'église Saint-Germain-de-Charonne (XVe siècle, sauf la base de la tour qui est du XIIIe siècle) a été modifiée au XVIIIe siècle à la suite d'un incendie

Le cimetière de Charonne.

vaste superficie mise à sa disposition (dix-sept hectares) permit à celui-ci de concevoir l'ensemble dans un esprit vraiment néoclassique, dans la tradition gréco-romaine éloignée des préoccupations religieuses : lieu de repos, il était destiné au paisible séjour des âmes défuntes, et surtout à la sérénité des familles et des proches, ici-bas. Brongniart réalisa donc un espace aussi proche de la nature que possible, véritable parc à l'anglaise aux allées sinueuses, où les vivants aimeraient se promener à proximité de leurs chers disparus, loin de tout tragique et de toute expression violente de sentiments. En outre, la pente du terrain facilita son dessein, imposant de nombreux escaliers, détours, effets de surprise et points de vue insolites. Les seules concessions à la tradition furent la longue allée monumentale axiale et, plus tard, les chapelles funéraires à l'antique qui la bordent.

Le cimetière ouvrit en 1804. En 1817, pour le rendre plus prestigieux, on y installa, sous un dais provenant de l'abbaye de Paraclet (Aude), les restes d'Abélard († 1142) et d'Héloïse († 1164), sauvés par Alexandre Lenoir. Le succès de ce lieu de sépulture a été total depuis la Restauration, et l'on y a inhumé plus d'un million de personnes. L'endroit a conservé, selon les vœux de Brongniart, sa double fonction de lieu de pèlerinage aux défunts et de promenade pour les Parisiens : cela en raison de la beauté et de la distribution du site et de la diversité des monuments ; ceux-ci constituent un véritable musée de la sculpture du XIXᵉ siècle et, bien au-delà, témoignent, à travers l'iconographie et les épitaphes, de la mentalité et du sentiment des Parisiens et des artistes devant la mort. Inutile, enfin, de dire qu'y repose le Tout-Paris de la politique, des sciences, des arts, des lettres ou de l'armée, de Beaumarchais et Musset à Maurice Thorez et Colette, en passant pêle-mêle par Victor Hugo, Chopin, Michelet, Allan Kardec, Jim Morrison, Talma, Branly, Panckoucke, Bernard Grasset, Stavisky, Ferdinand de Lesseps, Parmentier ou le mime Deburau ; et parcourir ces allées, dans quelque sens que ce soit, c'est revivre l'histoire de France depuis deux siècles.

Le cimetière occupe aujourd'hui quarante-quatre hectares et, dans sa partie orientale, est distribué régulièrement en carrés. Ce vaste domaine funéraire ne saurait être visité sans l'aide du plan sommaire que l'on peut se procurer, pour une somme modique, à l'entrée.

36. Le quartier de la Bastille

Haut lieu de l'histoire parisienne, la forteresse de la Bastille dut son existence à l'insécurité. En effet, lorsqu'Etienne Marcel fit fortifier la ville, il renforça la porte Saint-Antoine de tours, œuvre poursuivie par Charles V qui édifia le bastion de la Bastille, chargé d'empêcher toute invasion en provenance de l'est. En fait, la Bastille ne joua que rarement un rôle militaire, l'épisode le plus célèbre se situant pendant la Fronde où la Grande Mademoiselle fit tourner les canons de la forteresse contre l'armée royale afin de sauver Condé. Mais, c'est en tant que prison qu'elle est passée à la postérité et occupe une place considérable dans l'imaginaire et la symbolique collective. En effet, Louis XI en fit un établissement pénitencier et y incarcéra d'anciens favoris (cardinal Jean Balue, Philippe de Commynes) et, au XVIIIᵉ siècle, bon nombre de personnages sulfureux y séjournèrent : Voltaire, le marquis de Sade, le comte de Cagliostro. La détention était alors fort douce pour qui avait les moyens et les relations, et le prisonnier pouvait recevoir, donner des soupers... Mais cette énorme bâtisse aux huit tours était entourée de mystère et les plus extravagantes rumeurs circulaient à son sujet. Aussi, lorsqu'en juillet 1789 l'agitation gagna le faubourg Saint-Antoine, c'est bien naturellement que la population se porta vers l'édifice, presque vide de détenus, mais récemment rempli de munitions : le 14 juillet, la Bastille tomba, son gouverneur et la garnison furent assassinés et la foule s'empara

L'Opéra de la Bastille.

des armes. L'édifice fut bientôt démoli par Pierre-François Palloy qui fit faire des maquettes et des reproductions de la forteresse dans ses pierres et les envoya dans les départements, opération qui contribua à donner à l'événement, de manière définitive, une importance hors de proportion avec la réalité. Rappelons que la fête du 14 juillet, instituée en 1880 n'est pas la commémoration de la prise de la Bastille, mais celle de la fête de la Fédération organisé en présence du roi au Champ-de-Mars, le 14 juillet 1790, pour réconcilier tous les Français.

Napoléon ne manqua pas de s'intéresser à cette partie de la ville et, en 1801, décida l'aménagement de la place autour d'une gigantesque fontaine-éléphant dont seul le soubassement fut réalisé par Alavoine ; cette opération devait être complétée par la décision d'établir le bassin de l'Arsenal (1806) et le canal Saint-Martin (1813) ainsi que de faire de cet endroit un lieu de promenade.

Le faubourg Saint-Antoine est l'une des composantes du quartier de la Bastille. L'abbaye cistercienne de femmes, installée avant le début du XIIIᵉ siècle à l'emplacement de l'hôpital Saint-Antoine (n° 164-200 de la rue du Faubourg-Saint-Antoine) reçut en 1471 de Louis XI l'autorisation d'accueillir librement les corps de métiers sur son domaine. Elle fut l'objet de faveurs royales importantes qui en firent, avec l'abbaye de Montmartre, le couvent le plus riche de Paris. Ainsi s'établit l'artisanat : faïence (rues Amelot, du Pont-aux-Choux), tapisserie, mercerie, menuiserie et ébénisterie (neuf cents personnes), métaux (quartier Popincourt), papier peint (Réveillon, rue Titon), machines textiles de Vaucanson (rue de Charonne), libres des règlements tatillons des corporations parisiennes.

Cette population hautement qualifiée entre l'aisance et le prolétariat, vite acquise à la rébellion, joua un rôle très important dans les « émotions » populaires qui agitèrent la ville dès avril 1789 (l'usine Réveillon fut saccagée) et massacra par la suite les temporisateurs que furent Mgr Affre (1848), le député Baudin (1851) et Mgr Darboy (1871).

Le quartier de la Bastille appartient de tradition totalement au faubourg, et la place sert d'articulation avec le Marais. Comme tout l'est parisien, il est actuellement en pleine rénovation, surtout dans sa partie méridionale, afin d'y créer un pôle culturel, administratif et économique (Opéra, palais des Sports,

401

Un des lieux les plus célèbres de la rue de Lappe.

ministère des Finances, immeubles de bureaux), qui permette de rééquilibrer la population et les activités de la capitale. Si le secteur de Bercy est méconnaissable depuis quelques années, le faubourg Saint-Antoine et autres rues adjacentes conservent leurs activités artisanales traditionnelles (mobilier, ferronneries et métiers annexes), mais un certain changement apparaît avec l'installation d'artistes, de bureaux d'études, d'intellectuels qui en font un endroit à la mode.

La place de la Bastille

Ce n'est pas une place conviviale, en raison de ses dimensions : son manque d'unité tient à son rôle de frontière entre la ville et le faubourg, et l'atmosphère est très différente selon que l'on se trouve au débouché de la rue Saint-Antoine ou au départ de la rue de la Roquette, caractère hétérogène qui peut expliquer les rassemblements de motards le vendredi soir. La colonne de Juillet (quarante-sept mètres) fut décidée par la Chambre des députés en 1833 et élevée par Alavoine à la gloire des citoyens qui s'armèrent et combattirent pour la défense des libertés publiques. Elle repose sur le soubassement destiné à l'éléphant dans

lequel sont installés les restes de plus de cinq cents victimes des révolutions de 1830 et 1848. A son sommet, le *Génie de la Liberté*, en bronze doré, est l'œuvre de Dumont.

L'**Opéra de la Bastille** a été décidé en 1982 pour remplacer l'Opéra Garnier et la salle Favart. L'architecte Carlos Ott a conçu, à l'emplacement de la gare de la Bastille, un édifice qui ne remet pas en cause l'aménagement de la place. Le bâtiment se signale par sa transparence, la simplicité de ses formes (demi-cylindres, parallélépipèdes) et son habile intégration à l'environnement (portique d'entrée asymétrique servant de transition entre l'alignement de la place et la façade de l'édifice). Lorsqu'il sera achevé, il comprendra une salle de deux mille sept cents places, une salle modulable, une Maison de l'Opéra avec salles d'exposition, médiathèque, etc., et il n'est pas douteux qu'à son ouverture l'ambiance de la place changera.

Le **boulevard Richard-Lenoir**, aménagé par Davioud vers 1860, par la couverture du canal Saint-Martin, afin d'en faire un lieu de promenade rythmé par la succession de dix-sept squares ornés de fontaines, n'est plus guère célèbre que par son marché (évoqué par Mme Maigret dans les romans de Simenon), puisque les foires au jambon et à la ferraille ont émigré à Chatou et à Nogent-sur-Marne.

La **rue de Lappe**, à laquelle on accède par la rue de la Roquette, a conservé son pittoresque, ses petits ateliers et ses bals populaires fréquentés entre les deux guerres par Arletty, Rita Hayworth, Edith Piaf, Carco, Jo Privat, Yvette Horner, etc. : « La Boule Rouge » depuis 1922, le Balajo aménagé par Mahé, décorateur du Rex et inauguré en 1936 en présence de Mistinguett et, plus récemment, « La Chapelle des Lombards », ou, au n° 21, dans le passage Louis-Philippe, le « Café de la danse ». Sont venus s'installer des galeries d'art, des brocanteurs, des restaurants, tandis que certaines cours restent hors du temps dans leur verdure campagnarde (n° 24).

La **rue de Charonne**, à gauche, a également gardé son caractère populaire. Au n° 51, et en retour sur la rue Dallery, l'hôtel de Mortagne par Delisle-Mansart (1652-1670), construit autour d'une rotonde octogonale, subsiste

Le café « A Jean-Pierre »,
avenue Ledru-Rollin.

intact, hormis en ce qui concerne son environnement : à l'emplacement de la cour, un gros immeuble qui l'écrase et le « tue » scandaleusement a été récemment édifié, sans le recul nécessaire. C'est ici que Vaucanson, à partir de 1746, mit au point son métier à tisser les façonnés et constitua une collection d'automates et d'instruments qui fut le point de départ du conservatoire des Arts et Métiers.

Avenue Ledru-Rollin, au n° 116 (carrefour), le café « A Jean-Pierre » conserve intégralement son décor 1900 de la façade, où se lit l'inscription « Au vrai Saumur, Beaujolais, café à dix centimes la tasse... billards », à l'intérieur avec le plafond peint en ciel, le zinc, les placards à volutes et deux personnages de céramique ornés de femmes.

La **rue de la Main-d'Or** est également représentative du vieux faubourg avec son bougnat (n° 8) et son café « A l'Ami Pierre » (n° 5) qui sert aussi de salle d'attente à un rebouteux.

Rue Trousseau, à l'angle de la rue de Candie, le n° 22 se signale par son décor floral (1904) constitué de fleurs de tournesol, de libellules et de papillons qui tapissent ses deux façades.

L'**église Sainte-Marguerite** (36, rue Saint-Bernard), succursale de l'église Saint-Paul (1634), fut agrandie plusieurs fois : croisillons nord (1703), sud (1724), chapelle des Ames-du-Purgatoire (vers 1760), cependant que le chœur était reconstruit en 1737. Si extérieurement rien ne distingue l'édifice, l'intérieur est intéressant pour sa

Une crémerie du marché d'Aligre.

nef qui n'est éclairée que par des *oculi* ; et la chapelle des Ames-du-Purgatoire, à gauche du chœur, est entièrement décorée d'un trompe-l'œil par Brunetti qui représente, au-dessus de l'entrée, Adam et Eve chassés du paradis (« La mort est le tribut du péché ») ; tout autour, une colonnade ionique peuplée de statues évoquant la brièveté de la vie et la vanité du monde est surmontée de deux frises en bas-relief camaïeu symbolisant la mort du chrétien d'après l'Ancien Testament (Jacob, Abraham), et au fond, outre les vertus cardinales et théologales, un portique dont la corniche supporte deux sarcophages, encadre la vaste toile de Briard : *Le Passage des âmes du purgatoire au ciel* (1761). Cet ensemble en trompe l'œil, le plus considérable du XVIIIe siècle à Paris qui subsiste, fut conçu dans l'esprit de la Contre-Réforme imprégné par le culte des morts et la croyance à l'existence du purgatoire.

Quelques tableaux méritent d'être signalés : à l'entrée, *Le Massacre des Innocents* par Luca Giordano et une *Descente de Croix* par Salviati ; dans les croisillons, quatre épisodes de la *Vie de saint Vincent de Paul* par Restout et Feret, Galloche et le frère André

qui proviennent du couvent de Saint-Lazare ; à l'entrée de la sacristie, une *Visitation* par Suvée (1781), enfin, derrière le maître-autel, un *Christ descendu de la Croix*, bas-relief par Nourrisson et Le Lorrain pour le tombeau de la femme de leur maître Girardon.

Derrière l'église, le cimetière est devenu célèbre pour l'identification contestée du corps de Louis XVII, faite lors d'exhumations au siècle dernier.

Rue de Charonne, au n° 94, le « Palais de la Femme », au décor de brique et céramique, a été élevé en 1912 par La Bussière et Longerey, à l'emplacement du couvent des Filles de la Croix. Il est occupé depuis 1926 par l'Armée du Salut et renferme sept cent quarante-trois chambres destinées à des femmes de condition modeste. A l'intérieur, il a conservé son décor d'origine en bois et céramique.

Rue Faidherbe, au n° 22, l'ancienne fabrique de chocolat est un bon exemple de l'architecture industrielle du début du siècle, agrémentée d'une corniche en céramique et d'une grande marquise.

Rue du Faubourg-Saint-Antoine, au débouché de la rue Faidherbe, la fontaine de la Petite-Halle fut édifiée au XVIIIe siècle. L'hôpital Saint-Antoine, dont les parties les plus anciennes sont dues à Lenoir (1770), est d'un intérêt fort limité. Ce qui caractérise cette rue, c'est son activité, quasi unique et orientée vers le meuble, qui fait quelques tentatives pour évoluer vers le contemporain. Du côté de la Bastille, la rue a conservé ses structures anciennes : passages étroits et succession de cours occupées par des ateliers.

Place d'Aligre, le marché Beauvau est l'un des plus typiques et bariolés de Paris, partagé entre l'alimentation et les « puces »-brocante. Derrière, rue de Cotte, au n° 9, subsiste l'un des derniers lavoirs de Paris qui doit échapper à la démolition, mais qui sera dominé, sous peu, par un immeuble de quatre étages.

Le **square Trousseau**, avec son kiosque à musique, est l'un des rares espaces verts du quartier.

Le bassin de l'Arsenal.

Rue du Faubourg-Saint-Antoine, au n° 74, l'immeuble Bedel est un beau spécimen d'architecture industrielle avec son porche très décoré et, au fond de la cour, sa verrière surmontée d'une très haute cheminée de brique ; au n° 61, la fontaine Trogneux, créée en 1724, a été reconstruite à l'identique en 1887. En face, au n° 64, le passage du Chantier a gardé son aspect ancien (ateliers, entrepôts, boutiques). Enfin, au n° 56, la cour du Bel-Air, vaste et tapissée de vigne vierge, est la plus belle du faubourg et possède encore un escalier en bois sculpté.

Le **bassin de l'Arsenal**, aboutissement du canal Saint-Martin, relie la Bastille à la Seine. Aménagé en port de plaisance, il peut accueillir plus de deux cent trente embarcations. Cet endroit à part, à l'abri du vent et du bruit, agrémenté d'un vaste jardin, de cafés et de restaurants, est aussi privilégié qu'insolite dans cette partie de Paris.

La **gare de Lyon** fut édifiée de 1847 à 1852, sur les plans de Cendrier. Elle fut reconstruite en 1899, dans un style officiel, sur les plans de Denis, Bouvard, Cartault et Toudoire, dans ce contexte somptueux de l'Exposition universelle. D'où cette profusion de sculpture, ce beffroi de soixante-quatre mètres qui indique l'heure sur ses quatre côtés grâce à des aiguilles géantes, et, à l'intérieur, ces luxueux décors peints qui invitent au voyage et présentent des monuments français desservis par le P.L.M., dès la galerie des fresques et surtout dans ses salons et son restaurant, « Le Train Bleu ». Ses stucs et ses peintures, dus aux meilleurs artistes officiels du temps, évoquent le prestige du rail et les paysages français à la Belle Epoque. On voulut faire de la gare un beau monument afin de mettre en valeur le secteur qui était en cours de construction, comme en témoignent de nombreux édifices de qualité situés en direction de la Bastille. C'est aussi pour ne pas

Les entrepôts de Bercy.

Le palais omnisports de Bercy.

Un autre aspect du quartier de Bercy.

choquer les voyageurs au sortir de la gare que l'on démolit la prison de Mazas (1898), à l'aspect rébarbatif (entre la rue Michel-Chasles, l'avenue Daumesnil et le boulevard Diderot).

Le **secteur de Bercy** est en pleine rénovation depuis une quinzaine d'années. Il fait partie du plan qui rééquilibre la capitale vers l'est, avec des résultats inégaux : si le début de la rue de Bercy est assez conventionnel, les immeubles miroirs (numéros pairs) conçus par Arretche et Karasinsky allient fonctionnel et originalité. En bordure du boulevard de Bercy, enjambant le quai de La Rapée et la rue de Bercy, la grande barre du ministère des Finances, conçue par Huidobro et Chemetov (1982), comprendra plus de cent cinquante logements, ceux des

Les hauts lieux du sport à Paris

Les Parisiens n'ont jamais été indifférents au sport. D'ailleurs, le mot anglais disport, qui a donné « sport » par aphérèse, avait lui-même été emprunté au français « desport ». Utilisé par Rabelais dans Gargantua, ce vocable nous est revenu sous son jour définitif, après une incursion dans la langue de Shakespeare, au début du XIXᵉ siècle. Dès le XVᵉ siècle, la longue paume avait ses adeptes au sein de tous les quartiers de la capitale. D'abord joué à main nue ou gantée, cet ancêtre du tennis fut agrémenté d'une raquette sous le règne d'Henri IV.

Dans la seconde moitié du XIXᵉ siècle, le sport connut sa première vague importante de pratiquants. En 1867, les Anglais organisèrent quelques compétitions de vélocipède, à Boulogne. L'année suivante, le 31 mai, James Moore remporte la première épreuve (deux kilomètres) du genre jamais présentée sur le sol français. Paris voit, en 1875, la naissance du célèbre club de coureurs « Blondel et Gerling ». Pour canaliser les passions, de nombreux autres clubs sont créés, sous l'impulsion d'audacieux lycéens. Au parc de Saint-Cloud s'installe, en 1884, le Stade français. Deux ans plus tôt, le Racing-Club, futur Racing-Club de France (1885), avait élu domicile sur le parc aux Biches de la Croix-Catelan, avec dans ses rangs Jean-Bernard Lévy, légendaire président de la section football, les illustrissimes Pingouins. Les premiers championnats de France d'athlétisme se déroulèrent à la Croix-Catelan, l'année des trois huit (1888) : 100 mètres, 400 mètres, 800 mètres, 1 500 mètres et 110 mètres haies.

Inspirés par les Anglais, les Français s'étaient mis au diapason de la Football Association (1863) et de la Rugby-Football Association (1871), avec l'ambition de former la jeunesse. Le jeune Pierre de Coubertin épousa le même dessein lorsqu'il sonna l'heure de la rénovation des jeux Olympiques, dans l'amphithéâtre de la Sorbonne, le 25 novembre 1892 : « Pour assurer aux athlètes de tous les pays un plus grand prestige, il faut internationaliser le sport. » Ses vœux seront exaucés en 1896, à Athènes.

Entre 1892 et 1908, vingt-deux stades furent édifiés à la lisière de Paris, sans compter la splendide patinoire du « Pôle Nord » (1894), rue de Clichy, et la piscine de la rue Château-Landon, creusée dix ans auparavant. Quatre vélodromes furent inaugurés à grand bruit : le Buffalo de Neuilly (1892), le vélodrome de la Seine à Levallois (1893), le vélodrome de l'Est (1894) et, la même année, la piste municipale de Vincennes, la « Cipale ». En 1894, Tristan Bernard, directeur sportif du Buffalo — situé entre la porte Maillot et la porte de Villiers, près du bois de Boulogne —, donnera ses lettres de noblesse au sport qu'il chérissait.

Au petit matin du 23 mai 1891, vingt-huit coureurs quittent Bordeaux pour Paris. Ainsi naît l'incroyable épopée de la classique des classiques. Vingt-six heures et trente-quatre minutes plus tard, l'Anglais Mills avait accompli les 585 kilomètres qui le séparaient de la porte Maillot. Longtemps sous l'égide du journal Vélo, cette course connut ses premières heures de gloire avec des champions de la trempe de Cottereau (1893) et Lesna (1894). Les artistes dramatiques participaient aussi à des épreuves sur piste (2 000 mètres) : le 30 mai 1895, à Buffalo, Dubosc, de la Bodinière, s'imposa devant Ravet, de l'Odéon, et Jaltier, de la Gaîté.

Dans le même temps, la haute bourgeoisie manifestait une préférence pour le lawn-tennis, dit « paume de pelouse », sur un terrain uni et dur (gazon, terre battue et sable, asphalte ou ciment) où l'on traçait le court au moyen de lacets en marquant les lignes avec du blanc d'Espagne ou de la peinture à l'huile. « Le Décimal », en 1877, regroupait les fanatiques, d'où émergeront vite Max Decugis et Suzanne

•••

Lenglen qui en 1914, à quatorze ans, enlèvera le Championnat du monde, sur terre battue, à la Faisanderie.

Dès 1896, les fins tireurs purent atteindre leurs cibles chez Gastinne-Renette, 39, avenue de Pantin, au pistolet de tir au visé, au revolver Smith & Wesson calibre 44 et au pistolet de commandement. A cette époque, les tireurs réputés ou marksmen étaient le prince Bibesco, Pierre Casimir-Périer, Horace de Callias ou le comte Tysikiwicz. Dans ce stand s'illustrèrent le vicomte Clary (1889) et Paul Moreau (1895). Au 10, rue Blanche, « Le Pistolet » fut fondé en 1894 par Gustave Voulquin, chef de file de cent cinquante membres. C'était beaucoup et peu, en regard des deux puissantes associations, l'Union vélocipédique de France (40, rue Saint-Ferdinand) et le Touring Club de France (5, rue Coq-Héron), dont les effectifs atteignaient respectivement vingt mille et trente mille sociétaires.

A Billancourt-Suresnes (4 000 mètres) et à Courbevoie-Asnières (1 600 mètres), les promeneurs assistaient à des courses nautiques sur canoë, godille, skiff, yole à un rameur ou outrigger à deux rameurs, en couple. L'inspirateur de l'aviron et de la navigation de plaisance dans le bassin de Meulan avait été Alphonse Karr.

Les fanatiques de la vitesse eurent très tôt l'occasion de vibrer en suivant les péripéties de Paris-Bordeaux-Paris. Du 11 au 13 juin 1895, cette première course d'automobiles officiellement contrôlée avait de quoi impressionner : 1 178 kilomètres, seize véhicules à pétrole, cinq à vapeur et une voiture électrique. Moyenne : 24,4 kilomètres à l'heure ! D'autres suivirent : Paris-Marseille-Paris (1896), Paris-Dieppe (1897), et surtout Paris-Madrid (1903), à la moyenne de 105 kilomètres à l'heure. Cette dernière compétition ressembla tellement à une apocalypse que le gouvernement l'interrompit après une hécatombe à Bordeaux : sept morts.

La deuxième édition des jeux Olympiques de l'ère moderne eut lieu à Paris, en 1900, lors de l'Exposition universelle, sur des sites de fortune : la natation à Asnières, l'escrime aux Tuileries, la gymnastique à Vincennes et l'athlétisme sur les installations du R-.C.F. Vingt-quatre ans après ce coup d'essai, les Jeux revinrent à Colombes, pour une fête digne de ce nom. Ce qui reste comme les plus belles heures du sport parisien avait pour acteur principal l'athlète du demi-fond finlandais, Paavo Nurmi, lauréat de cinq médailles d'or. Construite pour l'événement par l'architecte Louis Faure-Dujarric, l'enceinte contient vingt mille places couvertes et quarante mille places debout. Les épreuves de natation se déroulèrent à la piscine des Tourelles, au bout de l'avenue Gambetta. Dans le quadrilatère de cinquante mètres, Johnny Weissmuller et le Hawaïen Kahanamoku se livrèrent des duels épiques.

Près de la gare d'Auteuil, en 1899, le Parc des Princes offrait la plus belle piste du monde : 666,66 mètres, en ciment. Avec son terrain de football, le stade avait été créé sur l'initiative d'Henri Desgrange. Cet homme entreprenant eut une autre idée maîtresse : le 20 novembre 1902, le directeur général et rédacteur en chef de L'Auto eut un entretien avec le fondateur et responsable du journal (sis au 10, rue du Faubourg-Montmartre), Victor Goddet, en vue d'établir les grandes lignes du Tour de France, sur une idée de Géo Lefèvre. Le départ de la première Grande Boucle fut donné le 1er juillet 1903, à Montgeron. Et le 19 juillet, Maurice Garin, Louis Pothier et Augereau étaient le tiercé vainqueur du périple qui fascina, d'emblée, les Français.

Dame Coupe de France est portée en triomphe par ses conquérants, le 5 mai 1918, sous les applaudissements de mille spectateurs. La présence américaine favorise la construction du stade Pershing, financé, en 1919, par la Young Men's Christian Association. De 1921 à 1924, la finale de la Coupe se déroulera donc dans le bois de Vincennes, après une escapade au stade Bergeyre, aux Buttes-Chaumont, en 1920. A Pershing, le gardien international

Pierre Chayriguès remportera trois trophées dans les rangs du Red Star (1921, 1922 et 1923). Dans ce même cadre, la France parvint à battre l'Angleterre, le 5 mai 1921, sous les yeux de trente mille spectateurs.

Dans les années vingt, plusieurs endroits ont les faveurs des Parisiens : la pelouse de Bagatelle, l'hippodrome de Vincennes, Arcueil, Croix-de-Berny, Saint-Ouen, La Chapelle, Saint-Denis, Charentonneau et Gentilly. Quant au temple du cyclisme, il a pour nom le palais des Sports de Paris, dit le Vélodrome d'hiver, boulevard de Grenelle. La piste de 250 mètres en bois du Vel' d'hiv', construite en 1910, est entourée par des tribunes prévues pour quinze mille spectateurs. Entre 1913 et 1958, le vélodrome couvert abrite les fameux Six Jours, compétition exténuante où se précipite le Tout-Paris. Démoli en 1959, le Vel' d'hiv' fut choisi par la police française, le 16 juillet 1942, pour y parquer 12 834 juifs, parmi lesquels quatre mille enfants. Avant ces heures tragiques, nombre de matches de boxe y furent organisés, notamment avec Marcel Cerdan. Depuis 1984, en lieu et place, on trouve le palais omnisports de Paris-Bercy, sorte de bathyscaphe de l'an 2000.

Outre la salle Wagram, le cirque d'Hiver fut souvent le théâtre du noble art : le 25 avril 1919 purent s'y dérouler les finales du championnat des forces expéditionnaires américaines, avec la victoire, entre autres, de Gene Turney (mi-lourds), futur champion du monde des lourds au détriment de Jack Dempsey.

Pour fêter la coupe Davis des Quatre Mousquetaires, le stade Roland-Garros est baptisé, en 1928, avec un bras de fer d'où Henri Cochet sort vainqueur face à son ami René Lacoste. Plus de soixante ans après ce duel franco-français, la foule se précipite fébrilement porte d'Auteuil pour y suivre les internationaux de France. A deux pas de là, le stade Pierre-de-Coubertin, érigé en 1936-1938 dans l'avenue Georges-Lafont, offre des portiques en brique conçus par les architectes Crevel, Carré et Schlienger. Les amateurs de sport ont aussi à leur disposition le stade Charléty, boulevard Kellermann, le stade Jean-Bouin, avenue du Général-Sarrail, et le stade Léo-Lagrange, boulevard Poniatowski.

Jusqu'en 1971, la coupe de France fut décernée à Colombes. Selon la presse spécialisée, elle connut son temps fort lors de la victoire des Niçois, sous la conduite du stratège Antoine Bonifaci, sur les Girondins de Bordeaux (5 à 3) au cours d'une mémorable lutte. Le 4 mai 1952, 61 485 supporters du beau jeu s'étaient déplacés pour cette affiche, morceau d'anthologie jamais égalé au niveau du suspense.

Inventé en 1910, le tournoi des Cinq Nations permit aux rugbymen de s'illustrer à Colombes : ils y signèrent le premier grand chelem en 1968. Quand le nouveau parc des Princes ouvrit ses portes, en 1972, le stade de Colombes fut dénigré, voire outrageusement privé d'entretien. Les instances sportives se sont alors tournées vers la porte d'Auteuil, espérant que le vaisseau bâti par l'architecte Taillibert serait l'écrin de leurs poulains. Le 4 juin 1972, l'Olympique de Marseille vainquit les Corses de Bastia (2 à 1) devant un public médusé par les talents combinés de Skoblar et Magnusson.

Dans la pénurie de talents de la fin des années quatre-vingt, Serge Blanco, du Quinze de France, a rejoint ses compères créateurs, Rives et Platini, qui avaient fait du Parc leur « petit jardin ». Sur ce rectangle vert, l'ancien n° 10 qualifia à trois reprises la France pour le Mundial (1978, 1982 et 1986) et il offrit à son pays le seul titre européen, au championnat d'Europe des Nations, le 27 juin 1984, contre l'Espagne (2 à 0).

Délaissé au profit de Barcelone, Paris ne s'est pas vu confier l'organisation des jeux Olympiques de 1992. La ville-lumière s'est aussitôt portée candidate pour la Coupe du monde 1998. En prévision de ce choix, le projet d'un stade de cent mille places est à l'étude.

Bernard Morlino.

ministres dominant la Seine. Cet édifice sera complété à l'ouest par des immeubles répartis autour de six cours carrées et susceptibles d'accueillir six mille cinq cents agents.

Le palais omnisports de Bercy, par Andrault, Parat et Guvan, inauguré en 1983, peut recevoir dix-sept mille personnes. C'est une salle multifonctionnelle modulable, susceptible de se prêter aussi bien aux spectacles qu'aux manifestations sportives (tennis, patinoire, cyclisme, athlétisme, etc.). Un vaste jardin en direction de la rue de Dijon doit respecter les ormes centenaires. Au-delà, les entrepôts du Petit-Bercy, où subsistent dans la verdure chais, caves et petites maisons, vont être également réaménagés. L'affectation des lieux remonte à l'Empire. Le baron Louis, ministre des Finances et habile spéculateur, acheta des terrains en bordure de Seine qu'il loua aux négociants en vins. L'endroit devint rapidement le plus grand entrepôt du genre en France ; et bientôt s'y installèrent des guinguettes où l'on pouvait déguster les vins à bas prix (l'annexion à Paris en 1860 modifia un peu les choses).

37. Vincennes

L'histoire du bois de Vincennes est intimement liée à celle du château et à la passion des rois pour la chasse, attestée au moins depuis Louis VII, qui installa ici un pavillon de chasse. Plus tard, saint Louis rendit la justice au pied d'un chêne, selon les dires de Joinville et les Valois s'installèrent à l'hôtel Saint-Paul, non loin du bois.

Le bois

Alors qu'à partir de 1682 la Cour et l'aristocratie s'établirent définitivement à Versailles, Louis XIV, en 1703, chargea Robert de Cotte de redessiner le bois. Le projet ne fut réalisé qu'en 1731. L'affectation militaire donnée au château en 1796 fit du bois un terrain de manœuvres jusqu'à ce que Napoléon III chargeât la ville de Paris de l'aménager en parc public. Conservant ce qui restait des allées et des étoiles dessinées sous Louis XV, Alphand, à partir de 1858, dessina un parc à l'anglaise avec lacs, îles, ruisseaux, collines, fabriques, espèces rares, comme il fit par la suite aux Buttes-Chaumont. En 1926, le bois fut annexé au XIIe arrondissement de Paris. La politique coloniale de la France fut à l'origine d'expositions (1906, 1931) à Paris et en province, et plusieurs édifices et pavillons furent remontés ici :

d'où l'unité et le caractère exotique de l'endroit, complétés par la création, à la porte Dorée, du musée des Arts africains et océaniens, qui fut inauguré à l'occasion de l'Exposition coloniale de 1931, organisée par le maréchal Lyautey.

Actuellement, est fait un grand effort de mise en valeur et les activités militaires ou universitaires (université de Paris VIII, route de la Tourelle) ont disparu. Ne subsistent plus que les activités sportives (Institut national du sport, hippodrome, vélodrome), naturalistes (zoo, Institut de recherches agronomiques tropicales, école d'horticulture, parc floréal, arboretum), culturelles (Institut national bouddhique, cartoucherie avec ses théâtres).

Tel qu'il se présente, le bois est dominé au sud-ouest par le plateau de la Gravelle, au flanc duquel est aménagé le lac de la Gravelle (quarante mètres) qui assure l'alimentation en eau du bois. Non loin, l'arboretum contient deux mille espèces d'arbres. A l'opposé, le lac de Saint-Mandé est de faible importance. Le lac Daumesnil à l'ouest, creusé en 1860, comporte deux îles dont l'une (Reuilly) possède un restaurant installé dans un chalet suisse qui figura à l'Exposition universelle de 1867, et une grotte artificielle

Le temple de l'Amour sur le lac Daumesnil.

coiffée d'un temple de l'Amour, semblable à celui des Buttes-Chaumont.

L'**Institut international bouddhique**, lieu de culte en activité, qui a survécu à l'Exposition de 1931, est dominé par un immense Bouddha doré de cinq mètres de haut, et se situe loin des tumultes, grâce au lac du Lotus.

Le **parc zoologique** créé pour l'Exposition de 1931 a été réaménagé sur quinze hectares depuis, et est l'un des plus beaux d'Europe. Dominé par un grand rocher de soixante-dix mètres qui forme belvédère, il abrite en liberté surveillée une impressionnante collection d'oiseaux, d'éléphants, d'ours et autres mammifères (tél. 43.43.84.95.).

Dans le **parc floral** créé en 1969, on retiendra surtout le jardin des Quatre-Saisons, la Vallée des fleurs, le jardin du Dahlia, et, dans le jardin aquatique, outre les reptiles et les poissons colorés, les nymphéas.

Cet endroit est aussi le théâtre de salons et d'expositions. Il comprend une grande aire de jeux pour les enfants.

Le **lac des Minimes**, au nord-est, creusé sous Napoléon III à l'emplacement du couvent fondé par Louis VII, retient par le pittoresque de ses trois îles, dans l'une desquelles le « Chalet de la porte jaune » fut un restaurant réputé.

L'Institut de recherches agronomiques tropicales est installé dans les pavillons de la Tunisie, du Maroc, du Congo et de l'Indochine qui figurèrent à l'Exposition coloniale de Marseille de 1906.

Le château de Vincennes
(tél. 48.08.13.00.)

Saint Louis reconstruisit le château et éleva la Sainte-Chapelle destinée à recevoir une épine de la couronne du Christ conservée à la Sainte-Chapelle de Paris. Le donjon reconstruit à partir de 1334 et achevé en 1370 fut l'une des résidences préférées de Charles V qui éleva l'enceinte actuelle. Ce roi entreprit en 1379 de rebâtir la chapelle terminée seulement par François Ier. Marie de Médicis mit en chantier les

411

Musée national
des Arts africains et océaniens

Ce musée fut créé en 1931 sur l'initiative du maréchal Lyautey, lors de l'Exposition coloniale. Les architectes Jaussely et Laprade chargèrent le sculpteur Alfred Janniot de décorer la façade d'une immense frise en arrière du péristyle. Le thème en fut les apports de l'outre-mer à la métropole avec l'Asie à droite, l'Afrique à gauche, l'Océanie en retour et au milieu : l'Abondance, la Paix et la Liberté. Après l'exposition, le ministère des Colonies y fit un musée historique de la colonisation. En 1960, Malraux, alors ministre de la Culture, décida d'en faire un musée des arts de ces régions, et non pas un musée ethnographique, d'où la présentation en quatre sections : Maghreb, Afrique noire, Océanie et un aquarium tropical.

Une synthèse de l'Afrique noire apparaît dans le hall d'entrée où l'on trouve souvent entremêlés, des motifs inspirés de la faune ou de la danse, comme chez les Baga de Guinée, le grand masque Banda Nalou ou l'imposante déesse de la fertilité, Nimba. La place de l'art funéraire apparaît chez les Dogon (Mali), par exemple, ou dans la tête en bronze d'Oba-Roi (Bénin, XVIIIᵉ siècle).

A l'étage, l'Afrique occidentale présente dans le traitement des formes animales stylisées (cimiers de danseurs Tyi Wara de Bambara, Mali ; masques Dogon), des expressions (masque Dan, Côte d'Ivoire ; masque pendentif en or de Reine mère, Baoulé, Côte d'Ivoire ; akua-ba ashanti, Ghana : poupées protégeant les enfants à naître). Les arts d'Afrique centrale et orientale témoignent de brillantes civilisations (pipe d'apparat Bamoum, avant de pirogue de course Douala), des préoccupations quant aux pouvoirs magiques des portraits de morts (masque Punu, Gabon) et des conceptions dépouillées des Mangbetu au Nord-Est.

Au second étage est présenté l'art du Maghreb, riche de motifs géométriques agrémentés d'éléments végétaux. Le Maroc se signale par ses collections d'armes, de somptueux bijoux (XVIᵉ-XIXᵉ siècle), sa céramique de Fès et les broderies de ses costumes dans lesquelles on peut déceler des influences hispaniques, sans négliger les nombreux panneaux sculptés de chaires à prêcher (mosquées Karouyne et Bou Anania de Fès, XIIᵉ-XIVᵉ siècle, Koutoubiya de Marrakech, XIIᵉ siècle).

La partie consacrée à l'Algérie concerne essentiellement les bijoux (plaque pendentif, Beni Yenni, Kabylie, XVIIIᵉ siècle) et des tissus brodés d'Alger (XVIIIᵉ siècle), utilisant paillettes et fils d'or et d'argent.

En Tunisie, les tissus sont encore plus luxueux et s'inspirent nettement de la Grèce et de la Turquie, de même que les décors des coffres (nacre) ou les céramiques qui traduisent une plus grande liberté d'expression.

L'art océanien, au rez-de-chaussée, présente des objets des Nouvelles-Hébrides et de Papouasie, aux décors polychromes (masques-cagoules en vannerie, art Maprik ; masques et écorces peintes Sepik ; tambours à fente, Ambrym et Malekula ; masque Ronkon en étoffe de cocotier, Ambrym ; mannequins funéraires). L'art aborigène d'Australie est illustré par les peintures sur écorce de peintres de la Terre d'Arnhem ainsi que par des poteaux de l'île de Bathurst.

L'aquarium présente des animaux tropicaux vivants répartis en trois sections : poissons d'eau douce (raies, dipneustes, brachyoptères, poissons « volants », poissons éléphants, cardinal, néon, poisson aveugle, poissons hachettes, piranhas, poissons cigares, poissons couteaux, poissons ventouses, têtes de serpent, anabas, etc.) ; poissons d'eau de mer (raies, requins murènes, mérous, poissons papillons, poissons clowns, anémones, remoras, etc.), reptiles et amphibiens (tortues, sauriens, crocodiles, grenouilles et crapauds, etc.).

deux ailes méridionales dites « pavillons du roi et de la reine » (1610-1658) que Champaigne et son équipe décorèrent somptueusement. Le dernier grand personnage à avoir durablement séjourné ici est Mazarin, gouverneur du château, qui y mourut en 1661.

Alors que dès le début du XVIIᵉ siècle le donjon devenait une prison (Condé, Fouquet, la Voisin, Saint-Cyran, Diderot, Sade), les pavillons connurent un sort un peu semblable à celui du Louvre après le départ du roi et furent affectés notamment à la manufacture de porcelaine (1738) qui connut très vite le succès grâce à son emploi exclusif de l'or, à ses couleurs, ses biscuits et à la qualité de ses collaborateurs (Boucher). Elle devint manufacture royale en 1753, puis s'installa à Sèvres (1756).

En 1796, le château fut affecté à l'armée et devint célèbre par l'exécution du duc d'Enghien dans ses fossés (1804). A partir de 1840 et de la campagne de fortification de la capitale, il en fut l'un des forts les plus importants et les bâtiments subirent alors de graves dommages. L'on aurait d'ailleurs démoli la Sainte-Chapelle si le duc de Montpensier ne s'y était opposé : elle fut restaurée à partir de 1854 par Viollet-le-Duc. Une longue campagne de restauration entreprise depuis les années trente a permis de restituer l'état ancien et de faire disparaître, sauf dans la partie nord, les constructions parasites du XIXᵉ siècle. Actuellement l'ensemble est en grande partie occupé par le musée et les services historiques des trois armées.

En faisant le tour extérieur du château, on peut admirer les douves, les fortifications du XIVᵉ siècle dégagées à l'est en 1931 par l'ouverture du cours des Maréchaux, et les tours qui, toutes, ont été mises au niveau du rempart par Napoléon, sauf celle du village à l'entrée. Au sud, la tour du bois au milieu du portique fait partie des constructions de Le Vau et domine l'esplanade d'où partaient en patte d'oie l'allée Royale (actuellement interrompue par une serre), l'avenue Daumes-

Le donjon du château de Vincennes.

nil et les routes Dauphine et de la Pyramide.

Le **donjon**, flanqué de ses tours d'angle et entouré d'un fossé, est un beau morceau d'architecture militaire. Il est occupé par un musée qui retrace l'histoire du château. Au rez-de-chaussée se trouvaient les cuisines ; au premier étage, la grande salle du conseil lambrissée de chêne, dont les culs-de-lampe présentent les quatre évangélistes ; au second étage, la chambre du roi au pilier central et aux grandes voûtes nervurées, et la chapelle de Charles V, dont la clef de voûte est ornée d'une Trinité. L'intérêt de cet intérieur est de présenter une architecture civile gothique.

La **Sainte-Chapelle**, construite jusqu'aux verrières au XIVᵉ siècle, fut achevée dans le style flamboyant sous François Iᵉʳ dont on repère la salamandre. L'intérieur ne comporte qu'un seul étage, à la différence de la Sainte-Chapelle parisienne, et les éléments architecturaux sont médiévaux (consoles, ogives), tandis que dans le dessin des vitraux, peut-être de Jean Cousin, on reconnaît un François Iᵉʳ en oraison. Dans la chapelle de gauche, le tombeau du duc d'Enghien a été commandé par Louis XVIII.

Les pavillons royaux, au sud, ornés d'austères pilastres doriques, sont réunis à leurs extrémités par deux portiques en arcades, dont celui du sud ouvre sur l'esplanade et le bois par une belle porte monumentale. L'ensemble est dû à Le Vau (1663-1665).

À l'ouest, dans le pavillon du roi, subsiste au premier étage le décor peint par Dorigny et Monnoyer dans l'antichambre de la reine Marie-Thérèse (amours, corbeilles de fleurs, monogrammes, etc.).

38. Les Puces

Les Puces sont à l'origine un lieu de rassemblement des chiffonniers qui proposent les objets les plus divers achetés ou récupérés. Sous l'Ancien Régime, cette activité était assurée par les cours des Miracles. Au XIXe siècle, lorsqu'en 1844 la construction des fortifications fut achevée, elle fut assortie d'une interdiction de construire sur deux cent cinquante mètres.

Ce fut la « zone » où clochards et gens sans aveu se réfugièrent et, bien entendu, les « fripiers » ou chiffonniers y exercèrent leur commerce. Ainsi prit-on l'habitude de venir faire de la brocante aux portes de Paris.

Lors de la démolition des fortifications dans les années vingt, les Puces s'organisèrent officiellement, en particulier à Saint-Ouen, où elles jouent depuis un rôle économique très important du samedi au lundi.

Les puces
de la porte de Montreuil
(Au-delà du boulevard périphérique.)

Déjà sous l'Ancien Régime, le quartier accueillait les chiffonniers. Aujourd'hui, en partant de la porte de Montreuil, on trouve un immense marché aux vêtements de toutes catégories et dans tous les états, mais qui ont en commun d'être « donnés » : ce marché a ses fidèles et ses habitués et le fouineur astucieux sait fort bien s'équiper de la tête aux pieds pour cinquante ou cent francs. Plus haut, le long du boulevard, les brocanteurs offrent une multitude d'objets et de bibelots parfaitement hétéroclites.

Les puces
de la porte de Vanves
(Entre le périphérique et l'avenue Marc-Sangnier.)

Elles sont de création récente et datent de la démolition des fortifications. Dans un environnement de verdure et à petite échelle, les petits objets constituent l'essentiel de ce qui est proposé.

Un antiquaire des puces.

Les puces de Saint-Ouen
(Au-delà du périphérique, à gauche de l'avenue Michelet.)

Il s'agit de la réunion de huit marchés de la brocante. En dehors des marchés officiels bien délimités, qu'ils soient ouverts ou non, les trottoirs du quartier sont très largement occupés par des exposants d'objets variés de toutes qualités comme les vêtements des rues Paul-Bert ou Jean-Henri-Fabre, ou provenant de caves ou de débarras, véritable camelote dans laquelle peut se trouver une perle. L'endroit, en raison de sa dimension, offre tout un folklore de marchands de tous niveaux, de bistrots au long de la rue Jean-Henri-Fabre où l'on débite à longueur de journée des merguez-frites...

Déjà l'avenue de la Porte-de-Clignancourt est occupée sur son trottoir gauche par un long marché de vêtements et de bagages de cuir, puis de produits textiles divers. Le long du périphérique, la rue Jean-Henri-Fabre est presque entièrement consacrée aux vêtements et accessoires, et comprend quelques entrepôts d'objets saisis en douane, ou provenant de faillites, au nombre desquels l'audiovisuel et l'électroménager occupent une part importante. La seconde partie de la rue est le domaine de la camelote la plus diverse : cartes postales, brochures, vaisselle, mobilier, bibelots, etc.

Le marché Malik (59, à l'angle de la rue Jules-Vallès) est couvert et doit son nom au prince yougoslave Malik Hajrullac qui, dans les années vingt, le créa. Il est exclusivement consacré à l'habillement et à ses accessoires.

Le marché Vallès (17, rue Jules-Vallès), fondé en 1938, s'occupe de la brocante traditionnelle et l'on y trouve de tout en qualité satisfaisante.

Le marché Paul-Bert (18, rue Paul-Bert et 96, rue des Rosiers), avec son café à l'entrée, contient également les objets les plus divers, répartis dans 225 stands.

Le marché Serpette (110, rue des Rosiers) communique avec le précédent ; il date de 1977 et occupe un ancien garage : 120 stands sont consacrés à l'art de ces derniers trois quarts de siècle, dans un cadre confortable parce que récent. On y trouve un restaurant.

Le marché des Rosiers (3, rue Paul-Bert) propose des matériaux de démolition : cheminées, portes, boiseries... et des objets 1900 ou Art déco.

Le marché Cambo (75, rue des Rosiers, à l'angle de la rue Marie-Curie), dans un cadre confortable, s'intéresse surtout à la peinture de la fin du XIXᵉ siècle.

Le marché Biron (85, rue des Rosiers) fut créé en 1925 et accueille 200 stands répartis sur deux allées dont l'une est couverte. Il concerne essentiellement le mobilier rustique et Napoléon III, même si l'on y trouve aussi des livres, des gravures, des instruments de musique ou de l'art africain.

Le marché Vernaison (99, rue des Rosiers et en bordure de l'avenue Michelet) est le plus ancien et le plus grand (presque un hectare). Il remonte à 1920. C'est aussi le plus riche et le plus varié qui comporte, en outre, un coin antiquaire, le « marché Antica » et un restaurant où l'on joue de l'accordéon, « Chez Louisette » ; il donne sur l'avenue Michelet, elle-même encombrée de fripes et de vêtements de cuir.

Vue des remparts du nord-Paris

« Du haut des remparts, l'on aperçoit la merveilleuse et terrible vue des plaines qui se couchent, harassées, aux pieds de la ville.

« A l'horizon, sur le ciel, de longues cheminées rondes et carrées de briques vomissent dans les nuages des bouillons de suie, tandis que plus bas, dépassant à peine les toitures plates des ateliers couverts de toiles bituminées et de tôle, des jets de vapeur blanche s'échappent, en sifflant, de minces tuyaux de fonte.

« La zone dénudée s'étend, renflée de monticules sur lesquels des marmailles, en groupe, enlèvent des cerfs-volants fabriqués avec de vieux journaux et ornés de ces images en couleur que la réclame distribue aux portes des magasins ou aux coins des ponts.

« Près de cahutes dont les tuiles d'un rouge pâle bordent les lacs clairs des toits vitrés, de monumentales charrettes dressent leurs bras munis de chaînes, abritant, ici une idylle faubourienne, là une maternité dont un enfant pompe avec acharnement la gorge sèche. Plus loin, une chèvre broute attachée à un piquet ; un homme dort, renversé sur le dos, les yeux abrités par sa casquette ; une femme assise répare longuement l'avarie de ses pieds.

« Un grand silence couvre la plaine, car le grondement de Paris s'est éteint peu à peu et le bruit des fabriques aperçues arrive hésitant encore. Parfois on écoute cependant, comme une horrible plainte, le sourd et rauque sifflet des trains de la gare du Nord qui passent cachés par des talus plantés d'acacias et de frênes. »

(J.-K. Huysmans, Croquis parisiens, 1886.)

Annexes

Renseignements pratiques
Bibliographie
Index

Renseignements pratiques

Renseignements généraux

Mairie de Paris, Hôtel de Ville
Salon d'accueil, 29, rue de Rivoli
Tél. 42.76.42.42.

Office de tourisme de Paris
• Bureau central
127, av. des Champs-Elysées
75008 Paris
Tél. 47.23.61.73.
• bureau gare de Lyon
Tél. 43.43.33.24.
• bureau gare d'Austerlitz
Tél. 45.84.91.70.
• bureau gare du Nord
Tél. 45.26.94.82.
• bureau gare de l'Est
Tél. 46.07.17.73.
• bureau tour Eiffel
(en saison de 11 h à 18 h)
Tél. 45.51.22.15.

Transports

Métro
Renseignements R.A.T.P.
Tél. 43.46.14.14.

Le billet de tourisme
« Paris-Sésame » R.A.T.P., valable 2, 4 ou 7 jours, permet d'utiliser métro, autobus et R.E.R. pour un prix modique. Vendu à l'office de tourisme de Paris (127, Champs-Elysées, 8e) dans 80 stations de métro, dans les bureaux de tourisme R.A.T.P. (53 bis, quai des Grands-Augustins), place de la Madeleine, dans les gares S.N.C.F. et dans les aéroports Roissy-Charles-de-Gaulle et Orly.

Trains
Renseignements S.N.C.F.
Tél. 45.82.50.50.

Avions
Réservation Air-France
Tél. 45.35.61.61.

◄ Le canal Saint-Martin.

Réservation Air-Inter
Tél. 45.39.25.25.
Aéroport d'Orly
Tél. 48.84.52.52.
Aéroport Charles-de-Gaulle
Tél. 48.62.12.12.
Aéroport du Bourget
Tél. 48.62.12.12.

Routes
Etat des routes
Tél. 48.58.33.33.
Information sur la circulation des autoroutes
Tél. 47.05.90.01.

Voitures de location sans chauffeur
Autorent
Tél. 45.54.22.45.
Avis Train + Auto
Tél. 46.09.92.12.
Budget-Milleville
Tél. 43.87.55.55.
Calandre
Tél. 45.83.11.40.
Europcar
Tél. 30.43.82.82.
Hertz
Tél. 47.88.51.51.
Inter Touring Service
(dispose également de voitures pour handicapés)
Tél. 45.88.52.37.
Mattéi
Tél. 43.46.11.50.
Snac
Tél. 45.53.33.99.
Thrifty
Tél. 05.16.02.75.
TT Auto-Service
Tél. 46.51.51.70.

Voitures de grande remise
Aristo's
(4 personnes maximum + 1 chauffeur-guide interprète)
Tél. 47.37.53.70.

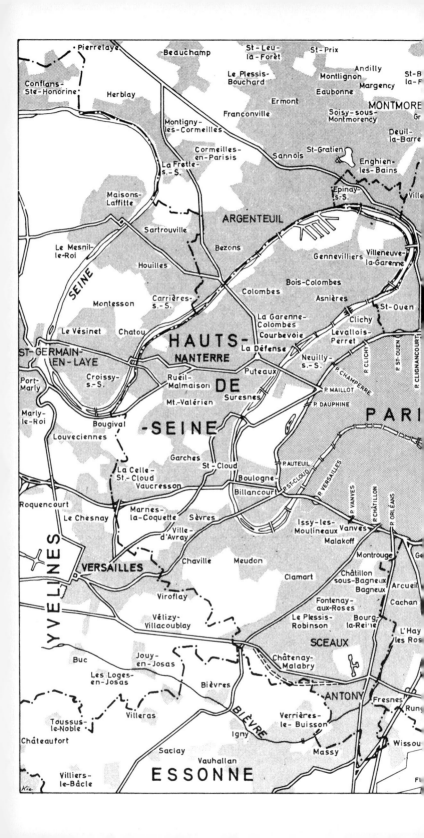

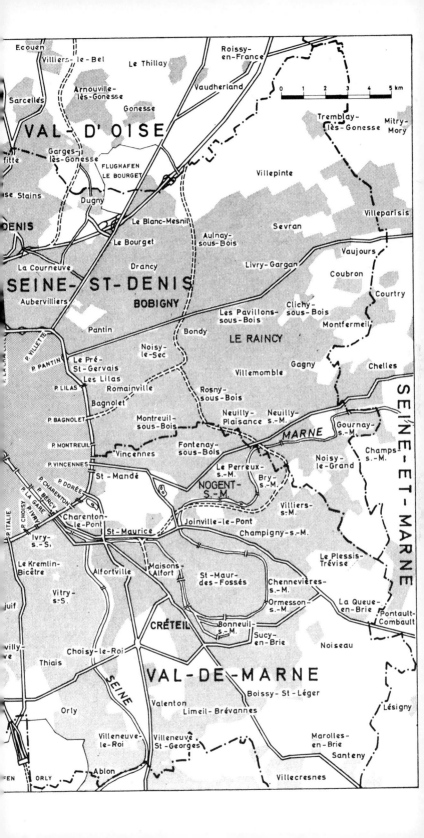

**Voitures de location
avec chauffeur**

Executive Car-Carey Limousine
Tél. 42.65.54.20.

Location de bicyclettes

Paris-Vélo
Tél. 43.37.59.22.

Tourisme

Autocars panoramiques : circuits commentés en plusieurs langues.

Cityrama
4, place des Pyramides
75001 Paris
Tél. 42.60.30.14.

Paris-Vision
214, rue de Rivoli
75001 Paris
Tél. 42.60.31.25.

Bateaux-promenades : croisières sur la Seine commentées en plusieurs langues.

Bateaux-mouches
(Egalement croisières-déjeuner/goûter/dîner.)
Tél. 42.25.96.10.

Bateaux Parisiens-Vedettes, tour Eiffel
Tél. 45.51.33.08
(Egalement croisières-déjeuner/dîner, tél. 47.05.09.85.)

Vedettes du Pont-Neuf
Tél. 46.38.98.38.

Vedettes Paris-Ile-de-France
Tél. 47.05.71.29.

Croisières commentées sur les canaux parisiens et la Seine

Canauxrama
Tél. 46.24.86.16.

Neptour
Tél. 47.72.32.32.

Paris Canal (avril-novembre)
Tél. 48.74.75.30.

La Patache
Tél. 48.74.75.30.

Visites-promenades pour les enfants

Paris-Basket
Tél. 42.77.23.31.

Circuits touristiques en hélicoptère

Hélicap
Tél. 45.57.75.51.

Héli-France
Tél. 45.57.53.67.

Héli-Promenade
Tél. 46.34.16.18.

Guides-interprètes

Amicale Inter-Guides
Tél. 42.68.01.04.

Association des guides-interprètes et conférenciers
Tél. 47.82.24.91.

Club national des guides et courriers
Tél. 42.80.01.27.

Troismil
Tél. 45.63.99.11.

Guide Express
Tél. 39.73.29.15.

V. d'Audeville
Tél. 42.27.96.09.

Guides-conférenciers

Association des conférenciers officiels
Tél. 45.66.73.51.

Caisse nationale des Monuments historiques
Tél. 48.87.24.14.

Ecoute du Passé
Tél. 43.44.49.86.

D. Louveau-Jouan
Tél. 42.03.53.56.

Evasion Loisir Accueil
Tél. 42.06.96.30.

Hors Cadre
Tél. 45.22.58.08.

Les Amis de l'histoire - Clio
Tél. 47.34.36.63.

Paris Junior
Tél. 43.27.70.68.

Paris Passion
Tél. 42.33.08.95.

Paris Secrets
Tél. 45.48.91.64.

Pygma
Tél. 42.28.97.00.

Paris et son histoire
Tél. 45.26.26.77.

Information culture, sports et loisirs

information loisirs 24 h/24

• En français
Tél. 47.20.94.94.

• En anglais
Tél. 47.20.88.98.

• En allemand
Tél. 47.20.57.58.

Allô spectacles : tout sur les expositions, les films, les pièces, les concerts à Paris et en Ile-de-France.
Tél. 42.81.26.20.

Allô sports : pour tout savoir sur le sport à Paris (lundi, jeudi de 10 h 30 à 17 h, vendredi de 10 h 30 à 16 h 30).
Tél. 42.76.54.54.

Les musées

Musées de la Ville de Paris
Tél. 42.76.67.00.
Musées nationaux
Tél. 42.60.39.26 poste 33-75.
visites-conférences des musées nationaux : tél. 42.96.58.30.

Les hebdomadaires

Une semaine de Paris, *Pariscope*, *L'Officiel des spectacles*, *7 à Paris*, paraissant le mercredi, en vente dans les kiosques, fournissent les programmes de tous les théâtres, spectacles, cinémas, concerts, expositions, films, etc., ainsi que des adresses pratiques et de loisirs.

Vie quotidienne

Météo
Tél. 43.69.00.00.

P.T.T.

En semaine, les bureaux de poste de Paris sont ouverts du lundi au vendredi de 8 h à 19 h, le samedi de 8 h à 12 h.
• Bureau ouvert jusqu'à 23 h 30 :
71, av. des Champs-Elysées
75008 Paris
• Bureau ouvert 24 h/24
59, rue du Louvre
75001 Paris

Télégrammes téléphonés
Tél. 44.44.11.11.

Horloge parlante
Tél. 36.99

Service du réveil
Tél. 46.88.71.11.

Banques

Ouvertes tous les jours sauf les samedi, dimanche et fêtes. Bureaux de change en général ouverts le samedi matin. Les banques ferment à midi les veilles de fêtes et de jours fériés.
• Bureaux de change ouverts tous les jours y compris les dimanche et jours fériés :
— gare de Lyon (de 7 h à 23 h)
Tél. 43.41.52.70.
— gare du Nord (de 6 h 30 à 22 h)
Tél. 42.80.11.50.

— gare de l'Est (de 7 h à 21 h)
Tél. 42.06.51.97.
— gare Saint-Lazare (de 7 h à 21 h)
Tél. 43.87.72.51.
— gare d'Austerlitz (de 7 h 30 à 11 h 30 et de 13 h à 21 h du lundi au samedi ; de 7 h à 21 h les dimanche et jours fériés)
Tél. 45.84.91.40.
— 117, av. des Champs-Elysées (tous les jours sauf le dimanche de 9 h à 20 h)
Tél. 47.23.27.22.
— porte Maillot (tous les jours sauf samedi et dimanche de 9 h 30 à 12 h 20 et de 14 h à 16 h 20)
Tél. 47.58.22.05.

Objets perdus

Laboratoire central des objets trouvés
39 bis, rue de Dantzig
75015 Paris
Tél. 45.31.14.80.

Recherche des objets égarés dans les égouts
1, place Mazas
Tél. 43.43.16.19.

Urgences

Samu
Tél. 45.67.50.50.

S.O.S. Médecins
Tél. 43.77.77.77. ou 47.07.77.77.

Pharmacie ouverte 24 h/24
84, av. des Champs-Elysées
75008 Paris

Marchés

Puces de Saint-Ouen
(samedi, dimanche et lundi de 7 h à 19 h 30)

Brocante porte de Vanves
(samedi, dimanche de 7 h à 19 h 30)

Marchés aux livres
Quais du Louvre et de la Mégisserie, quais des Grands-Augustins, de Conti et Malaquais.

Le marché aux timbres et cartes postales
Sous les arbres de l'avenue Gabriel (jeudi, samedi et dimanche à partir de 10 h).

Le marché aux fleurs
Place Louis-Lépine, et quai de la Corse
(du lundi au samedi de 8 h à 19 h 30).

Le marché aux oiseaux
Place Louis-Lépine et quai de la Corse
(le dimanche de 8 h à 19 h) et quai de
la Mégisserie (magasins ouverts tous les
jours).

Salle des ventes

Nouveau Drouot
(tous les jours sauf le dimanche
de 11 h à 18 h)
9, rue Drouot
75009 Paris.

Bibliographie

La bibliographie parisienne est immense. On n'a donc retenu que les ouvrages les plus importants et qu'il est aisé de se procurer.

Histoire générale

Héron de Villefosse (R.), *Histoire de Paris*, Paris, 1950.

Hilairet (J.), *Dictionnaire historique des rues de Paris*, Paris, 1972.

Joanne (A.), *Le Guide de Paris*, 1863, repr. 1981.

Lambeau (L.), *Histoire des communes annexées*, Paris, 1912-1926.

La Nouvelle Histoire de Paris, coll. de la Ville de Paris, Paris, depuis 1971.

Les Vingt Arrondissements de Paris, Hervas, Paris, 1986-1988.

Paris de la préhistoire à nos jours, Saint-Jean-d'Angély, 1985.

Poète (M.), *Une vie de cité : Paris de sa naissance à nos jours*, Paris, 1924-1931.

Histoire spécialisée

Biver (P. et M.-L.), *Abbayes, monastères et couvents de Paris, des origines à la fin du XVIIIe siècle*, Paris, 1970.

Biver (P. et M.-L.), *Abbayes, monastères et couvents de femmes à Paris, des origines à la fin du XVIIIe siècle*, Paris, 1975.

Gaillard (M.), *Paris au XIXe siècle*, Paris, 1981.

Hourticq (D.), Lecomte (R.), *Le Paris protestant, de la Réforme à nos jours*, Paris, 1959.

Juin (H.), *Le Livre de Paris en 1900*, Paris, 1977.

Le Clère (M.), *Histoire de la police*, Paris, 1973.

Architecture et urbanisme : généralités

Behar (M.), Salama (M.), *Paris nouvelle architecture*, Paris, 1985.

Champigneulles (B.), *Paris, architecture, sites et jardins*, Paris, 1973.

Christ (Y.), *Paris des utopies*, Paris, 1977.

Clebert (J.-P.), *Paris insolite*, Paris, 1976.

Dansel (M.), *Paris incroyable*, Paris, 1986.

Fleury (M.), Erlande-Brandenburg (A.), Babelon (J.-P.), *Paris monumental*, Paris, 1973.

Hoffbauer (F.), *Paris à travers les âges*, rééd. 1982.

Laprade (A.), *Les Rues de Paris à travers les croquis d'Albert Laprade*, Paris, 1980.

Lavedan (P.), Hugueney (G.), Henrat (P.), *Histoire de l'urbanisme à Paris*, Paris, 1982.

Lefrançois (P.), *Paris à travers les siècles*, Paris, 1949.

Pillement (G.), *Paris inconnu*, Paris, 1981.

Rochegude (marquis de), *Promenades dans les rues de Paris, rive droite, rive gauche*, rééd. 1958.

Architecture et urbanisme : ouvrages spécialisés

Outre les innombrables catalogues d'expositions réalisées depuis une quinzaine d'années par le musée Carnavalet et la Délégation à l'action artistique de la Ville de Paris, il convient de citer les livres suivants :

Bastié (J.), *La Croissance de la banlieue parisienne*, Paris, 1964.

Boinet (A.), *Les Eglises parisiennes*, Paris, 1963.

Chemetov (P.), Marrey (B.), *Architecture : Paris 1848-1914*, Paris, 1980.

Christ (Y.), Sylvestre de Sacy (J.), Siguret (P.), *Le Marais*, Paris, 1964.

Christ (Y.), Sylvestre de Sacy (J.), Siguret (P.), *La Cité, l'île Saint-Louis, le quartier de l'Université*, Paris, 1974.

Christ (Y.), Sylvestre de Sacy (J.), Siguret (P.), *Le Faubourg Saint-Germain*, Paris, 1976.

Duval (P.-M.), *Paris antique des origines au IIIe siècle*, Paris, 1961.

Evenson (N.), *Paris, cent ans de travaux et d'urbanisme*, Paris, 1983.

Friedmann (A.), *Paris, ses rues, ses paroisses du Moyen Age à la Révolution*, Paris, 1959.

Gaillard (M.), *Quais et ponts de Paris*, Paris, 1981.

Lépidis (C.), Jacomin (E.), *Belleville*, Paris, 1975.

Loyer (F.), *Paris XIXe, l'immeuble et la rue*, Paris, 1987.

Marrey (B.), *Guide de l'art dans la rue, Paris au XXe siècle*, Paris, 1974.

Marty (M.), *Mini Saga des ponts de Paris*, Paris, 1979.

Paris-Projet, *Schéma directeur d'aménagement et d'urbanisme de la Ville de Paris*, Paris, 1980.

Siguret (P.), Bouvet (V.), *Chaillot, Passy, Auteuil, le bois de Boulogne*, Paris, 1982.

Ouvrages littéraires

Balzac (H. de), *La Comédie humaine*, Gallimard.

Cain (G.), *Nouvelles Promenades dans Paris*, Paris, 1926.

Fargue (L.-P.), *Le Piéton de Paris*, Paris.

Hériat (P.), *Les Boussardel*, Paris, 1939-1957.

Hugo (V.), *Notre-Dame de Paris*.

Huysmans (J.-K.), *Croquis parisiens*, rééd. 1981.

Mercier (L.-S.), *Tableau de Paris (1782-1788)*, repr. 1985.

Sue (E.), *Les Mystères de Paris*.

Une bonne partie de l'œuvre de Zola, et en particulier *Le Ventre de Paris*.

Signalons enfin la parution, depuis 1975, de *Paris aux cent visages*, revue périodique sur les quartiers de Paris.

Index

Principales personnalités

Noms de lieux

Composition, montage, photogravure : Textel, 69005 Lyon. Achevé d'imprimer chez Industria Gráfica Domingo, Barcelone, Espagne, en avril 1989. Dépôt légal : 2ᵉ trimestre 1989.